GIFT VAN HET WOUD

Gift van het Woud

Sarah Micklem

UITGEVERIJ M

Oorspronkelijke titel *Firethorn*
Vertaling Mechteld Jansen
Omlagillustratie © Mark Stutzman

Eerste druk juli/augustus 2005

Uitgeverij M is een imprint van De Boekerij bv, Amsterdam

ISBN 90 225 4251 3 / NUR 334

Dankbetuigingen

Sommige docenten creatief schrijven zijn poortwachters die vinden dat het hun taak is om het gepeupel buiten te houden. Maar Abigail Thomas gooit de poort wijd open en zegt: 'Kom toch binnen.' Zonder Abby en haar cursus, de Tuesday Night Babes, was ik nooit opnieuw begonnen aan het schrijven van dit boek, nadat ik het al jarenlang had weggelegd, en had ik het nooit afgemaakt.

Dank aan Kathleen O'Donnell, strijdmakker, voor het brainstormen en het meeleven.

Dank aan Merrilee Heifetz en Nan Graham voor hun welkom. Dank aan mijn redacteur Alexis Gargagliano die me holp om dieper te graven.

Eerst en voor altijd was ik een lezer. Mijn dank aan de schrijvers van sciencefiction en fantasy die me op reis door hun verzonnen werelden hebben meegenomen. Voor het scheppen van Vuurdoorns maatschappij heb ik gebruik gemaakt van het werk van geschiedkundigen, antropologen, sociologen en journalisten; ik heb legerhandboeken gelezen, mondelinge overleveringen, kruidenboeken en reisverhalen; boven alles sta ik in het krijt bij de schrijvers omdat ze me onze eigen prachtige, vreemde en verschrikkelijke wereld hebben laten zien.

Mijn vader Roland is altijd mijn gids in het woud geweest: voor het onderricht in de namen van de bomen en het eten van kattenstaart, aangereden wild en sprinkhanen, mijn dank.

Dank aan mijn moeder Carolyn die een rots in de branding is geweest, niet alleen voor mij, maar voor velen. En dank aan Cornelius voor het vertrouwen dat hij in me heeft gehad, al die jaren.

Eigenheid

Als je de woestijnheks zoekt, de sjamane,
vergeet de archetypes dan, vergeet het duistere
lithische profiel, speur niet de wolken af,
veelvuldig violet en groen aan de einder,
naar haar icoon, jaag geen instant
abstractie na, zoek niet naar symbolen.
Zolang je wilt dat ze gezichtloos is,
zonder geur of stem, zolang ze niet
neerhurkt om te plassen of zich krabt,
zolang ze niet snurkt onder haar deken
of een grimas trekt als ze de steenkoude
maalsteen pakt bij dageraad,
zolang ze geen eigen gezicht heeft,
met wallen en een zweem van topazen
bliksem in het zwart van haar oog,
zolang ze niet hinkt,
zolang je haar betekenis vereenvoudigt,
zolang ze macht slechts symboliseert,
blijft ze hulpeloos en gewoontjes, haar
werkelijke macht weer teruggeleid
naar het verleden.
We kunnen haar niet aanraken of noemen,
en, deelname ontzegd door wie haar nodig hebben,
stikt ze in onuitsprekelijke eenzaamheid.

– **Adrienne Rich**, Turning the wheel

Proloog

Koningswoud

Midzomer na de dood van de Vrouwe zocht ik mijn toevlucht in het Koningswoud. Ik had geen eed afgelegd maar leefde sober, van midzomer tot midzomer, als een beest in het woud, zonder vuur of ijzer of de smaak van vlees. Ik leidde het leven van een prooi en leerde van de honden om te vluchten, van de hazen om me te verschuilen in het kreupelhout, van de herten om honger te lijden.

Ik was toen in mijn vijftiende jaar, ongeveer. Ik was als vondelinge opgenomen in het huishouden van de Vrouwe en toen ik oud genoeg was om me nuttig te maken werd ik haar dienstmaagd. Ik week geen moment van haar zijde, was trouw als een paar handen en deed even snel en ongevraagd wat ze verlangde. Ik stond hoog in haar aanzien; menig dochter van Bloed wordt minder gewaardeerd en meer als last dan aanwinst voor haar huis beschouwd tot ze veilig getrouwd en vertrokken is. Toen de Vrouwe stierf, erfden haar neef en zijn jonge vrouw het landgoed en was ik gewoon een van de vele sloven. De wereld kende zijn orde en ik had mijn eigen plaats, maar ik kon mezelf niet voldoende insnoeien om daarin te passen.

Door verdriet en trots gedreven, verbande ik mijzelf naar het Koningswoud. Ik schuwde vuur uit angst dat de mannen van de koning me zouden vinden, en wees door kou en honger bijna het leven zelf af. Nooit heb ik gedacht dat ik daarmee een god boos of gunstig zou stemmen. Ik vraag me soms af of het mijn koppigheid was waardoor ik opviel aan Ardor, god van smidsvuur, haard en brand. En soms vraag ik me af – was het alleen mijn eigen wil die me naar het Koningswoud bracht? Misschien had Ardor toen al zijn hand op mij gelegd en testte hij mijn aard zoals men een wapenrusting test, onder slagen.

* * *

Ik was niet zo'n dwaas dat ik honger leed in de hoogzomer, toen ik de wilde pruimen maar hoefde aan te raken of ze vielen uit de boom. Ik kende alle nuttige planten, ik wist in welke grond ze het liefst groeiden en wat het gunstigste seizoen en uur was om ze te zoeken. De Vrouwe had me dat alles geleerd als we naar het Koningswoud reden om kleurstoffen te zoeken voor haar kleden en kruiden voor medicijnen of de maaltijd. Ze liet me zien hoe elke plant, in wortel en steel, bloem en blad, zaad en vrucht, het teken draagt van de god die hem heeft geschapen, zodat wij kunnen zien of hij heilzaam of kwaadaardig is of allebei tegelijk. Ze leerde me liederen over vele kruiden zodat ik zou kunnen opslaan wat ik had geleerd: zulke liederen waren half raadsel en half gebed. En Na, de huishoudster van de Vrouwe, en Kok hadden me andere namen verteld voor de planten, in de Lage spraak, en ook andere toepassingen. Wij van het kleivolk bezitten een traditionele kennis van het groen waarvan het Bloed niets afweet.

Toen ik naar het woud gevlucht was smeekte ik de goden niet meer om hun gunst, want mijn gebeden waren niet beantwoord. Ik gaf mijzelf over aan de genade van het Koningswoud. Maar hoe ik ook vluchtte, ik kon de goden de rug niet toekeren, want ze waren overal om me heen. Het Koningswoud was hun tuin, alles benoemd en gekend, vruchtdragend en oogstrelend, zwaar van de tekenen.

Wat ik niet vrij kon verzamelen stal ik: graan uit het veld, fruit uit de boomgaard, bonen en zaden uit de holen van veldmuizen, bollen uit de voorraden van de eekhoorns. Soms voelde het alsof ik het Koningswoud zelf had gestolen, want er lag een bedwelmende vrijheid in ronddwalen waar ik niet mocht komen, luieren terwijl anderen moesten werken. Ik liep vele dagen lang, van de leistenen bedding van de ravijnen naar de bemoste bossen hoog in de bergen, waar de bomen klein en krom zijn, en ik verdwaalde nooit. Ik heb de gave dat ik weet waar de Zon is, zelfs als de Zon achter de wolken is en ik me onder een dennenboom op de bodem van een smal ravijn bevind.

* * *

Hoewel ik ver naar het noorden gereisd heb en nu weet dat de wereld uitgestrekt is, denk ik nog steeds dat het Koningswoud binnen zijn eigen cirkel oneindig zou kunnen zijn.

Ons dorp was een eiland in een zee van bomen, een van de vele eilanden met pachterijen, akkers, heggen, boomgaarden en weiden die verspreid lagen over de grote ronde golven van de bergen. De Vrouwe beheerde dat dorp en twee andere met instemming van haar vader en eveneens van koning Thyrse, want haar gebieden lagen binnen het Koningswoud en vielen onder de boswet. De koning had haar dispensatie verleend om kleurstoffen uit het bos te halen omdat hij een bewonderaar was van haar tapijten. Dus dwaalde ze naar eigen goeddunken rond en ik vergezelde haar en dacht dat ik meer van het Koningswoud wist dan de andere sloven uit het landgoed en de akkers.

De dorpelingen hadden verlof om over de handelsweg tussen de dorpen in het woud te reizen, en ze hadden bepaalde rechten op sprokkelhout, weidegrond en begrazing, groeves en dergelijke. Alles tegen een bepaalde prijs, natuurlijk, te betalen aan de boswachters en houtvesters van de koning. Men zei dat koning Thyrse zo gierig was dat hij precies bijhield hoeveel herten en eikenbomen er in zijn bossen waren, en de varkenshoeders zwoeren zelfs dat hij alle eikels telde voordat ze in het najaar de zwijnen het woud in mochten drijven om ze vet te mesten. Het enige hout dat de sloven mochten hakken waren hazel- en essentakken uit de kreupelbosjes, en elke man kreeg toestemming om één eik te rooien wanneer hij een vrouw nam en een huis bouwde. Voor het overige mochten ze niet voorbij de vesters komen.

Maar ik vond tekenen dat ze toch binnenslopen: een platgebrand lapje grond waarop een handvol graan was geplant; een boom die was omgehakt of ontdaan van vruchten; een hert in een strik. Nooit zag ik een stroper. Ze waren te sluw, en met reden: de boswachters zouden je voor zo'n vergrijp de ogen uitsteken, je handen afhakken en je zo overlaten aan de genade van de wolven. Het was al erg genoeg om het wild van de koning te stelen, maar strikken waren een gruwel. De goden hebben een afkeer van wapens die niet in de hand blijven, laffe wapens zoals de speer, pijl-en-boog, de slinger. Geen mens of dier behalve ongedierte mag daarmee ter dood worden gebracht.

De dorpelingen hadden nog meer geheimen en die ontdekte ik ook: grote kringen van oude iepen, essen of eiken waarvan de takken zo dicht ineengevlochten waren dat er geen zaailing onder kon wortelschieten. Ik nam aan dat zulke bosjes verlaten waren, maar toch voelde ik het achter in mijn nek prikkelen als ik de verheven ruimtes met de geblakerde stenen zag. Ik had van Na verhalen over zulke plaatsen gehoord toen ik klein was. 's Avonds laat fluisterde ze me toe over de oude goden in het woud, de geesten in bomen en bosjes, stenen en rivieren, totdat ik te bang was om te slapen. De Vrouwe hechtte geen geloof aan deze verhalen, dus had ik uiteindelijk ook mijn geloof erin verloren. Toen het Bloed dit land vele generaties geleden in bezit nam, zeiden ze dat de goden van het kleivolk helemaal geen goden waren, maar slechts kwade wezens. Ze banden zelfs hun namen uit.

Het is één ding om het aanbidden van een god te verbieden, maar nog iets anders om te gebieden dat hij vergeten wordt. Op een dag vond ik de oudste boom van allemaal, een zwarte eik die zo dik was dat twaalf mannen hem niet met hun armen zouden kunnen omspannen, en ik wist dat het degene was die Na het Hart van het Woud noemde. Er hingen poppen van twijgen en peulen aan de takken; rechtop om onvruchtbaarheid te genezen, ondersteboven om een miskraam op te wekken. Kleivrouwen hadden het lef gehad om ze daar te hangen, hoewel ze wisten dat ze zelf aan de takken opgeknoopt konden worden als de mannen van de koning hen in het bos betrapten.

* * *

Ik was niet de enige bewoner van het Koningswoud. Er waren er meer, al dan niet met verlof van de koning. Naast boswachters waren er houthakkers, houtskoolmakers, mijnwerkers, wapensmeden, veedrijvers, allemaal om in de behoeften van koning en koninkrijk te voorzien. Ik bleef uit hun buurt, met hun herrie en stank van rook. Er waren ook wilde mannen en onbehaaglijke schimmen in het bos, of dat had Na tenminste gezegd, en soms, als de gesmoorde kreet van een wijfjesvos spookachtig door de nacht klonk, geloofde ik haar. Ik had bang moeten zijn, maar ik was voornamelijk op mijn hoede. Ik dacht dat ik veilig genoeg was, alsof ik zelf een schim was die ongezien kon gaan en geen voetstappen achterliet.

Laat in de zomer stak ik de pas over tussen de Dorrevrouwspiek en de Kaalkruin en liep zuidwaarts langs de richel en ging omlaag en omhoog en weer omlaag, totdat ik bergen bereikte waarvan ik de naam niet kende en een bos dat zo netjes gesnoeid was dat een man er in galop doorheen kon rijden zonder zijn hoofd te hoeven buigen. Het was een plaats vol oude bomen, hoge zuilen die oprezen naar een dak van bladeren, sluik gras onder mijn voeten. Ik zag een rode hertenbok het gras kortwieken in een groen waas tussen de grijze stammen. Hij droeg een kroon van dertien takken, bedekt met gehavend fluweel.

Hij hief zijn kop en snoof de lucht op, en toen hoorde ik de jagers, een gerommel van hoeven en stemmen en geklapper van teugels. De hertenbok rook niets, dus klapte ik in mijn handen en we vluchtten, hij de ene kant uit en ik de andere. De brulhond had de geur van het hert opgepikt en achtervolgde hem, brullend onder het rennen. De andere honden waren windhonden. Zij renden zwijgend naast de hondenmeester voort terwijl de jager op zijn hoorn de achtervolging blies.

Ik rende met de wind in de rug totdat ik de hoorn niet langer kon horen boven het geraas van mijn eigen ademhaling uit. Ik waadde door een rotsstroompje en wroette me een schuilplaats in een kluit bospaardenstaart op de oever. Daar lag ik te hijgen en te zweten en te trillen in een zwarte zwerm muggen. En daar bleef ik zelfs liggen toen ik de hoorn en de brulhond opnieuw hoorde, dichterbij. Ik zag de hertenbok door de beek springen en de andere oever opstormen terwijl het water van zijn flanken stroomde, zijn adem rauw als een hoest. De honden haalden hem in en werkten hem op de knieën. Hun soepele lichamen zwoegden en verdrongen zich om zijn borst en buik. Een kleine hond, een schoothondje, wurmde zich een weg tussen de windhonden door als een puppy naar een tepel. De hondenmeester sloeg ze weg. Het hert probeerde weer overeind te komen. De jager die de leiding had stootte een lang mes in de borst van het hert en zette kracht. Het hert zonk opnieuw op zijn knieën en de jager dreef het gewei zijdelings de aarde in om de keel van het hert voor het mes te ontbloten.

Ik zat bevroren, als een haas in een weide die denkt dat de jongen met de knuppel niet ziet dat hij zich vol in het zicht verborgen houdt. En ik ontdekte dat de haas dat niet doet omdat hij misleid is. Hij kan zich eenvoudig niet bewegen wanneer hij door angst bevangen is, zijn ledematen gehoorzamen niet, zijn ogen knipperen niet. Alleen zijn ademhaling en zijn razende bloed onderscheiden hem van een steen.

De jagers brachten een plengoffer met het bloed van het hert en gaven de beker aan elkaar door tot hun lippen rood waren. Het duurde lang voordat ik woorden op kon vangen uit hun gebulder, voordat ik besefte dat ze de Hoge spraak van het Bloed spraken. En zelfs toen kon ik het niet verstaan, zo diep was mijn stilte.

De jager in zijn bevlekte leer pakte het gewei, hield het tegen zijn hoofd en paradeerde op en neer, en de andere mannen lachten. Toch was het geen spot. Ze riepen de Jager aan, de avatar van de god Prooi met de hertenkop, en ik zou zweren dat ik zijn adem op mijn wang voelde terwijl ik daar verstopt lag.

De hertenbok werd ontleed: de ingewanden werden verwijderd, hij werd gevild en gevierendeeld. De paarden, die geoefend waren om de geur van het bloed te verdragen, stonden er rustig bij terwijl de honden gevoerd werden met brood vermengd met ingewanden. Toen ze weg gingen lieten ze de restjes achter op de bloederige oever, en ik dacht aan een rode bout, zwartgeblakerd op een vuur, en verlangde naar de smaak van vlees totdat ik maagkramp had.

* * *

De jacht leerde me bang te zijn, dag en nacht. Ik ging naar hogere, woestere gronden, naar het domein van de roofdieren: beer, lynx, wolf en ever. Ik bestudeerde hun gewoonten en vermeed hun territoria. Ik vreesde hen, maar niet zoveel als de mannen en de honden van de koning.

Ik vond een hol voor mezelf, een rotsspleet uitgesneden op de top van de Kaalkruin. Alleen arenden eisten zulke hoge, rotsachtige plaatsen op en zij negeerden mij. Ik overdekte de spleet met een platte steen en vulde hem met een nest van bladeren, en ik strooide er twijgjes omheen om gewaarschuwd te worden als er iemand naderde. Vanuit mijn adelaarsnest kon ik neerkijken op het dorp in de vallei, een lemen doolhof naast de stenen muren van het landgoed. De rivier naast het dorp wisselde van uiterlijk met het weer, soms zilver onder de Zon, soms bruin en vol slik.

Ik zag twee sloven en een muildier een spiraalveld omploegen. Ze maakten de strook die dat jaar braak had gelegen klaar om in te zaaien in de lente. Drie gekleurde strepen draaiden om elkaar heen: het bruine lint van de aarde, donkerder achter de ploeg dan ervoor; de gouden stoppels van de zomerrogge; het glanzende groen van de wintertarwe. Onder mij cirkelden haviken op zoek naar roekeloze arenlezende muizen.

De wereld die de goden voor ons hebben gemaakt is te groot voor ons, dus maken we een kleinere voor onszelf. We draaien steeds maar rond, elk pad dat we afleggen een draad, en de draden raken met elkaar verknoopt. Van buitenaf kon ik zien hoe strak de dorpelingen hun wereld om zich heen hadden gebonden; had ik niet hetzelfde gedaan, alsof mijn nietige sporen het Koningswoud konden omvatten?

* * *

Ik zag tekenen dat het een strenge winter zou worden. De hulststruiken droegen een zware oogst bessen en de vogels vraten ze kaal. De kraaien maakten ruzie in de gemaaide velden en de uilen kreten in de bergen, als rouwende weduwen. Vacht en mos groeiden dikker aan dan normaal. Er vielen koude regenbuien, schuin door de bomen gejaagd door de noordenwind, en daarna kwam de sneeuw.

Ik had twee dingen meegebracht naar het Koningswoud: de jurk die ik aan had en een mantel van schapenvacht die Na voor me had gemaakt, beschilderd met beschermende tekens tegen de kwade wind. De mantel hield de dood weg maar kon de winter niet buiten houden, het Oude Wijf. Zij kroop eronder als ik sliep en sloeg haar ijskoude armen om me heen.

Ik dacht dat ik in de oogstmaanden nijver geweest was. Ik had fruit gedroogd en noten en zaden begraven voor de magere tijden die zouden komen. Het was niet genoeg, lang niet genoeg. Terwijl ik honger leed, groeide mijn buik en ontstond er een holle plaats onder mijn ribben waar de kilte zich nestelde.

De herten schraapten de sneeuw van de grond, op zoek naar een sprietje groen. Hoewel ik lusteloos was en rilde van de kou dreef de honger me uit mijn schuilplaats. Toen mijn voedselvoorraden op waren, begon ik naamloze planten te eten van diep uit het bos, waar de Vrouwe nooit geweest was. Ik zoog op bevroren wortels, knaagde aan twijgen en zachte binnenschors, houtaren, mossen en het verpulverde, door wormen aangetaste hout uit holle boomstammen.

Vergif kent vele gedaanten en niet alleen bittere of stinkende. De tekenen die de goden ons gegeven hebben zijn zonder twijfel allemaal juist, maar wij lezen ze vaak verkeerd; en zo leerde ik dat ik niet kon vertrouwen op de tekenen die de Vrouwe me had laten zien. Ik probeerde elke nieuwe plant eerst uit door eraan te ruiken en een stukje op mijn tong te nemen. Ik had altijd kunnen raden welke kruiden Kok in de kookpot deed, en nu waren mijn zintuigen aangescherpt door noodzaak en angst. Hoe meer ik me vergiste, hoe meer ik leerde. Ik was vaak misselijk, had soms koorts. Als ik te ziek werd, at ik aarde om mijn lichaam van het gif te zuiveren.

De maandelijkse getijden van mijn bloed bleven weg en ik vreesde dat ik, als ik zou overleven, onvruchtbaar zou zijn, een uitgedroogde oude vrouw voor mijn tijd. Schrammen genazen slechts langzaam en mijn tanden zaten los in mijn kaak. Ik had dit soort wegkwijnen eerder gezien, toen de Vrouwe stierf.

Het is een zegen dat de hongerscheuten, net als de beproevingen van een bevalling, minder scherp worden in de herinnering. Wat nu helder en duidelijk terugkomt is het beeld van vier of vijf rode herten die een besneeuwde heuvel oprennen in het bleke gele ochtendlicht. De herten werden niet opgejaagd; misschien renden ze alleen voor hun plezier. De bomen staken zwart af tegen de sneeuw en de lange strepen van hun schaduwen hadden een kleur tussen blauw en violet in.

* * *

De korte winterdagen maakten plaats voor eindeloze nachten. Ik benijdde de beren om hun lange slaap in een hol in de grond, terend op dromen van vis en bessen, en ik benijdde slapers zoals ik zelf ooit was geweest, achter luiken en deuren, veilig in bed; ik benijdde iedereen met een lamp, een kaars, een haard. Ik lag lang wakker, en soms drukte het duister zich dicht en benauwend om me heen, en soms – wat veel erger was – strekte het zich onmetelijk ver uit om mij heen en was ik alleen in een nacht die de hele wereld bedekte.

Als ik sliep zakte ik weg in het oceanenrijk van Slaap, zoals wij allemaal. Soms hulde Slaap mij in balsem en verdreef mijn zorgen, maar vaak stuitte ik op nachtmerries als ik dieper ging en moest ik vluchten in het waken. Slaap is een avatar van de god Lynx en dus grillig.

Mettertijd leerde ik te drijven in de ondiepten van Slaap. Daar, net onder het waken, kon ik verfrissende dromen vangen zoals een jongen een vis een net in kan kietelen. Ik leerde ook om ze vast te houden, want dromen zijn veranderlijk van vorm en kunnen kwaadaardig worden als ze uit je handen glippen. De Vrouwe bezocht deze dromen en bracht me een lamsschenkel, brood, een gerimpelde appel, en ze at met me mee, zoals ze nooit deed toen ze nog leefde. In mijn droom was alles zo duidelijk: de room in een geglazuurde schaal, een groene vlieg die rondzoemde in een lichtstraal. Ze zei dan tegen me dat ik ervoor moest zorgen dat de wijnvaten niet zouden lekken of wilwikke zouden krijgen van de gele kleurstof. Ze gaf me vele opdrachten waarvan er geen is uitgevoerd.

Ik had misschien niet zo vaak van de Vrouwe moeten dromen. Ook de doden kennen leed en gebrek en zelfs nieuwsgierigheid, en daarom wordt ons vaak verboden hun namen uit te spreken in het eerste jaar dat ze ons verlaten hebben. De priesters zeggen dat hun schimmen kunnen blijven hangen om ons af te luisteren, afgeleid van de reis die ze moeten maken. Misschien heeft wat je droomt net zoveel macht als wat je zegt om een schim bij je te houden, want toen ik de Vrouwe in mijn droom vroeg om even te blijven, voelde ik haar vlak bij me. Maar toen ik wakker werd voelde ik me hongeriger en eenzamer dan ooit tevoren.

* * *

Tijdens Donkere-Maan voor de Langste Nacht had ik een ware droom. Zulke dromen laten soms de toekomst zien, maar deze toonde het verleden. Ik wist al dat het waar was terwijl ik nog in de greep van de droom lag te slapen, door de geur – in gewone dromen kan ik niet ruiken. Ik kon me niet herinneren dat ik deze wierook van ondervoets vermorzelde kruiden ooit eerder had geroken, deze stoffige geur die opsteeg uit de rotsen als van brood in een oven. Toch kende ik hem: de geur van de bergen, maar niet de bergen van het Koningswoud.

Ik reed achter mijn vader een pad op naar een hoge pas tussen nog hogere pieken die bedekt waren met sneeuw. De bergen waren rotsachtig en steil, droog en open. Ik had een kleine pony omdat ik nog maar klein was. Hij zat op een grote vosruin en leidde een pakezel aan de teugel. Hij zong iets voor mij en voor zijn eigen plezier. We reden over een keienweg langs een muur en toen hij de top van de pas bereikte, draaide hij zich om in zijn zadel om naar mij te kijken en grijnsde in zijn rode baard. Ik hing krom over de nek van mijn pony en voelde hoe ze zwoegde om het laatste stuk omhoog te klimmen. Ze wilde graag doorzetten, want ze wist net als ik dat we aan de andere kant van de pas thuis zouden zijn. Ik zag wolken onder ons zweven, en daaronder de schaduwen van de wolken op het lange, smalle meer in het dal, en ons dorp tussen de andere dorpen op de oever. Het meer was donkerder blauw dan de lucht. Waar de Zon het water raakte spatten witte vonken op. Toen keek mijn vader achter me en schreeuwde zonder woorden, of in een taal die ik alleen in mijn dromen kon begrijpen, en ik wist dat hij gevaar riep. Hij wees over mijn schouder naar een rij mannen te paard op de helling van een andere berg. Hun helmen glansden en hun banieren waren zwart. Er wolkte stof om de hoeven van hun paarden toen ze onze kant uit kwamen.

Toen ik wakker werd was ik zo gegrepen door het beeld van mijn vader dat ik nauwelijks aan de soldaten dacht. Het Bloed kan zijn afkomst herleiden tot de goden, maar wij van het kleivolk zeggen dat een man geluk heeft als zijn vrouw zo trouw is dat hij zijn eigen trekken in de gezichten van zijn kinderen ziet – zoals mijn vader zichzelf in het mijne zag, in mijn droom.

Onder de sloven is het geen grote schande om geen vader te hebben. Maar toch had ik de mijne graag willen kennen. Het gemis van een moeder voelde ik niet zo. Toen ik heel klein was, dacht ik dat Na mijn echte moeder was. Later vroeg ik me af of ik misschien de bastaard was van een of andere tuinman of stalknecht die ze beneden haar waardigheid achtte.

Maar ze had me vaak genoeg verteld dat ik een vondelinge was. Ik kwam in het huishouden van de Vrouwe toen ik oud genoeg was om te kunnen rennen; aan het aantal tanden dat ik had schatten ze me op een jaar of vier. Ik verstond noch de Hoge spraak noch de Lage, en als ik iets zei kon niemand me begrijpen. Ze noemden me Geluk vanwege mijn haar dat de kleur heeft van pasgesmeed koper, want rood haar is favoriet bij Kans, de vrouwelijke avatar van Riskeer. Niemand in het dorp had ooit eerder zulk haar gezien. Ik herinner me niets van de tijd voordat ik op het landgoed kwam, en geen wonder. Onze zuigelingentijd is een droom die we vergeten zodra we ontwaken tot onszelf en onze plichten.

Ze gaven me eenvoudige taken: vegen en schrobben; de franje van de tapijten kammen; de trog legen. Ik liep altijd halverwege het werk weg, altijd afgeleid. Na liet me dan een wilgenroede halen voor het pak slaag dat ik verdiende. Na afloop troostte ze me en noemde me haar kleine Geluk. Dat was mijn kindertijd, totdat de Vrouwe me op een dag bij de hand nam. Ik dacht dat het landgoed en het dorp de hele wereld was met al zijn inwoners.

* * *

Het geheugen kan een lompe en ongehoorzame dienaar zijn, nergens te bekennen als je om hem vraagt en schaamteloos wanneer je hem niet meer nodig hebt. Misschien waren daarom de herinneringen die maar bleven komen terwijl ik zwakker werd juist de dingen die me het meest griefden: hoe de Vrouwe eruitzag nadat haar overvloedige vlees verschrompeld was van vijf weken koorts en er alleen vel op een staketsel van botten overgebleven was; hoe ze in het slaapkabinet lag en haar dek van zich afwierp. Ze kon het gewicht van het linnen niet verdragen, hoewel dat het fijnste was dat we hadden. Haar vingers bleven plukken en draaien aan onzichtbare draden, en ze klauwde in de lucht rond haar gezicht alsof ze de lijkwade al voelde.

Een keer, toen ik een kom bracht om haar te wassen, richtte de Vrouwe zich op haar ellebogen op en zei: 'Mijn neef heeft beloofd dat jij niet gebonden bent als hij het landgoed overneemt. Hij zegt dat hij jou een plaats zal geven als de dienares van zijn vrouw, als je haar bevalt. En als je haar niet bevalt – welnu, dan zul je vrij zijn om te gaan. Iets beters kan ik niet voor je...' Ze ging weer liggen en ik bevochtigde de doek met koel water en waste haar armen en borst. Zelfs na die paar woorden was ze buiten adem. 'Het is het beste voor jou om hen goed te dienen.' Ze glimlachte zwakjes. 'En probeer die tong in toom te houden, want ik heb gehoord dat die nog weleens met je op de loop gaat.'

Ik glimlachte terug, hoewel er geen vreugde was.

Het leek niet zo'n groot geschenk om het landgoed te mogen verlaten. Elke steen in elke muur was me dierbaar, zelfs het onkruid dat in de voegen wortelde. Ik was ook onkruid. Ik hield me vast aan wat ik kende. Ik dacht niet zoveel na over wat ik zou doen als de Vrouwe er niet meer zou zijn.

Ze stierf toen nog niet, en ze stierf niet gemakkelijk. Ze had me vele middelen geleerd, maar die hielpen geen van alle. Ze kreunde of schreeuwde het nooit uit, tot de laatste dagen waarin ze zichzelf vergat en al op de lange weg was. Aan het eind gaf ik haar vaart-u-wel om de pijn te verzachten. Daar zit geen genezing in.

We hadden krap tien dagen na de begrafenisriten om het landgoed in orde te brengen voor haar neef. De priester maakte het aardewerken doodsmasker van de Vrouwe dat naar de tempel van de clan gestuurd werd en opgenomen in de Raad der Doden. We verzamelden alle bezittingen die haar zouden kunnen roepen als ze achtergelaten werden: spoelen en spelden, haar hoornen kam en haarspeld, haar bord en beker, haar mes met het amberen heft, het kleine schaartje dat ze aan een ketting droeg, onderkleding, schoenen en hoeden. We legden ze op haar brandstapel en keken hoe de rook omhoog dreef. De priester begroef de restjes van haar botten en verstrooide haar as in de stroom en ploegde de zwarte vlek om. Alles werd gedaan zoals het gedaan moest worden, om haar geest vrij te maken. Na afloop vermeden we zorgvuldig haar naam uit te spreken. We noemden haar de Vrouwe, en zo noem ik haar nog steeds.

Die winter in het Koningswoud had ik meer verdriet om mijzelf dan om haar, en ik riep schande over haar uit dat ze me niets dan trots had nagelaten, een schamele erfenis. Het was beter geweest als ze me nooit had opgemerkt toen ik nog maar een kind was en achter een struik in de tuin een mierenkasteel zat te bouwen terwijl ik eigenlijk moest wieden. Het was beter geweest als ze niet naast me neergeknield was en naar een mier had gewezen die een blad meesleepte en had gezegd: 'Zie je dat, ze gebruiken het liefst schaarserschaars voor hun nest, want dat is lekker zoet. Wij vermalen het tot pasta als iemand ziek is, want van de geur kun je genezen.' Het was beter geweest als ik niet zo snel had geleerd en niet zo graag meer vragen had gesteld.

Dan zou ik niet zo trots zijn, alsof het bloed van de goden in mijn aderen vloeit, alsof ik niet uit vuil en spuug opgebouwd ben zoals de rest van het kleivolk. Dan had ik de nieuwe meester en meesteres kunnen verdragen zoals de anderen dat deden: somber, morrend en vol wrevel, maar in het besef dat het gewoon iets is dat verdragen moet worden.

* * *

Na wilde de sleutels niet toen de Vrouwe gestorven was. Ze zei dat ze te oud was en dat haar rug onder zo'n last zou breken. Toen de sleutels aan mij toevielen, met alle verantwoordelijkheden die erbij hoorden, bewonderde ik de manier waarop de Vrouwe de draden van honderd taken in de hand had gehouden en ze allemaal had verweven. Ik was blij met deze kluwen van zorgen, te druk om te rouwen.

Ik maakte de inventaris op om me voor te bereiden op onze nieuwe meester. Ik kon lezen en godentekens schrijven en aantallen bijhouden; de Vrouwe trok zich nooit veel aan van het gezegde dat een sloof die kan lezen nog vreemder is dan een vliegend varken, en minder nuttig. Ik vond het patroon voor haar volgende tapijt, opgerold in de afgesloten kast in haar atelier. De schering was al op het getouw gespannen, maar ze was niet aan weven toegekomen voor ze ziek werd. Ze had een maagd getekend in een weide te midden van een onmogelijke overdaad aan bloemen. Het zonneroosje uit de late wintermaanden bloeide naast de corona van de hoogzomer, en de tuinanjer vermengde zich met de draakskap diep uit de bossen. Er waren garenmonsters op de schets geprikt, en voor het losse haar van de maagd had ze een koperkleurige wol gekozen, geverfd met een zeldzaam pigment dat gemaakt is van gestampte kevervleugels. Ik verbrandde de tekening, maar nam de draad mee als aandenken. Ik hield hem bij me in het Koningswoud, in mijn mantel genaaid.

De neef en zijn nieuwe bruid arriveerden in de lente, met een hele menigte broers en neven, vrienden en bedienden om ze naar hun nieuwe bed te begeleiden. De enige persoon van Bloed in het landgoed was de oude priester van de Vrouwe, dus hij heette hen welkom bij de poort en leidde ze de buitenste hof in. De waakboom, een rode pruim, liet roze bloesems vallen op hun fluweel en bont en de glanzende huid van hun paarden. De bruidegom droeg een kroon van soepele twijgjes met bladeren in het allerjongste groen; de bruid had een krans van bloemen.

Die avond bediende ik aan tafel. Mijn nieuwe meester en meesteres zaten op de ereplaats en deelden een bord. Heer Pava dam Capella van Alcyon van Crux, om zijn volledige naam te noemen, was zo jong dat de baard op zijn wangen nog dun was. Zijn bruid, vrouwe Lyra van Ophirus van Crux, had een gezicht dat zo bleek en dik was als goedgekneed deeg voor wittebrood. Ze was jonger dan ik, niet ouder dan dertien jaar.

Nadat de gezichten van de gasten rood waren geworden en hun grappen grof, de kluiven schoongeknaagd en de drank op de vloer gemorst, na het laatste lied en het laatste plengoffer, werd het paar naar bed gestuurd in het slaapkabinet van de Vrouwe met haar mooiste tapijt ervoor. Wij sloven werkten nog lang door bij het zwakke licht van de talglampen, want de nieuwe rentmeester liet ons alles in de voorraadkamer van hier naar daar verplaatsen. Het had me niet verbaasd om hem in alle hoeken te zien pissen, als een hond die geurvlaggen plaatst. We stonden onze strozakken in de hal af aan de gasten en sliepen in de buitenste hof. Niet dat ik sliep. Toen de Zon opkwam boven de muren hoorde ik de duiven zingen: *Wat ga je doen? O, wat ga je doen?*

Die ochtend hielp ik vrouwe Lyra bij het wassen en het dichtrijgen van de veters in haar jurk, en ik zag haar ineenkrimpen. Ik vroeg haar of ze pijn had, want ik kende een smeersel om irritaties te verlichten. Ze was nog zo kinderlijk van figuur, met slanke heupen en kleine borsten, en ze was rond waar een kind rond is, op wangen en polsen en knieën en buik. Maar ze had het gewicht van een man gedragen en ik dacht dat het te zwaar voor haar was geweest.

Ze sloeg me in mijn gezicht en zei me nooit meer zonder toestemming mijn mond open te doen. Ik leerde haar in stilte te dienen. Ik kende haar al spoedig goed, van haar middeltjes om haar huid wit en haar lippen rood te maken tot haar pispot en de lappen voor haar maandelijkse getijden, maar ze leek mij niet te zien.

Ik wenste vaak dat ik net zo onzichtbaar was voor de rentmeester. Vanaf de dag dat ik hem de sleutels overhandigde had hij van alles aan te merken op mij en de manier waarop het landgoed en de bijbehorende bezittingen waren bestuurd. Hij was een lagere verwant in de clan, door de vader van heer Pava gestuurd om het huishouden strak te besturen. Ik kreeg meer dan mijn deel van zijn klappen. Ik was verwaand en mijn manieren waren abominabel, zei hij. Als ik hem recht aankeek, leverde me dat een blauwe plek op, en ook als ik zijn naam mompelde, of er niet in slaagde een glimlach op mijn gezicht te plakken als ik aan tafel bediende.

Mijn trots in mijn werk sijpelde weg. Ik was niet de enige die merkte dat mijn handen stuntelig werden en dat taken die vroeger een uur hadden gekost nu een hele dag in beslag namen. De draden van de schering op het weefgetouw raakten uit zichzelf in de war. Als er iets verkeerd ging, zei Na: 'Een rot ei brengt geen kuikens voort.' In de Laagte, op de trap aan de achterkant, spraken we over het weer: de wolken op het voorhoofd van Rentmeester, vrouwe Lyra's stormen, heer Pava's stille droogtes. Haat was ons brood. Ik zag elke dag hoe Na behandeld werd als een treuzelaar en taken opgedragen kreeg die te zwaar waren voor haar jaren. Ik had het recht om weg te gaan, maar welk huishouden zou een sloof verwelkomen die een nieuwe plaats durfde te zoeken?

Ik kon binnenshuis nauwelijks lucht krijgen als ik wist dat de aspinscheuten langs de rivier groen waren en de maagdenkus in de hoge weide bloeide, en dat het al te laat was om de zaden van de stekeltroost te verzamelen. Dus leerde ik me de poort uit liegen. Ik vertelde Rentmeester het een en Dame Lyra iets anders; ik leerde de botte leugen, de leugen van verzwijging, en alle andere manieren waarop een sloof de waarheid aan banden kan leggen.

In die eerste tiennachtse bad ik tot elke god die me zou kunnen horen, maar vooral tot Wende. Ik offerde strengen geverfde lamswol aan een van de avatars van de god, de Weefster, wier standbeeldje in een nis in het atelier van de Vrouwe stond – want hoewel de Vrouwe afstamde van de god Crux was zij Wendes gunstelinge. Ik bad mijn plaats te mogen weten, in het weefsel te passen, gladgestreken te worden. De geur van brandende wol deed me meer aan de Vrouwe denken dan aan de god en bracht me geen vrede. Mijn hart raakte hard en opgezet als gal rond een worm.

Nu denk ik dat Wende Weefster me wel antwoord gaf, op haar manier, want haar rechterhand draagt de klos, maar de linker de schaar.

* * *

De eerste keer dat heer Pava 's nachts naar mijn strozak kwam, was ik er niet op voorbereid. Naast zijn vrouw, die hij nog maar twee maanden in zijn bed had, had hij uit zijn vaders huis ook een kleivrouw meegenomen, niet beter dan de rest van ons behalve dat ze een buik van vijf maanden en geen noemenswaardige taken had. Hij stopte haar in een lemen hut die als een zwaluwnest aan de buitenmuur van het landgoed hing en bezocht haar wanneer hij maar wilde, en het gaf niet dat vrouwe Lyra met haar muiltjes smeet en krijste.

Het leek mij dat heer Pava aan deze twee zijn handen vol zou hebben. Maar wat wist ik van de lusten van de man? In het huis van de Vrouwe woonden vooral vrouwen die samen met haar oud waren geworden; ik was veruit de jongste. De mannen die haar dienden waren erg oud of erg jong, van de stokoude priester tot de jongens die als keukenhulpjes werkten. Toen kwam heer Pava met zijn rentmeester, kamerheer, pages, jagers, houtvester, tuinlieden en mispunt van een paardenmeester.

’s Nachts was de hal stampvol strozakken van alle sloven die het recht hadden om daar te slapen. Als de matrassen niet met zoete varens gevuld waren geweest, zou de bedompte lucht te ranzig zijn geweest om in te ademen. Ik sliep naast het slaapkabinet van de meester, zodat vrouwe Lyra me kon wekken om water of wijn te halen of haar pispot te legen of een vlieg dood te slaan die rond haar hoofd zoemde.

Ik snij even een stuk af naar dit deel van mijn verhaal. Dat is trouwens zo versleten dat het nauwelijks nog verteld hoeft te worden. Heer Pava kwam op een nacht naar mijn strozak. Ik weerde hem af, zei hem dat mijn getijde vloeide. Het bloed van een vrouw – vooral het onreine bloed uit haar baarmoeder – kan een man ziek maken. Maar niet het bloed van de verbroken maagdelijkheid, want dat maakt een man potent en geneest bovendien zweren. Hij ging onverrichter zake weg, maar ik wist dat hij terug zou komen.

Ik maakte Na wakker, die op de strozak naast mij lag te slapen, om haar te vertellen wat er was gebeurd. ‘Wat moet ik doen, Na, als hij nog eens komt?’ Ik was zo van streek dat mijn stem boven een fluistertoon rees.

‘Ssst,’ zei Na. ‘Het zou wel zo goed zijn als heer Pava jou ging waarderen, en je onder Rentmeesters oog en de voet van de Vrouwe vandaan haalt.’

Dat was niet het advies dat ik verwacht had. ‘Ik wil hem niet. En niemand anders.’

‘Ben jij soms dood onder de gordel?’ vroeg ze. ‘Des te erger. Je bent vijftien jaar oud en draagt je haar nog steeds los. Je moet uitgehuwelijkt of bezwangerd worden; je kunt je niet meer achter de rokken van de Vrouwe verschuilen. Als je heer Pava niet bevalt, val je ten prooi aan zijn mannen. Dus je kunt beter nadenken over hoe je hem bij je kunt houden in plaats van hoe je hem weg kunt sturen.’

Bij deze woorden begon ik te huilen. Na kwam naar mijn strozak en ging naast me liggen. Ze streelde mijn haar. Ik kon het wasachtige glanzen van haar gezicht naast het mijne zien.

‘Sst, sst, stil maar, Geluk,’ fluisterde ze in mijn oor. ‘Ik weet een paar dingen die de Vrouwe jou nooit geleerd heeft, waarmee je heer Pava om je vinger kunt winden. We zullen een beetje tondelkaars voor je vinden en Kok zal het door zijn eten doen – maar je moet het hem met je eigen handen brengen. Het zal hem een uur lang stijf maken, en hij zal denken dat het door jouw charmes komt, want het is meer dan zijn eigen vrouw voor elkaar krijgt. Heb je ze ’s nachts niet gehoord? Pava is nog sneller dan een hond. Geen wonder dat Lyra zo laaiend is als een bosbrand.’

Ik was boos op Na. Haar raad stond me niet aan en ik sprak niet tegen haar, alsof het haar schuld was dat heer Pava’s oog afdwaalde. Kok had een betere raad; ze zei dat klamlont zijn pik slap zou maken en ze liet me zien waar ik die kon vinden, en ze zei er nooit iets van als ik het gebruikte om de schotels te kruiden die ik aan heer Pava opdiende. Ik plukte ook de witte bessen van de kinderban, die de vrouwen bij ons in de bergen nemen tegen bevruchting. Als het ene niet werkte, had ik het andere nodig. Ik knoopte het haar tussen mijn benen aan elkaar om de toegang naar mijn baarmoeder te versperren. Vele nachten lag ik wakker, maar hij kwam niet meer naar mijn strozak. Toen hij me eindelijk te pakken kreeg, zat hij op een paard en was ik te voet. Ik was fiedelvarens aan het zoeken onder de heuvel bij het ravijn. Hij zei dat ik hem een fijne jacht had bezorgd – alsof de vos vlucht om de honden een plezier te doen. Ik was van plan geweest me over te geven als ik klemgezet zou worden, maar toen het moment daar was klauterde ik de steile oever af naar de stenen in de rivierbedding. Maar voordat ik een steen kon pakken had hij me al bij mijn rok gegrepen. Ik verweerde me als een wilde kat en tekende hem met builen en schrammen.

Hij was snel klaar. Hij kwam overeind en ik trok mijn rokken naar beneden. Ik lekte overal: tranen, zweet, snot, gal.

Hij keek naar zijn pik terwijl hij hem in zijn lederen pikhouder stopte. Hij trok zijn beenkappen op en maakte de veters dicht. 'Waar is het bloed?' zei hij. 'Je hebt me voor de gek gehouden, met je losse haar alsof je een maagd bent. Heeft een of andere paardenjongen je eerst gehad?'

Ik spuugde naar hem en spotte: 'Een paardenjongen rijdt beter dan u, heer. Het is precies zoals uw vrouw zegt: u kunt niet lang in het zadel blijven.' Vrouwe Lyra had zoiets nooit aan mij toevertrouwd, maar ik wilde zijn gedachten net zo vergiftigen als hij de mijne had gedaan.

Ik zag zijn spotternij huiswaarts keren, maar zijn glimlach veranderde niet. 'Volgende keer dat we elkaar ontmoeten zal ik geen haast hebben,' zei hij. 'Ik zal je de sporen geven en je leren om niet te steigeren.'

Tegen die tijd huilde ik en kon ik geen woord meer uitbrengen. Ik heb er later veel over nagedacht, over wat ik had moeten doen, wat ik verkeerd had gedaan, en ik heb er ook over gedroomd, bloederige dromen; maar anders dan dromen, kan het verleden niet veranderen.

Toen hij op zijn paard zat gooide hij een sjaal naar me – een vod dat hij aan zijn zadelknop gebonden had – en zei: 'Ik heb een hoofddoek voor je meegenomen. Doe hem om en hou op met janken. Waarom al die ophef over iets dat je al weggegeven hebt? Ik heb nog nooit van mijn leven zo'n misbaar gehoord.'

Ik ging naar de rivier en liet het water de vlekken wegspoelen van de modder, het gras en het witte bloed. En het was waar; er was geen rood bloed, hoewel ik nooit eerder met een man had geslapen. De haren die ik aan elkaar geknoopt had over mijn vulva hadden een gemakkelijke toegang verhinderd, als een maagdenvlies. Waar ze uitgetrokken waren was het gezwollen en pijnlijk.

Ik wikkelde met trillende vingers de hoofddoek om mijn hoofd en ging de heuvel af. Het was een teken dat iedereen kon lezen.

Heer Pava viel me niet opnieuw lastig, ondanks zijn stoere woorden. Ik denk dat hij liever gewillige vrouwen had. En Na had gelijk gehad: het was beter geweest als ik hem goed was bevallen. De wrevel van vrouwe Lyra, de halvemaanvormige littekens op mijn armen van haar geknijp, de pesterijen en de handen van de mannen van heer Pava nu ik niet langer zijn persoonlijke groeve was, het gefluister van de rentmeester in donkere hoekjes, de verkilling tussen mij en Na omdat we elkaar niet langer begrepen – Wende Weefster knipte de draden door die me aan die plaats bonden, een voor een.

* * *

In het dorp is de vroege lente de magerste tijd. Het graan bestaat voor de helft uit stof van de vloer van de graanschuur, de hammen zijn tot op het bot afgeschraapt, en verder is er niet veel meer dan oude boerenkool en rapen. In het Koningswoud risten de herten de knoppen van de laagste takken. De zwakkeren vielen ten prooi aan de wolven of gingen op de grond liggen om op aaskevers te zuigen, zelfs terwijl de lijnbloembomen rood kleurden van de knoppen en de wilgen langs de rivier brandden met een groene vlam. Varens rolden uit en de scheuten van bollen duwden zich een weg door de dode bladeren heen.

Ik voelde ook droefenis uitrollen, die minder bijtend was dan de bittere gedachten die me zo lang gezelschap hadden gehouden. Ik miste de Vrouwe; niet alleen de plek die ze me had gegeven, maar de vrouw zelf. Ik herinnerde me haar gezicht, hoe ze bruin werd in de zomer behalve onder haar gesteven witte kap, en hoe ik haar plaagde met haar bleke voorhoofd als ik 's avonds haar haar deed. Op haar rechterjukbeen droeg ze de kleine blauwe tatoeage van haar clan, Crux; op haar linker had ze het godenteken van Lynx.

Lynx was de clan van haar echtgenoot. Hij was gesneuveld in een van de oorlogen van de koning voordat ik naar het landgoed was gekomen, en Na zei dat zijn familie de Vrouwe teruggestuurd had naar haar vader en beweerde dat ze onvruchtbaar was. Haar vader had haar in zijn nederigste landgoed geïnstalleerd, voor de rest van haar leven of totdat ze hertrouwde. Maar ze hertrouwde nooit. 'Ik zal dat niet nog eens ondergaan,' vertelde ze me ooit, en dat was alles wat ze erover zei.

Er verschenen twee lijntjes tussen haar wenkbrauwen als iets haar niet zinde. Ik was banger voor die blik dan ik ooit ben geweest voor Na's afranselingen. De Vrouwe keek zo naar mij als ik onvoorzichtig was in mijn werk, of uit de hoogte deed tegen andere sloven.

Ik was bang dat haar schim boos op me zou zijn, want ik had mijn eigen ondankbaarheid gewogen en die woog inderdaad zwaar. De trots kwam uit mijzelf, niets had me ertoe gedwongen. Ze was me niets verschuldigd en toch had ze me nagelaten wat ze wist. Ze had me haar blik geschonken, zodat ik de schoonheid kon zien in de patronen die de wereld maakt, en alle tinten, met of zonder naam, die de seizoenen kleuren. Was het een wonder dat ik was gaan houden van waarvan zij had gehouden?

* * *

Ik was het ontwend om elke dag te eten. Comfort was een andere gewoonte die ik was kwijtgeraakt. Ik verwachtte niet langer warm te zijn als het koud was, of droog als het nat was. Onderworpen aan weer en behoefte leerde ik uithoudingsvermogen – of misschien was het onverschilligheid. Maar de hongersnood droeg een zweep en joeg me het bos door. Ik vond overal beloftes van overvloed en van te lang wachten.

En zo kwam ik bij de vuurdoorn, de enige boom van die soort in het bos. Hij stond alleen op een open plek waar een grote eik omgevallen was, en overal onder mijn voeten waren de blauwe sterretjes van de loop-over-mij. De Zon glansde in de doorschijnende oranje bessen in hun kooi van grijze doorns. De zilveren knoppen op de twijgen ontvouwden net hun eerste groene vlaggen. De boom is heilig voor Ardor: hout zo hard als ijzer en vlammend fruit. De Vrouwe had me gewaarschuwd dat ik die bessen nooit mocht aanraken. Zelfs de vogels schuwden ze. Ik was daar eerder geweest en erlangs gekomen, maar de winter had ze niet verschrompeld en ze zagen er rond en rijp uit. En ik had honger. Ik zou misschien sterven.

Ik legde een bes op mijn tong en het sap barstte onder de schil vandaan met een smaak tussen wrang en zoet in: wijn op weg naar azijn, gegist aan de boom. Maar niets smaakte naar gevaar. Ik wist dat ik moest wachten, maar ik at er nog een, en nog een. Ik graaide de bessen tussen de doorns vandaan totdat mijn handen onder de prikken en schrammen zaten. Het bloed was roder dan de bessen en de bessen smaakten naar bloed. Alsof ik mezelf opat.

Ik bleef liggen waar ik viel, huiverde en rilde en sliep. Ik werd in het diepst van de nacht wakker om te ontdekken dat ik van mezelf was gescheiden. Daar lag mijn lichaam, slapend en dromend, en ik stond erbuiten wakker te worden. In onze dromen kunnen we een andere vorm aannemen dan die van onszelf; een man kan zijn broer zijn, een vrouw een koning, zonder een moment van twijfel. Dus met de zekerheid die bij dromen hoort wist ik dat ik mijn eigen schim geworden was. De nacht was maanloos en wolken bedekten de sterren, het was zo donker als het maar zijn kon. Maar toch was de hemel helder genoeg om schaduwen te werpen, om mij van een duister te maken dat dieper is dan de nacht. Ik lag naast en onder mijn lichaam, ik zat in mijn knieholten en ellebogen en de plooien van mijn kleren, en ik verschool me onder het haar achter in mijn nek.

Omdat het een droom was, wist ik wat ik moest doen. Ik gleed mijn lichaam weer in door mijn voetzolen heen. En terwijl ik door de droomster stroomde verzamelde ik de duisternis in mij, en verschrompelde en dikte in tot een kleine homunculus. Ik dreef op een uitademing door een neusgat en stond op de bovenlip.

De nacht was bezield met schaduwen, niets dan schaduwen, die wellustig ineensmolten en zich weer afscheidden, flikkerend, opvlammend. Ik had nooit geweten dat de duisternis zoveel kleuren kende, allemaal zwart. Ik probeerde de schaduwen als bomen te zien, maar de dingen waren aan hun grenzen ontsnapt en hun namen verloren. Hoe beter ik keek, hoe meer ik in de war raakte.

Ik zag iets vanuit een ooghoek dat verdween als ik er rechtstreeks naar keek. Ik verroerde me niet, wierp een zijdelingse blik, en ik zag het opnieuw: een boom met bessen als vonken. De boom vloog in brand, kreeg bladeren van zwarte vlammen, en een van de vlammen werd een vogel en de vogel begon te zingen. Ik draaide me er opnieuw naartoe en de boom met de vogel verdween. Ze konden alleen vanuit de ooghoeken gezien worden.

Ik zag dit alles op een inademing. Toen de droomster uitademde ging de wind door me heen en ik wankelde. Ik verloor de zekerheid die me vorm gaf. Ik hing van adem tot adem in de lucht. Ik was te ijl om een ding genoemd te kunnen worden. Hoe kon ik staan zonder gewicht? Ik dreef omhoog als rook; na nog een ademhaling werd ik misschien uitgestreken door de wind, opgelost in andere schaduwen en was ik niets meer.

Maar de vogel begon weer te zingen en deze keer kon ik het lied zelf zien. Het gaf een zilveren flikkering af, als een snaar van een vedel die trilt onder de aanraking van de speler en geluid de lucht in schudt. Ik was zo ijl als de lucht en ik voelde het overal door me heen trillen, en ik zag het door mijn duisternis schijnen.

Uiteindelijk was het niet zo moeilijk om mijn angst op te geven en omhoog te zweven; het lied was een veiligheidslijn naar mijn slapende zelf, naar het lichaam onder me, dat slechts leek te bestaan uit sprankjes en flitsen. Maar ik had geleerd dat schaduwen kneedbaar zijn, dat ik er iets van kon maken door te kijken. Uit de hoek van mijn linkeroog werd de droomster een omgevallen boom, bedekt met plekjes mos. Ik draaide mijn hoofd en zag uit de hoek van mijn rechteroog een vuist van koord en stokjes die een mantel van schapenvacht vasthield, een mond vol schaduw, haar dat stijfstond van de modder en de takjes en bladeren. Een houten pop, niet langer deel van mij. Een lied verbond me, een lied dat zo fijn gesponnen was dat het kon breken en dan zou er stilte zijn.

Ik zweefde. Ik vloog bijna. Maar de droomster woelde. De ogen bewogen onder haar oogleden. Ik begon spijt te krijgen van wat ik gedaan had, want ik zag hoe ik mijn vlees herschapen had in gevoelloos hout; ik had maar al te graag willen sterven. Maar er was nog een enkel kooltje over van het lichaamsvuur, een gloeiende sintel onder het roet en de veren van as. Ik blies tegen het kooltje en er kroop een vlammetje uit, en warmte.

Ik weet niet hoeveel dagen en nachten de koorts in mij brandde. Ik werd gesmolten, gegoten, geslagen op het aambeeld van de boomwortel, en in een punt getrokken. Soms was ik doordrenkt zodat ik trilde van de kou, en dan werd ik opnieuw verhit en geslagen. De slagen hielden het tempo van mijn hart aan. De hitte zuiverde in plaats van te verschroeien en brandde het schuim weg.

Ik werd wakker in een wereld vol daglicht waarin de schaduwen op hun plaats bleven. De schapenvacht onder me was doordrenkt, en de geur van zweet was sterk. Ik had uit mijn neus gebloed en het bloed was opgedroogd in een korst op mijn gezicht en nek. Ik was zo zwak als een pasgeboren veulen en even dorstig. Ik wist toen dat ik tussen de hamer en het aambeeld van Ardor had gelegen. De god was gekomen in de avatar van de Smid om me te harden. Ik nam een doorn en plengde bloed om dank te zeggen aan Ardor dat hij me had laten leven. En ik nam Vuurdoorn aan als mijn naam.

* * *

Als een van de goden je kiest als werktuig of wapen kun je wel koppig verdergaan, maar toch ben je getekend. Dus ging ik een tijdje verder, dankbaar dat Ardor me had gered, zonder me af te vragen waarom. Ik denk dat ik het niet wilde vragen uit vrees voor een antwoord.

Toch was ik veranderd onder de hamer van de Smid. Zijn slagen hadden een deel van mij losgeschud, en ik voelde me zwakker. Wat had mijn schaduw in de droom anders kunnen zijn dan mijn schim die vorm had gekregen? Nu was ik bang dat mijn schim vóór zijn tijd zou gaan dwalen, terwijl ik nog leefde, en de rest van me achter zou laten om weg te rotten. Als dat een gunst was, was ik er niet dankbaar voor.

Ardor gaf me nog andere dingen: een lied, een handvol bessen en de gave om in het donker te zien. Misschien is het maar een trucje, deze manier van kijken, maar sindsdien heb ik altijd mijn weg kunnen vinden in de duisternis waar anderen struikelden, zolang ik maar van opzij blijf kijken.

Zelfs overdag zag ik beter, zowel het snelle als het ijle: de appelvink hoog in de takken, de lynx in de vlekkerige schaduw, de haas die trillend in het lange gras zit. Vaak zag ik uit mijn ooghoeken de schaduwen van verschijningen, niet echt gezien, niet echt ongezien. De oude goden hadden het Koningswoud dus niet verlaten. Ze waren de bomen van het bos, en ze ademden in tijdens de winter en uit in de zomer, jaar na jaar, en alle dieren in het bos flitsten voorbij terwijl de bomen stil stonden. Het Bloed beschuldigde ze van boosaardigheid, maar ze koesteren geen kwade wil jegens ons tenzij we met vuur en bijlen komen.

En overal in het Koningswoud zag ik tekenen van Ardors aanwezigheid, tekenen die onopgemerkt waren gebleven totdat ik vuurdoornbessen at. Smid, Haardhoedster en Wildvuur vertoonden zich in het verre gebonk van de hamers van de wapensmeden, en de rook van het kookvuur van de jagers, in door de bliksem gespleten bomen.

In zulke tekenen probeer ik sindsdien de wensen van de goden te lezen. Maar priesters studeren hun hele leven op het ontcijferen van de wens van de goden en twisten desondanks over hun omens. Elk van de twaalf goden heeft drie avatars waarin hij zich aan ons toont, maar de goden staan in werkelijkheid zo ver bij ons vandaan dat ze onkenbaar zijn. In hun oorlogen en bondgenootschappen vormen en ontvormen ze de wereld. Hoe kan ik weten wat Ardor van me gemaakt heeft in de smidse van het Koningswoud, en met welk doel? Misschien heb ik al gedaan wat ik moest doen, wat het ook was.

Hoofdstuk 1

OndersteBoven Dagen

Vanuit mijn schuilplaats op de Kaalkruin keek ik uit naar het Midzomeravondvuur. Ik was van plan om op de dag af een jaar nadat ik naar het Koningswoud gegaan was, terug te keren naar het dorp. Maar waarom zou de dag er iets toe doen? De seizoenen gaan het jaar rond en keren nooit terug, want zoals iedereen weet beweegt tijd zich in een spiraal, niet in een cirkel. Dat ik vasthield aan mijn dwaasheid maakte me niet tot een minder grote dwaas. Ooit had ik mezelf dapper gevonden omdat ik me alleen in het Koningswoud gewaagd had; nu vroeg ik me af of het niet dapperder was geweest om onder de mensen te blijven. De eenzaamheid was om me heen ingedroogd tot een bolster. Toch bleef ik totdat het vuur me vrijliet.

Op midzomerochtend liep ik door de rijpende velden naar de boerderij van Na's zus, Az. Ik droeg mijn mantel van schapenvacht onder de arm en schermde met mijn hand mijn ogen af. Terwijl ik liep klonk er een luid gezoem en geplaag van insecten om me heen, alsof de velden een stem hadden onder de Zon.

Toen ik door de poort stapte naar de met lemen muren omringde binnenplaats, leek de pachterij verlaten, op de kippen na die rondscharrelden rond de stenen ondermuur van de graanschuur en een zeug die lag te slapen in de Zon. Maar ik zag rook uit de zomerkeuken komen, een afdak dat tegen de hut was aangebouwd met als dakbedekking de enorme bladeren van de gouden hoprank die zich langs de palen omhoog slingerde. De binnenplaats rook naar mest en stof en bradend vlees.

Ik stapte gebukt onder het schuine dak en keek naar binnen. Az hurkte bij de vuurkuil in het vlekkerige gele licht dat door de bladeren viel. Ze was kleiner dan ik me herinnerde, en ik vroeg me af of ze gekrompen was sinds ik haar voor het laatst had gezien. Ik had niet gedacht dat ze zo oud was. Haar hoofd groeide naar voren uit de ronde bochel van haar schouders, en ze moest zich forceren om mij aan te kijken. Ik kon het niet verdragen dat ze me niet zou herkennen, dus riep ik uit: 'Az, ik ben het, Geluk, die vroeger vaak langskwam met Na. Ben je gezond? Hoe gaat het met Na?' Na een jaar niet praten in het woud bleven de woorden aan mijn tong plakken.

Az kwam overeind, steunend op een arm, en kwam in het licht. 'Ach, Geluk, dacht je dat ik jou en je rode haar niet zou kennen? Het lijkt wel of je in brand staat met de Zon zo achter je. Kom, ga zitten.' Ze leidde me naar de waakboom van de pachterij, een lijsterbes, en we gingen op de grond in de schaduw zitten. Az trok haar sjaal dichter om zich heen, hoewel het een warme dag was. Hij had een patroon van liefdesknoopjes; ik had de sjaal zelf gemaakt als geschenk voor Na. Ik dacht aan de Vrouwe, hoe ze nooit een weefster van mij heeft kunnen maken. Mijn gedachten dwaalden steeds af en lieten mijn vingers vrij om te frunniken, en later moesten de ongemerkt gemaakte fouten weer uitgehaald worden. Maar Na had de sjaal gekoesterd. Ik vroeg me af waarom Az hem droeg.

'Hoe gaat het met Na dezer dagen? Ik wil niet naar het landgoed gaan, dus ik hoopte dat je misschien een van je jongens om haar kon sturen.'

Az schudde haar hoofd. 'Na is er niet meer. Weggerukt door de trilbibber, deze winter. En wel meer: Min en twee van zijn dochters, en een paar van die Herders die alleen wonen en met niemand overweg kunnen. Dame Lyra heeft het ook gehad en ze kreeg een miskraam. Het was dit jaar erg, met zoveel sneeuw en kou.'

Ik was een tijdje stil, en wilde haar niet aankijken. 'Ik had hier moeten zijn. Zonder de Vrouwe hadden jullie een genezer nodig.'

Az zei: 'Er was niets aan te doen, het ging zo snel. Maar ik weet dat Na je wel gemist heeft. Op vrededagen kwam ze op bezoek en dan hadden we het erover dat jij aan het hof van de koning op wittebrood en room leefde.'

Een jaar geleden had ik naast Na staan kijken naar de dansers rond het vuur en had tegen haar gezegd dat ik naar de stad Ramus zou gaan, waar de koning woonde, om werk te vinden als verver. Het was een geloofwaardige leugen, geloofwaardiger dan de waarheid. Ik had weinig geduld voor verven, maar ik werd aangetrokken door de mysteries van de verfstoffen en bijtmiddelen, de transformaties in het verfbad. Het was een soort groene traditie en ik pikte alle tradities gemakkelijk op, alsof ik ze me alleen maar hoefde te herinneren in plaats van voor het eerst te leren.

Nu kwam mijn leugen tot mijn schande bij me terug. Hoe kon ik toegeven dat ik in het Koningswoud was geweest, zo dicht in de buurt toen Na stierf?

Az hield haar hoofd schuin en nam me met haar glimmende zwarte ogen op. Ik had me zorgvuldig gewassen voordat ik het Koningswoud verliet, maar mijn haar was een braambos, mijn jurk een vod en mijn voeten bloot en zo hard als hoorn. Ze zuchtte. 'Ik zie dat jij niet aan het hof bent geweest. Ik zou nog geen kip slachten die zo mager was als jij. Zonde van de kolen om hem te braden.'

Ze bracht me een stuk ongedesemd gerstebrood en een kom groentestoofpot met spek. Ik doopte het brood in de stoofpot en propte het in mijn mond. De tranen rolden naar beneden en zoutten het eten. Ik was te vol van de sensatie, ik verdronk erin: de smaak van vlees na lang vasten, de geur van brandend hout, de woordenvloed die opsteeg van onder de grond, het lieve welkom en het droevige nieuws.

Az liet me in vrede eten en huilen totdat de nieuwsgierigheid het won van haar hoffelijkheid. 'Dus waar ben je dan geweest? Je ziet er zo woest uit als een moerasspook dat de kinderen hun bed in komt jagen.'

Ik zei: 'Ik heb een moeilijke weg afgelegd, om eerlijk te zijn, en het heeft me niets opgeleverd behalve een nieuwe naam. Ik heet nu Vuurdoorn.' Ik had mijn nieuwe naam nog niet eerder hardop uitgesproken, en het voelde alsof ik te hoog greep. Maar het was duidelijk dat Geluk niet goed meer bij me paste, en soms moet je groeien in een nieuwe naam.

'Vuurdoorn past goed bij je,' was het enige wat Az zei.

Ze vroeg niet opnieuw waar ik geweest was, en daar was ik dankbaar voor. Ze spon een draad van roddels rondom het landgoed en het dorp, en vertelde dat heer Pava de oude priester had weggestuurd toen hij vergeetachtig werd. De nieuwe was een priester van de Zon, niet van de Hemelen, en wat had je daar nou aan? Hij had geen benul van het lezen van het weer of de sterren en de vogels, van hoe je de tekenen kon herkennen dat het tijd was om te ploegen of te zaaien, wanneer je een gat moest graven of moest fokken met de ram en de ooien; hij keek voor zover zij wist helemaal nooit naar boven. En de gewassen en de kudden leden eronder – twintig lammeren waren doodgeboren en één was gepakt door een arend, en bovendien had de gerst meeldauw.

En er was sprake van oorlog. Men zei dat heer Pava zelf op veldtocht zou gaan, en hij had geweigerd om afleggertjes van zijn vader te dragen als wapenrusting. Hij en de rentmeester knepen het dorp uit om zijn nieuwe harnas en wapens te kunnen betalen. Natuurlijk bleven er veel munten hangen in Rentmeesters vingers. 'Haantje denkt dat hij de baas is in het kippenhok, maar Vos weet wel beter,' zei Az.

Ik raakte de draad kwijt omdat ik aan Na dacht. Ik vond het bitter dat ik haar de rug had toegekeerd voordat ik wegging, zo weinig woorden van vaarwel had gevonden. Ik had toch moeten weten dat haar weinig tijd restte of kunnen voelen dat ze me nodig had, zelfs in het Koningswoud? Ik legde mijn hoofd op mijn knieën en Az werd stil. We zaten zo een tijdje onder de lijsterbes, terwijl de kippen naar graankorrels pikten en een tjiftjaf boven ons hoofd zong.

Ik had me twaalf maanden lang gevoed met mijn trots en had die bijna helemaal opgegeten, maar ik was niet van plan terug te gaan naar het landgoed en te smeken om een plekje als keukenhulp. Az liet me weten dat ik kon blijven, en ze gaf me Na's tweede jurk en een vod om rond mijn hoofd te dragen. De jurk hing los om me heen en liet mijn kuiten bloot. Toch was het fatsoenlijker dan wat ik uit het Koningswoud had meegebracht. Al gauw kwam haar jongste zoon, Spoedvoet, thuis om het middagmaal te halen voor de mannen op het veld, en ik ging mee om te helpen.

Az had tien kinderen gebaard, waarvan er nog vijf jongens leefden. Haar twee getrouwde zonen hadden hun pachterijen naast de hare gebouwd. Hun hutten deelden een gemeenschappelijke muur en de poorten tussen de erven stonden altijd open zodat de kinderen in en uit konden rennen. Drie zonen woonden nog thuis, maar ze bewerkten hun lapjes grond het liefst met z'n vijven.

Het was een lange wandeling naar het veld waar ze aan het hooien waren, door een voorde in de rivier en door het dal naar een hoge, rotsachtige weide. Een van de vrouwen, Halm, liep met Spoedvoet en mij mee en droeg haar baby in een sjaal op de ene heup en een grote mand op de andere.

'Ik ben blij dat er boven een beek is,' zei ze toen we omhoog klommen over het steile pad. 'Ik ben het zo zat om emmers water aan te dragen.'

In een poel van schaduw onder een grote berk riepen we de mannen, en ze kwamen lachend en schreeuwend. Ze droegen alleen lendendoeken en het zweet glinsterde op hun bruine schouders en benen. De hitte sloeg van hun lichamen af, zoals bij paarden. Ze aten en dronken en wierpen elkaar over en weer plagerijtjes toe. Een van hen vroeg me waar ik geweest was en ik kon geen antwoord bedenken. Een ander zei: 'Haar tong is zeker weggezwommen,' en ze lachten. Ik zat met mijn hoofd afgewend en deed net of ik niet keek. Ze deden een dutje tot de schaduw weg was. De geur van zweet en gemaaid hooi en aarde die bakte in de Zon steeg naar mijn hoofd als sterke cider en maakte me duizelig.

En zo kwam ik bij de dorpelingen te wonen. Hun huizen waren opgetrokken uit een mengsel van leem met mest en stro, dat op een geraamte van palen en wilgentenen gesmeerd was en overkapt met riet. Ze sliepen in de ene kamer en hun dieren in de andere. Grond was in hun huid ingesleten. Hun kleren waren zo vaal als turf en steen, als den en stro; het Bloed hield de levendigste kleuren apart voor hun clankleuren. Sloven spraken onderling het Laag, maar ze kenden voldoende van het Hoog om hun meesters te bedienen. Ik zag nu dat de dorpelingen een ander gezicht hadden dan ze lieten zien op het landgoed. Ze waren niet vergeten dat zij er het eerst waren, eerder dan het Bloed, en geboren uit de aarde van deze bergen.

* * *

De haan van Anile, de oude biervrouw, was altijd de eerste die kreet in het dorp, lang voor zonsopgang. Ik kwam op zijn geroep uit bed om gerst, haver en rogge te malen voor het brood en de pap. Tarwe was voor de belasting, dus wij aten nooit het verfijnde, gedesemde brood van het landgoed. De broers klaagden totdat ik fijn genoeg leerde malen. We verstopten de vijzel en stamper in de muur, want heer Pava had een alleenrecht op malen. Wij brachten altijd een klein beetje naar de molenaar zodat hij zou denken dat het alles was wat wij hadden, en hij bedroog ons op zijn beurt natuurlijk ook.

Soms hoorde ik in het donker het ritmische schrapende geluid van andere malende vrouwen, en ik vroeg me af of ik mettertijd glad genoeg geschuurd zou zijn om te passen, zo glad als een oude vijzel. Het zwoegen van een kleivrouw kent geen einde en geen duur: schone kleren worden vuil, maaltijden doorgeslikt, en er is altijd nieuw onkruid in de tuin. Ik dacht terug aan het Koningswoud, hoe ik daar was opgestaan wanneer ik zin had – en vergat hoe onrustig ik er sliep, en hoe ik verlangd had naar zelfs de eenvoudigste pap. De saaie taken eisten hun tol, maar ik was blij dat ik Az de ergste ervan kon besparen. Ze was niet zo broos als ze eruitzag, maar er was zoveel dat gedaan moest worden. Ze zei dat we het span samen goed trokken, en hoe had ze het toch ooit gered voordat ik kwam?

Ik leerde haar zonen uit elkaar houden. De jongste heette Spoedvoet omdat hij alle hardloopwedstrijden in het dorp won. Hij was nog maar een jongen, met gladde kaken, een brede borst en magere flanken als een windhond. De een na jongste was Ot; hij was trots op zijn net doorgekomen blonde baard en dwaalde 's avonds buitenshuis rond om ermee te pronken bij de dorpsmeisjes. Ik begon hem Tarwebaard te noemen en de naam was treffend, dus hield hij hem. Maken was de oudste die nog thuis woonde en hij had geen haast om te trouwen, want meisjes en weduwen (en echtgenotes, zei Halm) waren dol op zijn vrolijke bruine ogen en zijn brede schouders, en velen hadden ervaren dat hij een smakelijke noot was als het kraaktijd was. Zelf vond ik hem een verwarrende verschijning, hij maakte me verlegen.

Op vrededagen, de enige vrije dag per tiennachtse, keek ik toe hoe de groene jeugd van het dorp elkaar het hof maakte, met scherts en grappen, openlijk staren en verlegen blikken. Niemand keek naar mij. Ik was aantrekkelijk genoeg geweest vóór het Koningswoud, dacht ik, aantrekkelijk genoeg voor heer Pava. Nu kon je mijn ribben zo duidelijk zien zitten als bij een zwerfhond; mijn heupen waren ingevallen in plaats van rond en vlezig. Als ik naar mijn gezicht in een kom water keek, waren mijn jukbeenderen en kin te scherp, mijn ogen te diep en te donker.

Ik merkte dat ik niet kon slapen onder het dak en tussen de muren waar Az en haar jongens 's avonds hun strozakken uitrolden. Ik sliep onder de lijsterbes en zelfs daar droomde ik onrustig. De vrouwelijke avatar van Carnal, vette vlezige Begeerte, stuurde me dromen en jeuk en kriebel bovendien. Het was beter geweest als ze was gekomen toen heer Pava me wilde; nu was ze te laat. Ik at zo veel als ik kon, maar Az' zonen waren hongerig en ik kreeg nooit genoeg.

* * *

Op marktdagen en vrededagen zag ik oude vrienden uit het landgoed voor het dorpsheiligdom. Kok was geschokt dat ik zo uitgemergeld was en bracht hapjes voor me mee uit haar keuken. Ze zei dat vrouwe Lyra sinds haar miskraam melk zuur kon maken met haar blik, en geen wonder: heer Pava had zijn kleivrouw openlijk het landgoed binnen gehaald, en ze was aan een volgende bastaard begonnen zodra haar dochter van de borst was. Ik was bang heer Pava tegen te komen in het dorp, maar hij merkte me net zo min op als het vuil onder zijn voeten. Ik wilde aan zijn aandacht ontsnappen, maar het maakte me kwaad dat ik zijn gedachten helemaal niet bezwaarde en hij de mijne wel.

Toen ik op het landgoed woonde dacht ik dat de dorpsbewoners stom waren, met hun luie manier van praten. Ze beten het eind van ieder woord af, alsof ze de moeite niet konden opbrengen om het duidelijk uit te spreken, en toch gebruikten ze er zoveel: ze beuzelden maar om een verhaal heen terwijl de rechte weg erheen veel sneller zou gaan. Maar als Az en ik ergens op bezoek gingen, galoppeerden de woorden langs me heen en strompelde ik erachteraan.

Ze zeiden dat ze leefden als padden onder een eg sinds heer Pava een extra dag arbeid in elke tiennachtse had opgeëist, waardoor ze er maar vijf overhielden voor hun eigen akkers. Ze zeiden dat Rentmeester altijd toekeek en loerde. Niets ontsnapte aan zijn aandacht; hij zou een vlo nog villen om zijn huid en vet.

En sommigen gingen nog verder en zeiden dat de oude Vrouwe dan misschien wel veel te bemoeizuchtig was geweest met haar kruiden en haar drankjes – uiteindelijk was ze toch een beetje een kol – en zo streng dat ze het kleinste gaatje in een graanzak nog niet door de vingers zag, maar zij had tenminste het eten nooit tussen hun tanden vandaan gestolen. Het knaagde aan me, deze lof achteraf. Ik dacht aan hoe de Vrouwe en ik naar hun pachterijen waren gegaan met middelen tegen hun ziektes, hoe ze de vrouwen en kinderen verzorgd had met haar eigen handen, hoe ze met hun ogen knipperden en van haar wegkeken in de duisternis van die stinkende hutten, het wit van hun ogen afschermend. Ik had gedacht dat ze verlegen waren, overvallen door haar vriendelijkheid, en natuurlijk dankbaar. Nu hoorde ik over hun ondankbaarheid en wantrouwen. Maar ik zei niets.

Ze praatten ook achter mijn rug over mij. Az was te aardig om me te vertellen wat ze zeiden, maar Halm en Betwyx, de vrouwen van Az' zonen, zeiden me dat de vogeltjes rondvertelden dat heer Pava me beproefd had en teleurgesteld was – hoewel er een paar zeiden dat ik weggelopen was om zijn kind te baren en dan te begraven. Ik schaamde me ervoor dat dit soort praatjes rondgestrooid werd. Ze wilden misschien mijn eigen verhaal horen, wat hen onder de andere vrouwen veel krediet op zou leveren, maar ik gunde het ze niet.

Ik gaf de roddelaars nog meer voedsel om te herkauwen, want ik vertelde nooit waar ik mijn jaar dat ik weg was had doorgebracht. De waarheid noch een leugen zou volstaan, en dus bleef er alleen stilte over. Sommigen voelden zich beledigd en zeiden dat ik zeker vond dat ik te goed voor hen was. Maar ze waren het er allemaal over eens dat ik, waar ik ook geweest was, vreemd was geworden.

Het nieuws ging rond dat een god me belast had, en het vragen hield op. Iemand van Bloed die aangeraakt was door een god ging naar een tempel om te dienen als Auspex, of, als zijn verstand al te verward was, zorgzaam verpleegd te worden. Wie van het kleivolk door een god belast werd, kon een ronddwalende Abstinent worden en de goden plezieren door zijn vlees te kastijden, een waarzegger die op de markt de toekomst voorspelde, of een tempeldienaar, slovend voor de priesters van Bloed. De meesten bleven in hun dorpen en werden soms gemeden, maar soms juist opgezocht vanwege hun gave om te genezen, beheksen of voorspellen. Altijd waren ze meelijwekkend. Men zegt dat de goden hen het zwaarst treffen die ze het meest beminnen. Dat betwijfel ik.

Als iemand die door een god belast was had ik alles kunnen doen – raaskallen over stemmen en visioenen, toevallen krijgen en me ter aarde storten of naakt rondlopen – en niemand zou er van opkijken behalve Az en haar zonen. Maar ik wilde slechts onopvallend zijn. Als Ardor nu tot me zou spreken, was dat niet meer dan een willekeurige vrouw zou horen als ze haar vuur oprakelde voor de ochtendpap: het vuurlied van Ardor Haardhoedster.

Er kwamen een paar vrouwen bij me om hulp, en daarna nog een paar. Een smeekte om een middel om de gave huid van haar rivale te beschadigen, en ik zond haar weg met mijn boosheid op haar hielen; een andere vroeg om een amulet om te zorgen dat haar volgende kind een jongetje zou zijn, en ik keerde haar de rug toe. Maar ik deed mijn best om degenen die met pijn bij me kwamen te helpen. Ik vulde Az' hut met kruiden om te drogen en haar keuken met tincturen en zalf, en dagelijks bracht ik heilzame planten mee uit hagen, velden, boomgaarden, overal waar mijn taken me heen voerden.

Ik had me vergist toen ik dacht dat de Vrouwe de enige genezer in het dorp was. Elke kleivrouw kende eenvoudige middelen en amuletten die ze overal mee naar toe nam om alledaagse klachten te behandelen, en dan was er ook nog de vroedvrouw en een vrouw die met haar spuug een baby die aan koliek leed kon genezen. De mannen hadden hun eigen genezer, natuurlijk; een vrouw kon met een papje of aftreksel pijn, blauwe plekken of koorts verlichten bij een man, maar als ze zijn open wonden aanraakte, verzuurde zijn bloed en ging de wond zweren. De carnifex van de mannen, die kortweg Fex heette, was tot zijn roeping gekomen na het castreren van kalveren, veulens en biggen; zijn remedie tegen alle kwalen was bloedzuigers en nog eens bloedzuigers.

Ze noemden me een groenvrouw. Ik deed alleen wat de Vrouwe me had geleerd, maar ze vertrouwden me beter nu ze wisten dat ik aangeraakt was.

* * *

Op een ochtend zag Az drie kraaien op het erf landen terwijl ze in de moestuin aan het wieden was. Eén, aan haar linkerkant, vloog weg over de muur; de middelste begon zijn veren glad te strijken, en de rechter ging de koeienstal in en kwam weer naar buiten met een snavel vol stro. Ik was in het buurhuis bij Halm en haar baby en haar dochtertje Lilt toen Az ons riep om te komen kijken. Tegen de tijd dat we er waren, was er nog maar één kraai, die rondparadeerde in het stof.

Az was geschokt. 'Ik moet vandaag naar het Koningswoud. Gaan jullie mee?'

Halm maakte het teken dat ongeluk moet afwenden. 'Waarom moet je daarheen? Als je aanklopt bij Kwaad heet hij je vast welkom.' Net als Na, net als de meeste van de dorpsmensen, dacht ze dat het woud vol gevaren zat, en niet alleen van de mannen van de koning. En wie er anders over dacht, sprak er niet graag over.

Ik zei dat ik mee zou gaan, met plezier. 'We zijn morgen weer terug,' zei Az tegen Halm en ze gaf me een mandje te dragen waar gerst en een fles geitenmelk in zat.

We volgden de rivier in de richting van haar bron in de bergen. Het pad klom eerst langzaam maar werd toen steil, en ik paste mijn tred aan die van Az aan. Ze hijgde terwijl ze voortklom onder de hete Zon, dus stelde ik haar geen vragen tot we stopten om uit te rusten in een veld bloeiend vlas. Er schoten zwaluwen over het veld en hun vleugels vingen aan de onderkant het blauw van de bloemen.

'Wat heb je gezien, Az? Wat betekent het omen?'

Tot mijn verbazing begon Az te huilen. 'De kraaien vertelden me dat ik tegen de winter nog maar één zoon in mijn pachterij zal hebben, want een zal uitvliegen en een zal trouwen. We zullen de houtvester spoedig om de koningspaal moeten smeken, voor het bouwen van een nieuw huis. O – veranderingen zijn moeilijk voor een oude vrouw! Zelfs goed nieuws komt als een dief.'

'Denk je dat Maken gaat trouwen? Met wie?' Het was een vraag die me die dagen vaak bezighield.

Az haalde haar gebochelde schouders op. 'De kraai met het stro vloog het hele dorp over, en wie weet waar hij neer is gekomen. Er waren veel vrouwen op zijn pad. Ik maak me meer zorgen om Spoedvoet. Ik vrees dat hij niet oud genoeg zal worden om een baard te krijgen.' Ze wreef de tranen met twee handen uit haar gezicht. 'Kom, we moeten nog ver.'

Er is een pad dat de wilde herten gebruiken als ze het bos uitkomen om aan de zware halmen van het rijpende graan te knabbelen. We volgden het door een muur van bramen, de Zon uit en de schaduw onder de bomen in, en toen verliet Az het pad en leidde me diep het woud in naar de grote eik, het Hart van het Woud.

Ik wist natuurlijk waar ze me heen bracht; elke stap was me vertrouwd. Toch vroeg ik me af hoe ik had kunnen vergeten – of uit mijn hoofd had kunnen zetten – dat het Koningswoud bezield is met een gevoel van aanwezigheid. Ik was een boswezen geweest, een van de vele, en was zo opgegaan in dat weidse leven dat ik mezelf een tijdlang verloren had; nu werd ik geraakt door ontzag en vrees, zoals elke indringer die te ver afdwaalt in deze omgeving.

Az leek niet bang te zijn. Ze liet me het mandje gerst en geitenmelk in een vertakking van de grote eik hoog boven haar hoofd zetten. Toen begon ze op lage toon te zingen, staand tussen twee wortels die zo dik waren als de dij van een man, en wiegde heen en weer. Ik zat vlakbij op de grond, en na een tijdje viel ik met open ogen in een schaduwdroom. Voor me wuifde een groene sluier in de wind, geweven in een veranderlijk patroon van bladeren en takken, licht en schaduw. Ik keek er zijdelings naar en ving een glimp op van een zwart paard in galop, zijn berijder gehuld in een groene vlam. Maar al snel werd ik me bewust van andere schaduwen die dichterbij kwamen en zich verdrongen aan de rand van mijn blikveld. Ik voelde dat we een hele menigte om ons heen hadden en mijn nekharen gingen overeind staan.

Az was nog steeds aan het murmelen en wiegen. Ze huilde weer.

Laat in de middag kwam ze uit haar trance. Ze sneed een groene tak met een fijne bladernevel van het Hart van het Woud en zegde dank, en ze leidde me weg, zelfs zonder pad zeker van haar stappen. We beklommen een steile helling en daalden toen af naar een ravijn tussen twee lange richels, waar een van de stromen die onze rivier voeden diep was ingesleten in de rots. De leistenen wanden van de kloof waren bedekt met varens, mosklokjes en heldergroene mossen die overdadig groeiden door het sijpelende water. De stroom was ondiep, snel en koud. We klauterden over glibberige rotsen en hielden ons vast aan wortels en zaailingen. Az ademde zwaar en haar armen en benen trilden. Ik smeekte haar te stoppen en iets te eten, want ik had onderweg paddestoelen en knollen en bessen verzameld. Ze schudde haar hoofd en we gingen verder, zwijgend.

Diep in de bergen wordt het vroeg donker. Tegen de tijd dat we onze bestemming bereikt hadden, was het helderblauwe lint van de hemel boven ons kobaltblauw gekleurd. Az had me naar de bron van de stroom gebracht. Waar de twee lange richels samenkwamen tuimelde het bronwater uit een spleet in de rotswand neer in een poel vol grote rotsblokken. Eén kant van het ravijn was een wand van pure grijze klei. Door de jaren heen was eruit geput, en de gravers hadden een breed modderplateau vlak naast de poel achtergelaten. We hoopten bladeren op in een holte, en Az en ik rolden ons op om te slapen.

Ik sprak hardop terwijl ik droomde en werd er zelf wakker van, maar de woorden en de droom waren me al ontglipt. Ik zag vlak bij ons drie lichtjes bewegen en maakte Az in paniek wakker. 'Niet bang zijn,' zei Az. 'Ze zijn hier om ons uit de problemen te houden,' en ze ging weer slapen.

's Morgens was ze toeschietelijker. 'Onze doden zitten overal in deze bossen,' zei ze tegen me. 'We begraven ze hier om ze in de buurt te houden zodat ze over ons kunnen waken, ieder onder een zaailing die past bij hun aard. Veel van deze bomen zijn onze mensen. Toen kwam het Bloed en moesten we onze doden verbranden. We hebben zes generaties verloren sinds zij van overzee kwamen, zes generaties die wie weet waar ronddwalen. Maar zij die hier nog zijn komen nog steeds als we ze nodig hebben, als ze niet vergeten zijn. Ik denk dat ze misschien spoedig vergeten zullen zijn.'

Ze wees naar de kliffen. 'In het begin werd ons volk uit deze klei gemaakt, precies hier tussen de Dijen. Jij zult je kracht pas vinden als je weet uit welke klei jij gemaakt bent. Je hoort hier niet.'

De tranen sprongen in mijn ogen alsof ze me had geslagen.

Ze boog naar me toe en greep mijn hand. 'Neem het niet te zwaar op. Ik zeg alleen dat ik geen omen van de vogels nodig heb om me te zeggen dat jij weer weg zult vliegen.'

Ik ging voedsel zoeken terwijl Az de hele ochtend werkte, klei opgroef en boetseerde. Tegen de tijd dat ik terugkwam had ze een vrouw gemaakt van ongeveer kniehoogte, gevormd rond de eikentak, zodat er een knot van bladeren boven op haar hoofd bloeide. Ze streek de klei glad totdat die op huid leek en sneed spiralen over de ronde borsten en buik. En tot slot kraste ze ogen in de gladde ovaal van het gezicht. Het verbaasde en beangstigde me dat de kleivrouw uit haar nieuwe ogen terugkeek naar ons, en ik vroeg me af of Eorõe Artifex verrast was geweest toen ze onze voorouders, de eerste mensen, schiep en voelde hoe de klei tot leven kwam onder haar handen.

We lieten de vrouw achter in een droge nis in de rots, achter een paar blokken steen. Az zei dat Maken haar zou komen halen als hij klaar was om zijn huis te bouwen en haar in de muur zou verstoppen om zegen te brengen.

Op weg naar huis was Az in een goed humeur omdat ze onder de grote eik had gehoord dat Spoedvoet voorlopig nog niet zou sterven. Ze wist dat hij weg zou gaan, maar niet waarheen of wanneer hij terug zou keren. Ze had een kleipop voor hem gemaakt van twee vingers hoog, met een eikel als hart. Ze wilde dat hij een beetje aarde van waar hij vandaan kwam bij zich hield, om te voorkomen dat Kwaad zijn pad zou kruisen. Maar we hebben niet de macht om bepaalde lotsbestemmingen af te wenden; hoe drukker Az zich over Spoedvoet maakte in de wetenschap dat ze hem zou verliezen, hoe zekerder ze hem wegzond.

* * *

Toen de oogsttijd kwam maaiden we de hele dag in het veld en gingen we slapen met stro in ons haar en gruis onder onze oogleden. Het werk staalde me, totdat ik de snelste maaiers bij kon houden. Alles rook naar kaf. De stenen graanschuur in het landgoed vulde zich terwijl Rentmeester en Eerwaarde Narigon, de priester, bij de deur stonden en de hoeveelheid bijhielden, loerend op elkaar als twee katten.

Ik kneep in mijn armen en benen om het vet onder de huid te voelen. Az maakte een nieuwe jurk voor me uit stof die Na haar had nagelaten, donkerblauw geverfd met wouw. Mijn tong werd sneller en ook gretiger. Lachen ging me moeilijker af, maar Spoedvoet plaagde me graag en maakte me aan het lachen. Het leven bij de Vrouwe was als een tapijt dat weggesloten is in een kist; ik haalde het er niet meer uit om naar de kleuren te kijken. Evenmin dacht ik aan mijn jaar in het Koningswoud, al droomde ik er soms over.

* * *

Al dat gepraat over de oorlog: de geruchten stoven rond als kaf boven de dorsvloer en het was moeilijk om een korrel waarheid in het stof te vinden. Koning Thyrse had bijna elke zomer van zijn bewind een veldtocht gehouden en hij regeerde al voor ik geboren was. De mensen zeiden dat hij haast net zoveel van oorlog hield als van jagen, en meer dan van vrouwen (want hij had tussen zijn veldtochten door geen tijd gevonden om een tweede vrouw te nemen nadat zijn eerste kinderloos was gestorven). Zijn gevechten betekenden niet meer voor mij dan de liedjes van een nieuwsventer, zolang hij zijn oorlogen maar bij onze poorten weghield en ze elders voerde.

De Vrouwe voldeed haar schatting altijd in paarden in plaats van mannen. Ze had een oude, in het gevecht getekende hengst die goed fokte, en een uitstekende paardenmeester om zijn kroost te oefenen. Een goed oorlogspaard was vijf keer zijn gewicht in voetsoldaten waard. En als er elk jaar een paar van de jongere kerels onder het kleivolk hongerig en rusteloos genoeg waren om weg te lopen naar de oorlog, nou, goed dan – er kwam rust in het dorp als de herrieschoppers de benen namen.

Dit jaar was het anders. De koning had zijn troepen opgeroepen om na de herfstoogst bijeen te komen, wat betekende dat er een winterveldtocht gehouden ging worden. Niemand wist waarom, maar iedereen maakte gissingen. En het was waar: heer Pava trok ten strijde. Hij riep vier sloven uit het dorp op om als zijn voetvolk te dienen. En misschien kwam hij wel niet meer thuis. Opgeruimd staat netjes.

Er waren boodschappers heen en weer gegaan tussen de meester en zijn vader, en heer Pava was naar Ramus gegaan om zijn wapenrusting te passen – en die was erg mooi: een helm met een kuif van vergulde ijzeren veren en een harnas bedekt met zilverachtige schubben als een vis. Men zei dat het dek van het paard alleen al voldoende kostte om ons allemaal een jaar te voeden. Hij gaf ook geld uit in het dorp en kocht lederen uitrusting, ruw en fijn doek, hammen en geconserveerde eenden, kaas, gedroogd fruit, graan, duizend dingen. Maar wat hij de wapensmeden betaalde haalde hij weg bij ons, in de vorm van nieuwe belastingen en boetes voor zelfs de kleinste overtredingen. Er kwamen ruzies van, omdat sommige sloven voor de eerste keer munten hadden en anderen zeiden dat de graanschuren tegen midwinter al leeg zouden zijn, en dat de hongersnood dan op bezoek zou komen. Maar de jongens keken graag stiekem hoe heer Pava oefende voor de strijd, zijn nieuwe harnas schitterend in de zon.

Spoedvoet en ik gingen ook naar hem kijken. We klommen in een boom die uitkeek over de buitenste hof. Hij had de waakboom van het landgoed omgehakt. Voor ik het met mijn eigen ogen zag had ik het niet willen geloven. Die boom was geliefd geweest, jaarlijks gevoed met plengoffers van bier en gesnoeid tot een perfecte koepel. Als kind had ik me vaak verstopt tussen de takken en at ik de pruimen en gooide ik de pitten naar Na als ze me kwam zoeken. Zijn bladeren waren donker, maar als de zon doorbrak glansden ze rood als wijn. Nu was er niets meer van over dan een naakte stronk met twee takken waaraan een doelwit kon hangen voor het stoten met de speer. Hij stond in een modderig veld waar ooit een tuin geweest was, met geplaveide paden en lavendel en rozen en turfbanken.

Na tiennachtsen zonder een wolkje aan de lucht had het nu geregend en het werd koud. Heer Pava en Eerwaarde Narigon zaten te voet achter elkaar aan en sloegen erop los met houten zwaarden die verzwaard waren met lood. Ze gleden uit in de modder, kreunend en vloekend. Ik draaide mijn hoofd weg en spuugde op de grond, maar ik kon zien dat Spoedvoet onder de indruk was.

* * *

Vlak voor de OndersteBoven Dagen van de herfstequinox kwam er een gezelschap mannen naar het landgoed. Ze waren op weg naar de nieuwe oorlog van de koning. Ik was in Az' pachterij in de moestuin rapen aan het rooien toen ik de vlaggen boven de muur zag en de jongens hoorde schreeuwen. Ik rende met de andere sloven mee om de strijders te bekijken en zag van achteraan in de menigte hoe ze de poorten van het landgoed binnengingen.

Het duizelde ons bij de aanblik, want de Zon, die de hele week schuil was gegaan achter zware wolken, koos ervoor om op dat moment haar stralen uit te zenden om het metaal van de wapenrusting en wapens te vergulden. Aan een staf die aan hun rug gebonden was droegen alle ruiters wimpels; doek-van-goud voor de koning en grasgroen voor de clan van Crux. Ze golfden en wapperden in de wind. De mannen hielden de teugels strak om er zo goed mogelijk uit te zien, en hun paarden trokken aan hun bitten, stampten en hinnikten terwijl ze zich verdrongen voor de poort. Ver beneden in het dal konden we, nog in de schaduw van een wolk, een konvooi voetsoldaten zien, een karavaan van ossenkarren, pakezels en reservedieren, en een troep vechthonden met hun africhters. Twee jongetjes wrongen zich tussen de benen van de mensen door om het beter te kunnen zien, gleden in de greppel naast de weg en moesten uit het modderige water gehaald worden en vierkant uitgescholden om hun dwaasheid.

Ik zag de troepen van Crux aan voor het hele leger. Ik kon ze niet allemaal tellen omdat ze steeds in beweging waren, maar ik gokte dat er bijna honderd ruiters waren en ongeveer hetzelfde aantal mannen te voet. Maar het Bloed telde er maar zestien in de compagnie – hoorde ik later – want dat is het getal van het harnas, en heer Pava zou de zeventiende zijn. Zeventien is een sterk getal, het kan niet gemakkelijk gedeeld worden. Elk van de geharnaste mannen had een schildknaap, ook van Bloed, die zijn wapens droeg en aan zijn schildzijde vocht. Deze mannen waren strijders die zouden vechten voor glorie – en een deel van de glorie bestond uit de buit die ze mee naar huis zouden brengen. En dan waren er soldaten, kleimannen die naar de oorlog gingen op bevel van hun meester. Elke geharnaste had zeven of acht gewapende pages, enkelen te paard, de rest te voet. Maar het Bloed nam niet de moeite om het kleivolk in de troepen te tellen, noch levend, noch dood op het slagveld.

De geharnasten stonden vooraan, maar we hadden ze toch wel herkend aan hun strijdpaarden, die een dikke hand groter waren dan de andere rijdieren, en aan hun glanzende borstplaten. Hun helmen waren aan de zadels van hun bedienden gebonden. We konden hun gezichten zien toen ze heer Pava en vrouwe Lyra begroetten bij de buitenpoort. De oudste had een grijzende baard, maar zijn haar was bruin. Zijn gezicht was verweerd en hij had een gerimpeld litteken dat over zijn wenkbrauw naar zijn linkerooghoek liep. Hij stapte als eerste af, zo soepel als een jongeman. Hij zei: 'Heer Pava, ik breng u een groet van uw vader.'

Heer Pava en vrouwe Lyra knielden op de weg voor hem – hoewel ze een sloof eerst een stuk doek op de grond hadden laten leggen. Heer Pava had voor de gelegenheid zijn nieuwe wapenrusting aan. 'Wij zijn vereerd met uw bezoek, heer Adhara dam Pictor van Falco, Eerste van Crux,' zei hij. 'Mijn landgoed is maar een krot en onwaardig om u beschutting te bieden, maar u bent welkom. Ik zou wensen dat ik u een beter maal kon voorzetten, maar het voedsel dat we hier hebben is eerder geschikt voor de zwijnen dan voor mensen.' Vrouwe Lyra zei iets dat ik niet kon verstaan door de herrie. Ze zag er dikker uit dan de laatste keer dat ik haar had gezien; haar huid was bleek.

Wij omstanders konden de betekenis van deze vertoning niet lezen, want het is de gewoonte om zulke nederig klinkende woorden te richten tot onze meerderen. Maar het was niet allemaal gespeelde hoffelijkheid. Deze man droeg de titel van de Crux, de Eerste van zijn clan, en hij was de levende vertegenwoordiger van de god Crux onder de afstammelingen van de goden. Hij leidde de Raad der Huizen van de clan, en bij hoge nood riep hij als Bemiddelaar de Raad der Doden bijeen. Zijn gebeden bereikten de goden waar die van anderen faalden. En hoe weinig we verder ook wisten over het hof, we hadden heer Pava vaak horen opscheppen dat de koning altijd luisterde naar heer Adhara dam Pictor van Falco, Eerste van Crux.

Ik staarde hem aan, de man die zo dicht bij een god en een koning stond. We staarden allemaal en we werden er niet voor geslagen. Heer Pava stamde net zo goed van Crux af, de god die het kleivolk lang geleden bezocht had als zijn avatar de Zon. De Zon paarde met sterfelijke mannen en kreeg zonen, die de voorvaderen werden van de huizen in de clan. Gods Bloed stroomde door de aderen van heer Pava, dat was zeker, maar ik had nooit eerder een sprankje schittering in hem gezien. Maar die dag schoof de Zon de wolken uiteen en scheen zo helder neer op de Crux dat ik mijn ogen moest afschermen, en ik voelde ontzag voor hem en zijn hele gezelschap, zelfs voor heer Pava. Het deed er niet toe dat ze ook op ons toeschouwers scheen; wij waren dof en hadden geen deel aan haar glorie, zoals zij in hun wapenrusting.

De Eerste van Crux vroeg heer Pava overeind te komen en gaf hem de kus van vrede. Wij bleven rondhangen toen zij binnen waren om de rest van de compagnie aan te zien komen sjokken: voetsoldaten en ossen en muilezels en paarden en honden. Tot slot kwam er een landgoedsloof naar buiten met een bezem en kruiwagen om de mest van de weg op te ruimen. Ze was te trots om een snippertje nieuws met ons soort te delen. Ik kon me het feestmaal en de drukte in het landgoed tot in detail voorstellen, maar ik stond nu buiten en keek samen met de rest van de dorpelingen naar binnen. Ik ging naar huis in een slecht humeur.

* * *

Ik vond een excuus om naar de achterpoort van het landgoed te gaan, hoewel ik die eerder vermeden had; ik bracht wrange streefbessen en beursnoten naar Kok en ik vroeg haar wat voor berichten de nieuwkomers hadden meegebracht.

'Ik kan hier niet gaan staan roddelen,' zei ze. 'Kom me maar even gezelschap houden.'

Ik ging net binnen de achterpoort staan en leunde tegen de muur bij de moestuin. 'Wat is er voor nieuws?' vroeg ik.

'Kijk nou toch eens!' zei ze. 'Er zitten alweer wormen in de boerenkool.' Ze knielde en begon groentewormen tussen de bladeren vandaan te halen en onder stenen te vermorzelen. Ze zei dat de koning van plan was de Inwaartse Zee over te steken en Incus aan te vallen, en het was zijn zuster, koningin-moeder Caelum, die hem gesmeekt had dit te doen, in de winter nog wel. Wie had ooit gehoord van oorlog voeren in de winter?

Tijdens mijn leven had koning Thyrse veldtochten gehouden naar het noorden, tegen een clan norse schapendieven, en hij had de stenen van hun forten verstrooid over hun rotsachtige land. In het zuiden had hij een stam kleine mannetjes veroverd die op kleine, snelle paardjes reden; ze gebruikten pijl en boog en vanwege de heiligschennis van het doden op afstand had de koning ze zonder medelijden afgeslacht als hij ze kon vangen, mannen, vrouwen en kinderen. In het oosten had hij een vruchtbare riviervallei veroverd, verloren en heroverd. Maar de Incus in het westen had hij nog nooit aangevallen, en dat zei ik.

'O, maar dat heeft hij wel gedaan,' zei Kok. 'Misschien was het voordat jij er was. Het was een grensgeschil, geloof ik, of een twist over een of ander eiland. Na afloop huwelijkte hij zijn zuster uit aan de koning van Incus om de vrede te bewaren. Toen de koning stierf regeerde zij als regentes totdat haar zoon, prins Corvus, meerderjarig werd. Ze zeggen dat hij met een slangenvrouw getrouwd is die hem stevig in de wurggreep houdt (en met haar gespleten tong in zijn oor kietelt). En omdat zij koningin-moeder Caelum niet kan uitstaan heeft hij zich tegen zijn moeder gekeerd en haar opgesloten in een fort in het noorden. Ik heb de Crux aan tafel horen zeggen dat de koningin-moeder haar garnizoen helemaal langs de noordelijke kust van de Inwaartse Zee heeft geleid en vandaar zuidwaarts naar Ramus, en dat ze voor koning Thyrse op de grond is gaan liggen en stof in haar haar wreef en hem smeekte om haar terug te geven wat haar toekomt. Hoe kon hij nee zeggen tegen zijn zuster?'

'Ik zie er de zin niet van in. Gaat ze oorlog voeren tegen haar eigen zoon?'

'Ze zeggen dat hij behekst is en niet kan regeren. Maar ik weet het niet. De kok van de Crux heeft me verteld dat zij eerder zure kwark dan room is, hoe lief ze ook lijkt. En hij zei dat hij het de prins niet kwalijk kon nemen als hij gehoopt had dat de kou en het vocht daar in het noorden haar dood zouden worden.'

Kok ging naar de volgende rij kool. Ik volgde haar een paar stappen verder de hof in en vroeg haar naar de troepen die in het landgoed verbleven, want dat interesseerde me meer dan al die praat over een koninkrijk ver weg. Ze zei dat de Crux het recht had verkregen om vijf hindes en een hertenbok uit het Koningswoud te nemen en zo veel damherten als hij op kon drijven; daaruit bleek hoe hoog hij in de gunst van de koning stond. Hij had ze aan heer Pava beloofd voor de OndersteBoven Dagen en het Equinoxfeest, en Pava kwispelde uit trots over de eer zo hard met zijn staart dat hij haast zijn rug brak.

En men zei dat een van de jongere geharnasten een bastaard van de koning was, verwekt bij een Cruxvrouw om de clan te versterken. Als hij goed vocht zou hij een leengoed krijgen. Iza had met zijn kamerheer geslapen en vrouwe Lyra had haar betrapt en haar afgeranseld. Ze had gezegd dat ze minstens een schildknaap had moeten kiezen als ze zichzelf toch voor schut wilde zetten.

Ik moest hier zo hard om lachen – Iza was al bijna dertig en te oud om achter de mannen aan te zitten – dat mijn hoofddoek losraakte. Terwijl ik mijn haar er opnieuw onder stopte, zag ik heer Pava met een paar van zijn gasten uit de stallen komen. Ik omhelsde Kok haastig en draaide me om om te gaan.

'Geluk, breng me maar een beetje maltkruid en wild penningkruid als je het kunt vinden,' riep ze. Ze kon niet aan mijn nieuwe naam wennen. 'En kom af en toe eens naar mijn keuken zodat ik je wat bij kan voeren.'

Ik schudde mijn hoofd. Ik had nog geen voet in het landgoed gezet. Ik wachtte op de OndersteBoven Dagen.

* * *

In de handvol dagen die OndersteBoven Dagen heette – elk jaar vijf dagen die niet bij een maand of een tiennachtse horen – kan er van alles gebeuren. Laag is hoog en hoog is laag, en mensen grijpen de kansen waarop ze het hele jaar gewacht hebben, of ze worden gegrepen door kansen die ze niet hebben gezocht. Negen maanden later worden er veel kinderen geboren en die worden gelukkig geprezen, hoewel ze misschien meer dan hun deel slaag van de vader des huizes krijgen.

Op de derde van de Dagen werd heer Pava voor een ploeg gezet en door de oudste sloof met een rijzweep over het veld gejaagd. Hij ploegde een halve voor en zwoer toen dat hij niet verder ging. Een kleiman riep uit: 'Uw voor is maar kort. Hopelijk stopt u minder snel als u uw vrouw ploegt,' en een ander zei: 'O, hij ploegt anders graag genoeg. Maar hij zaait liever niet.'

Heer Pava antwoordde met een of ander grapje, maar hij was ontstemd. Iedereen wist dat hij zijn zaad overal rondstrooide maar slechts twee bastaarden had. Vrouwe Lyra hurkte neer en waterde over het veld, en ze hield haar jurk omhoog zodat die niet vuil zou worden. Er waren nog meer grove grappen voor haar, en ik zag tot mijn plezier dat ze aankwamen.

De derde nacht was gewijd aan de god Carnal. Vrouwen droegen hun haar onbedekt, schaamteloos, alsof ze allemaal weer maagd waren. De mannen trokken van dorp naar dorp, en de vrouwen die niet geprikt wilden worden bleven thuis en barricadeerden hun deur. We dansten over geploegde stroken naar het midden van de spiraalvelden om ze voor te bereiden op het winterzaaien, en daarna weer naar buiten, steeds maar rond en rond totdat we duizelig waren. We riepen de god, en de god kwam onder ons in de avatar Begeerte. De Zon ging onder; we staken toortsen van harsdennen aan en de toortsen dreven verder uit elkaar, duikend en zwaaiend en flakkerend, terwijl de dansers hun partners kozen voor een ander soort dans.

Een man met een toorts rende achter me aan en wierp mijn schaduw flakkerend over de voren voor me uit. Hij greep mijn schouders, draaide me om en kuste me. Zonder dat ik veel tijd had om erover na te denken, beet ik hem en duwde hem weg.

Hij lachte. Er zat bloed op zijn lip. 'Ik hoopte dat ik jou zou vinden,' zei hij in het Hoog, een taal die ik al meer dan een jaar niet gesproken had. 'Rood haar brengt geluk.'

'Misschien niet voor jou,' antwoordde ik. Mijn hart bonsde zo hard dat ik stond te schudden. Ik bewoog me niet en dacht: als ik nu wegren, vangt hij me hoe dan ook en zal hij denken dat het valse bedeesdheid was. En ik dacht: misschien wil ik niet wegrennen.

Hij was van Bloed. Hij had zijn baard afgeschoren zodat zijn clantatoeage beter opviel. Dat was de mode in Ramus – of dat hadden we tenminste gehoord toen heer Pava zich ook had geschoren en zijn zwakke kin had blootgegeven. Deze man had daar geen last van. Hij ademde snel en ik zag de hartslag opspringen in zijn nek. Zijn lange, krullende haar was vochtig van het dansen. Hij droeg geen bovenkleed, alleen een hemd en beenkappen, maar die waren goed gemaakt: de pijpen waren naar de vorm van zijn benen gesneden en werden boven de knie bijeengenomen door een met juwelen bezette band, en zijn hemd was van zulk fijn linnen dat het bijna doorschijnend was. Een geharnaste, dus. Het was onwaarschijnlijk dat een schildknaap zo goed gekleed zou zijn.

Hij zei: 'En, genoeg gezien?' Hij hield de toorts in één hand omhoog. Met de andere greep hij mijn rokken en trok me naar zich toe. Hij lachte toen hij zag dat ik zo serieus over zijn vraag moest nadenken.

Zijn uiterlijk en de lach die zo gemakkelijk kwam stonden me wel aan. Ik sloeg mijn armen om zijn middel, ging op mijn tenen staan en kuste hem. Het smaakte zoutig. 'Ben ik niet te mager voor je?'

Hij lachte opnieuw en antwoordde met nog een kus. Hij nam mijn hand en we renden, ver weg van de andere lichtjes. Achter een heg van haagdoorn dreef hij het uiteinde van de toorts de grond in.

Ik vroeg: 'Waarom doof je hem niet?'

'Omdat ik je wil zien,' zei hij.

We lagen op aarde die gekeerd en zacht gemaakt was door de ploeg. Hij trok mijn jurk omhoog, knoopte zijn beenkappen los en voor de eerste keer nam ik het gewicht van een man uit vrije wil. Er was niet veel pijn, of plezier. Ik weet niet waarom hij de toorts aan wilde laten. Hij hield het grootste deel van de tijd zijn ogen dicht.

Toen hij klaar was rolde hij van me af en lag hij op zijn zij met zijn hoofd op een hand en keek naar me. De toorts flakkerde en walmde. Hij was haast opgebrand en wierp schaduwen over zijn voorhoofd en jukbeenderen.

Hij vroeg naar mijn naam.

'Ik word Vuurdoorn genoemd.'

Hij glimlachte en wreef over zijn lip waar ik hem had gebeten. 'Je hebt je naam zeker verdiend door je stekels op te zetten,' zei hij.

'Volgens mij ben *jij* hier degene die een stekel heeft opgezet,' kaatste ik terug. Hij ging op zijn rug liggen en lachte. Hij had zware oogleden die aan de buitenkant een beetje afhingen. Ik begon de schaduw die achtergelaten was door zijn afgeschoren baard mooi te vinden. Ik trok mijn jurk omlaag over mijn benen en draaide me om om hem aan te kijken.

'Wat is uw naam, heer?'

'Galan.'

'En het huis van uw moeder?'

'Capella.'

'Goden! Bent u dan familie van heer Pava?'

'Onze moeders zijn zusters.' Hij keek me aan vanonder zijn oogleden.

'Geef me dan de rest – uw vaders huis?'

'Falco.' Nu lachte hij me uit omdat mijn mond openviel. Hij nam een lok haar die over mijn gezicht was gevallen en stopte die achter mijn oor.

'Zoon van de Eerste?'

'Nee, zijn neef. Ben je niet blij? Ze zullen tegen je opkijken in het dorp.'

'Waarom zouden ze? U bent snel genoeg weer vertrokken. En je hoort niet te praten over wat er gebeurd is tijdens de OndersteBoven Dagen.' Nu deed deze heer Galan dam Capella door Falco van Crux me te veel aan heer Pava denken. Het Bloed vindt dat we vereerd moeten zijn met hun aanraking, zoals zij vereerd werden toen de goden met hun voorouders paarden. Ze kunnen zich niet voorstellen dat wij daar anders over denken.

De toorts ging uit. Ik kon de heldere weg door de lucht zien en de twaalf godentekens in de sterren. Elk teken schrijft de naam van een god in de lucht. Maar als ze achter elkaar worden gezet in stipjes inkt op linnen met lijmwater, met tekens erboven, rechts of eronder om de avatars aan te duiden, kun je de tekens bijna alles laten betekenen. Dat had de Vrouwe me geleerd toen ze me had leren lezen.

Ik hoefde me niet af te vragen wat ze zou zeggen als ze me met een man in het veld zag liggen. Misschien zag ze me ook.

'Kijk, daar is Crux,' zei ik, wijzend. Ik was blij met het donker, want het bloed was naar mijn gezicht gestegen.

'Het verbaast me dat je de sterren kent,' murmelde hij.

Ik slikte een kort antwoord in.

Hij zei: 'Ik heb je pasgeleden bij de poort gezien. Je viel erg op toen je haar losraakte. En toen dacht ik bij mezelf: die is voor mij, in de Carnalnacht.' Hij legde zijn hand tussen mijn dijen en ik voelde hoe het daar begon te kloppen onder zijn aanraking. 'Ik zie dat je hier ook rood bent.' Zijn stem was niet meer slaperig.

Het voelde als een balsem. Ik vond het prettig dat hij speciaal mij had gewild. Liever dat dan denken dat ik de enige was die hij kon krijgen. Ik trok mijn jurk over mijn hoofd en overtuigde zijn hemd ervan dat het uit moest en toen zijn beenkappen. Ik wilde de warmte van zijn huid tegen mijn hele lichaam voelen.

De tweede keer raakte ik hem aan waar ik wilde, waar hij wilde, en ik was verrast dat wij elkaar beiden het recht hadden gegeven om vrij rond te dwalen in zo'n groot nieuw veld. Ik voelde dat hij onder de littekens zat: een lange dunne lijn onder zijn kaak, een striem op zijn enkel, een halvemaanvormige richel op zijn rug, overal sneden en krassen. Ze staken bleek af tegen zijn huid in het donker en ze gaven mijn vingers kort houvast. Ik zei, deze? En dan zei hij dat een paard hem een trap had gegeven. En deze? Hij wist het niet meer, of hij had een ander spelletje in gedachten.

We bleven de hele nacht in het veld liggen. 's Ochtends was ik rauw en had ik overal kippenvel. Onder de Zon zat mijn tong vast. Hij zei dat hij me opnieuw zou vinden, maar ik geloofde hem niet. We gingen uiteen op de heuvel waar het ene voetpad naar de poort van het landgoed leidt en het andere naar de pachterijen in het dorp. Hij zond me een glimlach toe en zei me gedag.

* * *

De OndersteBoven Dagen zijn grillig. Ik had een man gevonden die me één nacht naast een heg goed bevallen was. Het was Carnalnacht, en het was geen wonder dat de lamp van Begeerte voor ons had gebrand. Ik hoopte dat ik de herinnering aan het holletje van zijn keel en de smaak van zijn zweet vast zou kunnen houden, aan het bewegen van zijn spieren onder de huid, zijn vingers die in mijn billen groeven, want dat zijn de geschenken van het festival.

Voor de rest was ik van plan om heer Galan eenvoudig uit mijn hoofd te zetten, en vooral hoe hij er had uitgezien voordat de toorts uitgebrand was, de eerste keer dat ik onder hem lag. Hij had zichzelf boven mij op zijn handpalmen opgericht en deed zijn hoofd naar achteren, sloot zijn ogen en ploegde mij nog dieper de voor in. Ik had iedereen of niemand kunnen zijn, de aarde zelf, als de kluiten die onder mijn handen uiteen vielen.

Maar ik was een dwaas als ik dacht dat Ardor klaar met me was. Natuurlijk had een vonk van Ardors Wildvuur de lamp van Begeerte aangestoken, en die scheen op een onverwacht pad voor mijn voeten.

* * *

Die avond vond heer Galan de weg naar Az' deur en vroeg naar mij. Ik was verrast om hem te zien en verheugd, op een manier die ik zorgelijk vond. Het waren OndersteBoven Dagen, dus Az haalde haar schouders op, deed de deur dicht en liet ons alleen op het erf.

'Ga met me mee naar het landgoed. Daar heb ik een bed,' zei heer Galan.

'Dat kan ik niet. Dan zien ze me.'

'Wat doet dat ertoe? We zullen een heel bed voor onszelf hebben. Heer Alcoba en ik deelden eerst een kabinet, maar ik heb hem aangeboden dat hij tijdens de jacht morgen op mijn zwarte renpaard mag rijden als hij twee nachten ergens anders slaapt. Hij doet alles om op Semental te mogen rijden – en bovendien zal hij zonder problemen een of twee zachte meiden kunnen vinden als kussens voor in zijn bed.'

Ik was niet van plan geweest op die manier naar het landgoed terug te keren. Ik had willen wachten tot het feestmaal aan het slot van de OndersteBoven Dagen, zodat ik heer Pava en vrouwe Lyra hun trotse nek kon zien buigen als ze ons kleivolk aan tafel bedienden. Maar dit had ook een aangename smaak: slaapkabinetten waren voor de gasten, niet voor sloven. Ik had er nog nooit van mijn leven in geslapen. Ik dook de hut in om mijn sjaal te halen. Az trok een gezicht en zwaaide me uit.

De hal van het landgoed was schemerig en rokerig en kleiner dan ik me herinnerde. Overal waren mannen. Sommigen sliepen, sommigen waren in hoekjes vrouwen aan het naaien, en anderen dobbelden en dronken en knaagden botten af. Het stonk er als in een vossenhol. De Vrouwe zou het nooit toegestaan hebben, zelfs niet tijdens OndersteBoven Dagen. Ze zou ook geen toortsen gebruikt hebben, want daar sprongen vonken vanaf en ze maakten de tapijten zwart. Ze beknibbelde nooit op kaarsen als de gelegenheid er naar was, hoe zuinig ze ook was.

Heer Pava zat voor het vuur met vrouwe Lyra, de Crux en twee andere geharnasten. Een laag scherm scheidde hen af van de braspartij. Vrouwe Lyra zat stijfjes en stil overeind met een houten glimlach, en ze hield haar beste gewaad strak om zich heen alsof er een vloedgolf vuil water rond haar muiltjes klotste. Heer Pava was rood, opgewonden van de eer en te veel wijn. Hij riep: 'Kijk eens waar Galan mee aan komt zetten. Ik maak me zorgen over je, neef, als dit het beste is wat je kunt vinden tijdens een nacht dat elke vrouw in het dorp haar rok over haar hoofd wil gooien.'

Heer Galan antwoordde: 'Ik heb veel geluk vanavond. Ze past me als een handschoen.' Hij legde een hand tegen mijn rug en duwde me de hal in, door de menigte mannen op de vloer heen. Hij glimlachte ontspannen, maar ik zag dat zijn andere hand op de dolk aan zijn gordel lag.

Op dat moment zou ik ze allebei gedood hebben als ik kon – of stom genoeg was.

Heer Pava zei: 'Ze is een droge put, neef. Ik kan het weten, want ik heb hem zelf geslagen. Zonde van je tijd. Je zou beter je plicht kunnen doen en halfbloedjes verwekken om het bloed van de sloven te verbeteren.'

Heer Galan deed twee stappen naar hem toe, en zei dat hij betere manieren moest leren.

Ik greep zijn arm en vond mijn tong. 'Iedereen weet dat heer Pava wel wat hulp kan gebruiken bij het verwekken van bastaarden.'

De vrijheid van de Dagen was zo groot dat dit me een lach opleverde in plaats van een pak slaag. Ik zag de Crux naar voren leunen en heer Pava's knie aanraken om zijn aandacht af te leiden. Vrouwe Lyra keek woest en ik tilde mijn hoofd hoog op en liep haar voorbij. Het enige wat ik kon doen was net zo brutaal zijn als ze dachten dat ik was.

* * *

Hoewel het veren bed zacht was, sliep ik niet veel. Als heer Galan moe werd, prikkelde ik hem om verder te gaan. Onze lichamen waren bedekt met zweet en de gordijnen hielden de geur van onze musk binnen. Als ik het uitschreeuwde dacht ik soms aan heer Pava en hoopte ik dat ik hem uit zijn slaap hield. Woede kan soms zijn eigen hitte geven aan lust en die nacht overheerste ik heer Galan meer dan hij mij. Voor zonsopgang ging ik weg, tussen de strozakken door op de vloer van de hal.

Dat was de ochtend van de laatste OndersteBoven Dag, de dag van het feestmaal. 's Avonds kwam ik terug, samen met de dorpelingen. De hal stond vol met schraagtafels, gedekt met wit linnen. De vloer was geboend en geschuurd, en er stonden talglampen en kaarsen. De meester en de meesteres van het huis en de rest van het Bloed – zelfs de Crux – brachten ons eten, schonken wijn en vervulden onze wensen. In het midden lag een geroosterde hertenbok, bekroond met een verguld gewei en gevuld met zangvogels; de jacht was een succes geweest. Het was ons verboden op de herten te jagen die vet werden van onze boerenkool en ons graan stalen, dus het wildbraad was gekruid met het zout van de wraak.

Ik had uitgekeken naar het feestmaal, maar had nooit kunnen denken dat er iemand als heer Galan zou zijn, of dat hij mijn gedachten zo in beslag zou nemen dat het minder belangrijk werd dat vrouwe Lyra ronddraafde en dat heer Pava serveerde. Hun nederigheid was trouwens hol. Als heer Pava de tafel rondging en zijn knie boog en een schotel in klei gebakken duiven aanbood, hield hij zijn hoofd niet gebogen zoals het hoorde; in zijn ogen lag de belofte dat wij hem morgen weer zouden dienen.

Ik keek naar heer Galan. Hij bewoog zich als een jagende kat door de zaal en kon een boordevolle beker zo soepel dragen dat hij geen druppel wijn morste. Een keer stond hij vlak achter mijn bank en duwde zijn heup tegen mijn rug. Ik dacht dat er nooit een einde aan het feestmaal zou komen.

Hoewel ik geschrokt had tot ik mijn buik strak voelde staan, was ik nog niet verzadigd van heer Galan en we hadden nog maar één nacht.

De volgende dag was Equinox. De priester zou de tiennachtsen en de maanden opnieuw tellen. Bij het feestmaal morgen zouden we onze eigen plaats weer innemen en de dorpelingen zouden weer knielen en trouw zweren. Het evenwicht zou hersteld worden. Maar wanneer de wereld willekeurig op zijn kop is gezet, weten alleen de goden wat evenwicht en wat chaos is.

* * *

Die nacht lag ik in het slaapkabinet naar het plafond te kijken. Ik volgde de uitgesneden en beschilderde wijnrank op het paneel in het licht van de haard dat door de gordijnen viel. De muren waren te dichtbij, het licht te bewegingloos.

Ik kon voelen dat heer Galan naar me keek, en mijn gezicht verstijfde. De Dagen waren voorbij, en hij zou spoedig weg zijn. Ik zou niet laten merken dat het me iets kon schelen. Ik keurde in gedachten de vragen die ik hem kon stellen zodat ik zijn stem zou horen: als ik zou vragen of hij eerder in een oorlog geweest was en dat was niet zo, zou ik nog banger zijn; als ik vroeg hoe lang de veldtocht zou duren, dacht hij misschien dat ik hoopte dat ik hem op zijn terugweg zou zien, maar zo ijdel was ik niet. Er school kwaad in iedere vraag.

Hij zei mijn naam twee keer, alsof hij hem graag op zijn tong had, en draaide met zijn hand mijn gezicht naar zich toe. 'Ga met me mee,' fluisterde hij.

Ik wendde mijn gezicht af en tegen mijn wil rolden de tranen over mijn wangen, mijn oren in. Ik had gehoord hoe ze het soort vrouwen noemden dat een man naar de oorlog volgt: een schede. Een geharnaste kon haar met zijn schildknaap delen of haar aan een gast uitlenen, en als hij niet te kieskeurig was mochten zijn sloven haar soms ook hebben. Als ze al niet begon als een hoer eindigde ze er meestal wel als een, met een gestreepte rok en met benen die ze spreidde voor elke man met munt, totdat ze uitgeteld was.

Hij fluisterde verder. 'Je kunt op de kastanjebruine merrie rijden. Ze is heel rustig. Ik neem wel een muilezel erbij voor de bagage.'

'Ik wil niet gedeeld worden,' zei ik.

'Nooit. Je zult de mijne zijn.' Hij zei dit zo heftig dat ik hem geloofde.

'En de Crux? Die zal dit niet op prijs stellen.'

'Veel van de zwaarden brengen een schede mee: hij zal niet eens met zijn ogen knipperen. Ga met me mee, dat wil ik graag. Ik zal goed voor je zorgen, en jij zult me geluk brengen.'

Ik zei niets, keek hem alleen aan.

Hij lachte diep in zijn keel en richtte zich boven mij op. 'Ik kan je een betere reden geven, als je niet overtuigd bent,' zei hij.

Terwijl we paarden dwaalden mijn gedachten af. Heer Galan zou op een dag genoeg van me krijgen en me achterlaten aan de kant van de weg met een paar munten en een nieuwe jurk, en heer Pava zou lachen als hij het zag. En wat dan nog? Ik had een lang jaar alleen in het Koningswoud geleefd, ik had de hulp van een man niet nodig.

Maar dat was allemaal stoerdoenerij. Nu al – hoe was dat toch zo snel gebeurd? – had de begeerte het leven geschonken aan afhankelijkheid. Een paar gefluisterde woorden (die hij misschien niet eens had gemeend) en ik was al klaar om hem te volgen. De gedachte aan achterblijven was erger, de ene na de andere dag af moeten draaien. Er was niets dat me hier hield. Niemand zou mijn vertrek betreuren, behalve Az.

Ik sloeg mijn benen om hem heen, greep zijn schouders beet en zette me schrap.

Hoofdstuk 2

Schede

De Eerste van Crux was er allerminst gelukkig mee dat heer Galan met mij bij hem kwam en verlof voor me vroeg om met de troepen mee te reizen. Hij zei: 'Je weet dat ik niet van schedes houd – nutteloze bagage. Ze zijn geen haar beter dan lichtekooien maar geven veel meer problemen.' Heer Galan hield vol, maar ik zag hem ineenkrimpen. Hij stond voor me alsof hij me wilde beschermen.

De Crux maakte me vervolgens nog op vier of vijf verschillende manieren uit voor hoer, en ook voor zeug en kattenkop. Ik verdroeg het. Ik was er zo op gebrand om te vertrekken dat ik me haast niet kon voorstellen dat ik ooit had gedacht dat ik zou blijven.

Maar toen de Crux zei dat ik een loopse teef was en dat alle honden in het kamp om me zouden vechten, stapte ik naar voren met neergeslagen ogen. 'Heer Adhara dam Pictor van Falco, Eerste van Crux,' zei ik in de correcte en formele taal die ik de Vrouwe had horen gebruiken als ze uiterst geïrriteerd over me was, 'ik zal u niet ophouden. Ik kan rijden, ik kan op stenen slapen en een vuur gaande houden in de regen. Ik ken vele toepassingen van kruiden.' Ik toonde hem mijn handpalmen, vol eelt van de schoffel, sikkel en stamper. 'Heeft een hoer zulke handen? Ik weet wat werken is. En ik beloof u dat er niemand om me hoeft te vechten – ik blijf op mezelf.'

De Crux lachte, een korte blaf. Hij zei terwijl hij heer Galan aankeek: 'Je kunt je opsnijdertje zeggen dat ze ons inderdaad nooit zou ophouden. Niet-waar? Een bonk klei kan een tijdje aan je laars plakken, maar je schraapt het er gemakkelijk af. Neem haar mee, als je zo door je pik geregeerd wordt dat je haar moet hebben, maar zorg dat ze me niet voor de voeten loopt of ik voer haar aan de manhonden. En vertel haar dat ze nooit meer tegen me mag spreken, tenzij ik haar verlof geef.'

Ik was mijn plaats vergeten. Als ik een man was geweest, had ik mijn brutaliteit misschien niet overleefd. Ik had heer Galan moeten laten antwoorden, want er was niets dat ik kon zeggen dat de Crux verplicht was aan te horen. Mijn gezicht brandde. Ik viel op mijn knieën en boog met mijn voorhoofd tot op de grond.

De Crux draaide zich op zijn hakken om en liet ons alleen. Heer Galan trok me overeind en hield mijn hand vast. Hij had zo zeker geleken; nu zag ik hoe groen hij nog was als hij tegenover een man stond. Hij zag mij ook in een nieuw licht, toen ik mijn platte accent en onderdanigheid even kwijt was. Ik had het gewaagd om de Crux tegen te spreken. Het beangstigde ons beiden.

Ik weet niet precies waarom de Crux van gedachten veranderde en me mee liet komen, tenzij het was om mij te leren hoe onbetekenend ik was. Of misschien had een god hem iets ingefluisterd.

* * *

Terwijl de troepen zich klaarmaakten voor vertrek trof ik mijn eigen voorbereidingen. Ik naaide een brede lederen gordel voor mijzelf, gevoerd met verborgen zakjes met benodigdheden: kinderban, want dat groeide misschien niet waar ik heenging; kruidenmiddelen om pijn te verlichten, koorts te verlagen, een wond te verbinden; kruiden voor de kookpot, klompjes rotszout. In een zakje had ik een handjevol bessen van de vuurdoornboom, gewikkeld in geolied vellum; de bessen waren te gevaarlijk om te gebruiken bij het genezen, maar ik hield ze toch bij me. Ze herinnerden me aan het Koningswoud en de gift van een god.

Aan de gordel hing ik een ijzeren mes met een benen heft, en een koperen vuurkruik bekleed met klei en vuurkruid om een kooltje uit de haard in leven te houden. De kruik droeg het teken van Ardor Haardhoedster; ik zou me nooit meer vrijwillig haar zegeningen ontzeggen. Ik nam ook mijn mantel van schapenvacht met de vervaagde beschermende tekens en Na's versleten oude jurk mee. Een stuk stof was te kostbaar om weg te gooien.

Twee dagen na Equinox zei ik vaarwel. Deze keer zou ik verder weg gaan dan het Koningswoud. Het afscheid van Az was het moeilijkst, dus dat bewaarde ik voor het laatst, en ik zorgde ervoor dat ik haar alleen trof in haar schemerige hut. Ik wist dat ze, net als Na, niet lang genoeg zou leven om me weer te zien.

Az pakte een leren zak uit een geheime bergplaats, naast de huisgodin van klei die door een klein gaatje in de muur over ons waakt, verborgen voor de glurende ogen van de priester.

'Ik geef je dit omdat je geen bloedverwanten hebt,' zei ze en ze strooide kleine beschilderde botjes uit over de tafel. Ze hield er een naast haar wijsvinger zodat ik kon zien dat het leek op het bovenste vingerkootje en liet het in mijn handpalm vallen. Het topje van het botje was roodgeverfd. 'Deze komt van de rechterhand van mijn zuster, van Na. Ik geef haar aan jou.' Ze koos een ander bot, helemaal diepblauw geverfd. 'Dit is de Vrouwe. Na wilde dat jij die zou krijgen. Ze gaven om je en ze zullen je goede raad geven.' Ze pakte een voor een de andere vingerbotjes op, kuste ze en deed ze terug in de zak. Sommige waren niet meer dan bruine scherven.

De rillingen liepen over mijn rug als ik eraan dacht dat Na het bovenste kootje had afgesneden van de bloedeloze vinger van de Vrouwe en daarna haar hand had teruggelegd onder de lijkwade. Ze had de woede van de priester geriskeerd en de schim van de Vrouwe verstoord. Ze had geheimen gehad, zelfs voor mij. Ik vroeg me af hoeveel andere geheimen verborgen lagen tussen de lemen muren van de hutten in het dorp, waar deze kleine botjes verstopt waren geweest. Na een paar maanden gerst malen was ik zo arrogant om te denken dat ik de mensen kende die hier leefden – en Az zelf. Ik voelde me klein bij de ontdekking dat de schimmen op afroep voor haar klaar stonden.

We hurkten neer in de deuropening, waar een vlek zonlicht de hut binnenkwam. Az trok met een stokje een cirkel van twee handbreedten over de aangestampte aarde van de vloer en verdeelde die in twaalf gelijke delen met lijnen vanuit de twaalf windrichtingen. Ze begon in het oosten en ging de cirkel rond, en ze noemde de goden die elk wigvormig domein beheersten. Toen kraste ze twee concentrische cirkels in de grotere, zodat de wiggen in drie delen verdeeld werden, een voor elke avatar van de heersende god. Ze benoemde die ook en wees met haar stok alsof ze verwachtte dat ik het zou onthouden.

Ik heb het onthouden, zo helder alsof het kompas hier nu voor me ligt, uitgehakt in steen. Ik heb mijn hele leven verhalen gehoord over de goden en hun avatars, hoewel er een aantal altijd veraf en onverschillig voor me zijn gebleven en andere dichtbij – te dichtbij, soms. Iedereen weet dat de gebeden van de sloven niet zo snel en zeker naar de goden klapwieken als die van het Bloed, maar toch zijn het ook onze goden en we behoren hen toe.

Het kleivolk leefde vroeger in onwetendheid en vereerde de geesten van bomen, rotsen en waterstromen in plaats van de goden, maar zelfs in die langverstreken dagen kenden ze Eorõe Artifex, hoewel ze haar bij een andere naam noemden. Het is een verhaal dat iedereen kent: hoe ze onze voorouders boetseerde uit klei – zowel het kleivolk als het Bloed stamt af van deze eerste mensen – en ons haar adem gaf, de adem van het leven, en toen stierf. Ze is de enige dode avatar. De god Eorõe leeft verder en toont zich aan ons als de Maïskoning en Raas, maar de dood van een enkele avatar waarschuwt ons dat de goden misschien ook sterfelijk zijn.

Az wreef houtskool over haar oogleden, om beter te zien, en ze wierp de botten voor me neer. Ik werd eraan herinnerd dat ik afgesneden was van de boom van generaties, met niets dat me aan mijn voorouders bond behalve een droomflard, want in plaats van een handvol voorouders had ik slechts twee botjes. Ze had de botten drie keer geworpen voor elke lezing, zodat er bij elkaar zes tekens aangewezen werden.

De eerste lezing gaat altijd over het karakter. Een sloof leeft van de ene calamiteit naar de andere, en zelfs een koning kan zich niet tegen elk gevaar indekken; dus worden we geslagen als een munt en leren we of we uit vals of echt metaal bestaan. Az vroeg de botjes niet wat er zou gebeuren, maar eerder hoe ik mijn lot tegemoet zou moeten treden. Ze duwde haar vingers tegen haar oogleden en smeerde de houtskool uit en zwaaide heen en weer. Haar stem veranderde. De Vrouwe wees ronddwalen, doelloosheid, vloed aan – of je kunt zeggen ontdekking, vastberadenheid, bron, want elk teken had twee betekenissen. Na zei dat ik moest uitkijken voor gevangenissen, obstakels, boeien; hun transformaties waren onderdak, vaartuigen, wortels. Elke waarschuwing was verweven met zijn tegendeel, als een dubbelzijdige doek. Ik begreep er maar weinig van. Az zei dat het raad was om in gedachten te houden op mijn reis, als ik moest kiezen tussen het ene pad of het andere.

Voor de tweede lezing gaf het kompas de tijd aan: de binnenste cirkel het verleden, de buitenste de toekomst, ertussenin het heden. Az kneep haar lippen samen terwijl ze gooide, ontstemd over het patroon dat de botten maakten. Drie botten landden in het heden: Crux Maan, Riskeer Kans en Ardor Wildvuur. Er wees maar één vinger naar mijn verleden, naar Kloof Vrees. Twee botjes vielen in de toekomst: Ardor Smid en Kloof Koningin van de Dood.

Ik deed er luchtig over en zei dat ik zelf ook wel zag dat het heden beheerst werd door een stel uiterst boosaardige avatars, en wat de rest betreft: worden we niet allemaal geboren in vrees en leven we niet altijd in gevaar, ligt de Koningin van de Dood niet voor iedereen in het verschiet?

Az schudde haar hoofd en zei dat de botten hun geheimen niet zo snel prijs gaven. Avatars hebben vele eigenschappen, en de enige manier om uit te maken welke er hier toe deden was goed te luisteren, want de botten spraken tegen elkaar.

Ik zag dat ik haar ergerde en vroeg haar nederiger wat ze had gezien, gehoord.

Az aarzelde. 'Ik zie dat je een man gekozen hebt die van Kans houdt. Je zult merken dat hij zijn geluk te veel als vanzelfsprekend beschouwt. Hij zal gokken en de dobbelsteen zal rollen en de wereld zal draaien, en zelfs als hij wint, zal hij omver gegooid worden. Ik zie je zowel naar het verleden als naar de toekomst reizen: oorlog voor en oorlog na, en onenigheid onderweg.'

'Verder niets?'

Ze zei dat ik geen voorzieningen voor mijn oude dag hoefde te treffen.

Dacht ze soms dat ik verwachtte dat ik lang zou leven? Toen ik besloot om met heer Galan mee te gaan was ik in zo'n roekeloze stemming gekomen dat ik geloofde dat ik alles wat op mijn pad kwam, of het nu levend of dood was, even bereidwillig kon begroeten; daaronder lag een geheime overtuiging – een dwaasheid van de jeugd – dat de dood niet voor mij was.

De derde en laatste lezing was voor de goden. Az zei dat ik natuurlijk nooit mijn plichten aan welke god ook moest verzaken op diens heilige dag, maar de botten zouden me zeggen welke goden ik moest eren met trouw, gebeden en offers, en bij wie ik dagelijks kon aankloppen voor leiding en hulp.

Bij de eerste worp landden beide botten in Ardor, een in de Smid en de andere in de Haardhoedster. Bij de tweede worp in Ardor Smid en Ardor Wildvuur. De derde beide in Ardor Wildvuur.

Az zakte achteruit op haar hielen, keek grimmig en zei niets. Ze veegde de cirkel op de grond uit en gaf me de twee vingerbotjes in een klein zakje dat ze gemaakt had om ze in te bewaren, een cirkel van leer geborduurd met het kompas en gesloten met een trekkoord. Ik kuste de botten en stopte ze in het zakje, rood voor Na, blauw voor de Vrouwe. Ik dacht niet dat ik in staat zou zijn om ze te horen spreken zoals Az, en het was vast en zeker egoïstisch om ze bij me te houden en hun schimmen vast te ketenen aan de wereld die ze achter zich gelaten hadden. Maar toch had ik het gevoel dat Na en de Vrouwe het me niet zouden misgunnen, en het was een troost, dat beetje gewicht aan mijn gordel, de aanraking van de doden.

* * *

Az bleek het niet zo erg te vinden dat ik wegging; de toekomst die ze in de vlucht van een kraai had gezien was aangebroken en Spoedvoet ging weg. Ze wilde dat ik op hem zou letten.

'Heer Pava wil hem als koerier, en hij wil gaan. Zegt dat ik nog genoeg zonen heb om voor te zorgen,' zei ze.

Er is een gezegde in het dorp: zorg dat je drie zonen krijgt, een om vroeg te sterven, een om soldaat te worden en een voor je oude dag. Az was rijker dan de meesten, met haar vijf gezonde jongens. Maar Spoedvoet was nog geen twaalf jaar oud. Ze vitte nog steeds op hem dat hij niet in de regen moest lopen en een hoed moest dragen in de Zon. Ik beloofde zo goed voor hem te zorgen als hij me toestond, en ik wiegde Az terwijl ze huilde. Ze was nauwelijks groter dan een meisje. Ik klemde mijn kiezen op elkaar tegen de tederheid die in me opwelde, deze verraderlijke genegenheid voor Az met haar kromme rug en broze botten, die genoeg om me gaf om de geest van haar zus aan me te binden. Verraderlijk, want ik zou niet blijven.

Toen ik de poort achter me dichtdeed, voelde ik eerder opluchting dan verdriet om de benauwende hut achter me te laten. De wereld is groot, zeggen ze. Geen sterveling heeft het einde nog gevonden.

* * *

Az en ik waren niet de enigen die omens lazen. De drie Auspexen van de Crux waren al voor dageraad op om te offeren en hun god te raadplegen. Toen de priesters gearriveerd waren, hadden we ze niet opgemerkt omdat ze net zo bewapend waren als de andere strijders van Bloed. Maar voor deze gelegenheid droegen ze groene gewaden, puntmutsen en plechtige gelaatsuitdrukkingen. Ze fluisterden met elkaar, keken omhoog en wezen en krasten tekens in het stof. Een reepje Maan stond bij de horizon en een wind uit het noordoosten duwde een vracht wolken over de halve hemel heen. Lang voordat de Zon helder licht wierp op Kaalkruin kleurde haar licht de wolken al lavendel en rose en goud.

Heer Galan en ik doken in elkaar onder zijn met bont afgezette mantel, want er zat iets bijtends in de lucht, en hij vertelde me dat deze priesters de beste waarzeggers van de clan waren, zo gerenommeerd dat de koning zelf af en toe een beroep op ze deed. Een Auspex, Eerwaarde Hamus geheten, had jarenlange studie gewijd aan de Zon, de vrouwelijke avatar van Crux. Hij was een zeldzaamheid, want de meeste vrouwelijke avatars worden gediend door priesteressen; heer Galan fluisterde dat deze priester geroepen was tot het dienen van de Zon toen hij nog maar een jongen was, en in zijn ijver had hij zijn ballen aan haar geofferd zodat hij nooit zou opgroeien tot een echte man. Hij kende de betekenis van haar pad in elk uur en seizoen, van de kleuren van haar gelaat van zonsopgang tot zonsondergang, zelfs van de schaduwen die ze wierp. Eerwaarde Xyster was vaardig in het lezen van de dubbele betekenissen van Crux Maan terwijl hij zijn vermomming veranderde van sikkel tot bol. De derde priester, Eerwaarde Tambac, kon de toekomst lezen in de Hemelen en alles waarmee die gevuld waren: de vormen en kleuren van de wolken, de sterren die bedekt of onbedekt waren, bliksem en storm, de vlucht van de vogels.

De paardenmeester leidde een fokmerrie naar buiten die de bloei van haar leven al een paar jaar voorbij was en gaf de halter aan een van de priesters. Hij hield eventjes zijn hand op haar flank, gaf haar toen een klopje en deed een pas achteruit. Zodra de rand van de Zon boven de bergen uitkwam sneed de priester de keel van de merrie door. Het spuitende bloed leek zwart in het ochtendlicht en er sloeg damp vanaf toen het in aanraking kwam met de lucht. De merrie zakte door haar voorbenen, wankelde en viel met een bons op de grond.

De Auspexen brachten met zachte stem verslag uit aan de Crux. Wat ze ook opgevangen hadden uit de Hemelen, uit de onbeholpen dood van de merrie, ze kozen ervoor het niet met de rest van ons te delen.

* * *

We moesten te lang wachten op heer Pava en we vertrokken laat. Noch zijn mannen noch zijn voorraden waren goed op orde. De hengsten van de geharnasten begonnen te ruziën en er stormde een muilezel de menigte toeschouwers in en gooide een klein meisje omver. De Crux verborg zijn ongeduld achter hoffelijkheid toen hij met heer Pava sprak, maar hij was niet zo beleefd tegen de Rentmeester, die verantwoordelijk was voor dit geknoei.

Na het formele afscheid op het landgoed liep het halve dorp achter ons aan de weg af totdat de vrouwen met zuigelingen op de heup moe werden en ons uitzwaaiden tot we uit het zicht waren en de mannen teruggingen naar de velden. Als laatsten gaven ook de jongens en de honden die rond de voeten van de paarden renden de achtervolging op.

Maar sommigen uit het dorp bleven bij de compagnie. Te paard waren dat heer Pava; Eerwaarde Narigon, die diende als zijn schildknaap en op het een na beste strijdpaard reed; heer Pava's page, Schriel, die bewapend was met zwaard en staf; Harien de paardenmeester (die ik minder vertrouwde dan een wezel in een duivenkooi) met twee reservedieren aan een leidsel achter hem; en Ev, de paardenjongen, die een te zwaar bepakte pony bereed en een te zwaar bepakte merrie leidde. Hondsbast, de bagagejongen van heer Pava, mende de ossenkar, en drie mannen – of liever jongens – sjokten naast hem. Spoedvoet was er een van, samen met Lap en Pees. Az had een gevoerd leren vest voor hem gemaakt dat jak werd genoemd; ik had gezien dat ze het voerde met paardenhaar en er zegeningen over mompelde. Hij droeg een snoeimes en de andere jongens droegen zeisen. Ze waren allen jonge zonen, met grote botten en weinig vlees, die hooguit twee keer per jaar hun buik goed rond aten. Hun idee van plunderingen was geroosterd vlees en wittebrood; ze hadden nog nooit nagedacht over het soort oogst dat ze met hun scherpe klingen zouden moeten maaien.

Heer Pava had gehoord dat heer Galan een schede bij zich had en probeerde zijn kleivrouw nog aan de bagage toe te voegen. Ze weigerde omdat ze niet onderweg wilde bevallen; hij liet haar over aan de goede zorgen van vrouwe Lyra. Dus waren Iza en ik de laatsten en de minsten die het dorp die dag verlieten. Iza, de sloof van het landgoed die zichzelf belachelijk had gemaakt met de page van heer Guasca, volgde hem op een bottige muilezel. Ikzelf (geen haar beter dan Iza, misschien) reed op heer Galans kastanjebruine merrie. Er was voor ons geen plaats tussen de mannen van heer Pava, bij de andere mensen uit het dorp. Eerlijk gezegd wisten we niet waar we hoorden, dus reden we samen op. We haalden de mannen te voet in en bleven achter de mannen te paard, in een gat dat steeds groter werd naarmate de dag vorderde.

Toen de Vrouwe nog leefde had Iza wol en vlas geprepareerd voor het weven, een saai en precies werkje dat bestond uit vele stapjes die elk goed gedaan moesten worden omdat de volgende anders verkeerd ging. De Vrouwe had het liefst met Iza's draad gewerkt, want ze spon heel fijn, maar ze kon haar geklets niet verdragen. Nadat ik het landgoed had verlaten, had vrouwe Lyra Iza als haar meid genomen. Geen wonder dat de eerste de beste page die haar een knipoog gaf een godsgeschenk leek als hij haar kon verlossen van het geknijp van vrouwe Lyra.

Iza hield niet op met praten. Ze schepte op dat haar page, Lich, haar die nieuwe jurk had gegeven – en wat had ik van heer Galan gekregen? En Lich stond stevig in de gunst bij heer Guasca, en heer Guasca (de bastaard van de koning, moet je weten) was een favoriet van de koning. En hoe zat het met heer Galan? Ze had gehoord dat de Crux zich aan hem geërgerd had, vanwege mij. Het stak haar dat ik bij een man van het Bloed hoorde en zij niet, en ze probeerde dat op allerlei manieren onder tafel te schuiven. Ik gaf korte antwoorden en na een tijdje reed ik naar voren zonder dat het leek alsof ik dat expres deed en ging ik alleen verder.

De troepen hadden eerst noordwaarts door de bergen gereden vanuit de hoofdstad Ramus en bij versterkte forten en dorpslandgoederen halt gehouden om de strijders te verzamelen die namens de clan de oproep van de koning beantwoordden. Heer Pava was de laatste die zich bij de compagnie voegde. Nu leidde onze weg westwaarts, naar het Marsveld, de plek die de koning had uitgekozen voor het verzamelen van zijn leger. We vertrokken zo laat dat de zon al in onze ogen scheen. De Equinox was voorbij en ik kon de wisseling van de seizoenen ruiken in de wind. Koude windvlagen van hoog uit de bergen maakten een leemachtige geur uit de afgevallen bladeren los.

We volgden de rivier de vallei in en om een bergrug heen, en toen ik achterom keek waren de akkers en weiden van het dorp verdwenen. Maar het Koningswoud marcheerde met ons op, met gelederen van bomen op de steile hellingen, de wintergroene in hun sombere uniform, andere met de opzichtige banieren van de herfst. Soms ging de weg rechtdoor als de rivier een bocht maakte, en soms beklom die een heuvel terwijl de rivier zich in een ravijn stortte. Er waren greppels en wallen langs de weg, mijlenlang, en het bos was gerooid om hinderlagen te ontmoedigen, want dat is een onderdeel van de diensten die iedere meester van een leengoed de koning verschuldigd is en de sloof daarom aan zijn meester verschuldigd is. Desondanks was de weg op sommige plekken verwaarloosd en kropen de zaailingen dichtbij, zaten de greppels vol moerasbloemen en de karrensporen vol onkruid.

De wind veegde de ochtendwolken achter de horizon. Zonlicht wrong zich door mijn kleren heen en drukte op mijn huid, als ballast, als een zegen. Ik zag de rivier soepel en snel stromen, een krachtige beweging onder het oppervlak. Naast de weg glinsterden de bladeren van de populieren, zilver aan de onderkant en goud van boven.

De Crux stuurde mannen naar achteren om te zorgen dat wij op tempo bleven. Ganzen kruisten ons pad, op weg naar het zuiden, en ik dacht dat wij net een vlucht ganzen waren, met de Crux aan de punt en het Bloed erachter aan, en de rest van ons worstelend om een plekje te vinden. Ik wilde de Eerste niet in het oog springen, dus spoorde ik mijn merrie aan om de achterste van de ruiters in te halen. Ze waren vreemden voor mij en ik zorgde ervoor dat ik hun blikken niet beantwoordde.

De een zei tegen de ander: 'Is dat een jongen of een vrouw, wat denk je? Als je naar de beenspieren kijkt, zou ik gokken op een jongen.'

Een kleivrouw kan niet aan voldoende stof komen om haar rok zo royaal te maken dat ze die tot aan de stijgbeugels over het zadel van het paard kan laten hangen, zoals de vrouwen van Bloed wanneer ze te paard zitten. Zoals gewoonlijk als ik uit rijden ging had ik de voorkant van mijn rokken tussen mijn benen doorgehaald en in mijn gordel aan de achterkant ingestopt, zodat ik een soort broek had die me tot mijn knieën bedekte en mijn kuiten en voeten bloot liet (ik had ook geen schoenen). Ik had nooit eerder bedacht dat ik me daarvoor moest schamen.

'Misschien. Voor twee koperkoppen zeg ik dat het een vrouw is. Zullen we kijken?' De tweede man deed alsof hij naar me toe wilde rijden, en ik liet mijn merrie midden op de weg stilhouden. Hij lachte en draaide zich om. Hij had het niet gemeend.

* * *

Toen ik die avond afsteeg, wankelde ik en moest ik me vasthouden aan de stijgbeugels, onzeker van mijn eigen benen. Mijn rokken waren gevlekt van het zweet en het zadelleer. Ik had meer dan een jaar niet gereden en ik had overal pijn, van mijn benen tot achter in mijn nek.

Heer Galan had een met veren gevoerde deken in zijn bagage. We gingen tussen zijn mannen liggen en wikkelden ons erin. Hij wilde niet wachten tot zij sliepen voordat hij zijn genot nam. Onze ademhaling weerklonk in mijn oren, luid genoeg om over het kraken en sissen van het vuur gehoord te worden. Een man mompelde een vloek en draaide zich van ons weg. Toen heer Galan kreunde, legde ik een hand over zijn mond.

Laat in de nacht werd ik wakker met de adem van heer Galan achter in mijn nek. Het was stil, op de wind, de rivier en het gehinnik en geritsel van de paarden na. Ik nestelde me tegen hem aan, en hij werd snel wakker. Met zijn lippen tegen mijn oor zei hij tegen me wat ik moest doen, wat hij ging doen. Hij ving mijn handen in de zijne en ik vond het moeilijk om me druk te maken of iemand ons hoorde.

's Morgens schaamde ik me. Een man neemt zijn vrouw op hun strozak op de vloer, tussen hun slapende kinderen; sloven slapen samen in de hal. Dit was anders. Er waren hier te veel mannen zonder vrouw. De Onderste-Boven Dagen waren voorbij, en nu was ik voer voor kwade tongen. Ik knoopte mijn hoofddoek goed dicht en zocht iets nuttigs te doen waarbij ik niemand in de weg zou lopen.

De Zon gluurde juist over de bergen, door een franje van bomen heen. De bediende van heer Galan was vóór mij opgestaan en had vuur gemaakt en was in het donker aan de haverpap begonnen. Toen ik erom vroeg, haalde hij een pan uit zijn bagage. Zijn haar stond overeind op zijn hoofd als een hooiberg, en zijn leren wambuis was van voren gevlekt van het afvegen van zijn handen. Hij had een degen en een dolk aan zijn riem hangen, in versleten lussen.

Ik haalde water uit de rivier, stroomopwaarts van het kamp, vond een handvol wekmijblaadjes en liet een kruidenthee trekken. Het hoofd van heer Galan was weer onder de deken verdwenen. Ik knielde neer, schudde hem door elkaar en gaf hem een houten beker. Hij ging weer onder zeil; hij was zo iemand die doorsliep als de zon opkwam.

De dienaar nam een beker wekmij en bedankte me nadat hij het geproefd had. Ik begon te hopen dat hij slaperig was, niet nors. Hij kwam net genoeg los om te zeggen dat zijn naam Morser was en dat het een stekend koude ochtend was.

Morser maakte Leegemmer wakker, de bagagejongen, met een harde por van zijn laars, maar Leegemmer stond niet op. Morser porde hem nog harder en schopte hem toen, en eindelijk krabbelde de bagagejongen overeind en trok een vuile tuniek over zijn broodmagere borst. Hij nam de lepel om in de pap te roeren terwijl hij knorrige blikken op Morser wierp.

'En pas op dat er geen klonten in komen,' zei Morser, 'anders kun je een klont van mij krijgen.'

De schildknaap van heer Galan kwam onder zijn deken uit. Hij deed maar een paar stappen voordat hij ons de rug toekeerde om te pissen; hij richtte niet al te nauwkeurig, want ik zag dat hij de voetsoldaten van heer Galan bedruppelde voordat hij klaar was. Ze sliepen allemaal samen op een hoop, zonder een enkele deken, en vluchtten voor de kou in een onrustige slaap.

Toen de schildknaap terug naar het vuur kwam, had hij een scheve grijns op zijn gezicht. Hij ging zitten en wikkelde zich in zijn deken. Hij leek ouder dan heer Galan. Hij had zijn baard afgeschoren zodat zijn clantatoeage zichtbaar was, en zijn kaken waren donker van de stoppels. Hij had bijna geen haar meer boven zijn slapen; wat restte was bruin en ruw als paardenmanen en hing tot op zijn schouders.

'Eten, Morser,' zei hij. 'En jij,' voegde hij eraan toe, op mij wijzend, 'geef me daar eens wat van.'

Ik schonk het laatste beetje wekmij voor hem in. Hij nam een slok en spuugde het uit. 'Dit is walgelijk!'

'Misschien vindt u dat, heer,' antwoordde ik, 'maar het opent uw ogen in de ochtend.'

'Breng me eens iets lekkerders,' zei hij. Zijn grijns beviel me niet.

'Ik ben bang dat ik niets naar uw smaak heb, heer.'

'Meng dan maar wat wijn voor me, en roer er een beetje honing door.' Hij wees naar de stapel bagage waar heer Galan zijn wijnvoorraad bewaarde. De rest van ons zou bier drinken, als we het konden krijgen.

Dus ik moest de bediende van de schildknaap zijn? Hij zou me hierna vast vragen zijn vuile broeken te wassen. Ik draaide me om en liep weg, maar niet naar de wijnzakken. Ik liet mijn rechte rug voor mij antwoorden. Ik wist niet of ik hulp van heer Galan kon verwachten of niet. Misschien had hij me hiervoor meegenomen: om voor hen allemaal te sloven terwijl ik zijn bed verwarmde. Ik ging hem niet wakker maken om daar achter te komen.

'Ik weet dat je ergens een potje honing verstopt hebt; ik zal mijn lepel er nog weleens in steken!' riep de schildknaap me na.

Ik keek over mijn schouder. 'Pas op voor de bijen,' zei ik. 'Ze steken nogal.' Ik probeerde er een grapje van te maken, maar de schildknaap keek kwaad. Dat was geen goed begin, zo vroeg in de ochtend al een vijand maken.

Ik liep om het vuur heen naar Morser die spek stond te bakken en vroeg hem zachtjes: 'Hoe heet hij?'

'Heer Rodela dam Hoerenjong van Zeugneuker van Crux, zo heet hij voor mij.'

De bagagejongen giechelde, zei: 'Zeugneuker!' en prikte met zijn lepel in de lucht. Leegemmers gele tanden stonden boven op elkaar in zijn mond, en nu liet hij er te veel van zien. Het was geen raadsel hoe hij aan zijn naam was gekomen, want hij zag eruit alsof er nog nooit een gedachte in zijn houten kop had rondgeklotst.

'En hoe noem je de schildknaap recht in zijn gezicht?' vroeg ik.

'Rodela dam Antlia van Musca. Hij is de onechte neef van heer Galan – ze hebben dezelfde grootvader, maar heer Galans vader werd verwekt bij de echtgenote, en *zijn* vader bij een concubine van Musca. Hoewel ze zeggen dat de moeder van heer Rodela zo'n hoer is dat het niet te zeggen is wie de echte vader is, en dat maakt hem een dubbele bastaard, zeg ik. Het is zeker dat zijn bloed besmet is met klei. Dat zie ik zo.'

'Spek, Morser!' gilde heer Rodela.

Morser scheurde een stuk brood af en legde er een plak spek op. Toen draaide hij zijn rug naar heer Rodela toe en spuugde erop, knipogend naar mij. Het spuug leek op het schuim van het vet dat uit het spek druipt, en de schildknaap zou niet beter weten. We waren dus al in oorlog lang voordat we het slagveld bereikten.

* * *

Heer Galan reed die dag op zijn tweede renpaard, een donkerbruin paard met zwarte manen en staart, dat een handbreedte groter was dan mijn merrie. Hij reed voorop met zijn schildknaap en de andere strijders van Bloed. Tussen al die mannen kon ik hem nog makkelijk vinden.

Ik reed mee met zijn bereden soldaten, nu ik kennis met ze had gemaakt. De pages van heer Galan waren al lang genoeg samen om op hun gemak te zijn; zelfs hun schimpscheuten en plagerijen onder het rijden leken een kwestie van gewoonte. Elke man kende zijn plaats en plicht terwijl ze voortreden, terwijl ik, als vrouw en laatkomer, geen hoekje of gaatje kon vinden waar ik tussen hen zou passen.

Morser reed links van me en de paardenmeester van heer Galan, Vliegenbeul, vlak voor me. Vliegenbeul was kort en breed, met dikke spieren in zijn dijen en onderarmen en een torso die een veel grotere man niet zou hebben misstaan. Zijn gezicht ging half schuil achter een zware, zwarte baard. Zo nu en dan onderbrak hij zijn lange stiltes om Semental, heer Galans beste strijdpaard dat hij aan de teugel leidde, uit te foeteren als het dier aan het gras langs de weg knabbelde of naar mijn merrie hapte. De paardenjongen, Uli, zorgde voor de mindere rijdieren van heer Galan; hij leidde twee ruinen en reed op een derde. Hij was zo tenger als Vliegenbeul gespierd was en te jong om meer dan een schaduw van een snor te hebben. Onderweg stopte Morser Uli's oren zo vol met roddels – of leugens, als ik het goed had – dat de randjes van zijn oorschelpen er rood van kleurden.

Leegemmer reed achter ons in de bagagekaravaan, op een muilezel die al beladen was met zakken. Sinds we die ochtend waren opgestaan had de bagagejongen klappen gekregen van achtereenvolgens Morser, heer Rodela en heer Galan, omdat hij dingen kwijt was. Toen hij de pakezels laadde, zag ik hoe hij de dieren op zijn beurt sloeg.

De drie voetsoldaten, Sintel, Nift en Graaf, sjokten voort naast de bagage. Alle pages van heer Galan zouden natuurlijk vechten, te paard of te voet, maar de voetsoldaten hadden geen speciale taken; ze deden voor iedereen wat hij vroeg, zelfs voor Leegemmer.

De naam van mijn merrie was Thole en ze verdroeg me goed. Leegemmer had haar bereden voordat ik kwam, en ik mag wel zeggen dat ik milder met haar omsprong. Haar huid had de kleur en glans van een opgepoetste kastanje. Mijn benen deden pijn van het omklemmen van haar brede rug, en het zadel werd met het uur harder. Maar zonder twijfel had de merrie het nog zwaarder, want de Crux zette er die dag flink de pas in om de verloren tijd van gisteren in te halen, en al gauw waren Tholes buik en flanken donker van het zweet. Toen we die middag stopten, drenkte ik haar stroomopwaarts van de andere paarden en wreef haar af met bossen ruw gras. Ik voerde haar haver uit mijn hand en kriebelde haar onder haar kin alsof ze een kat was. Vliegenbeul had nog geen woord tegen me gezegd, maar toen hij zag dat ik goed voor haar zorgde knikte hij me toe.

Heer Galan en de andere geharnasten en de priesters zaten aan bij de Crux en smulden van koude schotels die zijn proviandmeester te voorschijn had getoverd. De mannen van de Eersten hadden ook voor een tafel gezorgd en die gedekt met wit linnen. Er verschenen krukken, slimme constructies van leer en hout, die uitgevouwen werden uit keurige bundeltjes bagage. De geharnasten aten terwijl de schildknapen bedienden. Vervolgens werden de schildknapen bediend door de pages van de Crux, en tot slot kregen de pages de restjes – maar de kok zorgde ervoor dat er meer dan genoeg was.

Ik weet zeker dat het beter was dan wat Morser heer Galans mannen en mij te eten gaf: dikke koude soep die we met een beetje leerachtig bruin brood uit de pan konden schrapen, zonder zelfs maar een beetje zout. Ik begreep dat ik voor mezelf zou moeten zorgen, als dit Morsers idee van een maaltijd was. Overal in de bossen om ons heen en langs de weg was er beter voedsel te vinden. Ik vond een paar kleine wilde peertjes en deed ze in een zak die ik maakte door knopen te leggen in Na's oude jurk. Er waren ook walnoten en genoeg kastanjes voor een feestmaal (ik ben dol op geroosterde kastanjes), en als groente muizenoor, al in het zaad maar goed genoeg om te stoven met een beetje spek. En het beste dat ik vond was een zeldzame kluit zoetstengels, lange witte wortels die zo zoet smaken als honing als ze gekookt zijn.

Toen ik afscheid nam van Kok had ze me gezegd dat het verstandig zou zijn om de proviandmeester van de Crux op te zoeken (die ook Kok heette); dat was een goede man om bevriend mee te raken, zei ze. Dus bracht ik hem wat zoetstengel in mijn verzamelzak. Hij was eerst bars, dacht zeker dat ik kwam bedelen, maar hij ontdooide toen hij zag wat ik bij me had. Hij gaf me een plak lamsvlees en dus had ik tenslotte een uitstekend maal.

Ik zocht naar Iza tussen de pages van heer Guasca, omdat ik vond dat ik niet zo beleefd tegen haar geweest was de vorige dag en omdat een andere vrouw mijn ogen goed zou doen, zelfs als ze een babbelziek leeghoofd was. De mannen deden hun middagdutje, uitgestrekt in de schaduw onder de populieren, af en toe vliegen wegwuivend met een zwaai van hun hand, of snurkend als blaasbalgen. Maar Iza was nergens te vinden, niet bij de mannen van heer Guasca en niet bij die van heer Pava.

Later hoorde ik dat ze die ochtend vroeg terug naar huis was gegaan. Het verhaal verspreidde zich links en rechts over de troepen met gelach in zijn kielzog. Heer Rodela bleef opzettelijk even achter om het aan Morser en Vliegenbeul te vertellen. Hij vertelde tussen snelle ratelende lachsalvo's door: 'Haar billen waren zo mager dat de muilezel klaagde. Lich kreeg medelijden met het beest en stuurde de bagage te voet naar huis.' Een of andere grappenmaker had dit als eerste gezegd, en na hem deed iedereen alsof hij het bedacht had.

Morser zei: 'Ik heb gehoord dat ze genoeg vlees had, maar dat ze er krenterig mee was. Lich bood haar aan haar vrienden aan – voor een paar munten, natuurlijk – maar zij weigerde om onder de dekens te kruipen. Hij zei: "Dan heb ik niks aan je," en zij zei: "O, Lich, alsjeblieft..." en hij zei: "Je doet het, of anders..." en ze wilde niet en dus ging ze. Dat heb ik gehoord.' En toen begon Morser, ingenomen met zijn eigen geestigheid, met een hoge piepstem te herhalen: 'O, Lich, alsjeblieft...' en ze lachten en schreeuwden totdat de tranen over hun gezicht rolden en ze onmachtig over de nek van hun paard hingen. Alsof ze de allerbeste vrienden waren.

Toen heer Rodela weer op adem was zei hij: 'Die Lich is nog een grotere idioot dan ik dacht. Een preutse vrouw is als een vis met veren – kan niet vliegen, kan niet zwemmen, niemand heeft er iets aan. Als het aan mij lag had ik haar geplukt. Ik weet zeker dat ze daaronder net zo glibberig is als andere vrouwen.' Hij draaide zich om in zijn zadel om naar mij te kijken.

Hij was net een hond, grijnzend terwijl hij gromde. Ik keek hem heel even aan en mijn nekharen kwamen overeind. Ik dacht dat ik maar beter een dolk kon vinden; mijn mes met het benen heft was maar een klein prikkertje.

Toen dacht ik aan Iza, die met pijnlijke voeten en een pijnlijk hart onderweg was naar huis. Lich had vanaf het begin de bedoeling gehad een hoer van haar te maken en haar pooier te zijn. Ik bad fluisterend voor haar aan Ardor Haardhoedster dat ze veilig thuis mocht komen; aan Wende Weefster dat ze haar plaats zou vinden; aan Crux, aan de Maan – dat hij haar zou laten gaan. Ik bad ook voor mezelf, de enige overgebleven vrouw in de troepen nu Iza weg was. En toch vroeg ik me af of de goden ons en onze gebeden bespotten. Ik stelde me ze voor als reuzen en ons als hun speelgoed, als strooien poppen die uit elkaar vallen in de handen van achteloze kinderen. Of misschien was Iza gewoon een dwaas die het niet waard was om door een god opgemerkt te worden, en was ik een nog grotere dwaas omdat ik nog steeds achter mijn driftkop aan reed. Een dwaas, een loopse teef – had de Crux me niet zo genoemd? Natuurlijk zou elke straathond van heer Rodela's soort aan me komen snuffelen. En heer Pava.

Ik kon het niet verdragen er nog langer over na te denken. Ik hield mijn ogen op de weg gericht, over de oren van de merrie heen, terwijl haar hoofd knikte en ze haar weg zocht tussen de karrensporen en de stenen.

Tegen de volgende ochtend was het verhaal opnieuw veranderd. Iedereen vond dit verhaal beter, hoewel het niet waar was: ze zeiden dat Lich haar alleen van achteren wilde nemen omdat haar gezicht zo zuur was dat ze de pik van een man kon inmaken door er alleen maar naar te kijken. Maar hij had zich bezeerd aan haar botten en dus had hij haar naar huis gestuurd en gezegd dat hij liever zijn hand of een paar jongensbillen had. Tegen de middag was er een lied over gemaakt.

* * *

Toen ik 's morgens Thole besteeg, zat het zadel los en viel ik languit op de weg. Heer Rodela lachte en zei tegen Vliegenbeul: 'Je moet beter zorgen voor de schede van heer Galan.'

Met een frons die zo diep was dat zijn zwarte wenkbrauwen elkaar bijna raakten boven zijn neus zei Vliegenbeul: 'De buikriem zat vast toen ik haar zadelde.'

In de middag verwaardigde heer Rodela zich om met ons mee te rijden en met Morser te roddelen over het onderwerp van heer Galans vrouw, zo luid dat ik het kon horen: dat haar huid als room was, haar ogen als die van een ree, haar lippen twee rozenblaadjes, haar borsten zo rond als appels enzovoort; dat heer Galan vorig jaar met haar getrouwd was, met allerlei plechtigheden; de bruid had een gouden Zonnemasker en een gewaad van doek-van-goud gedragen en haar loshangende haar had tot haar knieën gereikt.

Huwelijken binnen het Bloed worden tijdens de riten geconsummeerd met getuigen erbij, zodat de verbintenis boven iedere twijfel verheven is. Daarbij worden verlegenheid en terughoudendheid verwacht en de daad wordt snel voltrokken. Maar soms zegent een god de bruid en bruidegom met heilige overgave. Heer Rodela zei dat het onmiskenbaar was dat Crux heer Galan gegrepen had, want hij was onvermoeibaar. Morser had in de menigte voor de tempel gestaan; hij wilde er alles over weten.

Ik draaide Tholes hoofd naar de kant van de weg en liet me van haar rug glijden. Ik tilde haar hoef op alsof ik naar een steen zocht. Maar ik was degene die last van een steen had, een splinter die achter mijn slaap zat ingebed, zo scherp als een herinnering: heer Galan die zijn naakte bruid naar de huwelijksbank leidt, haar huid goud in het licht van duizend kaarsen, haar lichaam overal zacht, overal rond en rijp. Haar tepels verguld.

Dat was een jaar geleden; ze hadden al een zoon van drie maanden.

Natuurlijk was hij getrouwd en was zij vruchtbaar. Het Bloed stuurt zijn zonen niet de oorlog in voordat ze een nakomeling of twee hebben verwekt. Heer Pava had dan wel niet gewacht totdat zijn vrouw droeg, maar het was bekend dat hij zich vaak overhaastte.

Mijn nieuwsgierigheid had me in de steek gelaten toen ik die het hardst nodig had. Er waren zoveel vragen die ik niet gesteld had, zo'n groot hardnekkig gebrek aan kennis. Maar wat kon het me eigenlijk schelen? Het veranderde geen zier aan waar ik stond: altijd helemaal onderaan.

Ik leunde tegen de schouder van de merrie, knipperend met mijn ogen. Er liep een oude beukhaag naast de weg en de bladeren werden al koperkleurig. Ze zouden de hele winter blijven hangen, kleur tegen de gladde grijze takken. Iemand had de haag geplant voordat ik geboren was en hij zou me ook overleven.

Heer Galan strooide zijn charmes zo kwistig in het rond dat hij die zelfs aan mij verspilde. Hij draaide zich een of twee keer per uur om in het zadel om me te zoeken met zijn ogen en glimlachte als hij zag dat ik hem zag kijken. Wat kon hij me makkelijk opwinden! Ik vervloekte hem erom en toch wachtte ik totdat hij zijn blik op mij liet rusten en glimlachte, een herinnering en een belofte ineen. Die ochtend nog was hij teruggereden om me tussen zijn mannen vandaan te plukken en me het bos mee in te nemen, en tegen de tijd dat we klaar waren, was de bagagekaravaan ons al voorbij. We galoppeerden weer naar voren en de geharnasten joelden en spotten. Ze begrepen heel goed wat hij had gedaan.

En ik moet het verkeerd begrepen hebben toen ik dacht dat er iets meer was – want ik voelde me alsof ik met een touw zat vastgebonden aan heer Galan, aan de kiel van onze ribben. Onder zijn borstbeen moest het net zo trekken als onder het mijne. Maar ik was een dwaas geweest om dat te geloven. Natuurlijk was het dwaasheid om dat te geloven.

Vliegenbeul reed terug en vroeg: 'Is ze mank?' Het was het eerste wat hij tegen me zei.

'Ik dacht even dat ze misschien een been ontzag, een klein beetje hinkte, meer niet. Maar er is niets aan de hand.' En ik zwoer dat er niets van mijn gezicht af te lezen zou zijn.

Hij steeg af om zelf te kijken en tilde de benen van de merrie een voor een op.

'Ze loopt soepel,' zei ik.

Vliegenbeul controleerde of de buikriem strak zat. 'Dat klopt. En lef heeft ze ook,' zei hij, en ik kon zweren dat hij bijna naar me glimlachte. Hij boog zijn knie zodat ik erop kon staan om op te stijgen en ik legde mijn hand op zijn schouder. Hij was nu aardiger; maar toch wilde ik overal liever rijden dan bij heer Galans mannen.

* * *

Op een middag werden we ingehaald door een nieuwsventer die in een pittig tempo op een gespikkelde grijze ruin reed, een erg mooi paard voor een kleiman. De bereden soldaten riepen naar hem om een lied toen ze zijn banier zagen, het teken van zijn handel: een holle rode tong met een bel die wapperde in de wind. Maar hij zwaaide en reed door totdat hij de voorste strijders bereikte, want daar was pas goed munt uit te slaan. Hij had nieuws van het hof, uit Ramus, van hun leengoederen en familie; hij bracht boodschappen voor enkelen en roddels voor iedereen.

Die avond, toen de geharnasten en schildknapen gegeten hadden en het vuur van de Crux zo zachtjes brandde dat het haast niet meer knetterde, haalde de nieuwsventer zijn rondbuikige vedel te voorschijn en een trommel die hij bespeelde door zijn knieën tegen elkaar te slaan. Morser, Leegemmer en ik kropen erheen en gingen achter een struik zitten luisteren. De nieuwsventer plukte aan de snaren van de vedel en als ik niet beter had geweten, had ik gedacht dat er twee mannen speelden, want hij speelde twee melodieën tegelijk en vlocht ze zo goed samen dat ze een werden. Hij speelde zo snel dat ik niet kon begrijpen hoe zijn vingers het bijhielden. Ik had op het landgoed niet veel nieuwsventers gehoord en nooit een die met hem te vergelijken was: een talentvol man had wel iets beters te doen dan over de moeilijke bergwegen van het ene naar andere arme dorp reizen.

Al gauw begon hij te zingen. Zijn stem dreef moeiteloos boven de melodie uit en landde er slechts af en toe op. Om zijn gastheren een plezier te doen zong hij een lied over Crux, over de tijd dat de Maan met een list de Zon een paar stralen had ontfutseld, en de Zon had ze teruggestolen, op een klein beetje na dat de Maan in zijn beurs had verstopt. Met die stralen verlicht hij zich nog steeds.

Daarna zong de nieuwsventer de ballade over koningin-moeder Caelum. Het was een lang verhaal maar het ging snel voorbij, zo goed zong hij. Ik wist weinig van haar, behalve dat ze de zuster van onze koning was en dat het haar oorlog was die we nu tegen haar zoon gingen uitvechten. Ik wist zelfs nog minder van Incus, haar koninkrijk, dat we in de Lage spraak Overzee noemen. Het was uit Overzee dat het Bloed was gekomen om zich in dit land te vestigen, maar dat was lang geleden, zo lang geleden dat het lijkt alsof ze hier altijd al geweest zijn.

De nieuwsventer zong zoet en melodieus toen hij vertelde over prinses Caelum, slank en mooi, die twintig jaar geleden de Inwaartse Zee overstak om met de krijgskoning van Incus te trouwen, koning Voltur. Vrede was haar bruidsschat. Nog geen jaar later lag koningin Caelum in het kraambed en beviel ze van een prins, een jongen met haar zo zwart als een ravenvleugel en ogen zo blauw als de schemering. En de koning keek naar hem en was blij, en hij noemde hem Corvus. Heel Incus verheugde zich, zong de nieuwsventer, en hij liet het lied overgaan in een danswijsje waarbij je je benen haast niet stil kon houden. Toen sloeg hij de snaren hard aan en liet ze janken, en hij strooide een paar valse noten rond. Hij zong dat er acht jaren van vrede verstreken terwijl de prins soepel en sterk werd. Maar te veel vrede verwekt ontevredenheid bij gretige jonge en hebberige oude mannen. Dus verzamelde koning Voltur zijn leger voor een oorlog tegen het koninkrijk in het zuiden, om een vruchtbare vallei met een saffierblauw meer te veroveren. Hij zwoer dat het van hem was, want zijn bergen lagen er aan drie kanten omheen. Op de dag van zijn overwinning werd hij gedood, niet in gevecht maar door verraad, want de Eersten van de vijf clans zwoeren tegen hem samen. Ze zeiden tegen elkaar dat de koning slap was geworden en ze zeiden elk tegen zichzelf dat hij in zijn plaats zou regeren, want hij liet slechts één kind achter.

De Eersten kwamen terug naar het paleis in de stad Malleus en ze legden de helm van de koning in koningin-moeder Caelums schoot, huilden valse tranen en zeiden: 'Wee ons allen, want onze goede koning is niet meer. Wij mannen van eer zullen de last van het koninkrijk voor u dragen tot prins Corvus volwassen is, want voor een vrouw is het te zwaar om te dragen.' En heel Incus rouwde.

Maar de koningin-moeder rook verraad. Ze liet de Eersten van de vijf clans alle ledematen uittrekken, elk door vier zwarte paarden, en ze liet hun uit elkaar getrokken lichamen voor de raven achter.

Nu werd de stem van de nieuwsventer zoeter en speelde hij met een zachtere aanslag, en hij zong dat er acht vredige jaren verstreken onder het bewind van koningin-regent Caelum, terwijl prins Corvus lang werd en breed in de schouders totdat hij precies op de man leek die zijn vader was geweest. Toen zond het zuidelijke koninkrijk een portret van een prinses aan hem, levensecht geschilderd en zelfs op ware grootte, alsof ze zo uit de lijst kon stappen. Hij staarde er lang en verlangend naar, en de grote ogen van prinses Kalos staarden terug, haar lippen geopend alsof ze ging spreken. In zijn dromen hoorde hij haar stem.

De prins zei: 'Ik wil haar hebben.' Koningin-regent Caelum – zij was wijzer – zei: 'Laat me bericht vragen over haar karakter zodat we weten of ze geschikt is om te trouwen met een volmaakte prins.' Ze stuurde vogels naar het zuiden en toen ze terugkwamen zongen de vogels: 'Geen woord kwaad wordt er over haar gesproken.'

De nieuwsventer plukte het gekwetter van vogels uit zijn vedel, en hij trommelde steeds sneller. Hij zong over een kleine bruine lijster die een ander verhaal mee terugbracht. De vogel had de prinses 's avonds laat bespied toen ze dacht dat ze alleen in haar kamer was. Hij had gezien hoe ze een spiegel omhoog hield, glanzender dan brons, glanzender dan zilver. In die spiegel vertoonde de prinses haar ware zelf, en ze glom overal van de schubben in het bleekste groen. De lijster zong: 'Als je met haar trouwt, huw je een lamia, een slangenvrouw, die jou in haar kronkels wil vangen en het leven uit je persen. Je vader heeft de parel van haar vaders koninkrijk gestolen, dat saffieren meer in een dal van smaragd, en ze is uit op wraak.'

De prins trok zijn dolk en stak de vogel in zijn vlucht neer, schreeuwend dat het een vuile leugen was. Maar koningin-regent Caelum nam de waarschuwing ter harte en gaf geen toestemming. Prins Corvus zei: 'Lieve moeder, hierin regeer je niet over mij. Ik zal haar hebben als ik meerderjarig ben.'

Op zijn zeventiende verjaardag huwde hij zijn prinses en heel Incus verheugde zich. Koningin-moeder Caelum keek verbitterd toe hoe haar zoon ten prooi viel aan de listen van de lamia. Ze smeekte hem de spiegel te vinden die Kalos in haar trouwkist verstopte, om hem boven haar te houden als ze sliep zodat hij door haar vermomming heen kon kijken. Maar Corvus werd kwaad en zei: 'Lieve moeder, het koninkrijk is van mij, de vrouw is van mij, en jij zult me niet van de een of het ander scheiden. Ik verban je naar het leengoed Uiterstnoord, en daar zul je wegrotten omdat je aan mij en mijn oordeel hebt getwijfeld.'

De melodie werd klaaglijk en de nieuwsventer stopte even met zingen om met zijn vingers melancholie aan zijn snaren te ontlokken, en het was een wonder dat hij een enkele eenvoudige melodie voor zoveel doelen kon gebruiken. Er hing zo veel stilte rond zijn muziek dat het leek alsof zelfs de bomen hun oren spitsten. Toen hij zijn stem weer verhief, zong hij over het leengoed Uiterstnoord, waar koningin-moeder Caelum drie lange winters eenzaam in haar toren zat en over het witte braakliggende land uitkeek, en zich afvroeg hoe het ging met haar zoon, haar stad en haar koninkrijk. Zelfs de vogels lieten haar in de steek en vlogen naar het zuiden om op stok te gaan in de boomgaarden van Malleus en de winter uit te zingen.

Toen de vogels terugkeerden in de lente vroeg ze: 'Wat voor nieuws is er over mijn koninkrijk?'

En twee jaar lang zongen de vogels over feesten die de hele winter doorgingen, over mannen in harnassen van geslagen goud en vrouwen in ragfijne gewaden. Ze zongen: 'De graanschuren raken leeg, maar het feest gaat door.'

En Caelum weende.

Deze lente vroeg ze toen de vogels terugkeerden: 'Wat voor nieuws is er over mijn zoon en zijn vrouw?'

De vogels zongen: 'Elke dag wordt Corvus magerder terwijl Kalos zwelt. Ze zal spoedig zijn kind baren, en heel Incus verheugt zich.'

En Caelum weende en zei: 'Wat voor slang zal ze baren om op de troon van Incus te zitten?'

Toen zei de koningin-moeder: 'Ik heb genoeg geweend.' Ze floot de grijze wolven die haar leengoed bewaakten en ze sprongen rond haar hielen terwijl ze om de Inwaartse Zee heen reed en naar het zuiden, naar Ramus ging, en de weg was lang en moeilijk. Ze knielde neer voor haar broer, koning Thyrse, en smeekte hem te helpen om haar zoon en koninkrijk te bevrijden uit de wurggreep van de lamia. Maar hij vroeg haar terug te keren naar haar leengoed in het noorden en zei: 'Het past een vrouw beter te wenen dan te vechten.'

Ze schortte haar kleed op en liet een stalen korset eronder zien en zei: 'Broeder van onze heers- en vrouweskant, vergeet niet dat hetzelfde bloed in onze aderen vloeit.'

De koning gaf toe en hij riep de Eersten van al zijn clans op en zei: 'Onze voorouders kwamen lang geleden uit Incus en als u mij ontmoet bij de Inwaartse Zee voordat de InzamelMaan is afgenomen, zullen de winterwinden ons naar ons land van herkomst blazen.'

Nu speelde de nieuwsventer het allerlaatste couplet. Hij zong het net zo droefgeestig als hij gezongen had over koningin-moeder Caelum die naar het ijzige noorden verbannen werd. Er lag zo'n verlangen in zijn stem dat ik de pijn van verbanning voelde; hij liet me verlangen naar een plaats waar ik nooit was geweest. Hij zong over de vruchtbare vlaktes van Incus, over de heuvels vol cederbomen die kruidig geurden in de dageraad, en hij bezong opnieuw het schone Malleus, een stad van marmeren torens en vergulde koepels. Hij zong de mannen van Bloed toe: 'U bent gehard in de strijd zodat u fel en zo hard als staal bent, maar de mannen van Incus zijn zo week geworden als hun gouden harnas van te veel vrede. Verlangt u niet naar uw eigen land?'

Toen de nieuwsventer klaar was gaven we hem het huldeblijk van de stilte. Toen begon het applaus en de mannen stampten met hun voeten en floten en sloegen met hun platte hand tegen hun borstkas. En het duizelde mij omdat ook ik deel uitmaakte van zijn verhaal, hoewel hij nooit over mijn soort zou zingen – want was ik niet op weg om de Inwaartse Zee over te steken, in het gevolg van het leger van de koning? Binnenkort zou ik met eigen ogen de koningin-moeder en haar Wolven zien; ik zou haar koninkrijk zien en haar stad. Ik zou misschien zelfs lang genoeg leven om de afloop van haar verhaal te kennen voordat er een ballade over gemaakt kon worden.

Maar de laagste bagagejongen begreep de boodschap van het lied nog eerder dan ik. Wat deed het ertoe waarom zij oorlog voerde? Toen de nieuwsventer zong over Incus en ons verblindde met de schoonheid van Malleus, zag elke strijder van Bloed en elke kleisoldaat in het kamp een koninkrijk dat rijp was om geplunderd te worden, met zo veel goud dat het de daken bedekte en vrouwen in ragfijne gewaden zomaar voor het grijpen.

De nieuwsventer zette zijn kwetsbare vedel neer en leste zijn dorst met alle wijn die zijn kant opkwam. Bij elk vuur werd gezongen en de mannen probeerden elkaar te overstemmen. Morser stond op en zong het lied over Iza. Hij had een schrille kopstem en al gauw wandelde de nieuwsventer naar hem toe en haalde zijn kleine fluit van klei te voorschijn, zijn avicula, en begon mee te spelen alsof hij de wijs al kende. Morser zong:

De oude Iza die wil niet gaan liggen
Die wil niet gaan liggen
Niet op de deken, o nee.

De nieuwsventer speelde er hoog boven en toen weer lager, maar hij bleef op zijn knie slaan zodat het lied op tempo bleef.

Haar page zegt, ik wil je niet houden
Ik wil je niet houden
Ga jij maar naar huis.

Er begonnen mannen te klappen en te stampen. Leegemmer begon een dansje en schopte aan het einde van het couplet tegen de kooltjes om de vonken te laten dansen. Hij had een blik van vervoering op zijn gezicht, alsof heel zijn schamele verstand op zijn voeten gericht was.

De muilezel zegt, wat is ze mager
O, wat is ze mager
Ik ga haar niet dragen, o nee.

Heer Galan wierp de nieuwsventer een munt toe – ik zag hem flitsen, het was een zilverkop – en de nieuwsventer plukte hem uit de lucht en boog diep, en bleef op maat. Iedereen brulde het laatste couplet mee, want het lied was al dagenlang met ons op weg.

De oude Iza die jankt en die jammert
Ze jammert en kankert
Loopt traag terug naar huis.

Het was een liedje van niks, maar ze haalden eruit wat erin zat. Ze begonnen weer opnieuw en ik kroop onder heer Galans deken en trok hem over mijn hoofd. Toen ik 's morgens wakker werd, was de nieuwsventer er nog steeds, met lange voeten die uit een korte deken staken, zijn zolen naar de kooltjes van ons vuur.

* * *

Er kwamen dorpelingen naar ons toe met vette eenden en ronde broden, bestoven met meel. Ze testten de munten tussen hun tanden, want ze wisten voldoende van soldaten af om op hun hoede te zijn. Ik had geen munt en niets om te ruilen.

De rivier was ondiep en liep vlak langs de weg. Ik stak hem over via stapstenen en waadde tussen hoogopgeschoten en uitgedroogd onkruid en braamstruiken een braaklandje in, want ik had daar grijsbruine lelies gezien en ik dacht dat de geroosterde bloembollen het goed zouden doen als avondeten, met een kruiderij van wrange rozenbottels. Ik foerageerde zodra ik de kans kreeg en vond meestal genoeg om het karige voedsel van Morser aan te vullen of op smaak te brengen, plus nog wat extra voor de voorraadmeester van de Crux. Ik deed het graag, net zoals ik graag zorgde voor de merrie die me droeg – maar meer was ik niet van plan te doen. De sloven van heer Galan hadden hun eigen taken; als ik toestond hun werk aan mij op te dragen was het einde zoek.

Ik stuitte op Spoedvoet en de paardenjongen van heer Pava, Ev, die in kleermakerszit op de grond zaten, verborgen in het gras. Ik vond ze dankzij de geur van geroosterd vlees. Ze hadden een vuur, en een paar vlammen likten aan een gevild konijn op een stok. Ev wuifde met een bos stro de rook weg, zodat er nog geen sliertje rook boven hun hoofd te zien was.

Het was wel zo goed dat Spoedvoet voor zichzelf kon zorgen. Ik schaamde me. Ik had Az beloofd dat ik op hem zou letten, maar had me in plaats daarvan in beslag laten nemen door mijn eigen sombere gedachten. Ik had er nooit aan gedacht of hij kou of honger zou lijden.

Ze hoorden me aankomen en wachtten met gespitste oren af. Spoedvoet lachte toen hij me zag. 'O, ben jij het! Ik was bang dat het Harien was – hij steekt altijd zijn neus in onze zaken. Je bent net op tijd. Nog even en hij is gaar.'

Ik ging bij ze zitten. 'Ik ben blij om jullie allebei te zien,' zei ik, en dat was ook zo. Een paar dagen geleden hadden deze jongens elkaar nauwelijks gekend, hoewel ik ze allebei kende, de een uit het dorp, de ander uit de stallen van het landgoed. Nu zaten ze met hun knieën tegen elkaar. Ze kwamen in leeftijd een paar jaar na mij. Ik zou kunnen zweren dat sinds ik ze de laatste keer had gezien hun wangen iets meer dons vertoonden en hun botten uitgerekt waren.

Spoedvoet porde in het konijn en Ev zei: 'Wacht.' Hij leek geduld geleerd te hebben van de oude paardenmeester van de Vrouwe, die een hengstveulen liever vleide dan sloeg. Ev had altijd in de stallen gewoond; ik was altijd onder de indruk geweest als ik hem zag, als klein jongetje onbevreesd tussen de twistzieke strijdpaarden.

Ik schoof vier of vijf kleine leliebollen in de as en duwde er kooltjes overheen. 'Het is maar een klein dier,' zei ik. 'Niet veel vlees om te delen.'

Spoedvoet tilde een beetje warrig gras onder zijn elleboog op en liet nog drie konijnen zien. Hij grijnsde. 'Er is meer dan genoeg. Ik zal je er eentje mee geven.'

Mijn maag knorde en ze lachten. Ze gaven me een achterpoot, mager maar smakelijk. Spoedvoet zei dat het veld vol konijnen zat. Hij en Ev hadden stekels voor hun holen gestrooid en op het gras geslagen; toen de konijnen op de vlucht sloegen, waren de stekels aan hun pootjes blijven hangen en had Spoedvoet ze zo gemakkelijk gevangen als je maar kon wensen. 'Ik kan er altijd nog een paar pakken,' zei hij terwijl hij het vel van nog een konijn afstroopte.

'Bewaar de huiden,' zei ik tegen hem. 'Dan naai ik een cape voor je, als je er genoeg hebt. Heb je het 's nachts niet koud?'

'Gaat wel. We mogen van Hondenmeester bij de honden slapen.'

Ze waren zelf nog puppy's, die twee, nog niet uitgegroeid tot de afmetingen die hun handen en voeten beloofden. Misschien zagen de vechthonden ze voor hun eigen welpen aan.

Ik was bang voor honden sinds ik in het Koningswoud voor de jagers gevlucht was, en ik had me verre gehouden van de vechthonden. Het waren enorme tanige beesten, kort van snuit en breed van borst en lang en soepel in de rug. Ze konden een paard bij zijn neus pakken en tegen de grond worstelen. Hun afstamming kon helemaal terug worden gevolgd, zei men, tot de twee beroemde jachthonden Asper en Audax, maar ze waren veel massiever dan welke jachthond ook en sluwer bovendien. Ze heetten manhonden, naar hun prooi, en als ze eenmaal losgelaten waren gaven ze nooit op.

'Ik begrijp niet dat jullie niet bang zijn,' zei ik.

Ev zei met zijn ogen op het vuur: 'Het is de veiligste plek op de wereld, als ze je eenmaal kennen.' Ik had horen zeggen dat de paardenmeester van heer Pava, Harien, hem als beddenjongen had gebruikt totdat Ev elke nacht begon te verdwijnen in plaats van bij de paarden te slapen – en dat hij elke ochtend een pak slaag kreeg omdat hij zijn taken ontliep. Aan zijn gezicht te zien was dat waar.

We gingen samen terug naar de andere kant van de rivier en ik bleef even om een paar van heer Pava's mannen uit het dorp te begroeten. Heer Galan was naar me op zoek. Spoedvoet had het laatste konijn verborgen onder zijn leren tuniek; ik hield die hij me gegeven had bij zijn oren vast. Ik hield hem omhoog om hem aan heer Galan te laten zien. 'Kijk eens wat ik voor het eten heb!'

'Hoe kom je daaraan?' vroeg hij. Hij fronste.

'Uit het veld,' antwoordde ik en wees over de rivier.

'Ik neem aan dat je hem niet zelf gevangen hebt. Van wie heb je hem gekregen?'

'Hoezo? Ik kan heus wel een konijn vangen als ik dat wil,' zei ik, verontwaardigd omdat hij dacht dat ik dat niet kon. 'Maar ik heb hem gekregen van deze jongen hier.'

Hij legde zijn hand op mijn arm met zo'n kracht dat mijn greep om het konijn verslapte. Al zijn charme was verdwenen. 'De jongen van Pava,' zei hij schor. Hij wendde zich tot Spoedvoet. 'Heeft hij je gevraagd om haar die te geven?'

Spoedvoet stond erbij met zijn mond open, dus antwoordde ik voor hem: 'Deze jongen is een neef van me,' (nou, dat was bijna waar) 'en hij heeft me hem uit vrije wil gegeven. Mag ik soms niet eten als ik honger heb?'

'Je hebt geen reden om honger te hebben,' zei heer Galan. 'Ik heb genoeg in mijn voorraden. Je hoeft niet te bedelen bij de mannen van heer Pava.'

Ik lachte hem uit in zijn gezicht, zo kwaad als hij was. 'Ik bedelde niet. Maar als ik op jou moet rekenen om me te eten te geven, zou ik inderdaad honger lijden. Koude erwtensoep en zachtgeworden uien en brood dat zo moeilijk te kauwen is als leer. Zelfs een sloof wil meer dan dat.'

Hij trok het konijn uit mijn hand en gooide het midden in de rivier. Spoedvoet en Ev gingen er meteen achteraan; Spoedvoet was er als eerste, natuurlijk. Heer Galan stond stijf van woede. Hij keek naar me met priemende ogen en opgetrokken neus, en zijn greep om mijn arm was pijnlijk. Hij trok me over de rivieroever mee naar zijn mannen en zei op een gevaarlijk effen toon: 'Blijf weg bij heer Pava. Jij kunt niet zo'n honger hebben dat ik die niet kan stillen.'

'Ik wil niets met heer Pava te maken hebben, en ik zie hem liever dood dan dat ik hem om iets moet vragen. Maar ik zal mijn neef zien wanneer ik wil. En als ik vanavond konijn eet terwijl jij geniet van wildbraad en vet varkensvlees, zie ik niet in waarom *jij* daar last van zou hebben. Tenzij je me liever vel over been hebt.' Ik rukte mijn arm los uit zijn greep en hield hem voor zijn ogen omhoog. Ik kneep in het vlees boven mijn polsgewricht. 'Ben ik nog niet mager genoeg naar je zin?'

Hij zei verder niets, keek alleen kwaad, en we gingen uiteen. Eerst was ik blij geweest dat hij een jaloers man was, want als hij me goed in de gaten hield, moest dat betekenen dat hij me de moeite waard vond om in het oog te houden. Maar die middag keek hij niet een keer naar me om, en terwijl de Zon naar beneden rolde en haar licht in mijn ogen scheen had ik meer dan genoeg tijd om spijt te hebben dat ik mijn tong zo slecht in bedwang had gehouden, en om bang te worden.

* * *

Ik had van heer Galan verwacht dat hij bescherming zou bieden, een toevluchtsoord. Maar juist bij hem had ik geen verdediging, want we schuurden elkaar rauw en gingen tot op het bot. Maar ik had nooit veiligheid mogen verwachten. De wereld is vol gevaren; alleen een dwaas voelt zich veilig. Ik moest mezelf liever bewapenen, met mijn verstand als ik niets scherpers had, en mijzelf bepantseren met een dikkere huid. Ik zou niet een van die makke strooien mannen worden die de soldaten gebruikten om op te oefenen, waarin ze prikten totdat de vulling eruit liep; ik wilde zelf mijn eigen slagen uitdelen.

Bijna honderd mannen te paard en nog ongeveer honderd te voet, en allemaal waren ze precies zo of juist helemaal niet als de kiezels in de rivier: sommigen glad, anderen ruw, sommigen vasthoudend, anderen met niet meer uithoudingsvermogen dan in de zon gedroogde klei. Na een paar dagen onderweg begon ik de verschillen te zien.

Een sloof die niet afluistert is doof, en meerijdend in de troepen luisterde ik van alles af. Er was zoveel herrie als in een duiventil, met pages die opschepten en grappen en geruchten in het rond kakelden. Ik hoorde over de verschillende huizen in de clan van Crux, hoe ze over het algemeen bekend stonden en over de rivaliteit tussen en binnen de huizen. Crux was ooit op aarde gekomen als de Zon, getooid in de vorm van een vrouw, verrukkelijk en stralend, en ze verschroeide de grond onder haar voeten. Ze bracht een hele reeks zonen ter wereld, elk verwekt door een andere roekeloze kleiman die tot as verbrandde als hij met haar sliep. De huizen van de clan stamden af van een van deze zonen; elk zond zijn hoofdman naar de clanraad – desondanks waren de huizen niet gelijk in kwaliteit of rijkdom.

Ik begon de geharnasten en de schildknapen te onderscheiden aan de reputaties die ze onder de mannen hadden: wie van het Bloed weinig geduld en een harde hand had, wie een gemakkelijke prooi was voor de kleine oplichterijtjes van de sloof, en over wie de minste klachten kwamen. Ik kon aan het huiswapen op de clanbanier die een man droeg zien wie zijn meester was, maar je kon het net zo vaak wel als niet aflezen aan zijn gedrag, want soldaten hebben de neiging om hun meerderen na te apen. Als een geharnaste gemakkelijk te raken was in zijn eergevoel maakten zijn pages vaak ruzie en zagen ze beledigingen waar die niet bedoeld waren.

Heer Galan had een zelfverzekerdheid over zich die, als die niet terecht geweest was, arrogantie had geleken. Wat heer Rodela betreft, die droeg zijn trots niet zo licht; die prikkelde hem en dat maakte hem al te veeleisend voor ons sloven en al te familiair met zijn meester. Hij gaf voortdurend hatelijke steken – onder het mom van grappen – die heer Galan met gemak pareerde. Toen heer Galan op een ochtend te lang met mij onder zijn deken bleef treuzelen, noemde heer Rodela hem heer Luilak en zei hij dat het tijd was om zijn paard te berijden, niet zijn meisje. Heer Galan keek hem doordringend aan en zei dat heer Vuilak misschien paarden besteeg omdat geen enkele vrouw hem wilde hebben. Ze bekvechtten over en weer, en heer Galan leek het als een kameraadschappelijk steekspel te zien. Maar ik vond dat heer Rodela's botte opmerkingen maar een haarbreed verwijderd waren van beledigingen. Hij bleef dicht bij heer Galan in de buurt als hij ons niet met zijn gezelschap verblijdde.

Wat heer Galans kleimannen betreft, die pochten over hem in het kamp, bij weddenschapjes en ruzies met de andere pages over wiens meester het beste paard of de beste zit of de dodelijkste beheersing van het zwaard had. Hij was laks met ze. Ik geloof niet dat hij merkte dat Leegemmer soms zijn hemden in modderwater waste, of dat Morser wijn jatte en zo nu en dan een paar munten. Het ergerde me om te zien dat de dingen slecht gedaan werden, maar ik wilde niet tussen heer Galan en zijn mannen in staan.

Morser was net zo tuk op roddel als een dorpsbierwijf, en ik was zijn beste publiek. Hij vertelde me over de twee oudere broers van heer Galan, waarvan er een drie veldtochten geleden gesneuveld was, en de andere zo licht in zijn bovenkamer was dat een veer nog meer gewicht had. Heer Galan stond zijn vader meer na dan ik had gedacht, want volgens Morser zou de broer met het veerhoofd misschien gepasseerd worden als de tijd kwam om het leengoed te vererven.

De Crux had slechts één broer – de vader van heer Galan – en maar één zoon nadat hij drie zonen had verloren in de bekende strijdperken: oorlog, ziekte, ongeluk. Deze zoon moest de huidige veldtocht gedwongen thuis afwachten. Maar als Morser het kon uitrekenen kon je er iets onder verwedden dat anderen dat ook konden: heer Galan stond slechts vier levens van de Eerste van de clan af.

Ik begon te begrijpen wat het betekende dat heer Galan en de Crux hetzelfde wapen op hun banier geborduurd hadden – het embleem met de giervalk van het huis van Falco – en waarom heer Galan vaker wel dan niet zijn zin kreeg, vaker dan goed voor hem was, misschien.

De Falco kon zijn afstamming terugvoeren tot de oudste zoon van Crux.

Die paar keer dat een man van een ander huis de titel van Eerste had verkregen, door wijsheid of lef of sluwheid, had de Falco die steeds de volgende generatie teruggepakt. Ze stonden nooit toe dat een zuigeling of jongen de Eerste werd, zoals andere clans wel deden, die daarmee de deur openzetten naar rivaliteit en ondergang in huis en clan.

Het waren mensen van de bergen, zoals de hele clan van Crux, maar hun land was rijk. Hun burcht, in het verre zuiden vanaf het landgoed waar ik opgegroeid was, lag hoog op een rotsachtige piek die als een paal in de vette aarde van de vlakte was gedreven. Vanaf deze hoogte konden ze tientallen mijlen van hun eigen land overzien, en ze waren minder dan een dag rijden van de hoofdstad Ramus vandaan. Heer Galan woonde de helft van het jaar in zijn vaders leengoed en de andere helft aan het hof in het paleis van de Crux, en Morser zei dat hij veel geïmiteerd werd door de jongere geharnasten. Toen hij zijn kaken begon te scheren, gaven anderen ook de baard op die ze pas zo kort hadden.

Na zou hebben gezegd dat ik het had getroffen, en dit was zeker beter dan ik had kunnen raden toen ik ervoor koos om met een man in een veld te gaan liggen omdat hij knap was. Een favoriete zoon van een favoriet huis van een favoriete clan. Heer Pava stelde vergeleken met hem niets voor en ik hoopte dat het hem stak als hij, zoals iedereen, zag dat hij naast zijn neef maar een boerenkinkel was.

Als ik mezelf aan heer Galans bovenkleed naaide en hem naar de oorlog volgde en weer terug, wat had ik dan daarbij te winnen? Misschien een kamer voor mijzelf, waar ik kon wachten tot het hem beliefde te komen en bastaards baren die het op zouden nemen tegen zijn andere bastaards – waarvan hij er, zo verzekerde Morser mij, vele had.

Heer Galan had tegen mij niets over zijn huishouden gezegd. We hadden zo weinig tijd samen dat we er niet veel van besteden aan conversatie. Hij vertelde me een paar kleine dingen, zoals dat hij zijn valken zo miste en de kliffen bij zijn huis. Hij vertelde dat hij als jongen een keer was gevallen toen hij die kliffen beklom om nestjes uit te halen, zijn been verwond had en op een bed van steenslag had gelegen totdat hij laat in de middag gevonden was. Daar was het litteken, zie je? Terwijl hij daar lag had hij iets vreemds gezien: een kraai viel een havik aan en achtervolgde hem de hele hemel rond. Ik sloot mijn ogen en volgde zijn stem, en probeerde een glimp van hem als jongen op te vangen, in de ochtend van zijn leven. Het was vertederend, dacht ik, dat hij dit soort dingen midden in de nacht aan mij vertelde; maar het was minder vertederend om aan zijn vrouw en andere onderdanen te denken waarover hij het nooit had.

* * *

Op een avond zat ik bij het kookvuur te kijken naar de vonken die in zwermen opwaaiden en korter leefden dan een eendagsvlieg. Aan alle kanten om me heen strekte het Koningswoud zich mijlenver uit. De vuren van het kamp hielden het woud op afstand, alsof elke groep mannen in een kleine grot van licht school. Ik hulde me in stilte terwijl heer Galans mannen snaterden. De bereden soldaten zaten te katten op de voetsoldaten, en de voetsoldaten, die tenslotte gewoon maar herders en boerenjongens waren, dobbelden om dennenappels. Het vuur brandde steeds lager en er groeiden bladeren van vlammen op uit de houtblokken. In de heldere vormen zag ik andere dingen: gelederen van wimpels die over de kooltjes bewogen, een galopperend paard zonder ruiter. De beelden kwamen en gingen zo snel dat ik niet zeker wist of ik ze echt gezien had. Maar toen ik mijn ogen sloot, werd het silhouet van het paard zwart, alsof het in mijn oogleden geschroeid was.

Ik keek op en zag heer Galan aan de andere kant van het vuur staan en naar mij kijken. Zijn gezicht lichtte op als een lantaarn bij het vuur en hij glimlachte. Goden, het was alsof er een toorts werd aangestoken; ik was tondel onder zijn vonk en stond in een oogwenk in lichterlaaie.

Hij ging naast me zitten en we leunden met onze schouders tegen elkaar aan.

'Het is lang geleden dat ik jou gezien heb,' zei hij met een lage stem.

'Ik heb je voor mij in het zicht gehouden,' zei ik.

Heer Rodela kwam uit de schaduwen en ging tussen Morser en Vliegenbeul zitten. Hij eiste eten van Morser, die hem zei dat we alles zo snel op hadden gegeten als geiten in een graanschuur en dat er niets anders voor hem overbleef dan geroosterde kastanjes.

'Pel ze voor me,' zei heer Rodela tegen Morser. Toen gooide hij een kastanje naar heer Galan en zei: 'Kijk eens wie vroeg is weggegaan van de tafel van de Eerste en mij mijn avondeten door de neus heeft geboord!'

'Je hoeft hier nu niet te zijn. Ga maar eten – maar wees snel, anders moet je met de sloven om de restjes vechten.'

De schildknaap leek niet veel zin te hebben om te gaan. Hij zat vanaf de andere kant van het vuur naar ons te staren. Ik vond zijn blik onbeschaamd, en hij had de scheve grijns op zijn gezicht die hij droeg wanneer hij kwaad in de zin had. Heer Galan negeerde hem; hij pakte de kastanje en begon hem te pellen. Zijn vingers waren vlug.

Heer Rodela vroeg: 'Zult u niet gemist worden, heer? Het is niet de gewoonte om te gaan voordat het dessert wordt geserveerd.'

Ik legde mijn hand op heer Galans knie, verwarmd door de gedachte dat hij voor mijn gezelschap gekozen had. 'Laat ze mij maar missen,' zei hij. 'Laat ze me maar benijden.'

'Benijden, neef? Denk je dat? Ik denk dat ze zich afvragen wat er aan de hand is dat je zo vreemd doet.'

Heer Rodela was vrijpostig voor een neef, vooral een die verwekt was door een bastaard. Hij was meer aan het berispen, als een oudere broer.

Maar heer Galan nam het licht op. 'Ze benijden me om mijn geluk, vooral Pava. Hij heeft er koorts van dat ik dit onder zijn neus vandaan heb veroverd. Kan ik het helpen dat hij zijn kans niet heeft gezien?' Hij lachte me toe en wierp de stukjes van de kastanjebast terug naar heer Rodela, een voor een. Ik glimlachte terug. Hij liet ze denken dat het allemaal om geluk ging, volgens het soldatenbijgeloof dat de god Riskeer, in de avatar van Kans, haar blinddoek laat zakken en knipoogt naar roodharigen. Weliswaar vereren vechtende mannen Kloof Krijger, maar Riskeer Kans ligt hen na aan het hart, na genoeg om zowel de schuld aan te geven als de eer.

Ik was niet zo ijdel dat ik geloofde dat ik een voorwerp van jaloezie was, maar ik wist dat heer Galan dat wel was. Hij glom van geluk als een versgeslagen munt en had mij nauwelijks nodig als poetsmiddel. Maar ik was ijdel genoeg om te denken dat hij niet om een beetje geluk het diner voortijdig had verlaten.

'Het is niet zo mooi om afgunst in het kamp te zaaien,' zei heer Rodela. Hij sprak nog steeds alsof hij schertste, maar zoals altijd bevatte zijn scherts meer kwaadaardigheid dan humor. 'Jaloezie wekt conflicten op. Misschien moet je wat meer denken aan het geluk van je clan, niet alleen aan dat van jezelf. Dan zouden we allemaal beter geluimd zijn, al je neven.'

Onder mijn hand voelde ik de spieren van heer Galans been verstrakken. Hij werd heel kalm. In die kalmte werden zijn mannen stil en hieven ze hun hoofd op. Met milde stem vroeg hij: 'Hoe bedoel je?'

Heer Rodela was zo ingenomen met zijn eigen scherpzinnigheid dat hij koppig verder ging in de stilte. 'Nou, gewoon. Deel haar gunsten met ons,' zei hij terwijl hij op mij wees. 'Misschien blijft er een beetje geluk aan ons hangen. De gleuf van een vrouw is een toverbeurs; hoe meer je erin duikt, hoe meer –'

Hij kon zijn zin niet afmaken. Binnen twee hartslagen was heer Galan overeind gevlogen en lag hij boven op hem, een onderarm op zijn keel en zijn knie op zijn borst. Morser en Vliegenbeul maakten gauw dat ze weg kwamen.

'Bastaardjong,' zei heer Galan terwijl heer Rodela onder hem spartelde. 'Zal ik je hersenen roosteren of je voetzolen verbranden? Wat heb je liever?'

Heer Rodela rolde met zijn ogen en zijn tong hing uit zijn mond. Er ontsnapten hem geluidjes, maar niets dat op een woord leek.

Tegen die tijd stond ik overeind, lag mijn hand op de schouder van heer Galan en schreeuwde ik in zijn oor dat hij los moest laten. Ik deed het voordat ik erover na kon denken en vroeg me later af waarom. Maar heer Galan had een verschrikkelijke vreugde op zijn gezicht, helderder dan het vuur, en hij hoorde me niet.

'Ik denk dat ik je voor het moment alleen even schroei,' zei hij en hij schoof heer Rodela over de grond met een arm onder diens kin totdat zijn hoofd vlak bij de kooltjes was. Met zijn andere hand greep hij heer Rodela's lange haar beet en legde het uiteinde in het vuur. Het brandende haar stonk afschuwelijk. 'Maar als je haar nog eens met je smerige tong besmeurd, snijd ik hem er met plezier uit.'

Toen pakte heer Galan een tak met een gloeiende punt en brandde het haar af totdat er nergens meer dan een vingerlengte overbleef, methodisch, het hoofd van heer Rodela draaiend terwijl de schildknaap probeerde te schreeuwen maar het niet kon. Toen heer Galan overeind kwam, lag heer Rodela er hulpeloos bij. Zijn adem gierde door zijn luchtpijp en zijn hoofd lag vlak bij het vuur. Heer Galan greep zijn voeten beet en trok hem weg van het gevaar. Zijn mannen keken met open mond toe en verroerden zich niet om te helpen of tussenbeide te komen. Morser grijnsde breed.

Heer Galan keek naar mij, maar hij leek me niet echt te zien. Zijn gezicht was in de schaduw, op een reepje licht rond zijn haar en zijn wang na. Zijn wenkbrauwen stonden laag en zijn ogen eronder waren zo donker als water op de bodem van een put. Er ging nu meer dreiging van hem uit dan toen hij heer Rodela bij de keel had.

Ik ging vlak bij hem staan en pakte zijn hand. 'Laten we hier weggaan,' zei ik tegen hem. 'Laten we vannacht in de bossen gaan slapen.'

Nu zag hij me. 'Ben je niet bang?' vroeg hij.

'Niet van het bos, nee.'

Ik leidde hem tussen de bomen door naar de voet van een heuvel, en als het heer Galan opviel hoe gemakkelijk ik mijn weg vond in het donker, zei hij er niets over. We lagen onder de takken, onder een deken van nacht. En ik lag onder heer Galan, en ik keek naar zijn gezicht, mijn eigen opkomende maan, terwijl hij naar mij keek. Misschien weerkaatste mijn gezicht zijn licht en zag hij meer dan een bleke vorm in het donker, want hij hield zijn ogen open terwijl hij mij bereed; hij nam er alle tijd voor. Toen hij tegen me zei: 'Je bent van mij,' sprak ik hem niet tegen.

* * *

We werden wakker met onze armen en benen verstrengeld en zagen dat de Zon al vóór ons was opgestaan. Vanaf een uitstekende rotspiek zagen we het kamp onder ons, op een zanderige bank bij een bocht in de rivier. Kleine figuurtjes zwermden rond – eerder een horzelnest dan een bijenkorf, dacht ik: een en al steken en geen honing. Vanuit het kamp tussen de bomen kon je niet zien wat wij zagen: we waren het woud bijna uit. De harde uitlopers van de bergen, met hun ribben van steen en mantel van bomen, lagen in een gekartelde lijn tegen de golvende heuvels van de vlakte aan. De rivier die we de hele tijd gevolgd hadden zag eruit als een slingerend zilveren koord; in de verte vloeide hij uit in een grotere rivier en wond zich in een grote knot water die gekronkeld en verward in het laagland lag en het licht ving. Ver in het westen was de vlakte nog in het blauwe lucht van de dageraad gedompeld, met hier en daar een speldenprik van de wachtvuren. De heuvels aan onze voeten hadden een ronde buik van grond onder een dunne huid van heggen. Ik telde vier dorpen vlakbij op de hogere grond, elk ommuurd en met een stenen toren. Bomen en kreupelbosjes wierpen lange zwarte schaduwen over de velden – maar dat waren slechts eilandjes van bomen. We hadden de rand van het Koningswoud bereikt.

Toen we naar beneden kwamen zoemde het verhaal het kamp rond over heer Galan die het haar van heer Rodela had afgebrand en daarna in de bossen was verdwenen. Ik wenste dat ik me zo klein als een muis kon maken en met heer Galan mee kon rijden, boven zijn hart verborgen onder zijn bovenkleed. Had ik mijn belofte aan de Crux – of mijn gesnoef – dat niemand ruzie om mij zou krijgen niet al gebroken? Ze waren laat vanwege ons; de bagage was al ingeladen. De Eerste van de clan zou geen geduld met deze fouten hebben. Hij leek me een man die zijn woord zou houden en niet aarzelde om me aan zijn vechthonden te voeren.

Maar nee, ik had het verkeerd beoordeeld. De Crux was in een goed humeur. De geharnasten zaten al te paard; heer Galans zwarte hengst was gezadeld en stond klaar. Hij stond gras uit te rukken met wortel en al. De Crux leunde naar voren, zijn armen steunend op de hoge knop van zijn zadel, en hij keek neer op heer Galan. Ik had inderdaad een muis kunnen zijn, zo weinig aandacht besteedde hij aan mij. 'Ik heb gehoord dat je gisteravond besloten hebt om barbier te worden, Galan. Maar het lijkt erop dat je het vak nog niet beheerst. Zal ik je terugsturen naar je vader en hem zeggen dat hij je in de leer moet doen bij een barbier, zodat je goed opgeleid wordt? Of wil je nog steeds strijder worden?'

Heer Galan haalde zijn schouders op en glimlachte naar zijn oom. 'Rodela moest nodig geknipt worden, dus dat heb ik gedaan. Hoe ziet hij eruit?'

De Crux lachte en nam de teugels. 'Als een schaap met schurft. Voorlopig hoeft hij niet meer geschoren te worden. Te paard, jongen. Ik wilde je al bijna achterlaten. Guasca zei dat je opgegeten moest zijn door een beer, en Pava zei dat een of andere bergtoverkol je in haar grot had opgesloten – maar ik wist wel beter.' Zijn stem veranderde van toon; onder de toegeeflijkheid klonk het harde raspen van ijzer over steen. 'Al sinds je een jongetje was ken ik je als een luie ondeugende treuzelaar. Maar ik raad je aan mijn geduld niet verder op de proef te stellen. Je zult beter leren of anders kun je gaan lopen – achter ons aan of terug naar je vader, de keuze is aan mij.'

Heer Galan sprong in een beweging in het zadel, moeiteloos en elegant. Hij keek niet in het minst beschaamd; zijn hemd hing open bij zijn keel en hij had een paar bladeren en dennennaalden op zijn kleren.

Terwijl ze wegreden zei heer Pava: 'Dan zal ik je maar barbier noemen, neef, aangezien je dat beroep hebt gekozen.'

'Mij best,' hoorde ik heer Galan zeggen. 'Ik kan mijn mes zo vlijmscherp slijpen en een man zo voorzichtig scheren dat hij een uur later pas merkt dat ik zijn hoofd van zijn lichaam heb gesneden.'

* * *

Heer Rodela zag er inderdaad schurftig uit. Hij had Morser de verbrande punten af laten snijden met een mes, maar het was nog steeds ongelijk en ruig. Hij had gezichtsverlies geleden toen heer Galan zijn haar kortwiekte; hij was bespot, en toch leek heer Rodela helderder op te lichten omdat hij de glorie van zijn meester weerspiegelde – want heer Galan werd nu nog meer bewonderd onder de troepen om de slimme manier waarop hij zijn man terecht had gewezen. Misschien was dat de reden waarom heer Rodela meer wrok koesterde tegen zijn meesters mannen en mij dan tegen zijn meester zelf. Of misschien had hij geen reden nodig.

En wrok koesteren kon hij goed. Hij had wei gezogen aan zijn moeders tepel, terwijl heer Galan room kreeg. Het stak zonder twijfel dat zijn grootmoeder een concubine was geweest in plaats van een echtgenote. Het scheelde maar een haar of hij was aan de andere kant geboren, maar nu was hij een Musca, geen Falco, want kinderen van concubines behoren tot het huis van hun moeder. Net als alle Musca's was hij trots op zijn verbittering. Volgens Morser beweerde heer Rodela dat zijn over-over-overgrootvader het hoofd van de clan van Crux was geweest voor ze in dit land kwamen. Maar eenmaal hier was het huis van Musca op onvruchtbare bodem gevallen. Uit kwade wil waren ze ergens geplant waar ze niet konden floreren, en ze hadden al die generaties lang bijgehouden wie hun vijanden waren.

En heer Rodela zag er inderdaad uit als een man die opgelicht is en verwacht opnieuw opgelicht te worden. Hij zou waarschijnlijk een ander meteen benadelen als hij de kans kreeg, zo zeker was hij ervan dat ze hem zouden pakken als ze konden. Ik begreep niet waarom heer Galan hem achter zijn rug vertrouwde, voor of nadat hij hem geschoren had. Ik vermoed dat hij het normaal vond om benijd te worden en niet anders verwachtte.

* * *

Tegen de tijd dat we het laagland bereikt hadden, was de wind gedraaid en voerde de geur van gekeerde aarde, mest en brandende stoppelvelden na de oogst met zich mee. De priesters riepen op tot stilstand toen we bij een grote iep kwamen die eenzaam in een veld vol bloeiende corona stond. De takken zagen zwart van de spreeuwen, zo talrijk als bladeren. De vogels keken allemaal tegen de wind in en ze hieven een luid kakelende koorzang aan.

We wachtten totdat de spreeuwen de lucht in vlogen en twee keer over ons heen cirkelden, zwarte vleugels tegen de grijze lucht, een sliert kleurstof die door water heen wordt geroerd, voordat ze over de heuvels in het noorden wegvlogen. Ik moet dit al duizend keer gezien hebben, maar het vervulde me nu met ontzag, zoals ze als uit één wil bewogen, en hoe ze op ons gewacht hadden voordat ze opstegen.

Het voorteken was goed, zo zeiden de Auspexen volgens de geruchten. Ik voelde me ongemakkelijk: als de goden boodschappen sturen, moet dat betekenen dat ze zich in onze zaken mengen.

* * *

Toen we het grootste deel van een tiennachtse onderweg waren vloeide de kleine rivier die we volgden uit in een grotere. We staken ergens over waar het water langzaam en ondiep stroomde, met moerasachtige oevers die wemelden van de watervogels. Laaghangende wolken sloten de Zon buiten. Er hing een nieuwe geur in de lucht, fris en vochtig, en een druipende mist veranderde stof in modder. Aan de andere kant van de rivier klom de weg lage, boomloze heuvels in, waar de velden omheind waren met kniehoge muurtjes van keien in plaats van met heggen. Zelfs de grond onder de hoeven van onze paarden veranderde en werd kalkachtig en grijs, te schraal voor iets anders dan weiden en heide. De hutten van de herders zagen eruit als afval dat over de heuvels was uitgestrooid.

De Crux liet ons een tempo aanhouden dat het leer van de schoenen van de voetsoldaten deed verslijten (van degenen die schoenen hadden, tenminste), maar de ochtend nadat we de rivier over waren gestoken bleven we lang in het kamp, in de ruïnes van een fort dat op een wal gebouwd was. De toren was verwoest, de meeste stenen neergehaald en de balken waren halfverbrand of lagen weg te rotten op de grond. De deur in de voet van de wal was zo goed als verdwenen, de stenen weggesleept om andere muren mee te bouwen, maar er stond nog steeds een stekelige haag op wacht, glanzend en zwart in de mist.

De pages haalden hun puimstenen, gruis en azijn, priemen en veters te voorschijn en begonnen aan de wapenrusting te werken, en dus wisten we dat we tenslotte het Marsveld naderden. De geharnasten zouden in volle wapenrusting verschijnen om de koning te laten zien dat ze er klaar voor waren, en zonder twijfel ook om tegenover de andere clans te pronken.

Het was een grijze ochtend tussen de stenen en de mist; zelfs de turf was kleurloos. Maar ik zat met mijn mantel om mee heen gewikkeld naar rood te kijken, aan rood te denken. Morser hielp heer Galan zijn doorgestikte onderharnas aan te trekken: beenkappen en een wambuis met lange mouwen van zwaar linnen. De onderkleding was drie vingers dik op de plaatsen waar de meeste bescherming nodig was en kon op zich al een zwaardhouw tegenhouden. Er bungelden een heleboel met was ingewreven koorden, of punten, uit de doorgestikte stof, die vastgemaakt werden aan het metalen harnas. Het linnen was met meekrap roodgeverfd – zodat je het bloed niet zag, zei Morser.

Heer Galan had al veel littekens op zijn lichaam, en ik kende ze. De meeste had hij opgelopen tijdens het oefenen met wapens van hout of bot metaal; een paar had hij van duels. Ik neem aan dat hij vaardig genoeg was, want hij liep nog op aarde rond, en om dezelfde reden dacht ik dat hij wel eerder gedood zou hebben, hoewel hij dat nooit gezegd had. Men zei dat de koning tegen duelleren was omdat het een verspilling van mankracht was. Maar tegelijkertijd zag hij het graag door de vingers omdat het de mannen hoffelijk en in goede conditie hield. Zonder die twee bleef een man niet lang in leven.

Een man in het dorp had zichzelf een keer zo ernstig gesneden aan een sikkel dat het bloeden niet gestelpt kon worden. De Vrouwe had zich naar het veld gehaast om te zien wat er gedaan kon worden, hoewel het niet aan haar was om hem te genezen. De man was al dood, zijn huid wit, de grond onder hem rood. De Vrouwe vertelde me later dat er genoeg bloed in een lichaam zat om een van die houten vaten te vullen die wij gebruikten voor bier. Man of vrouw, Bloed of klei, het is voor iedereen hetzelfde: als het eruit is, kun je het niet meer terug gieten. Heer Galan en de anderen waren erop uitgetrokken om bloed te vergieten en het was moeilijk te zeggen wie er meer naar dorstten, de goden of de mannen.

Over het rode linnen gingen een hemd en beenkappen van maliën. Dit hemd, de maliënkolder, hing tot op zijn heupen. Een paar van de kleine schakeltjes waren vertind zodat ze glommen, en tussen de doffere ijzeren schakels vormden ze een verenpatroon, wat aangaf dat hij van het huis van Falco was.

Dit was al een zeer fraaie uitdossing, maar heer Galan had nu pas de helft van zijn harnas aan. Over dit alles kwam nog een buitenste huid van pantserplaat, om hem een taaier vel te geven dan dat waarmee hij geboren was. Het metaal was op maat gesmeed en ingelegd met zilveren godentekens om hem te beschermen, en elk deel was gevoerd met fluweel om blauwe plekken te voorkomen.

Er waren bijna een hele ochtend en heer Rodela en Morser voor nodig om het aan te trekken – Morser met zijn vingervlugheid en heer Rodela met zijn gevloek. Naast de punten die het pantser aan het onderharnas en de maliënkolder vastbonden waren er gespen en scharnierpinnen en krammen en andere soorten bevestigingen.

Ze begonnen met de lederen schoenen, die van top tot teen omwikkeld waren met smalle ijzeren banden, want als een man zijn voeten verliest kan hij nergens meer op staan. Vervolgens bonden ze beschermers om zijn scheenbenen en kniestukken om zijn knieën. Ze knoopten zijn pikhouder aan zijn beenkappen vast met wasveters. Daarna gordden ze hem een wapenrok om met ijzeren schubben genaaid op hertenleer, die zijn dijen bedekte en een split had zodat hij kon rijden. Ze gespten zijn stalen borstplaten om, die knap gemaakt waren en op de torso van een man leken, van voren en achteren; op de borst stond een havik afgebeeld, ingelegd met zilver, en rondom de navel stonden godentekens. Om heer Galans rechterarm bonden ze een lederen mouw die bedekt was met metalen schubben, waarbij elke schub over de volgende heen viel zodat hij gemakkelijk een zwaard kon hanteren. Om zijn schildarm had hij alleen de maliën. Naast dit alles had hij nog meer beschermers van geslagen pantserplaat: uitstaande vleugels voor zijn schouders, een halsstuk voor zijn keel, elleboogkappen. Zijn handschoenen waren prachtige staaltjes van het vernuft van de wapensmeden. Ze bedekten de rug van zijn hand met metalen stroken die zo vastgeklonken waren dat ze zo veel mogelijk beweging toelieten, zelfs voor elke vinger apart, en op de knokkels zaten stekels; de palmen bestonden uit leer dat was versterkt met maliën zodat hij een lemmet kon vastgrijpen zonder zich te snijden. Heer Rodela hing een sjerp over heer Galans schouder en middel waaraan zijn wapens hingen: groot zwaard, klein zwaard, genadedolk.

Tenslotte zetten ze een klein gevoerd kapje op het hoofd van heer Galan en maakten dat vast onder zijn kin, en ze stopten zijn haar eronder en zetten de stalen helm eroverheen. Bij de helm verbleekte die van heer Pava waarvoor hij ons zo had uitgeknepen. Hij had de vorm van de kop van een giervalk met een open bek; het vizier was een verzilverd masker dat het gezicht van heer Galan bedekte met zijn eigen gelijkenis. Als het vizier neergeslagen was, keek er een metalen heer Galan uit de bek van de valk – een sereen gezicht voor de strijd. Ik keek naar zijn gezicht terwijl zijn mannen hem bewapenden en het leek op zijn masker – kalm, een beetje plechtig, een beetje tevreden, de manier waarop een kind kijkt als hij met klei speelt en helemaal opgaat in wat hij doet.

Hij duwde zijn vizier omhoog en kwam naar me toe. Hij sloeg zijn schildarm om me heen en trok me tegen zich aan. Deze nieuwe huid van hem was koud en hard, en daar was ik blij mee. Maar ik wilde dat ik hem aan zijn haar kon grijpen en hem onderdompelen in metaal, zodat hij overal bedekt was, want de spleten stonden mij niet aan, de manier waarop een dolk zijn knieholte kon vinden en zijn beenspieren kon doorsnijden, of een zwaard een weg kon banen door de maliën onder zijn arm. We zijn gebrekkige vaten. We raken zo gemakkelijk lek.

Hoofdstuk 3

Marsveld

We gingen op weg zodra de ochtendmist opgetrokken was en al gauw stuurde de Crux zijn mannen om ons tot grotere snelheid aan te jagen. We waaierden breder dan de weg uit, het veld in, en begonnen eerst te draven en toen te galopperen. Thole maakte lange passen en probeerde de grotere paarden bij te houden. De aarde rommelde onder de hoeven. We lieten de voetsoldaten en de ossenkarren en muilezels achter ons, en de gouden en groene banieren golfden boven ons hoofd. Ik voelde me meegesleept door het spektakel, hoewel ik geen kleuren droeg, op mijn donkerblauwe jurk en het gebleekte linnen van mijn hoofddoek na.

De weg rees en daalde, en we gingen de laatste heuvel over en zagen het legerkamp liggen, mijlenver uitgespreid over de golvende heuvels. Achter het leger lag de zee. Ik had me voorgesteld dat de zee als een groot meer in een schaal van bergen zou liggen, water in een kom van land, maar hij stroomde over de horizon heen. Er kwam geen einde aan; de zee ging over in de lucht en de lucht in de zee in een grijze nevel. Het wateroppervlak, groen en pokdalig, weerspiegelde de laaghangende wolken als een oude bronzen spiegel die dof is geworden van kopergroen. Het werd getekend door witte koppen die snel werden neergekrabbeld en uitgevlakt zodat er niets overbleef waarop het oog kon rusten, een landschap dat absurd vlak en nietszeggend was. En toch kon ik mijn ogen er niet van afhouden. Ik keek strak over het Marsveld heen totdat we de heuvel af waren en door een stad van overdadige paviljoenen en schamele hutten reden, zo vol mannen en paarden – en schapen, kippen, jongens, honden, geiten, vrouwen en muilezels – dat ik verbijsterd was.

De geharnasten hieven een schreeuw aan en de Crux leidde ons rechtstreeks naar binnen, in galop, naar een kruispunt in het midden van het Marsveld, waar de koning resideerde. Terwijl we langs de tenten en aanbouwsels en kralen reden, merkte ik dat wij niet zo'n bijzondere aanblik boden. Er keek een vrouw op van de was, een jongen van de wapenrusting die hij poetste; een paar strijders zagen de banieren en groetten ons. Ik dacht dat we te midden van zo velen zouden oplossen als een druppel verf in water.

We stegen af en knielden op de aangestampte aarde voor het paviljoen van de koning. Van een afstand had ik dat aangezien voor een gebouw. Het was dan ook groter dan alle bouwwerken die ik ooit gezien had, zo hoog als vier mannen en groot genoeg om het landgoed van de Vrouwe geheel op te slokken, met moestuin en al. Maar het was een groot rond paviljoen, opgezet met enorme palen en met wanden en een dak van beschilderd, goudgestempeld leer; een hele kudde ossen moest er zijn huid voor hebben opgeofferd.

Koning Thyrse kwam zelf naar buiten om ons te begroeten. De Crux gaf hem zijn zwaard, het aanbiedend bij het heft, en de koning draaide het om en gaf het terug. Hij trok de Crux overeind en gaf hem de kus van vrede op zijn voorhoofd. Toen verwelkomde hij alle geharnasten bij naam, eerst zijn eigen bastaard, heer Guasca en heer Galan als tweede, en gaf hun verlof om op te staan. De schildknapen bleven geknield, hoofden gebogen, handpalmen plat op de grond. Het was niet zo'n lange ceremonie, maar te lang voor mij met mijn knieën op de scherpe kiezels van de weg. De paarden achter ons werden onrustig en trokken aan de teugels in de handen van de paardenjongens.

Ik zou hem niet als koning herkend hebben als we hem niet zoveel onderdanigheid getoond hadden. Hij was eerder gekleed als een middelrijke schildknaap, in een ruw hemd onder een fluwelen pantserhemd met roestvlekken; hij droeg een eenvoudige rode kap op zijn hoofd. Hij was ook niet zo lang. Ik had hem recht in zijn ogen kunnen kijken – behalve dan dat mijn voorhoofd zich op de grond bevond, net als dat van de andere sloven, en ik onder mijn oogharen uit naar hem moest loeren.

Ik had hem eerder gezien. Dit was de jager die de hertenbok in het Koningswoud had neergelegd en de kroon van geweitakken had gedragen. Zijn clan was Prooi, en hij was de Eerste van zijn clan en bovendien koning. Geen wonder dat de god Prooi Jager kwam als hij hem opriep.

De Crux leidde ons naar een leeg stuk weide dat gereserveerd was voor zijn troepen. Ik zag dat hij net zo belangrijk was als ze in het dorp gezegd hadden, want we waren minder dan een steenworp bij het paviljoen van de koning vandaan.

Het Marsveld, dat me op het eerste gezicht zo uitgestrekt en vormeloos had geleken, had een onderliggende symmetrie. Het was ingedeeld als het waarzeggerskompas dat Az voor me had getekend op de grond, met twaalf wegen, sommige niet meer dan paden, die naar buiten leidden vanuit het paviljoen van de koning in het centrum van de twaalf richtingen. De wegen sneden het Marsveld in twaalf stukken, of arcanten. Anders dan Az' kompas kon het niet in gelijke stukken voor elke god of clan opgedeeld worden, want koning Thyrse en zijn zuster, koningin-moeder Caelum, hadden de helft van de arcanten al nodig voor henzelf en hun troepen. De rest van de clans zaten in de andere helft opeengehoopt.

De koning had de geharnasten van Prooi onder commando en bovendien honderden beproefde ruiters en voetsoldaten, kleimannen die hun medewerking verleenden omwille van hun koning en een dagelijks rantsoen, in ongeveer die volgorde. De Wolven, het leger van koningin-moeder Caelum uit het noorden, namen viertwaalfde van het kompas in beslag, van het westnoorden tot het oosten. Hun kamp was te herkennen aan hun karmozijnen-en-witte banieren. Haar mannen werden aanvankelijk door sommigen bespot, die zeiden dat ze Wolven heetten omdat ze zo dapper schapen roofden – maar achter de tenten en op het toernooiveld hadden ze de spotters geleerd waar ze voor stonden, totdat hun naam uitgesproken werd met afgunst en waardering.

De clan van Kloof had een heel arcant, tussen de koning en de koninginmoeder in, en huisvestte een grote groep priesters die de avatar van de Krijger dienden. Ze waren zo vertrouwd met de geheimen van de oorlog en zo gehard door de eisen ervan, dat men zei dat ze zonder wapens dodelijker waren dan andere mannen met een volledig arsenaal.

Elk van de andere tien clans had een half arcant, en de grenzen werden aangegeven met banieren om de tenten heen. De koning hield zijn beste kapiteins dicht bij zijn paviljoen; wij waren zuidwest en deelden een arcant met de clan van Lynx, die twee dagen eerder aangekomen was – maar zij waren verder bij de koning vandaan en dichter bij zee. De echtgenoot van de Vrouwe was een Lynx geweest. Hij was gestorven voordat ik naar het landgoed kwam, en de Vrouwe had nooit over zijn clan gesproken.

We richtten een beter kamp in dan onderweg. De Dag van de Oproep, waarop alle clans aanwezig moesten zijn of een boete betalen, was nog meer dan een tiennachtse weg en het viel niet te zeggen hoe lang we daarna nog zouden blijven. De Auspexen zegenden de grond met plengoffers van wijn en olie, de geur van mirtebast en een geitenoffer. De Crux markeerde de grenzen en verdeelde de ruimte, waarbij hij het grootste deel toewees aan de paarden. Voetsoldaten werden aan het werk gezet om stenen uit weidemuurtjes te roven voor een kraal, een ren voor de manhonden en een grote centrale vuurplaats. Nadat de rest van hun werk gedaan was bouwden ze aanbouwsels voor zichzelf tegen de muren van de kraal en de hondenren – grove onderkomens van steen en touw, bedekt met gaspeldoorn.

De mannen van de Eerste wisten precies wat ze moesten doen en ze zetten zijn grote paviljoen snel op in de punt die het dichtst bij de koning lag. De groene tent van de priesters, die als heiligdom en als onderkomen zou dienen, kwam ernaast. Daarna waren ze vrij om adviezen te geven (veelal ongewenst) aan de andere pages die in de war raakten en vloekten en rommelden met touwen en palen en canvas. Heer Pava had een ronde tent van beschilderd leer gekocht in Ramus, maar hij had de palen niet meegenomen; het was nooit in hem opgekomen dat er een land zonder bomen kon bestaan. Ik verborg mijn grijns achter mijn handen toen ik zag hoe hij bespot werd door de andere geharnasten, totdat de bagagejongen van de Crux terugkwam met een muilezel beladen met aanmaakhout en aan Schriel, de bediende van heer Pava, vertelde waar hij hout kon kopen.

De tent van heer Galan was groter dan Az' hut en zo hoog dat een lange man er gemakkelijk rechtop in kon staan. Hij was gemaakt van canvas met een patroon van lichtgroene en gele vlakken en voorzien van een waslaag tegen het vocht. De wind rukte aan de wanden en liet de palen en touwen kraken. Ik vond het prettiger dan een huis van steen of leem, omdat deze wanden het licht of de lucht niet tegenhielden en het toch heerlijk droog was daarbinnen, op een lek of twee aan de naden na toen een van de langsdrijvende wolken boven ons hoofd ons met regen besproeide.

* * *

Tegen de avond liep ik met twee ijzeren potten en een waterzak over het westpad, richting zee. Het was Leegemmers taak om water te halen, maar ik had een excuus nodig om opnieuw naar de zee te gaan kijken. Tussen al die tenten kon ik er nauwelijks een glimp van opvangen.

Het smalle pad glansde waar voeten de turf hadden afgesleten tot op de kalkachtige bodem. Het wond zich om heuveltjes heen, door gaten in stenen muren en achter de tenten langs, totdat het me op de rand van een klif bracht. Witte zeevogels zweefden op een luchtstroom voor me. Ze maakten kleine bewegingen om zichzelf in balans te houden, haast zonder hun vleugels te bewegen. Ver beneden begon de zee.

Het pad ging over de rand van het klif. Het was steil, maar ik was wel gewend om in de bergen over rotsen te klauteren. Ik liet de potten achter omdat ik mijn beide handen nodig had en ging naar beneden. Ik hield me vast aan plukjes zegge en uitstekende punten van afbrokkelende steen. Ik trok mijn rok op en knielde aan de rand van het water. De zee had een sterke geur, niet onaangenaam. Ik proefde het en spuugde het uit: zouter dan tranen. Zo ontdekte ik wat iedereen al wist – dat de zee van pekelwater is – en werd herinnerd aan mijn gebrek aan kennis over de wereld buiten het Koningswoud.

Ik liep noordwaarts langs de kust en de zeewind trok aan me alsof die mijn schaduw wilde losrukken en hoog opgooien als een van die witte vogels. Koude golven spoelden over mijn voeten en woelden de kiezelstenen en de schelpen op het strand om. De Zon stond laag en was gehuld in wolken, maar ze zond een beetje rood licht, dat over het water heen naar mij toe danste.

Honderden schepen dreven op de golven, hun kale masten zo dicht bij elkaar als dode bomen in een ondergestroomd bos. Ik had nog nooit zeilen gezien, dus ik begreep niets van de masten. In het dorp hadden we boten van gebogen wilgenhout en leer, zo onhandig als een ton tenzij je ermee om kon gaan. Deze schepen waren groter dan huizen, met gladde zijkanten die beschilderd waren met godentekens. Zo groot als de vaartuigen waren, ik kon moeilijk geloven dat er zo veel mannen en paarden en wagens in konden en over het water worden vervoerd, dat zo breed was dat je de andere kust niet eens kon zien, laat staan dat je er zeker van kon zijn dat je die vond.

Sinds het begin van mijn reis was ik nauwelijks een moment alleen geweest. Altijd in het zicht van anderen, en alles wat ik deed of niet deed lokte commentaar uit. Niet dat ik zo opmerkelijk was, maar soldaten hebben vaak niets te doen en dan zoeken ze afleiding. Dus had elke man in de troepen iets van me geproefd: mijn naam op hun tong. Ik had niet gevoeld hoe dat op mij drukte, het gewicht van hun speculaties, totdat ik mijn last van me af had gezet aan de kust.

Ik groef mijn voeten in het zand in en schoot wortel totdat de Zon werd opgeslokt door de zee. Ooit had ik elk gezicht in mijn wereld gekend. Nu was ik omgeven door vreemden, te veel om te kennen. Ik had de draad van mijn leven verknoopt met een van die vreemden, en ik wist niet zeker of we in elkaar gedraaid een sterker koord vormden. Ik voelde me meer mezelf als we niet samen waren. Maar Wende Weefster was aan het werk. Heer Galan en ik zaten tussen haar duim en haar vinger als ze spon, en ik vreesde dat als we bleven hangen of in de knoop raakten, ze haar schaar zou pakken.

* * *

Ik klauterde het klif op. De zee was stralend, helderder dan de lucht en het land, alsof ze het laatste licht van de Zon vasthield. Ik was op de een of andere manier de twee potten kwijtgeraakt – of ze waren gestolen. Ik was bang dat Morser zich erover zou beklagen en ik rende langs de rand van het klif op en neer om ze te zoeken. Na een tijdje gaf ik het op en ging ik over een ander pad terug naar de kampvuren en toortsen, kleine poelen van licht en geluid.

Achter de tenten maakte een grijze schaduw zich los uit de andere schaduwen en versperde me de weg. 'Wat is dit?' zei hij en hij trok mijn hoofddoek af zodat mijn haar los viel. Hij riep: 'Kom eens kijken wat ik heb gevonden! Een loslopende huidschede!'

Ik greep naar de doek, maar hij hield het uiteinde vast. 'Ik loop niet los. Ik hoor bij Crux.'

'Dat is niet waar,' zei hij. 'Anders zou je hier niet zijn.'

Als een van de honden op het boerenerf begint te blaffen, doet de rest mee. Al gauw had ik een heel roedel om me heen, en ze jankten. Ik greep naar mijn mes en mijn hand streek langs het zakje met vingerbotjes aan mijn gordel. Ik hoefde de botten niet te werpen om te weten welke raad Na en de Vrouwe me gegeven zouden hebben, want ik had ze in mijn hart. Na zou hebben gezegd: 'Met dat kleine mes kun je hoogstens een krab uitdelen, en van krabben wordt de jeuk alleen maar erger,' en de Vrouwe zou me hebben aangeraden om het op een andere manier te gebruiken, als al het andere faalde – de enige uitweg was om het tegen mezelf te richten. Ik klemde het mes in mijn handpalm en stopte mijn handen in mijn mouwen. Ik zei opnieuw (maar met een kleiner stemmetje dan ik gehoopt had): 'Ik hoor bij het gezelschap van Crux. Mijn geharnaste zal me komen zoeken.'

De eerste man bespotte me. 'Haar geharnaste zal haar komen zoeken –

zij denkt dat een geharnaste op zoek gaat naar zijn wasvrouw! Ze is zeker de enige die zijn vuile goed schoon kan houden. Nou, ga je het mijne ook wassen?' Zijn tanden en het wit van zijn ogen blikkerden. Hij zei tegen de anderen: 'Vinden jullie dat ik geen goede wichelroede heb voor vrouwen, stelletje sloomkoppen? Mijn roede kan in de woestijn nog een kut vinden!'

Ik deed een stap opzij en hij ging weer voor me staan.

Een ander zei, achter mijn schouder: 'Dat misschien wel, maar verder is het maar een klein stokje.' Een derde zei: 'Balk kan dan wel vrouwen vinden, maar zijn roede gaat hangen zodra hij er een heeft, dus wat heeft het voor nut?' Ze loeiden.

Balk antwoordde: 'O, nee. Hij staat overeind en trilt; hij wijst recht naar haar. Zal ik het je laten zien?' Hij tilde zijn tuniek op en begon zijn pikbeschermer los te knopen.

De anderen lachten, duwden tegen elkaar aan en wachtten af hoe ver hij zou gaan in dit spelletje. Ik was niet van plan om dat af te wachten en wrong me tussen hen door, op weg naar het paviljoen van de koning. Alsof dat een teken was, gingen ze dichter bij elkaar staan. Zo veel handen dat ik me niet los kon draaien. 'Ze is een gladde,' zei iemand. 'Des te beter,' zei een ander. Balk kon moeilijk lopen met zijn beenkappen rond zijn enkels, en hij hopte op en neer en riep: 'Wacht! Wacht!'

Het ergste was dat ze nog steeds lachten. Ik haalde uit naar een man, maar het lemmet ketste af op zijn dikke leren jak. Ik denk niet dat hij het mes opmerkte voordat het uit mijn hand werd geslagen en mijn armen achter mijn rug gevouwen werden. Ik had op zijn ogen moeten mikken.

'Handen af, stelletje uilskuikens, en laat mij even naar haar kijken!' hoorde ik iemand brullen, en toen petsten er klappen neer op hun hoofden en billen en begonnen de mannen te janken. Ik werd aan mijn nekvel de kring van tenten in getrokken, in het licht van het kookvuur en een paar toortsen.

Mijn redder was een vrouw die in elk opzicht immens was: in de lengte, de diepte en de breedte. Haar kleed was diep uitgesneden, gevaarlijk dicht bij haar tepels, en liet een uitgestrekte blanke boezem bloot die bespikkeld was met moedervlekken. De spleet tussen haar borsten was diep genoeg om een beurs met munten op te slokken. Haar boezem rustte op de uitstekende richel van haar net zo uitgestrekte buik; haar jurk kon hem maar net omspannen. Ze had een hand op haar heup; in de andere had ze een stevig stuk brandhout. Ze keek van mij naar de mannen en lachte smalend.

'Ga toch op zoek naar een gestreepte rok,' zei ze tegen de mannen. 'Dit kleine ding is niet groot genoeg om rond te gaan bij jullie allemaal. Je weet waar de hoeren zitten. Betaal ervoor. Ik weet dat Kniep een vervloekte vrek is, maar hoe zit het met de rest van jullie? En als je geen munt hebt, weet je wat je dan kan doen? Zoek de kont van een ooi, die merkt het niet eens. Die kleine piemeltjes van jullie kietelen haar hooguit een beetje. Of nee, hier is nog betere raad: gebruik je handen. Zo doen soldaten dat, uilskuikens – geen munt, geen ziektes. Snel en schoon. Zijn jullie vergeten hoe dat moet?

Kom hier, dan zal ik het jullie leren.' Ze hield het stuk brandhout omhoog. 'Stel dat dit je pik is,' zei ze. Ze hief haar linkerhand op. 'Hand,' zei ze. 'Je hoeft die twee alleen maar met elkaar te verbinden, zie je? Wat een zielig stel stomkoppen zijn jullie, om te vergeten wat je geleerd hebt nog voordat je werd gespeend!'

De vrouw maakte ze aan het lachen en de lucht klaarde op, zoals wanneer de wind een storm wegblaast. Ik vroeg me af of ik echt in groot gevaar was geweest, als zij ze met een beetje spot kon temmen. In het licht van de toorts kon ik zien dat het maar vijf of zes gewone mannen waren. Een had het fatsoen om zijn hoofd te laten hangen, maar de rest staarde me brutaal aan. Ik herkende Balk meteen omdat zijn beenkappen scheef zaten en hij nog steeds mijn hoofddoek had. Met onbedekt haar zag ik eruit als een del, dus ik griste de doek terug en bond hem weer om. Het bloed steeg van schaamte naar mijn gezicht.

De vrouw hing haar vlezige arm om mijn schouder en liep met me weg van de mannen en het licht van het vuur. Haar neus en wangen waren breed, met grote zwarte poriën. Haar ogen waren vriendelijk. 'Vandaag aangekomen, zou ik zeggen.'

Ik knikte, omdat ik het moeilijk vond om te spreken.

'Ga nergens alleen heen – neem een man mee of je bent een rechtmatige prooi. Anders weten ze niet dat ze stropen, begrijp je? Zelfs de hoeren doen het zo, anders worden ze niet betaald. Ik kan zien dat je van het platteland komt en niet beter weet.' Met een kreun bukte ze zich voorover en plukte iets uit het gras. 'Is die van jou?'

Ze gaf me mijn kleine mes met het benen heft. Ze zei: 'Je hebt geluk dat dit aardige jongens zijn – ze moeten zichzelf er echt toe brengen om iets kwaads te doen, ze zijn er niet voor gefokt zoals sommig ander ongedierte dat je hier zult vinden.'

Ik mompelde: 'Ik had geluk dat u hier was.'

'Dat ook, liefje, dat ook.'

Ik veegde mijn neus en ogen af aan de losse punt van mijn hoofddoek en omhelsde haar. Ik kon haar niet met mijn armen omspannen. Toen de mannen begonnen te joelen, lette ik niet op ze. Ze was zacht, maar er stak iets hards in haar onder al het vet. Geen wonder dat ze onder haar klappen uiteenstoven.

Ik trilde. Ze liet me bij het vuur zitten en vertelde me dat ze Mai heette, en dat de uilskuikens niet zo kwaad waren als ik misschien dacht. Ik keek naar ze en dacht dat ze in de kring van de tenten misschien aardige jongens waren, maar achter de tenten was een heel andere kwestie.

Mai deed een sjaal om om haar boezem te bedekken en bracht me naar huis, met een schaapachtige man als escorte; onze kampen lagen niet ver uiteen. Ik stapte de tent van heer Galan binnen zonder iets tegen iemand te zeggen. De tent was leeg.

* * *

Heer Galan had zijn mannen zonder eten eropuit gestuurd om me te zoeken. Hij kwam pas terug toen de meesten van hen het kamp weer binnengedruppeld waren en hij had een lantaarn aan een staf bij zich. Zonder van zijn paard af te komen riep hij: 'Is ze gevonden?'

Ik rende naar hem toe en hij gleed uit het zadel, gaf zijn lantaarn aan iemand en sloeg me hard. Ik stapte achteruit en hij deed een stap naar voren, en hij schreeuwde tegen me waar iedereen bij was. Bij elke stap priemde heer Galan met zijn vinger naar me: dat ik nooit meer zonder verlof weg mocht, nergens alleen heen kon gaan, hem nooit meer zo moest kwellen of bezorgd mocht maken. Had ik mijn verstand verloren of nog erger? Waar was ik geweest? In wiens tent, in wiens bed? De Crux keek een tijdje toe en verdween toen in zijn paviljoen. De anderen bleven nog even meegenieten.

Ik zei dat het me speet, met zachte stem. Ik werd steeds verder achteruit gedwongen totdat ik met mijn rug tegen het canvas van zijn tent stond en niet verder kon. Toen ik naar de grond keek, boog hij voorover en bracht zijn gezicht vlak voor het mijne. Hij keek me woedend aan, alsof hij me met zijn blik in steen kon veranderen. Ik keek met moeite terug, en vond het niet gemakkelijk om hem in de ogen te kijken. Hij eiste dat ik hem vertelde waar ik was geweest, nog steeds met luide stem. Ik mompelde een antwoord, hoewel ik geen goed antwoord kon geven: ik was een tijdje bij de zee geweest – de Zon ging onder en ik was verdwaald (op een plaats waar alle wegen naar het paviljoen van de koning leidden, en wij in het zicht daarvan kampeerden) – het speet me dat hij zich zorgen had gemaakt – ik had de zee nog nooit eerder gezien.

Als ik nog meer had gezegd zou er bloed gevloeid zijn.

Heer Galan werd stil, en dat was erger. Hij wendde zijn gezicht af en stond daar, kaken opeengeklemd, armen over elkaar, handen gebald tot vuisten. Toen keerde hij me de rug toe en liep weg.

Hij zag erop toe dat zijn mannen een goede avondmaaltijd kregen en trakteerde ze uit zijn privé-voorraad wijn. Zijn stem was kortaf, maar ik hoorde hem lachen toen heer Alcoba zei: 'Hoog tijd dat je haar aan zadel en teugel went.'

Heer Galans reactie was snel: 'O, maar ik rijd liever ongezadeld.'

Ik ging de tent in en stak de lamp aan die klaarstond bij de deur. Terwijl ik weg was waren zijn pages aan het werk geweest; er waren zakken heide bij wijze van strozakken voor de mannen en een uitklapledikant van hout, touw en leer in een hoek voor heer Galan. Het bed was onderweg nooit te voorschijn gehaald; het had klein opgevouwen in de bagage gezeten, zo klein dat een muilezel het kon dragen. We zouden comfortabel slapen. De poten van het bed waren in de vorm van roofvogelklauwen gesneden en er lag een veren matras en lakens op, en bovendien de gevoerde deken van heer Galan, die overal bestikt was met kleurrijk verenborduursel. Misschien had zijn vrouw die gemaakt. Ik ging liggen en trok de dekens over me heen, terwijl ik me afvroeg of hij me wel in zijn bed wilde hebben, nu hij zo kwaad was. Mijn gezicht deed pijn van de klap. Morgen zou ik een fraaie blauwe plek hebben.

Ik kon de mannen bij het kampvuur maar al te goed verstaan.

'Ik weet niet waarom je haar mee hebt genomen,' zei heer Pava. 'Ik heb haar een keer gehad en ze was niks bijzonders. Ik zou normaal gesproken de moeite niet eens genomen hebben, maar ze liep rond met haar haar los, deed alsof ze een maagd was, terwijl dat niet zo was.'

Heer Galan zei niets.

Heer Rodela zei: 'Hij denkt dat ze geluk brengt, vanwege haar rode haar.'

'Geluk! Ze is een stuk vuil dat van de straat is opgeraapt. De man die haar gevonden heeft – dat was heer Scindo dam Quiesco van Infero van Lynx, de man van mijn oude tante – heeft ze geen geluk gebracht. Hij stierf tijdens de veldtocht en zij kwam mee met de bagage.'

Ik was kwaad dat heer Pava iets van mijn verleden wist dat ikzelf niet eens wist, en dat ook nog rondbazuinde. Maar zijn verhaal beantwoordde veel van mijn vragen, zelfs het zwijgen van de Vrouwe. Ik was naar huis gestuurd met de wapens van haar echtgenoot, zijn harnas, paarden, bagagejongen, bediende enzovoort, toen ik te groot was voor de luiers en te klein om me nuttig te maken. De Vrouwe vond het ongetwijfeld een schande om bagage te zijn, buit uit een of andere oorlog. Maar Na had het me kunnen vertellen.

Ik was meer een vloek dan een zegen geweest, als het klopte wat heer Pava zei. Maar toch noemden ze me Geluk, in de Lage spraak. Misschien had een bediende me zo genoemd, of Na zelf. Misschien was het ongeluk van heer Scindo wel een geluk voor anderen; ik heb nooit gehoord dat hij erg gemist werd.

Maar nu ik dat wist, wist ik nog steeds niets: niet of mijn ouders nog leefden of dood waren, niet waar we eens woonden. In de droom over mijn vader was ik meer aan de weet gekomen. Ik dacht dat ik die bergen en die vallei wel zou herkennen als ik ze ooit zou zien. Ik herinnerde me hoe mijn vader gemakkelijk onderuitgezakt in het zadel had gezeten, totdat hij de soldaten zag. Zwarte vlaggen; welke clan droeg die kleur? Niet een die ik kende.

Heer Galan zei iets. 'Jij had heer Scindo zeker gelukkig genoemd als hij van ouderdom overleden was, wauwelend en zwetend en stinkend van een of andere ziekte. Als hij in zijn bed gestorven was. Maar hij is gestorven als een man – in de strijd. Misschien had je geen geluk met dat meisje omdat je Kans om de verkeerde gunsten hebt gevraagd.'

'Ik heb geen ongeluk van haar gehad,' zei heer Pava. 'Ze is gewoon een dwarse feeks met een scherpe tong.'

Heer Galan lachte. 'Je vond haar te temperamentvol, of niet? Nou, ik kan in het zadel blijven als anderen afgegooid worden – of niet soms, Pava?'

* * *

Het duurde lang voordat heer Galan naar de tent kwam, maar toen hij kwam was hij alleen. Hij gooide de strozakken van de mannen de tent uit en vroeg ze buiten te slapen, zelfs heer Rodela, en zei dat het ze geen kwaad zou doen om nog één nacht buitenshuis door te brengen.

Hij deed de lamp uit. Hij gooide me het bed niet uit, maar kroop naast me. Het hout kreunde onder zijn gewicht en ik gleed in de holte die hij maakte. Het bed was niet zo breed dat er twee mensen in konden liggen zonder elkaar aan te raken. Hij lag op zijn rug in het niets te staren, zijn lichaam zo stijf als van een dode. Hij zei geen woord.

Zijn woede was eerst heet geweest; nu was die koud. En ik was zowel verschroeid als verkleumd en kon geen woede vinden die tegen de zijne op kon, hoewel hij me geslagen had en, wat nog meer pijn deed, grappen over me had uitgewisseld met heer Pava. Want hij was uitgereden om me te zoeken, hij had alle hoeken en gaten van het Marsveld doorzocht. Dat stemde me nederig en ook bang. Ik vreesde dat hij eindeloos zou blijven zwijgen.

Ik wist niet of ik moest vleien of mijn verontschuldigingen aanbieden of smeken of zeggen dat hij me pijn had gedaan met zijn wantrouwen, dus deed ik al die dingen, hortend en stotend, met lange stiltes ertussen: kleine woorden, maar een heel leger ervan. Ik overwoog zelfs even een opening in zijn stilte te forceren met het allerscherpste wapen dat ik had en hem te vertellen dat ik een paar mannen achter me aan had gehad en waar ze te vinden waren. Dat zou hem in beweging gebracht hebben; zijn woede zou een ander doelwit gevonden hebben. Maar ik deed het niet. Ik hield mijn mond vanwege Mai, en omdat mannen er niet voor hoefden te sterven dat ik een dwaas geweest was. Hoewel ik het niet erg jammer gevonden zou hebben om het te zien.

Toen ik het opgaf en mijn rug naar hem toekeerde, toen er tranen begonnen te stromen en ik gedempt in de deken snikte, toen verzachtte hij. Zijn lichaam ontspande en hij rolde op zijn zij naar me toe, en ik draaide me om om hem aan te kijken. Ik was blij dat hij voldoende ontdooid was om me aan te kijken en huilde nog even door, mijn gezicht uit schaamte bedekkend. Hij legde zijn hand op mijn schouder en schudde me.

'Waar ben je geweest, hmm?' Hij lachte vreugdeloos. 'Je hebt me voor aap gezet, dat ik door het Marsveld reed en naar mijn schede floot. Dit is niet je dorp. Je kunt hier niet zomaar overal rond gaan lopen.'

'Het was nooit mijn bedoeling om zo lang weg te blijven, of om je bezorgd te maken,' zei ik, zoals ik al vele keren eerder had gezegd.

'Denk erom dat je niet weer wegloopt.' Hij staarde naar me. De lampen waren uit, maar zijn gezicht werd beroerd door het vage rode licht van het vuur in het komfoor. Ik voelde me ongemakkelijk onder zijn onderzoekende blik. Hij zei: 'Wie was er vóór Pava?'

'Niemand.'

'Hij zegt dat hij niet je eerste was.'

'Er is niemand anders geweest.'

'Waarom zou je erover liegen?' zei heer Galan. 'Het maakt mij niet uit of het er twee of twintig zijn geweest.'

Ik zag dat dat wel uitmaakte. Ik vond het vreemd dat hij jaloers was op wat er met mij gebeurd of niet gebeurd was voordat hij me kende. Maar toch ook helemaal niet vreemd. Want als ik dacht aan de vrouwen met wie hij voor mij naar bed was gegaan, moest ik me ook afvragen of ze mooi waren, vrijmoedig, lief, elegant – en voelde ik me lelijk, verlegen, kattig en onbehouwen. Zulke twijfels zou hij toch zeker niet hebben.

En toch was hij jaloers. Ik glimlachte en legde mijn handpalm vlak op zijn borst, met het topje van mijn vinger in de holte onder aan zijn keel. 'Kan het je niet schelen?'

'Geen zier.' Hij vermaalde de woorden tussen zijn kiezen, en toen hij me kuste, beet hij. Ik beet terug. Hij greep me beet en legde me onder hem neer. Hij haakte zijn arm achter mijn knieholte en ik bracht mijn heupen omhoog om hem in me te nemen.

Maar hij talmde even om me aan te kijken. 'Ik was bang dat ik je had verloren. Ik heb overal gezocht, en je was verdwenen.'

'Ik heb de weg naar huis teruggevonden.'

'Ik dacht dat Riskeer Kans je weer net zo snel van me afnam als ze je heeft gegeven.'

'Ardor heeft ons bij elkaar gebracht, niet Riskeer,' zei ik.

'Nee,' zei hij terwijl hij een handvol van mijn haar greep, 'jij bent een zegen van Kans voor mij, om me voor gevaar te behoeden en me geluk te brengen in de oorlog. Jij bent mijn geluk.'

Dus het was waar. Ik was een prulletje voor strijders, uitgedeeld door Kans. Ik had het verkeerd gehad toen ik mezelf vleide met de gedachte dat hij meer van me wilde dan alleen maar dat ik als amulet om zijn nek hing. De tederheid die ik dacht te hebben gezien, de moeite die hij gedaan had om me te zoeken toen ik verdwaald was – het was zijn eigen huid waar hij zo dol op was, niet op de mijne. Ik zei: 'Zodat je in je bed kunt sterven?'

Heer Galan gaf geen antwoord. Hij begroef zich in me en het geluid dat hij maakte leek uit hem gewrongen te worden, uit zijn tenen te komen. Ik lag net zo bewegingsloos en stil en koud onder hem als hij kort daarvoor zelf had gelegen. Maar hoe meer ik me terugtrok, hoe vasthoudender hij werd. Hij wilde me niet met rust laten voordat ik net zo wild op hem was als hij op mij.

Voordat hij uitgeraasd was, zuchtte hij *talisman* in mijn oor. Toen dreef hij weg in de slaap en liet mij ver achter zich.

* * *

Toen de Zon opkwam en heer Galan op mijn wang de blauwe plek zag bloeien die hij er de vorige dag met zijn klap had geplant, voerde hij me een paar honingzoete woorden en beloofde me een cadeautje. Hij kreeg een zuur antwoord van me. Ik was niet in de stemming voor zijn charme of zijn cadeautjes. Ik drapeerde de punt van mijn hoofddoek zo dat ik de blauwe plek zo goed mogelijk bedekte.

Heer Galan stuurde Morser eropuit om de potten te zoeken die ik op de kliffen had achtergelaten en nam me mee naar de markt. Heer Alcoba ging ook mee; hij had een beurs vol munten die hij in de lucht gooide, en hij zei dat hij een zwaard of een schede ging kopen, afhankelijk van het eerste dat hem aanstond. Ze werden gevolgd door hun schildknapen, heer Rodela en heer Boei, en achter hen kwamen de bagagejongens, Leegemmer en Pakker. Leegemmer nam mijn arm, want heer Galan had gezegd dat hij op mij moest letten. Ik leerde al gauw op afstand van heer Rodela te blijven, die me zodra hij de kans kreeg in een plas duwde. In plaats daarvan liep ik achter heer Boei aan. Hij was een man die niet van zijn stuk te brengen was, heel anders dan zijn meester, en liep in een rechte lijn ongeacht wat er voor zijn voeten kwam.

De markt liep aan weerszijden van de zuidweg onder galerijen van palen bedekt met linnen met een waslaagje, rieten matten of leer. De ochtendmist was overgegaan in een fijne regen en we liepen dicht opeen gepakt onder de luifels door.

Voor zover ik kon zien werd op de markt alles te koop aangeboden behalve de wind. Ze verkochten zelfs water. De halve horizon stroomde ervan over, maar tot zover we konden kijken was er nergens drinkbaar water. Dus dat werd met ossenwagens gehaald in tonnen, uit de brede rivier die een ochtend rijden naar het zuiden lag, stroomopwaarts van de moerassen in de delta die afwisselend overspoeld werden met zoet en zout water. Sloven stonden in de rij met potten en vaten en emmers en zakken om het te komen halen. Tegenover de waterverkopers, aan de andere kant van de weg, zaten verkopers van hout, en naast hen zaten sloven op de grond met een paar eieren of een koppel duiven of een hoopje knollen en uien op een doek voor hen. Boeren en huisvrouwen, vrij om te doen wat ze wilden nu de oogst binnen was, kwamen hier handel drijven als ze hoorden dat een boerenkool in het Marsveld net zoveel opleverde als een gans thuis – en ze bleven, en gebruikten hun handen om te wassen of hun ruggen om te dragen, om slechts tot de ontdekking te komen dat hun geld er sneller uitvloog dan het binnenkwam, hoe strak ze de koordjes van hun geldbuidels ook dichtgetrokken hielden.

De handelaars in luxe artikelen kwamen dagelijks helemaal uit Ramus of uit nog vreemdere plaatsen, te oordelen aan hun merkwaardige gezichten, die heel bleek of heel donker waren, en hun nog merkwaardiger kleding. Ze brachten ingelegde kwarteleitjes, wijn van de voet van de Crag, hemelbedden en tapijten, duizend dingen waardoor een geharnaste zich misschien kon verbeelden dat hij thuis at en dronk en sliep. Het Bloed liet zijn geld vrij rollen, want het dacht dat het binnenkort toch rijk zou worden van de oorlogsbuit, of anders geen rijkdom meer nodig zou hebben.

We hielden stil bij een stalletje van een snijder, een van de besten, met een rood baldakijn boven drie tafels met fijnbewerkte stof. Heer Galan kocht een sjaal voor me, groen als jonge wilgenblaadjes, omrand met gouddraad. Hij wilde dat ik hem ter plaatse omdeed en trok mijn oude hoofddoek af. Ik duwde zijn handen weg en bond de nieuwe snel zelf om, zodat de blauwe plek bedekt werd en de doek om mijn nek gewikkeld zat. Nu was ik getekend met zijn kleuren. Het blauw van mijn jurk leek wel grijs tegen het wilgengroen.

Heer Alcoba leunde op een tafel en keek naar ons. 'Ik heb nog nooit zo'n kleur haar gezien,' zei hij tegen heer Galan. 'Zelfs haar wenkbrauwen en wimpers zijn zo rood als vossenbont. Je moet haar vragen om haar wenkbrauwen uit te trekken, om het geheim te houden.' Hij trok zijn eigen wenkbrauwen op toen ik bloosde. 'Waar denk je dat haar soort gefokt wordt?'

Heer Galan draaide zich naar mij om. 'Hebben je ouders dezelfde haarkleur?'

Hij had me nog nooit iets over mijn familie gevraagd. Het deed me pijn dat hij het nu vroeg, zo terloops, om een vriend een plezier te doen; en hij raakte een oude wond, want ik had er geen antwoord op. 'Ik zou het niet weten,' zei ik, 'want ik herinner me noch mijn vader, noch mijn moeder.' Ik had over mijn vader gedroomd in het Koningswoud en zijn haar was roodachtig bruin – maar ik vond het niet nodig om dat te vermelden.

'Die jongen, die neef van je, die heeft vlassig haar. Maar hoe zit het met je broers en zussen, of je andere neven en nichten?' Deze vraag was niet zo terloops. Heer Galan was iets op het spoor.

'Niemand anders in het dorp heeft rood haar, en laat dat genoeg zijn!' zei ik.

'Zie je?' vroeg heer Galan alsof ik een of ander punt duidelijk had gemaakt. 'De mensen van geluk zijn daar waar Kans ze zaait. Het is Riskeers ras. De vader en moeder hebben er minder mee te maken dan je zou denken.'

Weer Riskeer, en dit keer het ras van Riskeer. Laat hem dat maar denken. Ik zou blij moeten zijn dat hij vond dat ik uit betere klei geboetseerd was dan andere sloven. Maar ik was niet blij; ik was gekwetst.

De snijder hing vlakbij rond en keek naar ons. Zijn handen gingen eerst naar de ene stapel stof, dan naar een andere. Toen we het stalletje binnen waren gekomen, had hij de verontschuldiging van de geharnasten gevraagd dat hij niets geschikts voor hen had; zijn stof was slecht gemaakt, hij wist dat ze beter gewend waren. Handelaars doen altijd op die manier zaken met het Bloed. Ze beweren dat hun waren niet goed genoeg zijn en vragen dan te hoge prijzen. Heer Galan leek niet gemerkt te hebben, zoals ik, dat de handelaar in rap tempo steeds minder kruiperig werd; hij bood ons een stuk wol aan dat hij van onder aan de stapel pakte – zou heel geschikt zijn voor een jurk, zei hij. Het was in een levendig groen geverfd, veel te geel.

Heer Galan had het misschien gekocht, maar ik schudde mijn hoofd en zei: 'Moet je zien hoe slordig het geweven is! Het is overal te los, behalve waar het te strak is. En ik ken deze verf. Dit zal verkleuren bij het wassen als een beschilderd gezicht. Het is opschik voor een bordeelhoudster, en ik zal het niet dragen.'

Heer Alcoba zei tegen heer Galan: 'Of jouw schede nu van Riskeers ras is of niet, ze is duidelijk een geboren kattenkop. Ik geloof niet dat je haar vandaag aan het spinnen krijgt. Gisteravond heb je haar nog geaaid en nu bijt ze alweer.'

Heer Galan pakte mijn arm. 'Ze is mijn eigen lieve poesje,' zei hij.

Heer Alcoba lachte en noemde hem stapelverliefd, en heer Galan lachte terug. Maar toen we de winkel verlieten liet hij mijn arm los en liep hij weer voor me uit.

Het was vreemd voor me om in zo'n grote menigte met alleen maar onbekenden te zijn. We konden niet vermijden dat we mensen aanstootten en op tenen trapten. Laag ging aan de kant voor hoog, laag bediende hoog, laag stond geduldig in de miezerregen terwijl hoog onder de baldakijnen stond. Wat heer Galan en heer Alcoba betreft, die hadden in een willekeurige marktstraat in Ramus kunnen zijn. Ze ontmoetten vrienden en stonden midden op de weg te praten, zonder eraan te denken dat anderen om ons heen moesten lopen. Ze ontmoetten kennissen en bogen en namen hun hoed af; ze ontmoetten ook vijanden, denk ik, want ze namen soms hun hoed af met een hand terwijl ze de andere op hun zwaard hielden – heel beleefd. In het Marsveld moesten de clans de vrede bewaren of de afkeuring van de koning ondergaan, en zelfs een jonge driftkop zorgde er wel voor dat hij geen ergernis gaf door te openlijk te staren naar een andere man, of tussen twee vrienden door te lopen op straat, of te vergeten een groet uit te spreken of een als-u-mij-toestaat als hij wegging, of een van de duizend kleine onbeleefdheidjes te begaan die een scherp antwoord uit kunnen lokken.

Te midden van al deze mannen waren er veel vrouwen, meer dan ik verwacht had in een legerkamp. De meesten zouden meer op hun plaats lijken rond een dorpsput of in de keuken van de Vrouwe, pannen schurend: een huisvrouw die een paar preien verkocht, een versleten sloof met een bundel wasgoed groter dan zijzelf en twee kinderen aan haar rokken.

En dan waren er de hoeren, genoeg om een heel dorp met vrouwen te vullen. Sommigen slenterden door de menigte en lieten hun verleidingen zien: gestreepte rokken, grof als zakken of overdadig mooi, die natuurlijk altijd precies dezelfde koopwaar bedekten. Meer lichtekooien konden aan het einde van de marktstraat worden gevonden, tegenover de wapensmeden en vlak bij de stank van de looiers. Courtisanes van betere kwaliteit hadden hun eigen paviljoenen, een eind van de weg af en goed bewaakt.

Andere hoeren zaten op dekens naast de weg. Als er een man langskwam, deden ze een klein gordijn dicht dat aan de luifel hing om ze aan het oog van de voorbijgangers te onttrekken – als ze al de moeite namen het gordijn dicht te doen. Mijn blik kruiste die van een van de dekendames terwijl ze het gordijn dichttrok achter een nieuwe klant, die al aan zijn veters stond te morrelen. Ik sloeg snel mijn ogen neer. Toen ik weer opkeek, was het gordijn gesloten. Alle schaamte was voor mijn rekening – in haar blik had niets anders gelegen dan vermoeide onverschilligheid. Haar pooier was er ook, hangend tegen een paal; hij had nog vier of vijf andere vrouwen, die in een rij achter hem zaten en zijn blauw-en-zwarte strepen droegen. Hij zag me kijken, tikte aan zijn protserige hoofddeksel en kuste de lucht in mijn richting. Ik spuwde op de grond en keerde hem de rug toe.

Zo'n oogst aan vlees, aan schaamte: ik kon mijn ogen niet lang afgewend houden. Terwijl heer Galan een reparatie aan een handschoen liet verrichten bij een wapensmedersstalletje, staarde ik naar de hoeren.

Ik had maar een keer eerder een hoer gezien. Ze was de vrouw van een marskramer die over de bergweg naar ons dorp was gekomen. Ze had haar gezicht gewit met bleekwortel en haar lippen rood gemaakt, maar ze was nog steeds zo gewoontjes als een knol, lelijk noch mooi, zoals de helft van de vrouwen in het dorp. De venter droeg een grote zak goederen voor de vrouwen, en zij had zogezegd haar kleinere voor de mannen. Zijn zak zat vol met het soort schelpen dat je gratis kunt oprapen langs de kust; in de bergen zijn ze gewild als kralen en amuletten. Haar zak was leeg – maar welke bracht de beste prijs op, denk je? De vrouwen gooiden stenen naar haar totdat ze vluchtte. De venter haalde zijn schouders op en verkocht nog wat prullaria en ik denk dat hij heel goed wist dat zijn geprezene prima zaken deed in het veld, uit het zicht van de vrouwen. Ze liet ook een geschenk achter: de zweren die menig huwelijksbed bezoeken en moeilijk te genezen zijn.

Ik verafschuwde hoeren; maar ik vreesde ze nog meer, net als het ongeluk dat ze in een gestreepte rok terecht had doen komen.

* * *

Ik was verrast om deze vrouwen te zien, de sloven en de sletten, maar nog verbaasder om vrouwen van Bloed te zien, arm in arm met een geharnaste of een schildknaap flanerend over de marktstraat. Ze konden niet lopen zonder een arm om op te steunen, want de hoge houten overschoenen die ze om hun muiltjes gegespt hadden om ze uit het slijk te houden maakten hun tred wankel en onnatuurlijk.

De vrouw van heer Pava was niet zo'n kunstmatig product geweest. Zij had Ramus nooit gezien, en kon zich alleen beroepen op van horen zeggen als ze haar kleren borduurde of haar haar bedekte. Deze dames hier dronken echter uit de bron van de mode zelf. Hun gezichten waren bleek van de poeder, kleurloos, op hun ogen en clantekens die op hun wang getatoeëerd waren na. Ze plukten hun wenkbrauwen en haar zo uit dat hun voorhoofd zo glad en wit als een versgelegd ei was, en speldden dunne sluiers aan hun hoofddoeken om een glimp te tonen van die gladheid, die witheid. Fluwelen jurken, afgezet met konijnenbont of brokaat, zwaar van het gouddraad, omsloten hun borsten en heupen om de vorm van hun buik te laten zien. Ze hielen hun jurk voor zich op en lieten die achter zich door de modder slepen. Na mijn jaren in het atelier van de Vrouwe kon ik het niet vermijden dat ik de uren optelde van spinnen, weven, verven en naaien die in hun kledingstukken zaten, het werk dat gestoken was in elke modderige plooi.

Dus dit was schoonheid; niet het koeienmeisje dat dik van de melk en met rode wangen van de Zon tot koningin gekroond werd op de dorpsjaarmarkt. Schoonheid wierp me een blik toe en vond me niet de moeite van het opmerken waard; schoonheid liet haar oog op heer Galan vallen en hij beviel haar.

En schoonheid was ook te koop op deze markt, zo leek het. We ontmoetten een man van de clan Ardor met zijn dochter aan de arm; ze was zo slank als een rietstengel, maar haar jurk maakte nog veel van het beetje figuur dat ze had. Haar haar viel tot op haar dijen en was in een met parels bespikkeld net gedraaid. Ze hield haar ogen neergeslagen terwijl haar vader over haar sprak. 'Ze is de jongste van zeven dochters,' zei hij. 'Kan een man ongelukkiger zijn dan zo'n lelijk kind te verwekken en geen bruidsschat meer over te hebben om haar gezicht wat liever te laten lijken?'

Heer Alcoba zei dat de huid van de maagd glansde als de parels in heur haar, en heer Galan zei dat haar gedrag volmaakt bescheiden was, en nog een paar dingen waarvan ik kon zien dat ze maar al te waar waren.

Haar vader zei: 'Zeker, haar huid is prima en haar deugd smetteloos, en toch wenste ik dat ze niet zo vreselijk onaantrekkelijk en mager was. Er zou eens een man verder moeten kijken dan haar gezicht en figuur. Toch zal ze een prima partij zijn; ze zal dragen.'

'Het is niet haar gezicht maar haar bruidsschat die onaantrekkelijk is,' zei heer Alcoba galant.

Ze was helemaal niet onaantrekkelijk. Ze gluurde vanonder haar neergeslagen oogleden naar heer Galan met een blik die tegelijkertijd verlegen en een beetje berekenend was. Ik was niet de enige die vond dat geen enkele man in de menigte aan hem kon tippen. Zijn schouders waren breed, zijn heupen smal, en zijn groene geitenleren bovenkleed zat strak genoeg om dat te bewijzen. Hij droeg wit linnen om zijn bruine hals en hoge laarzen aan zijn lange benen. Ik stond achter hem en kon zijn gezicht niet zien, maar ik wist wat ik zou zien: een glimlach, niet te breed, niet gemaakt, niet ongemeend – een tikje wetend, misschien, maar niet genoeg om beledigend te zijn – om een paar mooie lippen, de bovenste wat gewelfder en de onderste wat voller; een blik die oplichtte, overwoog, maar waarvan je niet kon zeggen dat die langer bleef hangen dan paste voor fatsoen of gezond verstand – en die toch brandde en een blos ontstak op die witte wangen. Hij wist hoeveel indruk hij maakte – dat werd hem duidelijk genoeg gemaakt, zag ik – maar dat belette hem niet om het te doen. Het was geen onbelangrijk deel van zijn charme dat hij die zo gemakkelijk droeg.

Zijn schoonheid was een scherp mes en we zouden erdoor gescheiden worden. Als hij afzichtelijk was geweest zou ik niet zulke blikken hoeven zien vanonder neergeslagen oogleden, of het brutale staren van twee of drie vrouwes onderweg die hem uitdaagden om de man aan hun arm de loef af te steken; of, ergst van alles, de blikken die te duidelijk spraken van een herinnering aan intimiteit. Maar als hij afzichtelijk was zou hij het misschien wel langer volhouden, maar minder goed.

Ik keek naar mijn blote voeten in de koude modder en vroeg me af: waarom deed hij dan zo zijn best voor mij? Inhouden als we onderweg waren om me uit een slecht humeur te vleien? Heer Rodela voor me knippen en scheren? Rondrijden om me te vinden toen ik verdwaald was? Als ik me niet in hem vergiste, laat hij zich dan nu omdraaien en me een blik toewerpen, een sprekende blik, zodat iedereen het kon zien.

Laat hem zijn ogen over me heen laten glijden, al is het maar eventjes.

Heer Alcoba sloeg de vader op zijn schouder en liep met hem weg, met een knikje naar heer Galan, en zei: 'Misschien kent u de neef van mijn vrouw? Ze is getrouwd met heer Gambade dam Caracoler van Sagitta van Ardor, zo'n vijf jaar geleden...'

Terwijl ze weggeleid werd, draaide de dochter haar hoofd om, niet voldoende om nog eens te kijken, maar genoeg om haar profiel te tonen: een teer juweel.

Toen draaide heer Galan zich om en keek me aan, nog steeds met een glimlach op zijn gezicht.

'Laten we naar de schoenlapper gaan,' zei hij tegen me. 'De winter komt eraan en jij moet iets aan je voeten hebben.'

Hij zou hetzelfde doen voor zijn paard.

* * *

Die avond waste ik mijn oude hoofddoek uit in een emmer kostbaar water. De schoenmaker had mijn voeten niet willen opmeten voordat ik ze had schoongemaakt en me niets aangeboden om dat mee te doen, nog geen kopje water om ze af te spoelen, dus had ik het moeten doen met mijn oude linnen. Hoe meer modder ik wegveegde, hoe vuiler ik me voelde. Nooit eerder had ik eraan gedacht me te schamen voor mijn voeten. Mijn laatste paar schoenen had ik stukgelopen in het Koningswoud, diep in de winter. Ik had de kou en de wintervoeten verdragen totdat ik langzaam een nieuw paar voeten voor mezelf gelapt had, met zolen van hoorn en tenen zo sterk als wortels, ongevoelig voor de kou en ondoordringbaar voor stenen op de grond. Nu zag ik hoe ontwricht en ruw mijn voeten waren, vol knobbels en kloven, hoe het vuil onder de huid was gekropen waar doek of spuug er niet bij konden. Niet geschikt voor schoenen. De hoeven van een sloof.

Desondanks had ik nu twee paar schoenen. De stevige wandelschoenen zouden over een paar dagen klaar zijn. Het andere paar, muiltjes van rood en zwart leer bestikt met een patroon van diamanten, had heer Galans blik gevangen; hij had er een duizelingwekkend hoge prijs voor betaald zonder zelfs maar af te dingen. Ik droeg ze binnen in de tent toen ik mijn oude hoofddoek uithing om te drogen. Wat knelden ze! Het leer zou uitrekken of mijn voeten zouden vermorzeld worden – er kon geen andere schikking getroffen worden tussen mij en de schoenen.

Ik was een paar momenten alleen in de tent. Ik kon nergens naartoe zonder escorte; zelfs als ik naar de beerput ging moest ik Morser en Leegemmer meenemen om elk een uiteinde van de grote planken te bewaken die de greppel overbrugden. Er waren groepen jongens die de plank kantelden als je erop hurkte, zodat je in de mest viel.

Dat knelde ook. En ik was niet de enige die me bekneld voelde. Toen we terug waren van de markt had heer Galan tegen Morser gezegd: 'Als ze niet bij mij is, kun je er maar het beste voor zorgen dat je aan haar blijft kleven als een klit. Als ze opnieuw verdwijnt zal jouw huid het bekopen met iets ergers dan de zweep.'

Ik hoorde Morser mopperen dat hij geen strijd met mij had, maar dat hij niet met een merrie opgezadeld wilde zitten.

'En jij bent een slecht passende oude laars,' zei ik tegen hem. Maar eigenlijk wilde ik me helemaal niet in mijn eentje buiten de tenten van de clan wagen, want ik was er zeer van overtuigd dat dat niet veilig was.

Hoofdstuk 4

Een weddenschap

Ik had meer van de wereld willen zien; en hier was die dan, de hele wereld, zo leek het me. En wat een schitterend gezicht, wat een rumoer en misbaar – wat een stank! Zelfs de wind uit zee kon de kwade geur niet wegvegen.

De clans waren naar deze kale heuvels gekomen en hadden er een woud van tenten geplant, met een bladerdak van opzichtig canvas en leer, en bloeiend met banieren. De mannen zaten zo dicht op elkaar in dit nepbos dat ze als wespen over elkaar heen kropen. Ze wachtten op elkaars lip zittend en zonder iets te kunnen doen tot de koning de zwerm losliet. In dit woud waren er maar twee soorten wild: mannen en vrouwen. Op mannen werd gejaagd op het toernooiveld. Op vrouwen overal.

En Riskeer Kans werd overal geëerd, want de geharnasten en hun mannen wedden om alles: wie een toernooi zou winnen, welke hengst alle anderen in de kraal zou domineren; of een bepaalde vrouwe een kind droeg of niet; of de ene sloof de ander kon verslaan in een wedstrijd hardlopen over het Marsveld en weer terug; of een manhond een beer aan kon; of een bepaalde vlo op je bediende of je bagagejongen zou springen als ze allebei zo stil mogelijk zaten.

En zo sloot heer Galan die avond een weddenschap af met heer Alcoba, en de volgende ochtend hoorde ik het van Morser, die het weer van Ruys had, de bediende van heer Alcoba. Ruys had het volgende gesprek afgeluisterd:

Heer Alcoba zegt: 'Ze zou te weinig opleveren als echtgenote – haar vader sprak de waarheid, ze heeft helemaal geen bruidsschat – maar ze is te duur voor een concubine. Hij zet een hoge prijs op haar deugd.'

Heer Galan zegt: 'En jij hebt al een vrouw.'

'Inderdaad, een te veel.'

'Ben je dan zo onder de indruk van deze maagd?'

'Ze bevalt me wel, maar niet voor die prijs,' zegt heer Alcoba.

Morser en ik waren op weg om water te kopen met een paar van de kleinste muntjes van heer Galan. Eigenlijk moest Leegemmer dat doen, maar die kon evengoed met zout water terugkomen; hij was een geboren prooi voor bedriegers. De Zon was gierig opgekomen en gaf ons stralen van lood in plaats van goud. Er druppelde regen uit laaghangende, lekkende wolken. Ik zei tegen Morser dat ze het over het meisje met de paarlen huid gehad moesten hebben dat ze op de markt tegengekomen waren, hangend aan de arm van haar vader. Ik had nooit gedacht dat ik een man van Bloed nog eens koopman zou zien spelen – en hij deed het goed, want hoe meer hij het meisje kleineerde, hoe vlekkelozer ze leek.

Morser had haar niet gezien. 'Maar luister,' zei hij, 'het mooiste deel van mijn verhaal komt nog.'

Dus heer Galan zegt: 'Ik wed dat ik haar maagdelijkheid voor niets kan krijgen.'

En heer Alcoba zegt: 'Ik neem de weddenschap aan. Dat doet ze nooit. Ze is te zedig.'

'Zo zedig nou ook weer niet, denk ik.'

'Dan is ze een dwaas – haar kuisheid is haar enige bezit.'

'Als ze een dwaas is, des te beter. En als ze dat niet is hoop ik dat ze ook sluw is. Een sluwe vrouw weet hoe ze tegen de ochtend weer maagd kan zijn, en niemand hoeft het te weten behalve wij drieën – en misschien de man die haar koopt. Maar zo erg wordt hij niet opgelicht, want als ik met haar klaar ben zal ze des te gretiger zijn.'

'Hoe ga je bewijzen dat je haar hebt geplukt?' zegt heer Alcoba.

'Bewijzen? Hoezo bewijzen? Mijn woord zou genoeg moeten zijn.'

'En toch zou ik het moeilijk kunnen geloven als ik het niet met eigen ogen zag.'

'Bedoel je dat je me een leugenaar noemt nog voordat ik iets gezegd heb?' zegt heer Galan met zijn hand op het gevest van zijn zwaard.

Er viel een pauze. Morser zei dat als die iets langer had geduurd, het uitgedraaid zou zijn op getrokken zwaarden en op vergoten bloed.

Heer Alcoba zegt – met een lachje: 'Nee, nee. Natuurlijk niet. Natuurlijk twijfelde ik niet aan je woord.'

'Het is goed dat je dat zegt.'

Nog een pauze, en heer Alcoba zegt: 'Waar zullen we om wedden? Jouw zwarte renpaard tegen mijn grijze?'

Heer Galan: 'Je zult met iets beters moeten komen. Ik zet mijn leven al in op deze weddenschap. Ten eerste zal ze goed bewaakt worden, en ten tweede zal haar vader proberen me te villen als hij erachter komt dat ik haar heb gehad. Bovendien is Semental tien keer zoveel waard als jouw grijze, anders zou je niet altijd smeken om op hem te mogen rijden.'

'Morser, genoeg!' zei ik.

'Maar Ruys zei nog veel meer. Wil je dat niet horen?'

O, Morser was dol op een goeie roddel; hij overgoot het met een lekker sausje en diende het goed op, te goed. Ik keek naar zijn gezicht, en zocht naar kwaadaardigheid jegens mij, maar vond die niet. Had hij werkelijk zo'n leeg gat onder zijn haardos zitten dat hij dacht dat ik dit wel een mooi verhaal zou vinden?

'Nee, ik heb genoeg gehoord.'

'Wacht nou, dit is te goed!' Hij barstte in lachen uit. 'Heer Alcoba voegde toen Ruys toe aan de inzet, en zijn hele onderhoud. Dan heeft heer Galan twee bediendes!'

'Als jij je mond niet houdt,' zei ik tegen Morser, 'heeft hij er straks helemaal geen.'

Hij dacht dat ik een grapje maakte, maar toen hij zag dat dat niet zo was viel er een lange stilte, knorrig van zijn kant, bitter aan de mijne.

We kochten water. Ik proefde het eerst: het ene vat was te modderig, een ander te zanderig. Er was een man die beweerde dat zijn water helemaal uit de bergen kwam. Ik kon zweren dat dat niet zo was, maar toch was dit het beste wat we konden vinden.

Op de terugweg naar de tent bedacht ik dat ik Morser tegen me in het harnas had gejaagd, misschien voor een lange tijd; ik moest het goedmaken of hij zou in mijn eten spugen zoals hij in dat van heer Rodela deed. En ik had geen reden om beledigd te zijn over zijn verhaal – in elk geval geen reden die hij zich kon voorstellen.

Dus sprak ik vriendelijk met hem en vroeg hem om me de rest van het verhaal te vertellen, en er was niet veel meer te vertellen dan dat heer Galan drie dagen en vier nachten had om zijn kunststukje uit te halen of hij zou de weddenschap verliezen, en een van die nachten was al voorbij. En Morser twijfelde er niet aan dat hij zou winnen, absoluut niet.

* * *

De Crux sloot ook een weddenschap af. Hij daagde de clan van Lynx uit voor een toernooi om de eer. Het zou een vriendschappelijk gevecht tussen buren zijn, een schermutseling met namaakwapens. Er werd overeenstemming bereikt over de voorwaarden: eerst een aanval met een lans van onbehandeld dennenhout (dat gemakkelijk knapte, en zelfs als de schacht niet brak zou de punt niet veel schade toebrengen, want dat was een driepuntige bekroning van tin); en dan een gevecht met zwaarden van eikenhout. Ze zetten slechts een diner in op het gevecht. De verliezers zouden de winnaars diezelfde avond onthalen.

Heer Erial, een geharnaste met meer branie dan baardgroei, beklaagde zich bij heer Galan dat het geen toernooi op leven en dood was, met scherpe wapens. 'Denkt de Crux soms dat wij bang zijn om te vechten?' vroeg hij. 'Of is hij het lef om te gokken kwijt geraakt, dat hij zo onbenullig inzet?'

'O, dat niet,' zei heer Galan. 'Hij is zijn eetlust voor de schotels van zijn kok kwijtgeraakt en wil graag op kosten van een ander eten vanavond.'

Maar ik hoorde Kok zeggen dat de koning toernooien op leven en dood verboden had, net als duels, om zijn mannen te sparen voor de strijd; en bovendien was zijn meester niet zo'n grote dwaas dat hij meer dan een etentje zou riskeren met ongeoefende mannen. En Kok moest zijn eigen gedachten hebben gehad. Hij had al twee kalveren aan het spit draaien voor het geval we zouden verliezen.

Ik zat met gekruiste benen op het bed toe te kijken hoe heer Galan de hele ochtend bezig was met het aantrekken van zijn wapenrusting, eerst zijn gevoerde rode onderkleding, toen de maliën en het pantser. Hij was helemaal opgewonden voor het gevecht, ervan overtuigd dat hij een van de winnaars zou zijn. Ik had in het huis van de Vrouwe niet veel meegekregen over toernooien, maar ik wist wel dat een man zelfs in een gevecht om de eer kon sterven. Een lans kon net zo op zijn helm terechtkomen dat hij zijn nek brak, en het was nog waarschijnlijker dat hij van een paard afgestoten werd en vertrapt. Zo duidelijk als ik hem voor me zag staan terwijl Morser zijn halsstuk aan zijn borstplaat vastmaakte, kon ik hem vol snijwonden zien terwijl hij verpleging nodig had, of anders zonder dat hij nog iets nodig had, dodelijk gewond. En toch kon ik het hem haast niet gunnen om te winnen op het toernooiveld, omdat dat hem nog een wapen zou geven voor de belegering van de deugd van de maagd – haar muren zouden zeker vallen.

Heer Rodela haalde een houten doos te voorschijn en maakte die open. Er lagen drie toernooizwaarden in schedes in. Ze mochten dan van hout zijn, maar als ze uit hun schede gehaald werden glansden ze feller dan staal door het bladzilver dat ze bedekte. Ze wogen meer dan echte zwaarden en waren verzwaard met lood in de knop en in een gleuf over het blad, zodat een man zijn kracht ermee kon aanwenden; hoewel ze niet als staal konden snijden of steken waren het prima knuppels.

Heer Galan probeerde ze een voor een uit en haalde zijn hand langs de rand van het zwaard. Hij sneed zijn duim aan de tweede en grijnsde. 'Kloof heeft gekozen,' zei hij en hij hing het zwaard aan zijn gordel. Hij keek op vanonder zijn wenkbrauwen en zag me ineenkrimpen.

'O, wat kijk je ernstig,' zei hij lachend. 'Wees niet bang. Ik zal je trofeeën brengen als je mij een gelukskus geeft.'

Hij boog naar me toe en eiste zijn kus op – hij nam hem, ik gaf hem niet. Ik had hem net zo lief vervloekt als succes gewenst, met die andere weddenschap in gedachten. Mijn angst om hem was besmet met de angst om mijzelf, om wat er van me zou worden als hij zou winnen of verliezen; mijn verlangen werd ontsierd door woede, zodat zelfs zijn glimlach en zijn aanraking onwelkom waren. Ik bleef stom. Ik kon zijn weddenschap op geen enkele manier ter sprake brengen, en geen andere woorden vonden een weg naar buiten.

Het toernooiveld lag aan de oostnoordweg achter het kamp van de koningin. Het was een dal dat omgeven was door lage heuvels, een stukje armetierig gras en gaspeldoorn, geworteld in zulke schrale grond dat hier en daar de rotsbodem eronder te zien was. Waar de grond tot modder gestampt was, hadden de sloven zand en stro uitgespreid voor een betere ondergrond. Er waren twee kleine omheiningen op het veld voor de bedienden, zodat ze bij de hand konden blijven om te zorgen voor hun meesters behoeften en wapens en – als hun meester neerging – zich in het gedrang te storten om hem eruit te halen. De omheining was gemaakt van rieten matten die tussen palen waren opgehangen; voor een paard leken ze stevig, maar de bedienden wisten hoe nietig ze waren.

Ik had meer pracht en praal verwacht. Maar veelbelovend of niet, deze grond was heilig: zoals Wende de weiden opeist en Eorõe het omgeploegde land, heeft Kloof de heerschappij over slagvelden. De priesters van de goden waren voor ons bezig met het neerzetten van brandende rookpotten die het uiteinde van het slagveld markeerden. Een strijder die over zo'n grens werd gedreven, moest zich overgeven aan zijn tegenstander. De rook smeerde nog meer grijs uit over de toch al grauwe dag, maar het rook lekker, want ze hadden het vuur gesmoord met mirtebast.

Kleurrijke baldakijnen waren overal in de heuvels om het veld neergezet om het Bloed te beschutten. Er kwamen er aardig wat kijken, en ook kleivolk, want toernooien waren het belangrijkste amusement in de lange dagen wachten totdat het leger was samengesteld en verder ging.

Ik ging kijken met een paar andere sloven die tijd konden vrijmaken van hun taken. Spoedvoet en ik zaten samen op een heuveltje dat over het veld uitkeek, boven op een rotsblok met mijn mantel over ons hoofd om de nimmer aflatende miezerregen buiten te houden. Leegemmer zat vlakbij, gewikkeld in een oude zak. Omdat Morser op het veld nodig was, was de bagagejongen gevraagd op mij te letten. Hij was haast zo hersenloos dat het niets uitmaakte, wat prima was voor mij. Als ik dan toch aan een kant van een halster moest zitten, had ik het touw liever in mijn handen dan om mijn nek.

Ik hield mijn ogen op heer Galan gericht. Zelfs in zijn wapenrusting, zelfs in een menigte, zelfs van een afstand kon ik hem onderscheiden. Natuurlijk was hij herkenbaar aan de helm met de giervalk en zijn geverfde schild, maar na al die dagen onderweg kon ik hem er al uit pikken aan de manier waarop hij op zijn paard zat. Hij reed op de zwarte hengst Semental.

Nu ging hij op zijn plaats in de vechtlinie staan, rechts van de Crux, een groene banier dragend. Heer Rodela was vlak aan zijn linkerhand, want elke geharnaste reed met zijn schildknaap aan zijn schildzijde. Ze vormden een rij van vierendertig bereden strijders naar mijn telling, maar naar hun eigen telling slechts zeventien, als altijd. De geharnasten waren gewapend met toernooilansen en zwaarden en gepantserd met hun tweede huid van maliën en gesmeed ijzer. Hun paarden droegen een dek van stevig gekookt leer met godentekens en patronen, en hadden met stro gestopte kussens voor hun borst om ze te beschermen tegen speerstoten en botsingen. Al met al waren de paarden beter beschermd dan de schildknapen, die alle bijeengeraapte wapenrusting droegen die ze konden betalen. Wat had een schildknaap eraan dat hij heer Dit of heer Dat heette als zijn huis hem niets beters kon verschaffen dan een oud pantserhemd met schubben van paardenhoef? De meeste schildknapen waren jongere zonen; misschien konden sommige families ze zich beter dood dan levend veroorloven.

Heer Rodela's huis was misschien arm, maar het had trots. Hij had een maliënkolder, scheenbeenplaten en een leren helm die versterkt was met metalen ribben. Met enige zelfspot had hij de staart van een lam vastgemaakt aan de helm, en hij zei dat hij die zou dragen totdat hij zijn eer terugverdiend zou hebben door een vijand te scheren zoals hij door zijn meester geschoren was.

De strijders van Lynx stelden zich in een lijn op vlak bij ons uitkijkpunt op de heuvel. Ze droegen oranje banieren. De geharnasten hielden hun lansen rechtop tussen zadel en dij. Elk van hen bestudeerde de man tegenover hem in de andere rij. Bij een toernooi om de eer was het gebruikelijk dat een geharnaste tegen zijn evenknie reed in de aanval, lans tegen lans, en dat schildknaap streed tegen schildknaap. Zo had iedereen de eer een gelijke in wapens en wapenrusting te treffen. In de vechtpartij die zou volgen zou zo'n onderscheid niet gelden.

Het toernooi begon met plechtigheden. De Eerste van Lynx trof de Eerste van Crux in het midden van het veld. Ze hadden beiden een kemphaan bij de poten. De vogels sloegen met hun vleugels en probeerden zich los te trekken, gretig naar de vrijheid, gretig naar het gevecht. Een priesteres van Kloof reed naar hen toe, een oude vrouw in een rood gewaad en een hoed met een hoge boeg en een sluier die langs beide kanten afhing als een zeil. Het was haar plicht om het eerste bloed van die dag te vergieten en ze offerde de hanen. De geur van brandende veren dreef naar ons toe.

De strijders begonnen elkaar over het veld heen toe te schreeuwen, een hard, schor, woordeloos gebrul, en ze sloegen met schilden tegen de wapens. Ze maakten die herrie om hun eigen bloed te verhitten en dat van de vijand te verkillen, maar het beroerde mij ook en ik merkte dat een grijns zich over mijn gezicht uitstrekte, dezelfde wolvengrijns die ik op andere gezichten zag.

Er viel een moment stilte. De priesteres knikte en de twee rijen mannen begonnen te bewegen. De strijders trapten hun paarden aan tot een pijnlijke draf die de wimpels boven hun hoofd liet wapperen. De paarden maakten vaart en de lansen trilden. De geharnasten kwamen overeind in de stijgbeugels, hun gewicht goed naar voren voor de stoot, en toen ze inschatten dat ze dichtbij genoeg waren brachten ze hun lansen naar beneden en zetten ze in de inkepingen in hun schild. Het leek onmogelijk dat ze een doelwit konden raken, laat staan een dat zo klein was als een vizier – maar hoe zouden ze kunnen missen terwijl de ruiters stijgbeugel aan stijgbeugel op ze af galoppeerden? Ik voorzag zoveel chaos als de rijen tegen elkaar sloegen dat ik mijn ogen bedekte. Maar toch moest ik wel kijken, en op een of andere manier reden de mannen elkaar voorbij, en terwijl ze elkaar passeerden sloegen een paar toe maar de meesten misten. De rijen braken. Ik voelde het geluid net zo goed als ik het hoorde: het kraken van de brekende lansen kwam als de bliksem na de bottenrammelende donder van de hoeven, en daarbovenuit zwol een groter lawaai aan van strijders en publiek. Ze zetten een keel op en er klonk gebrul en geschreeuw, een verschrikkelijk ruige muziek die hooguit Kloof aangenaam zou kunnen vinden.

Er waren vijf mannen van hun paard gestoten – nee, zes. Hun bedienden renden naar ze toe om ze te helpen opstijgen. Er waren er twee gevallen toen de paarden tegen elkaar botsten. Een paard lag schokkend op de grond, ernstig gewond.

Heer Galan galoppeerde ongedeerd door de aanval heen. Hij was aan onze kant van het veld toen hij Semental omdraaide. Zijn lans was versplinterd, wat betekende dat hij iemand goed had geraakt. Hij gooide de lans op de grond, trok zijn zwaard en reed terug naar het strijdgewoel.

Ik schreeuwde een waarschuwing, hoewel heer Galan me niet kon horen. Hij was verstrikt in een knoop van mannen met slechts een paar groene banieren tussen de oranje. Hij ging neer en ik verloor hem uit het oog. Zijn paard steigerde met een leeg zadel. Hij lag onder al die hoeven en een tonnenvracht aan man en paard en metaal, die geen harnas kon weerstaan.

De tijd zwol op. Het valt niet te zeggen hoe lang ik hem niet kon zien. Niet zo lang, misschien, maar genoeg om honderd manieren te bedenken waarop een man het leven kan verliezen. Ik had hem een kus misgund en nu had ik berouw van mijn vrekkigheid. Stel dat het waar was dat ik een favoriet van Riskeer was en dat Kans hem haar rug toekeerde omdat ik een kus had geweigerd? Ik zou hem vanaf nu al het geluk in de wereld geven, als het nog niet te laat was.

Heer Galan wist op een of andere manier weer op zijn paard te komen, hoewel hij aan alle kanten ingeklemd zat en de last droeg van zijn volledige wapenrusting. Zijn houten zwaard begon te rijzen en dalen, en het serene zilveren masker van zijn helm gaf hem het uiterlijk van een man die nuchter wat struikgewas weghakt op een heuvel. Ik merkte dat ik overeind stond en schreeuwde, en ik ging zitten en hield mijn tong in.

Spoedvoet porde en wees, en daar was heer Pava, van zijn paard af aan onze kant van het veld. Zijn tegenstander keek naar hem vanaf zijn paard en toen heer Pava opkrabbelde, mepte hij hem opnieuw neer met het plat van zijn zwaard. Heer Pava kwam hard neer, de lucht werd uit zijn longen geperst. Hij zag er hulpeloos uit, als een schildpad die op zijn rug is gelegd. Ik joelde en Spoedvoet loeide en maakte een grof gebaar dat lafaard betekent, met zijn vuist omhoog en zijn pink zwaaiend als een hondenstaart. We wisten dat we op de heuvel veilig waren voor heer Pava. Zijn helm was scheef geslagen en hij prutste aan de banden. Hij zou geen hulp krijgen van zijn schildknaap, Eerwaarde Narigon, die vlakbij met de schildknaap van de andere man in conflict was.

Ik keek naar heer Galan, die nog steeds op zijn paard zat, nog steeds verstrikt in die groep vechtende mannen. Ze bewogen zich als één lichaam over het veld, totdat ze vlak bij een grens waren en ieder zijn paard binnen de ring van de rookpotten probeerde te houden en een ander eruit wilde duwen.

Intussen was Schriel, de bediende van heer Pava, aan komen rennen om zijn meester te helpen. Maar de geharnaste van Lynx dreef hem aan de kant zoals een man die te paard een kalf hoedt. Toen reed de geharnaste naar heer Pava, die op de grond lag, en vroeg zijn grote paard met duwtjes en trekjes aan de teugel om heel griezelig over hem heen te stappen, zodat de voorbenen van de hengst aan weerszijden van heer Pava's schouders stonden (wat ons nogal verbaasde, want paarden hebben niet graag mannen onder hun buik). En heer Pava gaf zich over. Ik schreeuwde tegen het paard: 'Pis op hem, pis op hem!' en Spoedvoet en ik gierden van het lachen totdat we buiten adem waren.

Ik keek weer naar heer Galan, die een man van de troep afsneed door hem met zijn paard, dat een handbreedte groter was dan dat van zijn tegenstander, steeds een stap opzij te dringen. De twee mannen leunden naar elkaar toe, slagen uitdelend die ongetwijfeld als hagel op het metaal van hun harnassen neerdaalden, totdat heer Galan de andere strijder voorbij de rookpotten dreef. Morser toonde zich toen van zijn ijverigste kant – waar had hij zich verstopt toen zijn meester onder de hoeven lag? Hij zou een pak slaag moeten krijgen wegens lijntrekken, de lafbek! – en rende erop af om het zwaard en de banieren van de man als trofeeën aan te nemen. Heer Galan draafde weg om een andere man onverhoeds aan te vallen en ik stond weer overeind.

Hoewel het een schertsgevecht was duurde het lang, lang genoeg voor de toeschouwers om arm in arm rond te wandelen om de tijd te doden; lang genoeg voor de venters van lekkernijen om hun rondes te maken (omdat we geen geld hadden moesten wij ons te goed doen aan de geuren) en voor een voddige abstinent om te komen bedelen, en bekogeld te worden met munten en stenen. Lang genoeg voor een nieuwsventer om een deuntje over het toernooi te zingen dat hij ter plekke maakte, waarin hij de ene man prees om de gratie en zuiverheid van zijn vorm en de andere belachelijk maakte. Ik herkende de mannen die hij noemde, maar niet hun daden, omdat die volledig schuilgingen onder hun bloemrijke bewoordingen. In de geheimzinnige taal van de strijd – een taal die mij onbekend was – had elke aanval en tegenaanval een eigen naam.

Geen enkele nieuwsventer bezong de dapperste daad op het veld van die dag. Ev stond bij de rand van het veld te wachten met de andere paardenjongens en -meesters van de clan, klaar om een reservedier het veld op te brengen als het nodig was. Hij zag wat Spoedvoet en mij ontgaan was: heer Galans hengst galoppeerde over zijn toeren het veld rond. Hij zou heel goed over zijn leidsels kunnen struikelen en een been breken. Ev was zeer doelbewust en de goden bewonderden dat. Ze stonden toe dat hij rechtstreeks naar zijn doel rende, tussen de benen van de paarden en de zwaaiende zwaarden door. Hij greep de teugels van de hengst en hield ze vast, en nadat hij in de lucht was gegooid en over de grond was gesleept, vertraagde het paard, stond uiteindelijk stil en boog het massieve hoofd. Ev was te licht om een strijdpaard met zijn gewicht te bedwingen; hij reikte nauwelijks tot de flanken van het dier. Hij moet hem hebben gekalmeerd met zijn stem, een stem die de hengst had gehoord sinds de dag dat hij geboren was. (Ev sprak graag tegen paarden; bij mensen was hij verlegen.) Er waren splinters van een gebroken lans tussen de flank en de rijdeken van het paard terechtgekomen, en bij het rennen waren die diep in zijn zij gedrongen. De paardenmeester, Harien, verscheen zo snel als een paddentong toen het gevaar voorbij was en het opscheppen begon, maar het was Ev die de littekens droeg: twee lange gutsen op zijn benen van de scherpe stenen waarmee de kalkachtige grond bezaaid was.

Er kwam een moment tijdens het gevecht dat angst en vrolijkheid en angst en opwinding en nog meer angst zo op me in beukten dat ik alleen maar wilde dat het voorbij was. Hoe wordt een toernooi beëindigd als de wapens bot zijn en de harnassen stevig? Een man verlaat het veld met een gebroken scheenbeen, een ander omdat zijn hoofd bonst als een klok met een ijzeren klepel. Een geharnaste die zich overgeeft sluipt stiekem weg en neemt zijn schildknaap met zich mee. Na verloop van tijd wordt zelfs de sterkste man moe van het gewicht van een zwaard, of dat nu van hout of van staal is. Beetje bij beetje, man voor man, raakt het gevecht uitgeput.

Of soms, als de koning toekijkt (want hij wil graag precies weten wat er in zijn leger gebeurt), zal hij op zijn jachthoorn blazen en een metalen beker op het veld gooien, en de man die hem vangt zal drinken van de overwinning. Ik wist niet eens dat de koning er was totdat zijn hoorn klonk en de beker glinsterend door de lucht tuimelde. De Crux ving hem met gemak, dus hij moest naar hem gemikt zijn; maar ik kon niet zeggen of de ene clan of de andere eerlijk gewonnen had omdat ik onbekend was met de wegen van Kloof Krijger.

Maar de koning heeft altijd gelijk. Toen de stand was opgemaakt had de clan van Crux meer trofeeën en won de weddenschap. De priesteres van Kloof vulde de overwinningsbeker, en toen de mannen van onze clan hem leeg hadden gedronken, galoppeerden ze op hun paarden rond over het toernooiveld en reden ze heuvelopwaarts naar de toeschouwers alsof ze over hen heen gingen rijden. Ze keerden pas op het allerlaatste moment en jaagden de heuvel weer af, onder luid gejoel. De sloven stoven uiteen onder hun aanval en ik rende met ze mee, half lachend, half angstig. Het Bloed onder hun luifels bleef onberoerd. Ik denk dat ze dit al vaak genoeg gezien hadden.

Ik zag hoe heer Galan voor een van die afdaken zijn hengst zo hard intoomde dat hij hem op zijn achterpoten trok. Hij zwaaide zijn been over de hoge knop van zijn zadel en sprong lichtvoetig naar beneden, alsof hij niet driekwart centenaar aan bepantsering en maliën droeg. Hij nam zijn helm af en boog. Die maagd van Ardor stond daar natuurlijk onder het baldakijn, en haar vader was bij haar. Ik was te ver weg om haar gezicht te zien, maar ik zag wel dat heer Galan haar een zwaard gaf dat hij van een Lynx afgenomen had. Hij boog voor haar, voor haar vader, weer voor haar – het deed me denken aan de duiventil op het landgoed waar in de lente de mannetjes hun veren opdoffen en trots rondparaderen en buiginkjes maken, terwijl de vrouwtjes doorgaan met pikken.

Spoedvoet zag me kijken en begon te plagen: 'Heer Pava heeft ook tegen hem gewed, wist je dat? Dus zal heer Galan zeker winnen, want iedereen weet dat heer Pava en Geluk niet met elkaar overweg kunnen.'

Ik wist wat hij bedoelde; er waren er veel in het dorp die nog steeds de gewoonte hadden me bij mijn oude naam te noemen.

Ik zei: 'Spoedvoet, jongen, als jij iets te verwedden hebt – en ik weet dat je dat niet hebt – raad ik je aan om je munt te bewaren. Heer Galan verwacht te veel van zijn Geluk. Hij zal wellicht merken dat zij hem wat dit betreft geen gunsten schenkt.' O, ik blufte, maar de enige die eronder leed was ikzelf. Ik wenste dat ik de macht had die heer Galan beweerde dat ik had en hem geluk kon brengen. Ik zou hem het volgende fortuinlijke geluk schenken: dat de maagd hem vanavond wegzond met een nee dat niet aangezien kon worden voor een ja, zelfs niet door de knapste, verliefdste, pedantste pikman in het hele Marsveld.

Spoedvoet had gehoord van het weddenschapje van heer Galan, wat betekende dat het nu elke dag zover kon komen dat de nieuwsventers er liederen over zouden maken om op de markt te zingen. Elke losse tong maakte het gevaar groter voor heer Galan. Als de vader van het meisje erachter kwam, zou hij hem waarschijnlijk uitdagen voor een duel – hoewel heer Galan het voor zo'n eerloze weddenschap verdiende om in het holst van de nacht gepakt te worden door pages met staven en een flink pak slaag te krijgen. En als hij zijn weddenschap won, zou dat zeker aanleiding geven tot een gevecht op leven en dood. Misschien zouden de Eersten van de clan er een einde aan maken voordat het een vete werd; of misschien zouden ze de laatsten zijn die het hoorden, samen met de vader van het meisje, want wie zou er nu zo'n mooi verhaal willen bederven voordat het verteld kon worden?

* * *

Nadat de paarden verzorgd waren kropen de mannen van heer Galan allemaal in de tent, zelfs de voetsoldaten. Heer Galan kon niet ophouden met grijnzen terwijl Morser en heer Rodela hem hielpen zijn harnas uit te trekken. Zijn krullen lagen plat op zijn hoofd en waren donker van het zweet, en op zijn wangen zag ik de indrukken van de helmbandjes en de klinknagels van zijn vizier. Zijn mannen praatten allemaal door elkaar heen en vroegen of iemand dit dappere staaltje had gezien, of die laffe daad. De opeengepakte lucht rook naar zweet en paard en bier en vocht.

Heer Galan vroeg me: 'Zag je dat ik een man zijn helm afsloeg met mijn lans?'

Ik zei: 'Nee, de aanval was zo'n chaos. Maar ik heb wel gezien dat je lans gebroken was.'

'Die heb ik op zijn hoofd gebroken. Ik heb zijn halve oor eraf gescheurd.'

Morser verhief zijn stem. 'Ik zag het, heer. Het is een wonder dat hij in het zadel bleef.'

'Ik heb het ook gezien,' zei Leegemmer.

En heer Rodela zei: 'Je had lager moeten mikken, dan had je hem van zijn paard af kunnen stoten.'

Heer Galan negeerde hem. 'Heb je gezien dat ik een man het veld af dreef?' Weer vroeg hij het aan mij.

'Ik heb het gezien. Je hebt zijn zwaard als trofee meegenomen,' zei ik. 'En waar is dat nu? Ik zou het weleens willen zien.'

Hij trok zijn gevoerde rode hemd uit en ging op het bed zitten zodat Morser en heer Rodela zijn beenkappen uit konden trekken. Ik kruiste mijn armen en vroeg het opnieuw, hoewel ik het antwoord heel goed kende. 'Waar is dat zwaard?'

Morser grinnikte en heer Rodela lachte zijn scheve lachje. De andere mannen werden stil.

Heer Galan stond op, naakt. IJzer houdt het scherp van een zwaard tegen, maar de kracht van een slag laat toch sporen na. Er zaten rode striemen over zijn hele lichaam. Hij zou al gauw bont zijn van de blauwe plekken. En toch leek hij geen pijn te voelen. Hij was dronken van het gevecht: zijn ogen glommen, zijn stem was te luid, en zijn huid had overal een fraaie blos. Ik schatte in dat hij het morgen zou voelen, als zijn bloed niet meer raasde en zijn hart niet meer galoppeerde.

Hij zei tegen Morser: 'Haal mijn hemd en broek even,' en toen tegen mij, bijna in één adem: 'Hoezo? Dat heb ik weggegeven.' Hij glimlachte, maar zijn wenkbrauwen waren samengetrokken. 'Dacht je dat ik mijn belofte was vergeten? Ik heb een mooiere trofee voor jou.'

Hij vond zijn handschoen in de stapel wapenrusting en trok er een klein oranje bundeltje uit. Ik maakte de knoop los. De stof was een banier van Lys met het gouden oog van een kat erop geborduurd als het huiswapen. In de plooien lag een stuk van een oor; bleek, veerkrachtig, als een schelp naar binnen gekruld langs de ene gladde kant, gerafeld en rood aan de andere. Er zat modder in de holtes. Ik gooide het oor en de banier op het bed en deed een stap naar achteren. De mannen dromden eromheen om te kijken en hieven een juichkreet aan.

Heer Galan zei: 'Ik ben van mijn paard gesprongen om het te pakken. Heb je dat gezien? Ik dacht dat ik het na het toernooi nooit meer terug zou kunnen vinden.'

'Ik dacht dat ik naar een dapper man zat te kijken,' zei ik. 'Nu zie ik dat je krankzinnig bent. Hoe kun je zoveel risico lopen voor een klein stukje vlees? Ik dacht dat je vertrapt zou worden!'

'Dan zal Riskeer wel van krankzinnigen houden, want Kans heeft me er rechtstreeks naar toe gebracht. Ik keek naar beneden en zag het op de grond liggen glanzen, en hoe kon ik haar iets weigeren? Bovendien,' zei hij, grijnzend, 'is het vlees van een vijand een krachtig amulet.' Hij stak zijn armen omhoog zodat zijn witte linnen hemd over zijn hoofd getrokken kon worden.

'Hij is geen vijand, wie hij ook is, tenzij jij ervoor kiest hem er tot een te maken. Lynx en Crux vechten voor dezelfde koning, en dat kun je maar beter onthouden. Ik zal de banier houden,' zei ik tegen hem, 'maar *dat* – dat moet je terugbrengen of aan Kloof offeren, want ik ga het niet bij me dragen en riskeren dat hij bij me komt rondspoken als hij sterft en tegen zijn zin aan mij gebonden is.'

Heer Galan ging op het bed zitten, pakte het stukje oor op en verboog het tussen zijn vingers. Hij leek in gedachten en een beetje geamuseerd. Hij keek op. 'Nou, ik denk dat ik het maar teruggeef als jij het niet wilt hebben – en ik zal hem vertellen dat ik hem dan wel niet ontzadeld heb, maar wel ontoord!'

Zijn mannen lachten en vertelden de grap door, elk aan zijn buurman alsof die het niet gehoord zou hebben.

'En wat moet ik met de banier doen?' vroeg ik te midden van hun lawaai. 'Aan mijn jurk naaien en er feestelijk gekleurd bijlopen als een dwaas?'

'Nee,' zei heer Galan. 'De enige kleuren die jij zult dragen zijn de mijne. Hang hem maar voor de tent. Er zullen er al gauw nog veel meer zijn.'

* * *

Het feestmaal dat Lynx gaf voor de overwinnaars duurde bijna tot de Zon opkwam. Ik lag in een lege tent te luisteren naar het kabaal uit het buurkamp. Ik kon niet slapen bij de herinnering. Ik zag steeds weer hoe de strijders op ons af kwamen rijden op de heuvel, na het toernooi. Het waren mannen die ik kende en toch, vermomd onder hun helmen, waren ze onbekenden voor mij, behalve heer Galan, die zijn eigen gezicht in zilver droeg. En ze waren angstaanjagend genoeg.

Maar toen wij wegrenden was het voor de paarden, niet voor de mannen. De paarden: zestien handbreedtes hoog met hoeven zo groot als borden, hun hoofden ook gemaskerd met een hoorn op de plek waar de voorste lok van hun manen moest zitten; het geluid dat op ons inbeukte terwijl ze naderbij stormden, zo dichtbij als een donderklap wanneer de bliksem inslaat in het huis van je buren.

We hadden angstig geblaat en waren uiteengestoven als schapen voor een roedel wolven. Het maakte me nu nog veel banger, nu ik eraan terugdacht, en ik dacht aan hoe het zou zijn om zo'n aanval in ernst te moeten ondergaan, en of ik dat ooit aan zou kunnen. Ze hadden zo makkelijk over ons heen kunnen rijden. Ik vroeg me af of ik iets gehoord zou hebben, onder de hoefslagen en de kreten, de ademtocht van een zwaard dat de lucht klieft, en de gedachte kriebelde op mijn rug van mijn nek tot aan mijn billen. Dit was nog iets waaraan ik nooit gedacht had toen ik een strijder volgde naar de oorlog. Ik had me altijd voorgesteld dat het gezicht van de oorlog mij bespaard zou blijven.

Nog steeds wakker gleed ik in een droom. In de droom zette ik me schrap. Ik brulde terwijl ze aanvielen. De furie had zich de hele dag al uit me willen bevrijden, maar toch werd ze juist sterker terwijl ik haar vrijliet. Ik brulde en brulde, mijn buik een ijzeren ketel vol echo.

De paarden waren bang van me. Ze passeerden me links en rechts en lieten me staan.

Wat een weelde aan woede. Hoe kon ik die gebruiken? Als ik niet droomde was woede nergens goed voor.

* * *

Heer Galan kwam eerder terug dan de anderen. Hij ging naast me op het bed zitten en leunde naar me toe om me een kus te geven. Zijn adem rook naar wijn en om zijn kleren hing een reuk van rook en zweet en zelfs een vleugje van het privaat. Toen hij rechtop ging zitten, kromp hij ineen. Nu was hij stijf en pijnlijk. Nu voelde hij de klappen die hij die middag in ontvangst had genomen.

Ik stond op, trok mijn jurk aan en pakte de lamp die bij de ingang brandde. Hij glimlachte naar me, zoals hij vaak deed, alsof het hem blij maakte om naar me te kijken. Ik zou niet laten zien hoe week ik daarvan werd, hoe mijn botten was werden en mijn ingewanden talg.

Ik knoopte de veters van zijn bovenkleed los. Die stond stijf van het borduursel: glanzende hulstbladeren op een gouden veld, met hier en daar een tjiftjaf met ogen van onyx, snoepend van een bosje granaatrode bessen.

'Je bent vroeg terug,' zei ik. Mijn stem was hees, alsof ik echt geschreeuwd had. Ik hielp hem het bovenkleed over zijn hoofd te trekken. Ik kon zien dat het hem pijn deed om zijn armen op te tillen.

'Ik ben laat terug, natuurlijk.'

'Wil je er ruzie over maken? Zo laat dat je vroeg bent, dan, want de Zon staat op het punt om haar gezicht te laten zien. En het is zonneklaar dat jij eerder terug bent dan de anderen.'

Hij haalde zijn schouders op. 'Ik had genoeg van ze en ben op zoek gegaan naar beter gezelschap.' Hij ving een van mijn handen die bezig waren met de bevestigingen van zijn hemd.

O, natuurlijk wist ik dat hij beter gezelschap had gezocht. Natuurlijk had hij het feest lang geleden verlaten om de maagd van Ardor te versieren, maar hoe hij dat voor elkaar had gekregen terwijl zij natuurlijk wang aan wang met bedienden en familie sliep, kon ik niet verzinnen. Ik trok mijn hand terug.

Hij had zijn weddenschap nog niet gewonnen. Daarvoor was hij niet genoeg met zichzelf ingenomen. Evenmin was hij terneergeslagen. Ik dacht dat hij haar gezien had en aangemoedigd was. Ik had geen behoefte aan de droesem in de beker, aan wat overgebleven was van de wijn nadat hij elders gunsten had gezocht, hoe hij ook naar me lachte.

'Ik zal een kruidenthee voor je maken tegen de pijn,' zei ik, 'en een papcompres voor je builen.' Het was voor mij verboden om het bloed van een man aan te raken, maar waar de huid niet kapot was kon ik enige hulp bieden. De genezers van de mannen bespotten zulke kruidenmiddelen en beweerden dat een volwassen man ze niet nodig had. Ze lieten ze over aan groenvrouwen, en menig man was dankbaar voor een balsem tegen zijn pijn. Verzachten is verwant aan genezen, wat de carnifexen ook zeggen.

Ik ging in de weer met de kruiden en een komfoor en kooltjes, en warmde water op. Heer Galan lag zachtjes op zijn rug op het bed te kreunen, met zijn broek los en een arm over zijn ogen. Ik wenste dat ik een beetje klamlont had, wat ik ook op heer Pava uitgeprobeerd had – niet dat het gewerkt had – iets dergelijks, dan. Dat zou ik graag zien, dat zou me tevreden stellen, als hij probeerde haar muren om te rammen en ze niet neergehaald kreeg! Hij zou nooit een bres in haar slaan, hoewel haar poort niet dikker dan een maagdenvlies was en zij zo gewillig was als maar kon. Zo gewillig als ik was. Als ik was geweest.

Tegen de tijd dat het water heet was, lag heer Galan met open mond te slapen. Ik was er blij om. Ik legde warme doeken ingesmeerd met een papje van wijn, vet en wondkruid op zijn borst en armen, en nog bleef hij onbeweeglijk liggen (hoewel zijn adem misschien iets ondieper werd). Ik trok zijn broek uit en ontdekte een grote kneuzing op zijn rechterenkel – en toen kwam hij in actie. Eerst glimlachte hij, toen haalde hij zijn hand weg van zijn ogen, toen kwam hij op een elleboog overeind en zei dat ik naast hem moest komen liggen. Maar ik had al geraden dat hij wakker was, want zijn pik had bewogen voordat hij dat deed.

Ik zei tegen hem dat hij overeind moest gaan zitten zodat ik een papcompres op zijn rug kon leggen. Hij veinsde een kreun en zei: 'Ik kan niet overeind komen tenzij je me helpt,' en hij stak zijn handen uit als een kind. Hij grijnsde.

Ik keerde hem de rug toe en ging allesheler klaarmaken. Ik had kunnen lachen, of op hem kunnen spugen, of naar hem toegaan – en dat alles tegelijk, zo waren woede en verlangen dooreengestampt. In plaats daarvan hurkte ik bij het komfoor en keek hoe verkruimelde bladeren en snippers wilgenbast het water bruin kleurden in het kielzog van de lepel. Toen ik weer naar hem keek, glimlachte hij niet meer.

Ik bracht de houten beker naar hem toe en zei: 'Dit zal helpen tegen je pijn. Pas op, het is heet.'

Hij steunde nog steeds op een elleboog. Ik stond daar met mijn hand uitgestrekt en hij nam de beker niet aan. Hij zei: 'Volgens mij ken je wel een betere remedie dan deze. Of ben je vanavond al een andere man ter wille geweest en heb je al je geneeskracht verbruikt?'

Zijn stem klonk licht, alsof hij geamuseerd was, maar ik hoorde iets anders. Ik kwelde hem. Wat was hij snel jaloers, terwijl ik degene was die er reden toe had.

'Ach nee. Jij bent de eerste die me om hulp vraagt. Dus pak het maar,' zei ik. 'Het stelt niet veel voor, maar het zal verdoven.'

'Ik zeg nog steeds dat je een betere remedie kent.'

'Je bent dwars vanavond. Alles wat ik zeg spreek je tegen.'

'Nou, zit me dan ook niet dwars.' En daarmee greep hij naar de beker en pakte meteen mijn vingers. De hete kruidenthee gulpte over mijn hand en ik trok hem weg. Hij liet de beker vallen. Hij rolde in de richting van mijn voeten.

'Nu heb je het gemorst,' zei ik. Mijn keel was zo nauw dat mijn stem afgeknepen werd. 'Het zou je hebben geholpen om te slapen. Iedereen weet dat slaap de beste genezer is.'

Hij ging overeind zitten op het bed, langzaam en stijf. Ik kruiste zijn blik. Ik verwachtte te zien dat hij boos was. Maar hij keek me recht aan; hij zocht me waar ik me verscholen had. Deze blik was als een aanraking en zond een rilling door me heen. Hij zei: 'Vuurdoorn, hoe kan ik slapen als jij niet naast me wilt liggen?'

Ik had toen mijn standvastigheid kunnen verliezen en naar hem toe kunnen gaan, ware het niet dat zijn mannen in de tent terugkeerden na het feestmaal, laat maar niet te laat. Ze kwamen stinkend binnen alsof ze in bier gebaad hadden, struikelend, en ze zongen een oud liedje met versgemunte woorden die iets te maken hadden met een zeker oor.

Heer Rodela was er erger aan toe dan heer Galan omdat zijn harnas minder goed was. Hij was overal gekneusd en had een snee op zijn dij die hij niet verzorgd had. Morser goot wijn over de wond en bond er een lap omheen; ik legde kompressen aan op heer Rodela's kneuzingen (wat klom zijn haar over zijn rug heen – over zijn schouders, naar beneden vanuit zijn nek, omhoog vanuit zijn bilspleet!). Hij bleef rustig zitten onder deze behandeling, want hij had zich verzopen in de drank. Tegen die tijd was de Zon echt op. Morser en ik gingen water halen en heer Galan viel in slaap. Hij sliep zonder mij diep genoeg, uiteindelijk.

Dat was de eerste nacht dat heer Galan en ik niet bij elkaar sliepen sinds we elkaar ontmoet hadden.

* * *

'Jullie denken zeker dat jullie het gisteren goed gedaan hebben,' zei de Crux tegen zijn mannen toen ze die middag samen aten. 'Jullie hebben goed opgeschept, dat is waar. Je zou haast denken dat jullie een echt gevecht hadden gewonnen, niet slechts een toernooi om de eer. Maar jullie hebben het *niet* goed gedaan.'

De geharnasten en de priesters zaten buiten te eten terwijl de schildknapen bedienden. De miezerregen was eindelijk opgehouden, hoewel de wind nog steeds vuile wolken van het westen naar het oosten blies en aan het laken trok dat op de tafel uitgespreid lag. Er hing kou in de lucht. Ik zat op de grond voor heer Galans tent, naast Morser, en haalde stukjes bot tussen mijn tanden vandaan. Morser had een schapenscheenbeen gevonden voor bij onze erwtenstoofpot, maar de ooi was waarschijnlijk ouder geweest dan ik.

De Crux verhief zijn stem niet. Zijn mannen werden stil om te luisteren. 'Als de wapens echt en scherp waren geweest,' zei hij, 'was Lebrel dood geweest en Alcoba was ook dood geweest en zijn schildknaap erbij.' Ik zou zweren dat de geharnasten stopten met kauwen, zo overrompeld waren ze door zijn woorden. Heer Guasca zat met open mond te luisteren. 'En Pava zou gevangen genomen zijn – maar eigenlijk moest hij dood zijn. Hij zou van verdriet moeten sterven, omdat hij zich over heeft gegeven zonder maar een klap voor zijn eigen verdediging uit te delen.'

Heer Erial lachte hierom en de Crux richtte zich tot hem.

'Wat jou betreft, Erial, als je zwaard zo snel zou zijn als je tong had je er misschien iets meer mee kunnen doen dan een kleine bediende steken die zijn meester kwam helpen. Ik geloof niet dat je verder nog een rake klap hebt uitgedeeld, gisteren. Maar je hebt ze wel goed ontdoken, en daarvoor prijs ik je.'

Heer Erial kleurde rood en het was heer Pava's beurt om spottend te grijnzen. Morser grinnikte en ik sloeg hem hard met mijn vuist op zijn schouder en zei: 'Jij hebt geen reden om te lachen. Ik heb jou gisteren ook zien wegduiken. Je was zo nuttig als een onvruchtbaar konijn!' Morser gaf me een scheel lachje, maar als hij dacht dat ik hem maar plaagde had hij het mis. Hij had bewezen dat hij een eersteklas lafaard was. Ik weet zeker dat ik het beter gedaan zou hebben.

De Crux ging verder: 'Guasca heeft goed gepresteerd; de koning was ermee ingenomen, weet ik.'

Heer Guasca keek op, sloot zijn kaken, en slikte. Dit kleine beetje lof was als water voor een uitgedroogd man. Men zei dat de koning een oogje hield op al zijn bastaardzoons, of ze nu hoog- of laaggeboren waren, en ze speciale gunsten verleende – als ze die verdienden. Misschien stak er meer in heer Guasca dan je op het eerste gezicht zou zeggen. De koning had zijn clan gesmeekt om zijn moeder (de jongste tante van heer Lebrel) omdat ze mooi was; de clan had haar graag als concubine gegeven om de lijn van Crux te versterken met de kracht en de sluwheid van Prooi, die sterk stroomde in de koning. Maar heer Guasca was slungelachtig waar zijn vader stevig was. Evenmin had hij zijn moeders uiterlijk geërfd: de huid van zijn gezicht was pokdalig en hij had een grote bobbel in zijn keel die opsprong als hij slikte. De andere geharnasten behandelden hem met hoffelijkheid maar niet met warmte; hij mocht dan van hoog bloed zijn, toch bleef hij een bastaard. Ik zag echter hoe ze hem nu met nieuwe ogen bekeken – soms groeit een onhandig veulen uit tot een hengst die alle wedstrijden wint.

'In de eerste aanval één man uit het zadel werpen die van het veld gedragen moest worden met een ontwrichte schouder; dat was goed. En een ander tot stilstand vechten en tot overgave dwingen: dat was nog beter. Maar Guasca,' voegde de Crux eraan toe, 'heb je niet gezien dat Alcoba naast je neerging en je hulp nodig had? Je had hem kunnen redden als je de moeite had genomen.'

Hij zweeg zo lang dat het ongemakkelijk werd.

'En wat Galan betreft is mij ter ore gekomen' – hier glimlachte de Crux een beetje, maar zijn stem bleef van azijn – 'dat je midden in het gevecht van je paard bent gesprongen en er daarna weer op bent geklommen, en dat is de meest onbesuisde, roekeloze, onbezonnen manoeuvre die ik in lange tijd gezien heb, en het kan me niet schelen hoe je dat deed of waarom je het deed. Je hebt jezelf besmeurd met modder en ziet dat aan voor glorie. Je hebt een man gepakt, dat is waar, en je hebt een oor gepakt, ook waar, en dat spreekt het gepeupel en de vrouwen en de hoeren en de nieuwsventers wel aan.' Hij liet zijn stem, die steeds hoger was gerezen, dalen en zei tussen zijn tanden: 'Maar mij spreekt dat niet aan.'

Heer Galan keek zijn oom in de ogen, maar zijn handen friemelden aan een stukje brood en scheurden het in stukken. Ik had hem nog nooit zo terechtgewezen zien kijken, maar ik geloofde er niet helemaal in. Tegen de ochtend was het nieuws het hele Marsveld overgegaan dat de man wiens oor hij afgehakt had hem had omhelsd toen hij het terugbracht. Ze waren nu dikke vrienden. Je zou haast denken dat heer Galan de hele tijd al van plan was geweest om dat losse oor aan hem terug te geven. Het gebaar werd toegejuicht – behalve, zo leek het, door zijn oom.

Ik geef toe dat ik aanvankelijk moest lachen om te zien hoe heer Galan een standje kreeg. Ik sloeg mijn benen over elkaar en stopte mijn rokken strakker om me heen tegen de kou en had een ontnuchterende gedachte: hij zou nooit leren voorzichtig te zijn, van zijn oom noch van iemand anders. Zijn snelheid was één met zijn onbezonnenheid. En zo lang hij op het een vertrouwde om hem uit de moeilijkheden te halen die het ander had veroorzaakt, was de kans klein dat hij lang genoeg zou leven om een bedachtzaam man te worden.

Nu stond de Crux op en steunde op de tafel, zijn kin naar voren priemend. De tafel hing schuin onder zijn gewicht en de broodplanken en bekers gleden allemaal naar hem toe. Hij verhief zijn stem weer: 'Ben ik de enige man die gisteren verder heeft gekeken dan de punt van zijn zwaard? We kunnen het slecht lijden om drie mannen te verliezen. Tel dit maar niet als een overwinning. Ik heb jullie afgemeten aan Lynx en zij waren zo zwak dat jullie tegen ze op konden. Tegen een sterkere clan hadden jullie niet gewonnen. En tegen onze vijand? Ik vrees dat niemand van jullie zijn vrouw zou terugzien als we vandaag strijd moesten leveren.'

Hij had ze in de palm van zijn hand. Ik hoorde nog geen ademtocht ingezogen worden. Hij richtte zich op en sloeg zijn armen over elkaar.

'Goed, we hoeven vandaag geen strijd te leveren, noch morgen, voorlopig niet, want het duurt nog een tiennachtse tot de Dag van de Oproep en daarna moeten we wachten op tekenen en op de wind – de goden weten hoe lang – om scheep te gaan en de zee over te steken. We zullen die tijd gebruiken. Jullie hebben nu bloed geproefd, jullie kennen de geur. Nu zal ik jullie leren vechten. Een lemmet kan niet geslepen worden zonder een steen. Ik zal hard voor jullie zijn, zo hard als steen, en hoe harder ik ben, hoe meer jullie me zullen bedanken wanneer je zo scherp bent als ik jullie maar kan krijgen.'

Toen liet hij zijn tanden zien in zijn baard en roffelde met zijn knokkels op de tafel. 'Eet, als je trek hebt. Want we hebben vanmiddag een kleine schermutseling met de clan van Delf, en ik hoop wat goud bij ze op te graven en een paar merries. Als jullie me vandaag minder te schande maken dan gisteren, ben ik tevreden.'

* * *

Nog een toernooi. Een blauwe plek boven op een blauwe plek. Ze zouden het met plezier ondergaan: ik zag hoe gretig ze waren. Ze lachten en rekten zich uit toen hij zijn vuist opende en ze liet gaan. Het was slim van hem om ze te berispen en tegelijkertijd net voldoende te prijzen. Olie voor de slijpsteen. Voor hen was het een spel. Ze dachten dat de oorlog min of meer hetzelfde zou zijn, met wat meer blauwe plekken en littekens en betere trofeeën.

Ik zou het niet met plezier ondergaan. Het zou gemakkelijker zijn om op het veld te staan met een rietstengel als zwaard dan om dag in dag uit op de heuvel te zitten en toe te kijken – tenzij ik mijn darmen kon leren om niet in de knoop te raken en mijn bloed om niet zo door mijn aderen te razen, tenzij ik naar heer Galan kon kijken alsof hij zomaar een man was.

Ik zou niet gaan. Ik bleef in de tent.

In de tent blijven was niet veel beter, om achter te blijven en de tel bij te houden. Twee nachten waren verstreken sinds hij zijn weddenschap had afgesloten. De eerste nacht was vredig geweest omdat ik van niets wist. De tweede was slapeloos geweest en er zouden er nog twee komen.

Stel je voor dat de maagd, als ze nog maagd was, hem zo goed beviel dat hij besloot om haar te houden en haar vader de prijs te betalen? Als hij soms dacht dat hij een andere vrouw de tent binnen kon halen en mij houden als prulletje, als gelukstalisman...

En als hij dat dacht, zat hij er dan zo ver naast?

De maagd is verwant aan Ardor, is van Ardors bloed en staat zeker in Ardors gunst. Ik moet me vergist hebben toen ik dacht dat de god me in de hand had genomen toen ik de vuurdoornbessen at in het Koningswoud en niet stierf, en later, toen de wegen van heer Galan en mij samen gingen lopen. Ik had een te grote last op me genomen. Altijd dezelfde hardnekkige, op niets gebaseerde trots. Waarom zou Ardor zich met mij bezighouden, een sloof zonder familie, niet van Bloed?

Of als ik me niet had vergist, had de god me dan in de steek gelaten?

Tussen het paviljoen van heer Guasca en dat van de Auspexen was een klein donker hoekje, van voren aan het zicht onttrokken door een tentflap en van achteren door een ossenkar die met een gebroken as op zijn kant lag. Ik hurkte in deze kleine holte neer. Het stonk er, want de mannen pisten achter de kar. Ik opende de zak met vingerbotjes, trok een paar plukjes gras uit de grond, veegde de aarde glad met mijn hand en tekende de cirkel en de lijnen die het godenrijk indeelden, precies zoals Az me had laten zien.

De laatste van de drie lezingen die Az voor me had gedaan was om te bepalen welke goden mijn levensspanne beheersten. Drie worpen en elke keer waren de botjes geland in een van de aspecten van Ardor. Ik kuste het blauwgeverfde botje van de hand van de Vrouwe en de rode van Na en zakte achteruit op mijn hurken. Ik hoorde een man in de tent van heer Guasca zeggen: 'Waar is de maliënkolder? Je bent hem kwijt!' en het geluid van een klap.

Ik daagde een god uit. Dit was hoogmoed. Maar ik zou het maar één keer vragen, één keer gooien, en als de twee kleine botjes niet in het domein van Ardor landden, zou ik weten dat ik niet in de hand van de god was – en misschien nooit was geweest. Ik sloot mijn ogen en wierp, en toen ik ze opende zag ik dat Na's botje geland was in Ardors avatar van de Smid en dat van de Vrouwe in Wildvuur. Welke andere goden er ook met ons dobbelden, Ardor eiste mij nog steeds op.

Alleen een dwaas verwacht dat een god vreugde schenkt, of geschenken zonder dat er een prijs tegenover staat, of redenen. En dit bleek het ergst van alles te zijn, erger dan me vergist hebben, erger dan in de steek gelaten zijn: de god kon mij nog steeds ergens voor gebruiken, hoewel ik absoluut niet inzag welk nut ik had.

* * *

Natuurlijk ging ik naar het toernooi. We moesten lang wachten toen we eenmaal op het veld waren omdat er al twee andere clans aan het vechten waren. De Crux had opdracht gegeven een baldakijn op te zetten voor de clan, en ik zat er vlakbij met de voetsoldaten en sloven. Maar de schuilplaats was leeg; iedereen van Bloed, geharnasten en schildknapen, reed te paard heen en weer bij het veld.

Ik verveelde me en keek naar de lucht: nog meer laaghangende wolken die met dikke buiken van zee kwamen, net als de vorige dag en de dag daarvoor. Het regende tenminste niet. Grijze en witte zeevogels cirkelden over ons heen, samen met een paar kraaien. De zee was links van me, uit het zicht. Sinds we hier waren was mijn gevoel voor richting veranderd. De zee was een aanwezigheid, een grote golf van lucht en wind en water, en ik kon hem zelfs voelen als hij niet zichtbaar was achter de heuvels of de tenten van het Marsveld.

Ik keek weer naar de strijd en besefte dat de clan van Prooi op het veld stond, de clan van de koning zelf, en dat de vechtende mannen de rode-en-witte kleuren van de koningin-moeder droegen. Er vochten twee keer zoveel mannen als in het toernooi van gisteren.

Ik keek naar de menigte: het was net een feestdag. Heel wat boeren waren met vrienden en verwanten gekomen, allemaal luierend op het veld. Ze hadden iets beters te doen gevonden dan het werk dat op hun pachterijen wachtte; ze begaven zich onder de soldaten en de sloven van het Marsveld, en de venters en hoeren kwamen ze iets verkopen. De sletten die tijdens de toernooien werkten werden tweekoperhoertjes genoemd, naar hun prijs. Ze konden niet eens een deken de hunne noemen, want ze gingen niet liggen, ze bogen zich alleen voorover. Goedkoper kon een man het niet krijgen, of het moest voor niets zijn.

Ik zei tegen Spoedvoet dat ik helemaal om het veld heen wilde lopen om rond te kijken en vroeg of hij meeging, maar hij was betoverd door het toernooi. Ik nam Leegemmer mee en bedacht dat dat ook beter was. Ik wilde een zekere maagd van Ardor zoeken, die mijn gedachten de laatste tijd dag en nacht bezwaard had, en Spoedvoet was niet zo'n imbeciel als Leegemmer, die zou me door hebben gehad.

Onderweg leek het alsof elke voetsoldaat, bediende, bagagejongen, paardenjongen of sloof-van-alles die ik passeerde naar me kefte of klokte, joelde of floot, en me huidschede of hoer noemde, honingpot of klein visje, of een andere obscene bijnaam gaf. Een page volgde me een tijdje en zei dat hij het leer van mijn schede voor me zou looien. Hij stelde me een aantal manieren voor waarop hij dat kon doen, waarvan sommige zeker onmogelijk waren en andere me zoveel aan heer Galan deden denken dat ik moest blozen, zelfs terwijl ik net deed of het me niet kon schelen. Ik moest dit soort onzin altijd aanhoren als ik Morser of Leegemmer als escorte had, of zelfs beiden tegelijk, maar ik kon er niet aan wennen. De mannen waren alleen stil als ik aan heer Galans zijde was.

Eerst dacht ik dat ze de spot met mij dreven, want ik was geen schoonheid die lof oogstte, schunnig of anderszins. Al gauw zag ik dat ze dit gerecht aan elke kleivrouw opdienden, of ze een gestreepte rok droeg of niet, tenzij ze voldoende witte haren had om grootmoeder te zijn. Maar Mai had tegen me gezegd, en dat was waar, dat ze hun handen thuis zouden houden zolang ik een man aan mijn arm had. Dus nam ik Leegemmers arm en keek ik recht vooruit of naar mijn voeten en keek geen man aan, want dat was gevaarlijk. En ik zei tegen mezelf dat ik voldoende bepantsering had om de woorden pijnloos op af te laten ketsen.

Ik liep met Leegemmer rond het veld, een heuvel af, door een van de regen doorweekt stukje moeras, en de volgende heuvel op in de richting van een baldakijn waaraan de roze wimpels van Ardor hingen. Leegemmer zei: 'Waarom loop je zo hard?' en toen zijn oog op een man viel die geroosterd brood verkocht: 'Ik heb honger.' Ik zei tegen Leegemmer dat het geen zin had om te zeuren en dat hij maar het beste tegen zijn honger kon zeggen dat die moest gaan slapen, of anders zijn meester moest zoeken en bij hem gaan bedelen. Ik had geen munt om brood te kopen.

'Koop het maar met een kusje,' zei de venter.

'Heel goed,' zei ik en schoof Leegemmer naar hem toe. 'Kus hem maar, als je hem zo leuk vindt.'

Er werd gelachen. We liepen verder rond het veld.

'Ik heb dorst,' zei Leegemmer en hij zei het opnieuw totdat ik hem hoorde.

Mijn stemming was slechter dan het weer. Ik kon het niet verdragen om hem bij me te hebben, maar ik durfde niet alleen verder te gaan. 'Schaapskop!' zei ik. 'Neem de volgende keer de waterzak mee zoals Morser je gevraagd heeft. Onthoud je dat nu?' Maar wat had het voor zin om boos te worden op zo'n onbenul? Ik vroeg me af waarom heer Galan hem had meegenomen, want hij was geen goede bagagejongen. Misschien was het genoeg dat hij een muilezel kon leiden met stokken en trappen en vloeken.

We vonden regenwater in een holte boven op een lange stenen richel tussen de graszoden. We vonden eten: de flauwe, knapperige wortels van het veenschoon, bij een van de sijpelstroompjes tussen de heuvels.

En we vonden Mai. Daar was ze, geen twijfel mogelijk. Zelfs als ze op de grond zat, was ze een berg van een vrouw. Een van haar gezwollen, met moedervlekken en blauwe aderen bedekte borsten was bloot. Een jongen van ongeveer twee jaar oud met een bos zwart haar zoog aan de tepel terwijl zijn hand met de franje van haar hoofddoek speelde en zijn tenen wriemelden. Hij droeg een linnen kiel die te kort was om zijn piemel te bedekken.

Hoewel Mai een kleivrouw was, een schede net als ik, had ze het klaargespeeld om een dak boven haar hoofd te krijgen, een klein aanbouwsel vlak naast de beschilderde lederen luifel van Delf. Ik had niet gezien bij welke clan ze hoorde, die avond achter de tenten toen ze me gered had van een meute ongemanierde straathonden. Nu zag ik aan de banieren dat dit de clan was die Crux die middag voor een toernooi had uitgedaagd. Ze deelde haar afdak met een meisje van tien of elf jaar oud en een piepend, gevlekt hondje. Er zaten drie mannen in kleermakerszit bij die naar het toernooi keken; ik herkende er twee van. Die gezichten kon ik niet vergeten. Maar Mai was er, en ik hoefde nergens bang voor te zijn.

Ik stond voor haar stil en bewonderde haar durf. Haar alleen maar zien monterde me al op.

Ze keek op en grijnsde. 'Daar heb je het nichtje van het platteland!' zei ze. 'En uitgedost in een mooie nieuwe hoofddoek en muiltjes, zie ik – en een prachtige blauwe plek bovendien.'

Ik legde mijn hand op mijn wang. Ik was de blauwe plek die heer Galan me had bezorgd vergeten totdat ze het zei; hij zou nu wel geel zijn. Ik zei: 'Het een was de prijs voor het ander.'

'Dan ben je beduveld, meid,' zei ze. 'Die muiltjes zullen sneller verslijten dan de blauwe plek op deze rotsachtige grond.'

Ik bloosde en keek naar beneden. Het speet me dat ik geprobeerd had er een grapje van te maken. Ze had waarschijnlijk al niet zo'n hoge dunk van me gehad, na de manier waarop we elkaar hadden leren kennen. Nu had ik het nog erger gemaakt.

Mai lachte en duwde de hond weg. Hij kwam knorrig overeind en sjokte onder het afdak vandaan, draaide drie keer rond en ging weer liggen, zijn kop op haar voeten. 'Niet kwaad bedoeld,' zei ze en ze klopte op de grond naast zich. 'Ga zitten, dan kunnen we even kletsen. Wie is die knappe kerel die je bij je hebt? Is hij degene die zo vrijgevig is?'

Ik wist door de spot in haar stem dat ze dat niet geloofde, maar toch was ik verontwaardigd. 'Mocht hij willen! Dit is Leegemmer, de bagagejongen van heer Galan.'

Leegemmer glimlachte naar haar op zijn maffe manier. Mai zei: 'Nou, bagagejongen, ga maar eens kijken of Prop daar je een slokje van zijn bier wil geven.' Tegen mij zei ze: 'Ik zie dat je een escorte gevonden hebt.'

Ik vouwde me naast haar op en fluisterde: 'Het is een imbeciel, weet je.'

Ze lachte. 'Des te beter! Als je een ring door zijn neus doet, lijkt zelfs een os genoeg op een stier om problemen te voorkomen.'

Het meisje dat aan de andere kant van Mai zat leunde voorover om naar me te kijken door haar piekhaar heen. Toen ik naar haar glimlachte, waagde ze zelf ook een lachje. Ze was zo slank als Mai dik was, dun genoeg om door het spleetje tussen twee tanden heen te glippen.

'Dat is derde-dochter, Zonop,' zei Mai, 'en dit is mijn jongste, Tobie.' Ze wiegde de jongen op haar knie totdat zijn mond van de tepel afgleed en hij begon te huilen. Ze ontblootte haar andere borst en hij was weer tevreden. 'Ik moet hem binnenkort spenen, maar hij maakt zo'n misbaar.'

'Hoeveel heb je er?' vroeg ik.

'Negen levende, maar alleen deze jongen,' zei ze. 'Ik heb er maar twee bij me, Tobie omdat hij mijn baby is en Zonop om op hem te passen. De rest is thuis bij eerste-dochter.'

'Mogen ze gezegend zijn,' mompelde ik.

Mai was de schede van een geharnaste, heer Torosus. Hij was zonder land of geluk geboren als vijfde zoon van een nietsnut; maar inmiddels had hij een stenen burcht, rijke akkers en zes dorpen in de oostelijke riviervallei die net zoveel gevechten als oogsten gezien hadden. Zijn bezit had hij met pijn en moeite veroverd in bloeddienst aan zijn clan en de koning, in elke oorlog die de laatste twintig jaar voorbij was gekomen. Hij had een goed huwelijk gesloten binnen de clan, maar zijn vrouwe vond dat ze het slecht getroffen had. Hoe tevreden zijn heren ook over hem waren, voor zijn vrouwe deed hij het nooit goed genoeg. Als hij niet op veldtocht was woonde hij met zijn vrouw en hun vier zonen in hun burcht, terwijl Mai beneden in het dorp woonde met haar kinderen. Mai had hem vijftien jaar lang naar de oorlogen gevolgd, maar tot nu toe altijd in de zomer. Dit was de eerste winterveldtocht, en heer Torosus was daar niet over te spreken, evenmin als over koningin-moeder Caelum, die haar broer, onze koning, op een of andere manier deze ongelegen actie had aangepraat.

Mai zei: 'Heer Torosus zegt dat deze oorlog is wat je krijgt als je een vrouw laat regeren. Ze was regent, weet je, acht jaar lang voordat prins Corvus op leeftijd kwam. Maar ze heeft veel langer geregeerd, als het waar is wat ze zeggen. Toen koning Voltur het koninkrijk van Incus bestuurde, stuurde zij *hem* aan zijn pik. Ze kon haar zoon niet in dezelfde greep houden.'

'Ik heb gehoord dat de vrouw van de koning hem behekst heeft en dat dat de reden is dat koningin-moeder Caelum oorlog tegen hem moet voeren.'

Mai grijnsde. 'Ja, dat is wat ze zeggen. Maar zijn vrouw is nu in verwachting nadat ze jaren onvruchtbaar was. Zodra de koningin-moeder weggestuurd was, kwam het er snel van.' Mai tikte op mijn knie en boog dichter naar me toe. 'Dus wie van de twee is de toverkol, denk je? Niet degene die vervloekt was met onvruchtbaarheid. En nu wil Caelum het meisje niet voldoende tijd geven om het kind van de prins te baren. Daarom heeft ze zoveel haast, daarom naait ze met een roodgloeiende naald en een vlammende draad. Koning Thyrse heeft maar een klein leger opgeroepen, dus ze moet erop rekenen dat de helft van het Bloed van Incus met haar in opstand komt. Ze zullen haar niet zo snel volgen als de prins een erfgenaam heeft.'

Ik gaapte Mai aan. 'Noem je dit een klein leger?'

Ze lachte me uit. 'Als de koning het nodig heeft kan hij tien keer zo veel geharnasten oproepen, en betere bovendien. Dat is waarom ik tegen heer Torosus heb gezegd dat hij thuis moest blijven. Deze winterveldtocht is een dwaze onderneming, zei ik, dus laat het over aan de jonge dwazen die nog niet beter weten. Misschien eindigen we aan de verkeerde kant van de Inwaartse Zee zonder provisie en zonder schip dat ons thuis kan brengen. En als we winnen – dan kun je er zeker van zijn dat de koningin-moeder het ons zal misgunnen om te plunderen en land in te nemen, uit angst dat haar eigen mensen zich tegen haar keren. Maar heer Torosus zegt dat de koning zijn redenen moet hebben, en we zullen er snel genoeg achter komen – en misschien is het de koningin-moeder die de dwaas is, dat ze een man zo diepgaand bij haar plannen betrekt.'

Voor mij was het merkwaardig dat Mai over koningen en koninginnen roddelde alsof ze de buren uit de volgende pachterij waren en evenveel aanmerkingen op hen had. Hun daden hadden ver boven mij verheven geleken, stof voor balladen in plaats van roddel, maar hier op het Marsveld waren die twee hetzelfde.

Mai zuchtte. 'Heer Torosus zegt dat hij gaat als hij nodig is, en hij zorgt trouwens toch altijd dat hij zo ver mogelijk bij zijn vrouwe vandaan is. Wat mij betreft, ik zou liever knus in mijn pachterijtje zitten terwijl die teef op me neerkijkt dan op de weg in de winter. Maar die man wil niet dat ik thuisblijf. Hij zegt dat hij een veren bed nodig heeft voor zijn oude botten.' Ze sloeg op haar been en liet het vlees trillen.

Ik begreep wel dat een man haar zacht vond om op te liggen. Haar dij had de omvang van twee van die van mij.

We waren eventjes stil. De baby zoog en Zonop krauwde over de rug van de hond totdat zijn staart op en neer sloeg. Er was een bepaalde geur van melk en natte hond onder het afdak die me troost gaf. Het meisje gluurde nogmaals naar me en glimlachte.

'Ze is een eersteklas kattenkop,' zei Mai.

'Wie?'

'Die Caelum. Ze zou hem moeten laten winnen. Het is ongepast om de koning te laten verliezen waar al zijn clans bij zijn.'

Ik had nauwelijks naar het toernooiveld gekeken tijdens mijn ronde rond het veld. Nu zag ik dat er niet meer dan twee handenvol vechters over waren, en de meesten droegen de kleuren van de koningin-moeder. Een van de mannen van de koning tuimelde van zijn paard en bleef zo stil liggen als een dode.

Ik ging rechtop zitten en keek naar het veld. 'Is de koning daar ook?'

'Natuurlijk – daar, in het vergulde harnas.'

Zijn houten zwaard was ook bedekt met bladgoud, maar in het grijze licht glansde het zonder glitter. Hij werd geflankeerd door twee mannen van zijn clan, de enige die nog op het veld waren. Samen bevochten ze er tweemaal zoveel van de clan van de koningin. Hij verloor een man, maar zij twee. Toen viel de laatste geharnaste, en hij nam er nog een mee. Koning Thyrse vocht alleen verder. Een stoot, en een man viel voorover in zijn zadel. De koning knuppelde er nog een tegen de grond met het verzwaarde gevest van zijn zwaard. Hij dook naar beneden, viel de laatste man van onderen aan en maakte ook met hem korte metten. Toen was hij alleen op het veld en het geluid van de menigte vulde de kom van de heuvels tot overstromen toe.

Ik juichte hem ook toe, maar Mai zei: 'Ze heeft hem te lang laten wachten. Zo weet hij dat zij hem heeft laten winnen.'

'Maar hij vocht heel goed,' zei ik.

'Niemand vecht zo goed. Kijk, daar komt ze aan.'

Koningin-moeder Caelum reed uit naar het veld om de koning te begroeten. Haar paard was puur wit en was getooid met wit leer zonder tekens. Ze droeg een karmozijnrood gewaad. Meters fluweel spreidden zich over de flanken van het paard uit en hingen af naar de grond. Haar gezicht leek zo blank als een gebleekte amandel bij al dat karmozijn. Ze bood een zwaard aan, boog diep, en de koning boog neer van zijn paard om haar de kus van vrede te geven.

De menigte stampte, brulde, floot.

Mai's jongetje was in slaap gevallen ondanks het lawaai. Ze nestelde hem in het dal tussen haar dijen en leunde met een kreun achterover op haar ellebogen. 'Die nu komt is vast en zeker een jongetje,' zei ze. 'Hij zit hoog en hij schopt als een haas, recht onder mijn hart.'

Het gewicht van haar grote buik was niet alleen maar vet. Ik moet blind zijn geweest dat ik het niet eerder gezien had.

'Elke veldtocht weer een baby. Ik heb de laatste verloren toen ik hem nog droeg, en er was zoveel bloed dat ik dacht dat ik nooit meer op de been zou komen. Ik ben bang dat het deze keer erger wordt, met de winter die eraan komt en zonder vroedvrouw.'

'Waarom ben je dan weer zwanger geraakt?'

Mai snoof en keek me vol ongeloof aan. Ze stak haar rechterduim door de holte van haar linkervuist. 'Ik dacht dat zelfs meisjes van het platteland dat wel wisten. Heb je de koeien en de stieren nooit bezig gezien?'

'Natuurlijk weet ik hoe het gaat,' zei ik, 'maar waarom heb je geen kinderban genomen?'

Mai greep mijn arm en fluisterde: 'Als jij iets weet dat kan voorkomen dat er een kind geplant wordt, ben je de meest gewilde vrouw van het Marsveld. Ik dacht dat ik alles had geprobeerd – mijn kinderen laat gespeend, gebeden, een stop in mijn spongat gestopt – alles behalve de man weghouden uit mijn bed, en dat wil ik niet! Ik heb een keer een brouwsel van een miskramer gedronken om een baby kwijt te raken toen ik drie maanden ver was. Het heeft me bijna gedood, maar *zij* bleef leven.' Ze knikte met haar hoofd naar Zonop, die naar elk woord luisterde. 'Ik zal wel goede, vette grond zijn,' voegde ze er met een hees lachje aan toe. 'Ploeg me en het zaad komt elk jaar op. Ik word nooit dor.'

Ik zei: 'Ik dacht dat iedereen van de kinderban afwist. Waar ik vandaan kom gebruiken alle vrouwen het als ze geen kind willen. Ik heb het hier.' Ik haalde een leren pakje uit mijn gordel en vouwde het open om haar het grijze poeder te laten zien. 'Ik heb de bessen vermalen zodat ik een beetje in mijn wekmij kan doen, 's morgens. Dat haalt de bittere smaak eraf. Maar je kunt ze ook heel eten.'

'Hoeveel heb je?'

'Genoeg voor mij. Genoeg voor een tijdje.'

'Kun je aan nog meer komen?'

Mai fluisterde weer, dus ik dempte mijn stem om die aan de hare aan te passen. 'Misschien. Ik heb het hier in de buurt niet gezien. Het houdt van natte voeten, dus misschien staat er wat in deze kleine moerasplassen of de moerassen bij de rivier – ik kan haast niet geloven dat je hier niets vanaf weet! Ken je die kleine witte besjes met zwarte ogen? Eekhoorns eten ze niet, beren evenmin. Ze blijven aan de struik hangen tot er volgend jaar weer bladeren komen. Maar na een paar maanden zijn ze niet meer zo krachtig en dan moet je meer nemen.'

Mai zei: 'Vind maar wat voor mij. Ik ken velen die er duur voor zouden betalen. En dan kun jij je eigen schoenen kopen met betere munt dan blauwe plekken.'

Ik zei tegen Mai dat ik ernaar zou uitkijken, en ook dat ze mij moest laten halen als het moment daar was; ik was geen vroedvrouw, maar ik had wel geholpen bij bevallingen en ik kende een kruid dat de bloedingen zou stelpen en meer dan een paar tegen pijn. Toen zei ik dat ik moest gaan. Onze clans waren hun gevechtslinies aan het vormen en ik moest terug naar mijn eigen mensen.

'Of anders?' zei ze. 'Krijg je nog een blauwe plek?'

Ik schudde mijn hoofd.

'Maakt hij er een gewoonte van om je te slaan?'

'Nee,' zei ik, 'alleen deze keer. Die avond dat ik jou ontmoette – omdat ik in mijn eentje weg was en hij naar me moest zoeken.'

'Hmm,' zei Mai, alsof ze me niet helemaal geloofde.

Wat een maankalf was ik, dat ik heer Galan zo vlug verdedigde terwijl hij me een veel ergere klap had toegebracht dan die tik op mijn wang. Haar geslepenheid – haar vriendelijkheid – raakten me op mijn zwakste plek. Er begonnen tranen te druppen, heet en beschamend. Ik wreef over mijn gezicht met mijn rok omdat ik mijn nieuwe hoofddoek niet wilde bederven. Voordat ik het wist was het hele verhaal eruit, alles over heer Galan en zijn weddenschap.

Mai liet me praten totdat ik geen woorden meer had en zei toen: 'Sommige mensen zouden je verhaal verkopen aan een nieuwsventer nog voordat je het helemaal verteld had. Ik zal dat niet doen – maar je bent veel te goed van vertrouwen. Ik hoop dat je niet naar me toe bent gekomen voor wijsheid. Ik ben eerder sluw dan wijs. Ik weet wat de wijzen zouden zeggen: wees niet hebberig. Wat je hebt is genoeg en meer dan je verdient.'

Ik keek haar aan, geschokt.

Ze grijnsde terug. 'Zei ik niet dat ik *niet* wijs was? Maar ik weet wel het een en ander, ook dingen die hier kunnen helpen. Ik ken een heksvrouw. Ze verkoopt vervloekingen voor bij toernooien – je weet wel, van die kleine loden mannetjes die je de naam geeft van de strijder tegen wie je wedt en dan in het vuur gooit. Maar ik heb gehoord dat ze nog iets krachtigers heeft in die zak van kattenhuid van haar – zoiets als onzichtbare wespen die je vijanden steken en ze ziek maken. Ze zou een vloek kunnen sturen om de bloem van de maagd te laten verwelken.'

Ik maakte het beschermingsgebaar. 'Nooit. Ik hou niet van kwade wensen. Dat is walgelijk – en het slaat bovendien op jezelf terug, zeggen ze.'

Mai haalde haar schouders op. 'Zeggen sommigen. Nou ja, er is nog iets anders – maar een vloek zou goedkoper zijn.'

Ze zei dat ik niet moest proberen heer Galan van zijn pad af te brengen. Hij was erop gebrand, hij had meer dan zijn paard, meer dan zijn leven erop gezet: zijn trots. Hij zou het meisje nemen als ze te nemen was, zonder aan de gevolgen te denken. Wat ik kon doen was zorgen dat heer Galan, of hij de weddenschap nu won of verloor, aan mij zou blijven plakken en niet aan een ander (of in elk geval niet lang, zei ze). En ze vertelde me hoe ik hem aan me kon binden, wat ik moest doen en wanneer ik het moest doen.

Voordat ik vertrok gaf Mai me een waterzak. 'Was je gezicht, als je weg moet. Je wilt toch niet dat de pummels zien dat je gehuild hebt, of wel? Het is zo duidelijk als het vuil op je wangen.'

* * *

Ze was er, onder een baldakijn, die maagd van Ardor. Ze zat op een klein krukje van hout en leer met haar rokken om haar heen uitgespreid. Het gewaad was van een mooie iriserende zijde – roze als je van de ene kant keek, blauw van de andere – dat ik eerder alleen in tapijten afgebeeld had gezien. Ze was niet precies zo mooi als ik me herinnerde: haar gezicht wel zo blank, maar met hulp van een beetje bleekwortel die de kringen onder haar ogen niet kon verbergen. Hoewel ze naar de strijders keek die zich opstelden in het veld beneden, leken haar gedachten ver weg. Ze gaapte en sloeg een hand voor haar mond. Ze had ringen aan elke vinger, zelfs haar duim. Waren die juwelen niet genoeg om een echtgenoot te kopen? De hals van haar lijfje was laag uitgesneden en omzoomd met hermelijn. Het dunne gaas van haar onderjurk deed een halfhartige poging te verbergen wat haar gewaad onthulde. Er waren aigretteveren in haar haar gevlochten. De zeewind verwaaide de pluimen, blies lokjes haar omhoog en liet de banieren wapperen boven het dak van canvas. Ik zag haar vader niet, maar er waren andere mannen van Ardors Bloed onder het afdak, en bedienden en voetsoldaten op wacht eromheen.

De maagd boog naar een vrouwe toe die naast haar zat. Ze droeg in vergelijking met haar strenge kleren: een ongetrouwde tante misschien, die als een hond op een boerenerf gehouden werd om de kippenren te bewaken. Ze zei iets en de vrouw knikte en gebaarde dat een van de bedienden moest komen.

Ze stuurde de bediende naar ons toe. Hij gaf Leegemmer een duw en zette een laars tegen zijn achterwerk. Hij deed *ksjt, ksjt, ksjt*, alsof hij een geit de tuin uitjoeg. Leegemmer piepte en dook bij hem vandaan. De bediende besteedde iets meer moeite aan mij. Hij maakte zijn wapensjerp los en sloeg me op mijn rug met zijn leren schede – met zijn zwaard er nog in – en zei: 'En jij! Houd je ogen van je meerderen af. Leer betere manieren of ik zal je mores leren!'

Ik spuugde op de grond en hij gaf me een oorvijg.

Ze keek niet één keer onze kant uit.

Ik dacht heus niet dat de maagd mij had herkend van de ontmoeting op de markt, toen ik achter heer Galan had gestaan en stiekem naar haar gluurde terwijl zij stiekem naar hem gluurde. Ze had ons weggejaagd omdat we haar uitzicht bedierven. Ons werd niet toegestaan om zelfs maar een hoekje van haar blikveld in te nemen. Terwijl ik juist het doel had gehad om mijn ogen met haar te vullen, misschien in de hoop dat ze ouder en lelijker zou blijken dan ik me herinnerde. Nu wist ik dat ze mooi was. 'Als je krabt waar het jeukt kun je koorts krijgen,' zei Na altijd als ik nieuwsgieriger was dan goed voor me was.

Voordat ik de maagd weer zag, had ik medelijden met haar gehad. Ze werd ongezien achternagezeten en wist niet dat er op haar gejaagd werd voor een smerige weddenschap. Ze was jong en tenger en ze leek me niet opgewassen tegen de zorgen van een vrouw, want ze zou duidelijk lijden – zoals ik nu leed – als heer Galan zijn doel had bereikt en net zo snel als hij ermee begonnen was zou stoppen met haar het hof te maken. Ik had zelfs even het idee gehad, veilig in mijn achterhoofd weggestopt voor nadere beschouwing, dat ik stiekem naar haar toe zou kunnen gaan en haar waarschuwen voor de weddenschap. Ik had me verbeeld dat zij dankbaar zou zijn en heer Galan de verliezer, en niemand zou beter weten. Maar ik was de moed snel genoeg verloren toen ik haar zag in haar opschik en haar wachters om haar heen. Geen enkele waarschuwing zou welkom zijn van iemand van mijn soort.

Het was zeker dat ze goed beschermd werd – tegen mijn soort. Haar bediende had me net hard genoeg geslagen voor de show, maar pijn deed het evengoed.

En toen dacht ik: zelfs als ze van de weddenschap af wist zou ze zich misschien nog door heer Galan laten versieren. Zij gokte zelf ook en wedde haar reputatie tegen zijn harde hart dat ze hem met haar gladde voorhoofd, ronde wangen en de rest van haar schoonheid, alles wat ik kon zien en wat verstopt zat, zo in haar netten kon verstrikken dat hij niet kon ontsnappen. Wie was hier uiteindelijk de prooi?

Ik had haar hiervóór niet gehaat.

Hoer. Wat was ze meer dan een dure slettebak, en haar vader een pooier?

Het was net niet helemaal oneervol voor een vrouw van Bloed om concubine te worden als ze geen geld voor een bruidsschat had. Maar zulke regelingen werden in stilte getroffen, er werd niet zo mee te koop gelopen als in haar geval, of over het hele Marsveld rondgeparadeerd. Haar kinderen zouden bastaards zijn; ze zouden haar naam dragen, niet die van haar partner, en als ze al iets erfden was dat naar de willekeur van hun vader. Maar ze hadden in ieder geval het Bloed van God; ze zouden deel zijn van een clan. Anders dan mijn kinderen.

Mai had me verteld hoe ik heer Galan aan me moest binden, maar pas op dat moment besloot ik dat ik dat zou doen. De Vrouwe had zulke kunsten altijd bespot. Maar zij had nooit liefdesbezweringen nodig gehad, en ik wel.

* * *

Die nacht werd er niet gefeest en niet opgeschept. De clan had het toernooi verloren en niet meer dan een enkel zwaard buitgemaakt. De Crux was raar genoeg vol vrolijkheid, alsof het hem niet kon schelen, of erger, er blij mee was. Hij daagde zijn mannen uit en zei dat hij niet meer verwacht had van een kudde hengstveulens.

Heer Galan was in de eerste aanval uit het zadel geworpen en tot overgave gedwongen; in de tent hield hij zijn mond grimmig stijf dicht. Eerwaarde Xyster, de priester van Crux Maan die de carnifex van de mannen was, verklaarde dat hij een gebroken rib had en dat er niets aan gedaan kon worden behalve aderlaten en verbinden. De priester ging weg nadat hij een kom bloed had afgenomen met een scherpgesneden veer. Ik legde kompressen op de kneuzingen van heer Galan, de oude en de nieuwe, en Morser wikkelde hem rond de ribben stevig in een lang stuk ruw linnen.

Ik was net zo blij als de Crux leek te zijn, maar liet het niet merken. Dat heer Galan verloren had, was goed: nu zou de maagd zeker op hem neerkijken. Dat hij gewond was, was nog beter: misschien zou hij vannacht niet gaan rondzwerven.

Maar hij riep om zijn beste bovenkleed en gespte zijn zwaard om. Hij verliet de tent en nam heer Rodela en Morser mee, alsof hij verwachtte dat er problemen op zijn weg wachtten. En hij kwam niet voor zonsopgang terug.

* * *

De bindbezwering die Mai me had geleerd moest wachten tot Donkere-Maan, als Crux Maan slaperig en lui is. Als hij vol is zet hij bezweringen of wensen nogal eens op hun kop. Maar ik was me al aan het voorbereiden. Ik had drie haren van heer Galan geplukt toen ik de kleverige kompressen verwijderde: een van zijn hoofd, een van boven zijn hart en een van zijn lendenen. Hij had gepiept en me vervloekt voor mijn onhandigheid, maar ik weet zeker dat hij niets vermoedde. Ik had de holle veer bewaard die de carnifex gebruikt had om zijn bloed af te nemen. Mai zei dat deze dingen, samen met een paar van mijn eigen haren, een draad gesponnen lamswol en een wortel van de vrouwenwoerd, voldoende zouden zijn om een sterke binding te vlechten.

Ik wist goed genoeg hoe de vrouwenwoerd eruitzag en op welke plaatsen die waarschijnlijk groeide. Wij noemden haar bryonia en gebruikten haar op verschillende manieren naar gelang het seizoen: de lentespruiten om te eten, de herfstbessen als een zwakke kleurstof, de stinkende vlezige wortel om gruis in de pis te genezen. Als de wortel gevorkt is, wat soms voorkomt, heet ze vrouwenwoerd omdat ze op niets zo veel lijkt als een naakt middel met twee dijen, vuilgeel van kleur en gerimpeld als vetrollen. Ik dacht dat ik er misschien een zou kunnen vinden in de laaglanden bij de rivier, als ik daar kon komen. De ranken groeiden welig bij de rivier vlak bij het landgoed van de Vrouwe, waar ze scheuten uitzonden die struiken en zaailingen wurgden.

Die nacht en de volgende waren lang. Over de dag die ertussen lag is weinig te vertellen. Ik wachtte op de uitkomst van de weddenschap. Er was niets anders te doen dan wachten, totdat het in me opkwam dat het geen kwaad kon om te bidden. Ik vroeg heer Galans verlof om naar de openbare heiligdommen te gaan die aan weerszijden van het paviljoen van de koning lagen. Ik zei tegen heer Galan dat ik voor hem ging bidden. Als hij verbaasd was over mijn vroomheid liet hij dat niet merken. Misschien dacht hij dat hij recht had op mijn gebeden.

Elk van de twaalf goden had een heiligdom dat herkenbaar was aan een kleine rechtopstaande steen die onder de brede dakrand van de ronde zaal stond. Voor deze steen lag een tweede steen plat op de grond, als altaar. Elk altaar werd verzorgd door de priesters van de clan van de god en telde een komfoor, een kom voor offers en uitgesneden beeltenissen van de avatars. Ik bezocht ze allemaal om de beurt en toonde mijn onderwerping, maar bij de heiligdommen van Ardor, Riskeer en Crux offerde ik wat ik me kon veroorloven: ik verbrandde lokjes van mijn haar en prikte mijn arm met een doorn om een paar druppels bloed in de kom te laten vallen. Het leek me dat deze drie goden invloed hadden op de weddenschap en de uitkomst daarvan, en ook dat ze in onmin met elkaar waren en dat wij verstrikt waren geraakt in hun rivaliteit. Als dat waar was konden ze niet alle drie tevreden gesteld worden. Maar toch probeerde ik het, en met mijn nietige offers en nog armzaliger gebeden vroeg ik om hun gunst, hoewel het enige wat ik echt van ze wilde was dat ze ons buiten hun geschillen hielden. Ik offerde ook aan Wende Weefster, voor de Vrouwe, hoewel ik niet langer haar hand aan de draden voelde.

Als iemand van Bloed een orakel nodig heeft, gaat hij naar de priesters. Sloven moeten het doen met vuile, door een god belaste waarzeggers die in een hoekje van de markt hurken, zangvogels of hagedissen doden en voor een lief sommetje hun ingewanden lezen. Elke man die probeert om zijn vrouw op overspel te betrappen kan daar krabben aan de jeuk van zijn achterdocht, en elke maagd kan ontdekken of haar toekomstige vrijer donker of blond is en wat voor soort kleren hij draagt, zodat ze haar goede geluk kan herkennen als hij voorbij loopt.

Ik bleef weg. Ik had genoeg vragen, maar geen vertrouwen in de antwoorden en geen munt om ze te kopen. Ik probeerde het nog eens met de botjes, maar ze spraken niet tegen me; of als ze dat wel deden, wist ik niet hoe ik naar ze moest luisteren.

* * *

Op de vierde en laatste avond van de weddenschap kon ik het niet meer uithouden in de tent, in de stank van mannen en schimmelende heide. Ik wikkelde me in mijn mantel en ging voor de deurflap liggen. Af en toe viel er een beetje regen en er dreven lage mistbanken over de grond, vermengd met de geur van de toegedekte vuren. De lucht rook naar de zee en het verglijden van het jaar. Ik moest steeds denken aan wat de Crux had gezegd, dat ik niet meer was dan een bonk klei die heer Galan elk gewenst moment van zijn laars af kon schrapen. Ik dacht ook aan hoe de maagd eruit had gezien in haar hermelijn en haar aigretteveren. Ik sliep wat, maar dat was niet veel beter dan wakker liggen want mijn dromen waren verward en onrustig.

Heer Galan keerde een uur of twee voor zonsopgang terug, samen met heer Rodela. Hij vroeg me waarom ik voor de tent lag te slapen en ik zei dat het buiten warmer was omdat het bed de laatste tijd verkild was.

Heer Rodela wierp me een blik toe die niet mis te verstaan was, een ongemeende halve grijns die liet zien hoezeer hij ernaar uitkeek dat ik mijn verdiende loon zou krijgen. Hij staarde me lang en brutaal aan, zelfs nadat de lamp in de tent was aangestoken. Ik kon zien dat hij dacht dat zijn meester bijna klaar was om me eruit te gooien en dat ik dan vanzelfsprekend in zijn handen zou vallen als een afgedankt maliënhemd.

Morser werd met een trap wakker gemaakt. Hij hielp heer Galan en wikkelde de doek om zijn borst los; de hele rechterkant werd verlevendigd door een pruimkleurige kneuzing boven zijn gebroken rib. Heer Galan hield zijn adem in terwijl Morser er een zalf op smeerde die hij van de priester gekregen had. Het rook naar paardenvet. Morser wikkelde hem weer in en trok het verband zo strak als hij kon.

Het was stil in de tent. Heer Galan zei eigenlijk niets, met zijn tanden op elkaar tegen de pijn. Heer Rodela zei tegen Morser dat hij dit moest halen en dat moest pakken en een beetje snel graag, pummel! En hij had nog meer opdrachten, zodat de bediende, die overliep van de vragen, er niet een durfde te stellen. En ik hield me rustig, als je het rustig kunt noemen. Ik had zo'n pijn in mijn borst, kreeg zo weinig lucht, dat het was alsof mijn eigen rib gebroken was. Ik kon de tekenen goed genoeg lezen. Zelfs als heer Rodela niet zo had gegrijnsd, had ik nog geweten dat heer Galan de weddenschap had gewonnen aan de scheef dichtgeknoopte veters van zijn broek en de duidelijke geur van een andere vrouw die van hem afsloeg toen Morser zijn kleren uittrok, een misselijkmakende lucht van rozenolie en lavendel en ook, ik zweer het, de musk van haar vulva.

Heer Galan ging op bed liggen als een oude man, met een grijns en een kreun en een zucht. Het had een zucht van tevredenheid kunnen zijn. Zo vatte ik het wel op.

Ik deed de lamp uit en ging naast hem liggen. Ik dacht dat hij me die nacht met rust zou laten, zo gekneusd en rauw als hij was – en zonder twijfel uitgeput na al zijn inspanningen. Hij legde zijn hoofd op mijn schouder, zoals hij vaak deed, en zijn arm en been lagen over me heen en zijn ademhaling werd langzaam. Ik dacht dat hij sliep. Zijn arm woog zwaar en ik duwde hem van me af. Hij legde zijn hand weer op me, op mijn buik en verder naar beneden. Ik kon zijn pik tegen mijn heup voelen. Ik draaide weg van hem en zei: 'Je moet rusten.'

Hij trok me naar zich toe en zei: 'Wat ik wil is niet rusten.'

Toen hij zich op mij hees, zag ik hem ineenkrimpen. Ik draaide mijn gezicht opzij en zijn schouder drukte tegen mijn wang. Zijn vlees, zijn botten, de kabels in zijn nek waren van hout, gepolijst met zweet. Als hij hout was, was hij een dorsvlegel en ik graan op de dorsvloer.

Ik was duizend graankorrels en mijn gedachten stoven rond als kaf. Het enige dat overbleef was de smaak van zout.

* * *

Toen de dag was aangebroken stuurde heer Galan Morser naar heer Alcoba's bediende, Ruys. 'En zeg dat hij zijn spullen mee moet nemen,' riep hij hem achterna terwijl Morser snel wegliep met een grijns die zijn gezicht in tweeën spleet.

Bij de goden, wat waren ze zelfvoldaan, elke man van heer Galan en de man zelf, zo zelfvoldaan als katten. Ze voerden hun ochtendtaken vrolijk en met veel meer herrie uit dan gebruikelijk. Ze hadden een nieuwe trofee om over op te scheppen en een nieuwe man als doelwit voor hun scherts, hoewel ze oude projectielen op hem afvuurden, want ze hadden niet genoeg benul om nieuwe te verzinnen.

Heer Galan ging de tent uit. Ik trok de deken over mijn hoofd en zag geen reden om me ooit nog te bewegen. Er ging iemand aan het voeteneind van het bed zitten. 'Wil je niet weten hoe hij het gedaan heeft?' vroeg hij.

Het was heer Rodela. Ik trok de deken weg van mijn gezicht en stak mijn arm uit naar mijn kleren, maar hij zat erop. Leegemmer lag op zijn strozak in een hoek te slapen, dus we waren niet alleen; dat stelde me nauwelijks gerust. Ik gaf een ruk aan de jurk. Heer Rodela grijnsde in plaats van opzij te gaan.

'Ik sta van hem te kijken,' zei hij. 'Ik bewonder het uithoudingsvermogen van mijn neef, hoewel ik zijn smaak niet deel. Hij put zich uit voor hoog en laag, laat de ene vrouw kreunen en de andere jammeren, allemaal binnen één nacht. Dat zal elke man met ballen wel kunnen, denk ik – maar niet met een gebroken rib. Dat maakt hem haast tot een wonder.'

'Je manieren zijn weer achteruit gegaan,' zei ik. 'Misschien moet je nog eens geknipt worden.'

In werkelijkheid was het ruige bruine haar rond heer Rodela's kale kruin nu korter dan toen heer Galan hem geschoren had, want hij was bij een echte barbier op de markt geweest om zijn pieken te laten fatsoeneren. Hij compenseerde zijn gebrek aan haar door een zware baard op zijn wangen en keel te laten groeien en schoor zich net genoeg om de clantatoeages op zijn jukbeenderen te laten zien.

Hij zei: 'Ik weet niet waarom hij zich rondwentelt op een zeug als jij, als hij zo gemakkelijk iets beters kan vinden.'

'En dat zul je nooit weten ook!' zei ik, en ik duwde hem van het bed af met mijn voet terwijl ik mijn jurk onder hem vandaan trok.

Hij kwam overeind, keek op me neer en begon weer te praten. Ik trok mijn jurk onder de dekens aan en stond op, het bed tussen ons. Ik sloeg mijn hoofddoek om, trekkend en knopend en het haar glad instoppend. Ik had dat ontelbare keren gedaan zonder erbij na te denken, maar nog nooit zo onhandig.

Hij zei dat het meisje al na het eerste toernooi gewillig genoeg was toen ze nog eens goed naar heer Galan had gekeken. Het vraagstuk was alleen hoe ze het moesten doen, met haar tante op een strozak naast haar en haar dienstmeid aan haar andere zijde, en met haar vader en een dozijn mannen uitgestrekt en snurkend in de tent. Overdag was het niet veel beter. Er hield altijd iemand een oogje op haar.

Dus deed ze net of ze buikloop had, zodat ze de hele avond naar de latrinetenten moest rennen. Wist ik wat de latrinetenten waren?

Ik wist het. Vrouwen van Bloed die te verfijnd waren om een pispot te gebruiken in een tent vol mannen of boven een geul te hurken met hun rok opgetrokken, gebruikten hun eigen kleine tenten, die voor dat doel vlak bij zee waren opgezet, weg van de gezamenlijke beerputten.

Ze rende de hele nacht op en neer naar de tent. Eerst gingen de tante en de meid met haar mee, en drie mannen. De vierde keer was de tante te moe, dus gingen alleen de meid en de mannen mee. Bij de vijfde keer waren er slechts twee mannen. De zesde keer, na middernacht, was er nog maar een – en de dienstmeid, natuurlijk, die doen zou wat haar gezegd werd. De maagd bleef lang in het privaat en haar bewaker viel in slaap, en heer Galan begon van achter de tent tegen haar te fluisteren.

Ik zocht mijn wandelschoenen. De schoenlapper had ze de dag daarvoor gebracht en ze pasten me goed, veel beter dan de muiltjes. In een veter zat een knoop die ik niet kon ontwarren.

Nou ja, ging heer Rodela verder, overdag was ze een stuk opgeknapt, maar tegen de avond voelde ze de buikloop weer opkomen. Het ging precies hetzelfde, behalve dat heer Galan deze keer tegen de ochtend de tent binnenglipte, nog steeds fluisterend. En hij nam haar op zijn knie en vertroetelde haar totdat ze zich slap voelde van de stank en koortsig van de kussen, en hij beloofde haar dat hij terug zou komen.

'En afgelopen nacht,' ging heer Rodela verder, 'heeft hij haar genezen!' Ik hoorde hem lachen terwijl hij de tent uitvluchtte.

Hoofdstuk 5

Binden

Hoe kan een sloof vernederd worden? We zijn al nederig; we kunnen niet dieper zinken dan wat we al zijn. Maar ik was vervloekt met een trots die ik niet had moeten bezitten. Ik had tot twee keer toe verkeerd geoordeeld en gedacht dat de gunst van iemand van Bloed me verhief: eerst van de Vrouwe, toen van heer Galan. Ik was stap voor stap de valstrik in gelopen; ik kon mijn voeten niet afbijten zoals ze zeggen dat de dassen doen om los te komen.

Mai had me gewaarschuwd dat de bindbezwering die ik ging doen niet ongedaan gemaakt kon worden, en bovendien had die een prijs: hoe hechter ik heer Galan aan mij bond, hoe meer ikzelf gebonden zou zijn. 'Als ik een manier wist om iemand te binden zonder dat, zou ik meer kisten goud hebben dan de koning. Er zijn er die zeggen dat het kan – maar geloof het maar niet,' zei ze. 'Dat is niet hoe de dingen gaan.'

Nu begreep ik haar. Ik zou er mijn rechtervoet voor hebben gegeven als hij alles had gevoeld en ik niets, als ik hem had kunnen strikken en mezelf vrij laten.

Nog maar drie dagen tot Donkere-Maan en ik voelde me net zo afnemen als de maan. Heer Galan had het nooit over de maagd van de weddenschap als ik hem kon horen. We lagen huid tegen huid in bed en hij gaf zoveel hitte af als een komfoor, zoals altijd, maar ik bleef koud. Ik lag onder hem terwijl hij me gebruikte naar zijn behoefte: de ene nacht dwingend en genadeloos en de volgende vleiend, teder, lieve woordjes in mijn oor blazend zoals *mijn hart* en *mijn vlam*. Hij had zulke dingen natuurlijk ook tegen de maagd gezegd; zijn woorden waren waardeloze munten die overal rondgestrooid werden. Ik stoorde me aan zijn leugens, maar nog meer aan zijn bedrieglijke kussen, die hem zo gehecht aan me deden lijken maar zo onecht waren.

Ik sliep slecht, maar vond het verschrikkelijk om op te staan. Overdag was ik traag en sprak weinig. Ik was versleten van steeds maar dezelfde magere gedachten denken. De ene lokte de volgende uit, en nog een, en dan weer terug naar de eerste, en er was geen ruimte voor iets anders. Van alle gedachten monterde alleen die aan het binden dat Mai me had uitgelegd me een beetje op. Als ik niet vrij kon zijn, zou ik ervoor zorgen dat heer Galan samen met mij gevangen zat. Ondanks Mai's waarschuwingen verbond ik hier mijn hoop aan, uur na uur. Toch vreesde ik dat Donkere-Maan voorbij zou gaan zonder dat ik de kans zou hebben de bezwering te vlechten. En een maand later kon het heel goed te laat zijn.

* * *

Vliegenbeul zei dat heer Galans paarden droes zouden krijgen als er niet snel iets gedaan werd. Hij sliep naast de kraal in een aanbouwsel met de andere paardenmeesters en –jongens en hield zelfs in zijn slaap nog een oogje op de paarden. De rijdieren van de troep werden 's nachts bijeengedreven in een veld zo groot als de moestuin van de Vrouwe, muilezels en merries tussen de strijdpaarden. Er waren veel gevechten in de kraal (en veel weddenschappen erover) totdat Semental de titel van Eerste onder de paarden had gewonnen, een titel die hij tegen alle uitdagers verdedigde met bijten en duwen en sporadische felle uitvallen. De strijdpaarden werden beter verzorgd dan de andere en hadden een rantsoen graan en dagelijks beweging, maar het gebrek aan ruimte maakte ze boos of lusteloos, naar gelang hun aard. Alleen een geit kon leven op wat er nog over was binnen de hekken: doornstruiken, galigaan en netels. De bleke aarde was een hoefdiepe laag modder na alle regen. Vliegenbeul vroeg heer Galans verlof om de paarden mee te nemen naar de rivier om groenvoer te snijden, een rit die het grootste deel van de dag daarheen en terug in beslag zou nemen.

Heer Galans rib genas goed; hij had er nauwelijks last van. Hij vond een ritje naar de rivier zo'n goed idee dat hij mee wilde gaan om wat te jagen, als de Crux hem verlof gaf. En dan moest zijn nieuwe vriend ook mee – heer Erizo dam Morade van Erne van Lynx, dezelfde man wiens oor hij deels had afgehakt – want hij was in de clan van Carnal getrouwd en had jachtprivileges op hun land bij de rivier. En als ze jaagden moesten ze everzwijnen nemen, want om deze tijd van het jaar waren de zwijnen vet van de berkenmast en eikels. Heer Alcoba zei dat hij ook mee zou gaan; hij kon nooit weerstand bieden aan een jachtpartij, hoe veel pijn het ook deed om heer Galan op de grijze hengst te zien rijden die hij bij de weddenschap verloren had. Als heer Alcoba meeging, bedacht heer Erizo, kon hij zijn neef heer Caulicle ook wel meebrengen. En natuurlijk moest elke man zijn schildknaap en bediende hebben, zijn paardenmeester en -jongen en reserverijdieren.

En als heer Galan al zijn mannen meenam, dan zou ik ook gaan. Ik vroeg hem geen toestemming. Heer Galans paardenjongen, Uli, zadelde Thole en ik bond mijn opgerolde mantel aan de achterboog en was klaar om te gaan.

Tegen die tijd was de ochtend bijna voorbij. We vertrokken met achttien man te paard, Hondenmeester en een troep manhonden (die ook beweging nodig hadden), twintig paarden aan de teugel en ik op de merrie. We namen de zuidelijke weg het Marsveld uit en de hoeren in de markt riepen ons met vuige woorden en gebaren na of we ze vers vlees wilden brengen.

Voorbij de tweede heuvel ten zuiden van het kamp stuitten we op het werk van de koning en moesten we eromheen rijden. Koning Thyrse had bevolen dat er een weg moest komen om zijn leger van het Marsveld naar de zee te brengen. Steenhouwers hadden de kliffen in grote treden naar het strand weggehakt; nu waren sloven bezig om ze met steenslag en modder glad te strijken tot een enorme helling. Het gat in het klif was overspannen met een poort van hout en ijzer, bewaakt door twee torens. Er lagen grote vlonders afgemeerd in zee. Als het leger vertrok, zouden die een weg naar de boten in de haven vormen.

We pauzeerden op de top van de heuvel en keken naar de mannen die onder ons zwoegden, rotsen loshakten en ze met kruiwagens en mokers en ossenspannen verplaatsten. De meeste arbeiders waren voetsoldaten; elke clan zond een groep sloven die de koning drie dagen van elke tiennachtse moesten dienen. De mannen mopperden en zeiden dat als het werk niet hun einde betekende de rotsglijbaan dat wel zou worden. Ik had erover horen praten, maar pas nu ik zelf het grote litteken van puin en rommel zag begreep ik dat de koning kon gebieden dat er bergen verplaatst werden. Heer Galan en de anderen keken tevreden naar het schouwspel. De snelle vorderingen betekenden dat er schot in de oorlog begon te komen.

Voorbij het werk van de koning liep de zuidelijke weg langs de rand van het klif. De geharnasten negeerden het nauwe spoor en reden naast elkaar. Ze praatten over de jacht. Ik hoorde heer Galan zeggen dat hij zijn slechtvalk meer miste dan wat ook – zelfs meer dan zijn kok. De volgende keer zou hij zorgen dat hij ze allebei meenam, de een voor het jagen en de ander voor het bereiden van de vangst. Heer Alcoba vroeg of hij zijn vrouw niet miste; ik kon het antwoord niet verstaan vanwege het gelach.

De hele middag volgde de Zon ons op haar trage tocht naar de tingrijze zee. Achter de mistbanken leek ze op de bleke schijf van de Maan. De kiezels aan de voet van het klif waren bedekt met serpentines van zwart zeewier en aangespoelde schelpen. Hoge torens van rots hielden de wacht in de brekende golven; plukjes bleek gras groeiden als haar op hun toppen. Meeuwen paradeerden op en neer of dreven voorbij het schuim op de golven. Ik zag er een met zijn kop naar voren uit de lucht duiken, in zee verdwijnen en weer naar boven komen met een spartelende aal in zijn snavel.

Ik herinnerde me hoe gelukkig ik was geweest op weg naar het Marsveld – volkomen voorbijgaand aan de problemen en de pijn die we onderweg geleden hadden – en dacht dat ik wel nooit meer zo blij zou zijn. Maar verdriet is saai en zelfs woede verbleekt mettertijd. Toen heer Galan zich in het zadel omdraaide en me twee of drie keer zocht zoals hij vroeger ook deed, beantwoordde ik zijn glimlach.

Het was goed om de stank van het Marsveld te verlaten, goed om weer op Tholes rug te zitten. Ze had haar kastanjeglans verloren en haar wintervacht groeide dof en plukkerig aan. Ik beloofde haar dat ik haar vaker mee de kraal uit zou nemen. We gedijden geen van beiden goed in opsluiting. Ze snoof de lucht op terwijl we voortreden en reikte naar ieder plekje groen. De platgetrapte begroeiing rook lekker.

We waren voor zonsondergang bij de rivier en zetten ons kamp op vlak bij een stukje kiezelstrand waar ondiepe rivierboten aanmeerden om hun lading te lossen. De dichtstbijzijnde voorde bevond zich vijfentwintig kilometer stroomopwaarts; zo dicht bij de zee was de rivier zowel breed als diep. Hij zag er vredig uit, maar voorbij de moerassige oevers en de stromen gelig eendengroen bewogen er snelle stromingen onder de oppervlakte. Er was niemand te zien, behalve een man die vanuit een bootje midden in de rivier aan het vissen was. Toen we hem groetten, peddelde hij weg en verdween in de bosjes aan de andere oever.

Het vrolijkte me op om weer bomen te zien na zo lang naar de naakte heuvels rond het Marsveld te hebben gekeken. Hier grepen elzen zich vast aan de rivieroever, hingen wilgen met hun haveloze bladeren in het water, stonden donkere groepen ceders en bosjes van rood rijshout. We hadden zelfs het slechte weer van de heide achter ons gelaten. De Zon liet haar sluiers vallen en haar rossige licht viel door de takken en over het bruine water. Ze zette de witte pluimen moerasriet in vuur en vlam, zodat ze in de wind flakkerden als fakkels. Paarden stonden kalm in de ondiepten terwijl de paardenmeesters en –jongens zilveren stromen water over ze heen goten en ze roskamden tot ze glommen.

De geharnasten en de schildknapen gingen met de honden op zoek naar sporen van een everzwijn dat de moeite van de jacht waard zou zijn. Ook ik ging op jacht, in mijn eentje. Ik schortte mijn rokken op, deed mijn schoenen uit en ging op weg langs de oever van de rivier, richting zee omdat de mannen naar het oosten waren gegaan. Binnen de kortste keren zat ik tot aan mijn knieën onder de modder. De grond waarop ik liep was zwart en zacht, en werd bijeengehouden door de wortels van biezen, riet en varens. Tussen de graspollen liepen kleine modderige stroompjes.

Ik moest vrouwenwoord zien te vinden voor de avond viel. Onder het zoeken vulde ik mijn verzamelzak met hagendoorn en rozenbottels, kruip- en moerasbramen en verder alles wat eetbaar of nuttig was. Ik ging verder het land in, want de grond bij de rivier was te nat; er waren bryoniaranken genoeg, maar toen ik met een stok tussen de wortels groef bleek geen ervan gevorkt te zijn.

Ik kwam een groep kinderbanstruiken tegen langs een van de stroompjes die vanaf het hoogland naar beneden stromen om de grote rivier te voeden. Ik plukte haastig een handjevol van de witte bessen voor Mai, wensend dat ik tijd had om er meer mee te nemen. Ik onthield de plek in de hoop dat ik de volgende dag terug zou kunnen komen.

Tegen de tijd dat ik mijn vrouwenwoord gevonden had, scheen het zonlicht me recht tegemoet, over de grond tussen de zwarte stammen van de bomen door. De wortel groeide zo diep dat ik tot lang na zonsondergang bezig was om hem uit te graven. Ze was zo zwaar als een zuigeling en haar bleke, gerimpelde benen waren zo lang als mijn onderarm.

Ik deed en zei alles precies zoals Mai me had gezegd. De nacht was onder de bomen donkerder dan op het Marsveld, met de vuren en de toortsen die onder de openlucht brandden, maar ik kon uit de hoeken van mijn ogen voldoende zien om te doen wat gedaan moest worden. Ik was vol van mijn doel en toen ik de goden opriep zich in deze zaak te mengen, voelde ik dat ze hun blik op mij richtten. Ik kromp niet ineen onder hun aandacht, maar werd juist groter. Ik rekte en sprong, als een schaduw wanneer een toorts aangestoken wordt. Tenslotte bond ik het koord dat ik gevlochten had van lamswol en de haren van Galan en mij om de vrouwenwoerd, begroef haar opnieuw in de vochtige aarde en stampte de grond aan.

Toen werd het stil. Dagenlang was mijn hoofd vol herrie geweest, een voortdurend gesnater en gesis dat mijn verstand verjaagd had en mij opzweepte. De herrie was weg. Ik voelde me bestolen, mijn doelmatigheid was gevlucht.

Ik hoorde de wind door de takken zingen. Ze zei *ssst.* Ik hoorde het stromen van de rivier en het druppelen van kleinere watertjes daarnaartoe en de roep van een wulp en het geritsel van een muis tussen de planten.

Ik dacht: Wat heb ik gedaan? Ik heb iets dwaas gedaan.

Later beweerde Ruys dat hij bij de rivier de schim van een vrouw had horen snikken. Maar dat was ik.

* * *

Ik ging terug naar het kamp met de rivier aan mijn rechterhand. Ik dacht dat ik gemist zou zijn, dat ik waarschijnlijk een klap of erger zou krijgen omdat ik zo lang na het donker terugkwam. Maar heer Galan had me niet gemist, want hij was niet in het kamp. De man in het bootje had verslag uitgebracht aan zijn meester, en die had zijn rentmeester erop uitgestuurd om te kijken wie de reizigers waren. En toen hij ontdekte dat heer Erizo in het gezelschap was – de echtgenoot van het nichtje van de meester – moest het Bloed natuurlijk naar het landgoed komen om die nacht comfortabel te eten en te slapen, en morgen zouden ze allemaal samen op zwijnen jagen. Voor zonsondergang hadden ze een veerboot gestuurd voor de geharnasten, de schildknapen en de bedienden om voor hen te zorgen, en ze hadden een vat bier, een varken en een aantal kippen achtergelaten: een onverwacht onthaal voor de sloven, die vanaf dat moment aan het feesten waren.

Ruys en Morser hadden gedobbeld om wie heer Galan zou vergezellen, en Ruys had verloren. Hij zat bij het vuur te zingen. Hij had een mooie stem, maar het was een smerig lied. De paardenjongens vielen in bij het refrein. Ik bood bramen uit mijn verzamelzak aan zodat niemand zich af zou vragen waarom de zoom van mijn rok zo modderig was en ik schrammen op mijn huid had. Ik rammelde plotseling van de honger en niets – varkenszwoerdjes noch in klei gebakken kip, bier noch geroosterde uien of zelfs bessen met room – kon me verzadigen.

De volgende dag waren de zwijnen op hun hoede en de jachtpartij moest het doen met een vos, die door de honden werd gevangen bij de voorde aan de overkant van de rivier. Ik had meer geluk en kwam tegen de middag terug in het kamp met in mijn zak handenvol geneesmiddelen tegen wonden, koorts en buikloop, en met mijn oude hoofddoek vol kinderban.

Ik had tijd gehad om even op een omgevallen boomstam te zitten onder twee takken die tegen elkaar aan kletterden als een stelletje oude roddelaars, en me af te vragen waarom ik de mogelijkheid had opgegeven om zo rond te zwerven, ongezien en zonder aan iemand verantwoording af te hoeven leggen. Ik herinner me dat ik naar mijn hand keek die op de stam lag. Er zat zwarte aarde onder mijn nagels van het graven. Om mijn vingers heen groeide overal een woud van mos, kleine sparrenboompjes op een berg van rottend hout. Een geel blad dwarrelde neer uit de takken boven me. Ik vroeg me af of ik uit Galans gezicht of gedrag op zou kunnen maken of het binden effect op hem had. Misschien was hij al gevangen. Hoe kon ik dat zeker weten?

Misschien was ik op dat moment, zelfs na het binden, nog vrij om een andere weg te kiezen. Als dat zo was ging de kans ongemerkt voorbij. Ik dacht niet verder na over alleen zijn.

* * *

Was het een teken dat Galan inhield om naast mij te rijden op de terugweg naar het Marsveld? Aanvankelijk zei hij alleen dat het jammer was dat het mooie weer niet aanhield.

Ik stemde in, en hij keek me zijdelings aan en vroeg me of ik goed geslapen had zonder hem.

'O, heel diep,' zei ik. Hij fronste en draafde vooruit; ik glimlachte in mezelf.

Mijn getij begon te vloeien op de avond dat we terugkeerden. Gewoonlijk bloed ik pas een paar dagen nadat de Maan begint te wassen, maar ik was blij dat ik de bloedvlek nu al vond, blij om te weten dat de kinderban zijn werk deed. Die nacht wikkelde ik mijzelf in mijn mantel en ging op de vloer naast Galans ledikant liggen. Ik legde uit dat ik onrein was.

Na ongeveer een uur fluisterde hij: 'Ik kan niet slapen,' en ik zei: 'Ssst! Je maakt me wakker,' hoewel ik ook niet sliep. Het stemde me zeer tevreden dat hij een paar nachten net zo slapeloos zou zijn als ik in de lange nachten tijdens de weddenschap. Als hij de komende vijf nachten zijn heil niet elders zocht, zou ik zeker van hem zijn.

* * *

Ik was goed opgeleid in bedrog onder heer Pava en vrouwe Lyra en hun rentmeester, en nu had ik het bij de hand wanneer ik het nodig had. Vroeg in de ochtend, toen Galan nog in bed lag, stuurde ik Leegemmer met een boodschap naar Mai: een stukje stof met het godenteken van Riskeer erop, gewikkeld om een paar bessen kinderban. Ik kon geen woorden aan hem toevertrouwen die hij misschien vergat of tegen de verkeerde persoon herhaalde, en ik vertrouwde er in plaats daarvan op dat Mai zou begrijpen dat ze me moest treffen bij het heiligdom van Riskeer naast het paviljoen van de koning.

Ik maakte wat wekmij voor Galan. Terwijl hij de slaap uit zijn ogen wreef vroeg ik verlof om te gaan bidden bij de heiligdommen. Het regende weer, een plensbui die op het doek van de tent roffelde, door de wanden sijpelde en de met hei gevulde strozakken doorweekte. Morser en Ruys zaten Galans harnas te polijsten met gruis en schuurden het roest van het ijzer.

Galan zei dat hij me verlof gaf als ik een duif aan Riskeer voor hem zou offeren; hij rolde op zijn zij onder zijn deken om een koperen munt uit de zak te vissen die hij onder het bed had. Hij zei: 'Hou wat overblijft maar om iets leuks voor jezelf te kopen.'

Ik gooide de munt terug en zei: 'Je bent Riskeer wel meer verschuldigd na al haar gunsten. Een krenterig offer zal haar ook krenterig maken.'

Galan zuchtte, kwam overeind en trok zijn broek aan. Hij nam de sleutel van zijn geldkist uit zijn bergplaats in de schede van zijn dolk en maakte de kist open. Hij haalde er een zilveren munt uit en ik schudde mijn hoofd.

'Zelfs een oude ooi kost goud op de markt,' zei ik. 'En een ezel kost net zoveel als een goed strijdpaard thuis. De prijzen stijgen met de dag. Deze ochtend kostten water en hout een zilverkop – heeft Morser je dat niet verteld?'

Morser keek op en tuitte zijn lippen. De venters kwamen tegenwoordig naar ons toe; ik wist net zo goed als hij dat hij driekwart zilverstuk betaalde en de drie koperstukjes die overbleven in eigen zak stak. Maar dat zou ik niet zeggen.

'Zie je me aan voor een idioot?' vroeg Galan. 'Het komt met bakken uit de hemel. Water is gratis.'

'Dat is bedorven,' zei Morser terwijl hij me kwaad aankeek. 'Smaakt naar meeuwenpoep.' De dakflappen waren zo gemaakt dat ze het regenwater opvingen en het naar tonnen leidden, maar die verzamelden niet alleen regen.

'Het is goed genoeg,' zei Galan. Hij mopperde iets over onbetrouwbare bedienden en sloven met een gat in de hand. Maar in werkelijkheid gaf hij munten uit alsof zijn geldkist geen bodem had.

Hij haalde een gouden munt uit de kist en liet hem in mijn handpalm vallen. 'Is dit wat je wilt? Ga naar de markt en kies een mooie geit uit voor Riskeer – het lijkt me een goed advies om niet op de goden te beknibbelen. Maar ik twijfel er niet aan dat er een beetje goud aan je vingers zal blijven hangen. Een melkmeisje roomt de melk af.'

Ik brieste. 'Ik heb je nog nooit om iets gevraagd of iets meer genomen dan wat je me wilde geven. Als je me niet vertrouwt breng je het offer zelf maar. Het zou de goden meer welkom zijn als je dat deed.'

Ik probeerde hem de munt terug te geven, maar hij wilde hem niet aannemen. Hij trok me naar zich toe.

'Waarom niet?' vroeg hij.

'Waarom niet wat?'

'Waarom vraag je nooit om een jurk, een munt, een kleinigheidje? Elke vrouw verwacht dat soort dingen.'

Nu dreef hij de spot met me. Ik keek naar beneden, blozend. Ik kon geen reden bedenken waarom ik niet gevraagd had om wat ik nodig had. Net als voor zijn mannen, zijn paarden, moest hij zorg dragen voor mijn behoeften.

'Je kunt wel een jurk gebruiken. Dit is een vod.'

Ik keek hem aan. 'Hij is zo goed als nieuw.'

'Dan is het een nieuw vod.' Hij raapte de koperen en de zilveren munt op en opende mijn handpalm om ze naast de gouden te leggen. 'Is het zo moeilijk om te vragen? Doe mij dan een plezier. Ik zou je graag in betere kleren zien.'

Ik sloot mijn vingers om de munten en hij legde zijn hand om de mijne en streelde met zijn duim over mijn pols, en ik wist dat mijn hartslag onder zijn aanraking versnelde. Hij glimlachte en liet me gaan. Ik stopte de munten in een van de zakjes die in mijn gordel verborgen zaten. Er hoefde me niet verteld te worden dat het een groene jurk moest zijn.

'Kijk maar of je een geit met een rossige baard kunt vinden voor Riskeer,' zei hij. 'Die heeft Kans het liefst.'

* * *

Galan stond erop dat ik zowel Ruys als Leegemmer meenam, omdat ik naar de markt ging. Ik mocht Ruys graag: hij was verlegen, had een zachte stem en hij stotterde zo vaak, tenzij hij zong, dat hij er bijna altijd voor koos te zwijgen. Ondanks zijn onhandigheid had hij weinig misstappen gemaakt sinds Galan hem van heer Alcoba gewonnen had. Hij betoonde Morser precies genoeg eerbied, bleef ver uit de buurt van heer Rodela en dacht na over wat heer Galan nodig kon hebben voordat die dat zelf bedacht. Hij was hoffelijk tegen mij geweest. Maar Ruys zou mijn plannen kunnen doorzien, daarom was ik niet blij met zijn gezelschap. Niet dat ik iets in te brengen had.

Mai trof me vlak bij het heiligdom van Riskeer aan, uit de regen onder het dak van het paviljoen van de koning. Een paar van de ossenhuiden die de wanden vormden waren omhoog gerold, zodat het paviljoen open was voor wie zaken met de koning te regelen had en voor de mensen die zich kwamen vergapen. Tapijten met strijdtaferelen onttrokken de privé-vertrekken van de koning aan het oog. Ik vroeg me af of de Vrouwe er een van geweven had.

Mai had twee begeleiders, Balk en Kniep. Ze liepen aan weerszijden van haar en hielden een baldakijn omhoog om haar droog te houden. Desondanks was ze nat van de regen die aangeblazen werd door de wind. De natte wol van haar jurk plakte aan haar billen en de mannen draaiden zich om als ze voorbijkwam, met open mond kijkend naar haar massa die van de ene naar de andere kant deinde. Zo lang als ze was, die dag was ze nog langer. Ze stak een kop boven me uit op haar dikke houten zolen die haar boven de enkeldiepe modder verhieven, alsof ze van het Bloed was.

Mai omhelsde me, noemde me 'nichtje' en vroeg of alles goed was.

'Goed genoeg,' antwoordde ik.

De geit blaatte voordat zijn keel doorgesneden werd. Toen het offer naar behoren uitgevoerd was, gaf ik de priester twee prijzige klompjes mirre, de hars van amberbomen die kostbaar is vanwege zijn geur, genezende eigenschappen en natuurlijk omdat – zegt men – er in de hele wereld maar één bos amberbomen is, dat wordt bewaakt door strijdlustige driekoppige slangen. Ik bewaarde een laatste klompje voor Ardor. En daarmee was het goudstuk op.

Mai en ik stonden samen onder het afdak. Ze stuurde Balk en Kniep met twee koperkoppen weg om geroosterd brood te halen; ik stuurde Ruys achter hen aan met mijn koper zodat we de kans hadden om te praten. Alleen Leegemmer bleef bij ons; hij stond de voorbijgangers zo aan te gapen dat ik het een wonder vond dat zijn mond niet volliep met regen.

Ik gaf Mai de kinderban in mijn oude hoofddoek. Een paar van de bessen waren geplet, en hoewel ze wit waren lieten ze een donkere vlek achter op het linnen. Ik zei haar dat ze goed gedroogd moesten worden als ze een paar maanden mee moesten, maar dat ik dat niet voor haar kon doen, niet in Galans tent. Dat zou opgemerkt worden.

Toen ik zei dat er genoeg in de bundel zat voor drie vrouwen voor de hele winter of voor één vrouw tot de kinderban volgend jaar opnieuw rijpte, omhelsde ze me. Met mijn gezicht tegen haar boezem kon ik de enorme lach op voelen wellen vanuit haar buik. 'Nichtje, we worden de koninginnen van de hoeren – vooral van de hoeren met de titel van Vrouwe,' zei ze.

'Ik weet niet of ik nog meer kan vinden,' zei ik.

'Doet er niet toe. Hoe schaarser het is, hoe meer het verlangd wordt. En het hoeft niet de hele winter mee te gaan. Een tiennachtse of twee is genoeg. Als het leger vertrekt, zullen de meeste vrouwen achterblijven en voorlopig geen kinderban nodig hebben. De hoeren hebben dan voldoende om hun deken een jaar lang op te rollen. En jij, ga jij met het leger mee of blijf je?'

'Ik ga mee.'

'Ik zal blij zijn met je gezelschap,' zei ze. Toen vroeg ze: 'Hoe gaat het met dat andere? Heeft heer Galan zijn weddenschap gewonnen?'

'Ja,' zei ik.

'Maar je ligt nog steeds bij hem in bed.'

'Ik heb nu net mijn getijden.'

'Wat jammer,' zei Mai.

Ik glimlachte naar haar. 'Hij zoekt het 's nachts niet buiten de tent.'

'Dus je heb gedaan wat ik je gezegd heb?'

Ik knikte. 'Vanochtend gaf hij me dit zonder dat ik erom vroeg.' Ik liet haar de zilveren munt zien. Het was iets dat ik in mijn hand kon houden. Hoe kon ik haar vertellen over zijn andere tekens – een blik, een aanraking – die mij meer waard waren, terwijl die zo vluchtig waren, zo gemakkelijk te veinzen?

Ze plukte de zilverkop tussen mijn vingers vandaan en liet hem in een beurs vallen die ze tussen haar borsten verstopt had. 'Laat nooit een munt zien in een menigte beurzensnijders. Ik zal hier een tijdje voor zorgen, en dan moet je afwachten – het zal zich vermenigvuldigen in mijn beursje.'

De mannen kwamen terug met het geroosterde brood en we aten samen terwijl we keken naar de regen die van het leren dak afdroop en over de doorweekte grond liep. Ik had mijn mantel stevig om me heen geslagen, dankbaar voor de beschutting zoals al zo vaak. Ik probeerde Balk en Kniep te negeren, want ik kon niet vergeten hoe ze achter de tenten aan me hadden gezeten. Balk was het ook niet vergeten; hij boog af en toe naar voren om naar me te gluren.

Mai zei: 'Die maagd over wie je het had – die nu geen maagd meer is – ik heb gehoord dat ze ziek is.'

'Hebben we het over dezelfde maagd? Uit de clan van Ardor – ik ken haar naam niet. Volgens de geruchten had ze buikloop, maar is ze weer beter.'

'Nee, het gaat slechter met haar. Ze heeft de kwijnende ziekte.'

Ik veegde mijn mond af aan mijn mouw. 'Is ze nu nog steeds ziek?'

'O, ja. Ze zeggen dat ze wel dood kan gaan.'

'Hoe weet je dat?'

Mai stak het laatste stukje brood in haar mond. Nog kauwend grijnsde ze en zei: 'Ik ken iemand die weer iemand kent. Ik heb nog nooit een nieuwsventer betaald – ze betalen mij!' En ze lachte.

Ik geloofde niet dat de maagd ziek was. Ik vermoedde dat ze net deed alsof, zoals ze dat eerder had gedaan, om naar de latrinetenten te gaan en op heer Galan te wachten. En toen ik bedacht dat zij wachtte en Galan in zijn eigen bed bleef, beviel me dat wel.

Mai stond erop me mee naar de markt te nemen om mijn zilver uit te geven. Ze bezwoer me dat zonder haar hulp alle oplichters, afzetters en bedriegers op me neer zouden dalen als vliegen op een mestvaalt. Het kwelde me dat ze dacht dat ik zo gemakkelijk te bedriegen was, maar al gauw was ik blij met haar hulp. Ze kende alle kleermakers, al was het maar van horen zeggen, en ze kenden haar ook. Veel van de stof was niet beter dan wat ik zelf kon weven, maar uiteindelijk vond ik een mooi stuk wol, groen en zacht als mos, pluizig warm. De handelaar vroeg er drie zilverkoppen voor. Mai dong af tot twee, maar ik wierp tegen dat ik er maar eentje had en dat ik het niet kon betalen. Ik draaide me met prikkende ogen om. Ik had gezegd dat ik geen nieuwe jurk hoefde, maar nu ik deze stof had gezien wilde ik die dolgraag hebben.

'Stil maar,' zei ze. 'Wat een drukte.' Ze trok de beurs tussen haar borsten te voorschijn en pakte heer Galans zilverkop en inderdaad kwam de munt terug met twee jongen, ook van zilver. Dat waren de eerste munten die ik ooit mijn eigendom kon noemen.

Ik nam de wol in mijn armen, ik kon de aanraking ervan niet weerstaan.
'En garen erbij,' zei Mai tegen de verkoper.
Toen we afscheid namen, zei ze dat ze het heiligdom van Delf dagelijks bezocht, vlak na zonsopgang. 'Misschien komen we elkaar opnieuw tegen,' zei ze. Ze knipoogde naar Ruys en kneep in Leegemmers wang en liep weg met wiegende heupen.

* * *

De volgende dag was de Dag van de Oproep, eindelijk. We waren al twaalf dagen op het Marsveld en er was in die paar dagen meer gebeurd dan in een twaalfmaandse bij de Vrouwe.
De clans verzamelden zich onder een grijze hemel voor de ogen van de koning en koningin-moeder Caelum. Elke clan wedijverde met de anderen in de pracht van hun harnassen, wapens en paarden. Elke soldaat, tot de minste keukenjongen, werd op de been gebracht en voorzien van clanbanieren op staken, en hun kleuren waaierden over het toernooiveld en de heuvels eromheen uit als een grote bonte sjaal.
Galan liet zijn bagagejongen achter als mijn begeleider. Leegemmer en ik stonden in de menigte toeschouwers: voornamelijk boeren, lichtekooien, venters en dieven. Ik rekte me uit om tussen hoofden en schouders door te kunnen kijken, gretig om alles te zien. Ik dacht terug aan mijn eerste blik op Galans divisie, hoe verblind we allemaal waren geweest. Het was nog veel geweldiger en angstaanjagender om naar de bewoners van het Marsveld te kijken, hoog en laag, bewapend en zo dicht opeen in de vele gelederen dat een kind er niet tussendoor kon glippen; en om te zien hoe ze zich van gokkers, roddelaars, fatjes, opscheppers, druktemakers, zwaardvechters, pikmeesters, uitfluiters, luiwammesen en sloven – dat wil zeggen, mannen – omgevormd hadden tot een leger. Mai had het een klein leger genoemd, maar ik wist zeker dat het de wereld zou veroveren zodra het begon te marcheren – ik had in die tijd nauwelijks een idee hoe groot de wereld is.
Koning Thyrse stond op een getrapt platform aan een kant van het veld en de clans kwamen een voor een naar hem toe om hun eden te zweren en aan de goden te offeren. En zo verstreek de ochtend. 's Middags was er een nepgevecht tussen de bedienden, die harnassen droegen van gevlochten stro en wapens van moerasriet. De priesters van Kloof wierpen hun plechtstatigheid van die ochtend af en mengden zich in het gevecht, op ezels die zo klein waren dat de voeten van de ruiters over de grond sleepten. Misschien was het om Kloof te amuseren, maar toen zes bedienden gewond van het veld gedragen werden (want ze begonnen al snel met stompen en trappen te vechten), brulde de menigte van plezier.
Na dit nepgevecht vond er een echte slachting plaats. De koning gebood dat een kudde damherten het toernooiveld opgedreven moest worden en zijn vechthonden werden erop losgelaten. De honden, die verwant zijn aan jachthonden, joegen in stilte. De herten sprongen hoog op en de honden

vielen ze van onderen aan en trokken ze neer. Toen de manhonden bloed hadden geproefd, reden de koning en de mannen van Prooi het veld op en maakten de jacht af. Er zou wildbraad zijn voor het Bloed, die avond. Er was ook vlees voor de rest van ons, van de offers; wat wij aan de goden offeren delen zij in ruil daarvoor met ons.

* * *

Toen mijn getijden droogvielen ging ik terug naar Galans bed. Hij had ergens anders heen kunnen gaan toen ik hem afwees, maar dat deed hij niet. Het binden was gelukt en hij was van mij en ik van hem. Ik had hem in bezit willen nemen. Ik had Carnals avatar Begeerte opgeroepen toen ik hem bond, en nu kwam ze als ik haar riep. Ik wilde dat ze Galan een verlangen gaf dat alleen ik kon stillen. Maar toch was het moeilijk te zeggen wie er nu het meest gebonden was – hij was gretig genoeg, maar hij had altijd naar me verlangd, zelfs tijdens dat gedoe met die maagd. Ik was degene die het ergst gekriebeld werd door Begeerte, gekriebeld waar ik eens gevoelloos was, en het liet een heftige jeuk achter.

Hoofdstuk 6

Groenvrouw

De Dag van de Oproep was voorbij en nog liet de koning het leger wachten. Soms vergat ik dat we oorlog gingen voeren, dat het Marsveld het einde van het jaar niet zou zien, want het leek alsof deze stad net zo lang zou blijven staan als een van steen.

De prijzen stegen met de dag en het weer werd kouder. De Zon verborg zich achter mist en onophoudelijke miezerregen. De koning hing een paar mannen op die buiten het toernooiveld hadden gevochten; bij deserteurs werden de tenen afgehakt zodat ze niet meer snel weg konden lopen en bij dieven de vingers zodat ze niets meer konden pakken. Dat waren hele voorstellingen, en ze leidden onze aandacht af van het koude water dat in onze dekens sijpelde, de koorts die rondging over het Marsveld, de beledigingen die uitdraaiden op vetes.

De Crux hield zich aan zijn belofte zijn mannen hard te laten werken. In de rotsachtige heuvels ten noorden van het kamp liet hij ze tegen elkaar vechten te paard en te voet, met echte wapens, zodat ze beheersing kregen over hun armen, hun paarden, hun eigen angst en pijn. Ze moesten ook hun eetlust overwinnen, want ze werden 's middags karig gevoed met brood en gedroogd vlees. En in plaats van een dutje te doen brachten ze de meeste middagen door op het toernooiveld, schermutselend of toekijkend. Vaak daagde de Crux tegenstanders uit die de mannen harde lessen leerden – lessen die hij nodig achtte. De geharnasten en de schildknapen vochten al sinds ze oud genoeg waren om een stok vast te houden, maar de Crux maakte hun duidelijk dat ze minder wisten dan ze dachten. Tijdens de toernooien kon ik zien dat zijn training vruchten afwierp.

De bereden soldaten oefenden ook. Hoewel ze weinig te zoeken hadden in de toernooien zouden Morser, Ruys, Vliegenbeul en Uli aan heer Galans zijde vechten tijdens de oorlog. Alle mannen kwamen 's avonds uitgeput en gekneusd naar de tent terug, maar de bedienden maakten de modderige wapenrusting schoon en de paardenmeester en zijn jongens verzorgden de rijdieren terwijl heer Galan en Rodela hun gemak ervan namen tijdens het eten en daarna.

De voetsoldaten werd niet geleerd hoe ze moesten strijden; als het zover was werden ze het gevecht ingestuurd als obstakel waarover het leger van de tegenstander misschien zou struikelen. Ze hadden hun taken – graven en sjouwen of pispotten leeggooien en alle andere taken die een bediende beneden zijn waardigheid achtte – en zo nu en dan werden ze opgeroepen om een dienst te draaien in de werkploegen van de koning. Als ze niet hard werkten, deden ook zij niets. Ze wachtten, opeengehoopt onder hun afdakjes in de regen die door de dakbedekking heen droop, en mopperden over de rotsige grond, het vieze weer en het nog viezere eten, en ze maakten ruzie met elkaar. Maar als je niet naar ze luisterde, zou je denken dat ze net zo geduldig en stom waren als koeien in een weide met hun kont naar de sneeuwstorm.

Wat heer Galan betreft, hij bleef 's morgens nooit meer in bed liggen zoals vroeger. Hij stond elke dag bij het eerste vage idee van Zon op om zich klaar te maken voor het gevecht. Vaardigheid met wapens en paarden had hij gemakkelijk ontwikkeld, misschien te gemakkelijk; nu zag ik dat hij zich inspande, tot het uiterste ging. Hij was verslagen in een toernooi en dat schrijnde. Zijn gebroken rib was sneller genezen dan zijn trots.

Een scherpe kling bestaat net zozeer uit het staal dat verwijderd is als dat wat overblijft. En zo werd ook Galan scherp; ik zag het als ik 's avonds zijn blauwe en pijnlijke plekken verzorgde. Hij verloor zijn gladheid, de zachte rondheid onder zijn huid. Zijn pezen en spieren werden taai als henneptouw en knoopten zijn ribben vast aan zijn ruggengraat, zijn ledematen aan zijn torso. Zijn handen werden harder en raakten vertrouwd met de greep van lans en schorpioen, zwaard en knuppel zoals de handen van een boer met sikkel en zeis. Hij droeg zijn ijzeren lijfschild zonder klagen, alsof het geen grotere last was dan een fluwelen bovenkleed dat stijf stond van het gouddraad. Sommige geharnasten mopperden over het gesloof, maar Galan matte zijn afmatting af, hij leerde zichzelf onvermoeibaar te zijn. Hij hing nog vijf banieren voor zijn tent en stapelde de wapens die hij als trofee gewonnen had op in de deuropening.

* * *

Er waren nu meer vrouwen in de tenten van de clan, ander voer voor de praatjes van de mannen. Een paar bleven en anderen kwamen en gingen weer na een paar nachten. De Crux tolereerde ons, want hij wist dat de meesten achter zouden blijven als de troepen het Marsveld verlieten. De enige vrouw van Bloed was de vrouw van heer Farol, Vrouwe Hartura. Ze was jaloers aangelegd en ik had gehoord dat ze haar vader van de clan Growan had overgehaald haar mee te nemen met zijn troepen, in de hoop heer Farol te kunnen betrappen op iets wat niet mocht. Heer Farol was terneergeslagen toen ze arriveerde. Ze bleef in haar tent met haar meid en haar eigen kok, behalve tijdens de toernooien, wanneer ze onder de luifels van Crux aangetroffen kon worden, schreeuwend totdat ze schor was.

Er waren ook kleivrouwen, schedes zoals ik. Eén kroop rond in een bruin vod en hield altijd haar ogen op de grond gericht. Iedereen wist dat ze gedeeld werd door alle mannen in heer Erials tent, tot de bagagejongen aan toe. Ik had medelijden met haar. Een keer bood ik haar wat kinderban aan, maar ze schoof ze met zijdelingse blikken van wantrouwen en angst opzij en meed me daarna.

Heer Guasca had een mooie schede gevonden die Suripanta heette. Ze epileerde haar wenkbrauwen en voorhoofd als iemand van het Bloed, en hoewel ze in de tent naast de onze woonde, moest ze niets van me hebben toen ze de snit van mijn kleren eenmaal gezien had en hoorde dat ik niet uit Ramus kwam. Ik kon haar en haar glurende ogen niet uitstaan; ze vond het leuk om ruzie uit te lokken tussen de mannen, die haar niet mochten aanraken. Soms gilde ze 's nachts tegen heer Guasca en dan konden we haar en de slagen die haar het zwijgen oplegden horen. Als ze te luid ruzie maakten, stuurde de Crux zijn schildknaap met de vraag of ze stil wilden zijn.

Heer Pava had ook een schede, voor twee dagen in elke tiennachtse. Ze was een hoer van zeker aanzien en hij kon zich niet veroorloven al haar gunsten te kopen.

Omdat Galan het elk uur van de dag druk had kon hij me niet voortdurend in het oog houden. Ik had weinig taken en de paar die ik had waren zelfgekozen: voor het vuur zorgen, kompressen en kruidenthee maken om de kneuzingen en pijnlijke spieren van de mannen te verlichten, een beetje koken en naaien. 's Avonds werkte ik aan mijn jurk en een mantel voor Spoedvoet met een kap die gevoerd was met konijnenbont. Galan leek niet erg nieuwsgierig naar hoe ik mijn dagen doorbracht, zolang ik 's nachts maar bij hem in bed lag. Dat kwam me goed uit, want nietsdoen gaat irriteren en ik had andere bezigheden gevonden.

* * *

Zodra de zon op was ging ik naar de heiligdommen naast het paviljoen van de koning – om te bidden, zou ik tegen Galan hebben gezegd als hij het vroeg, maar hij was al op, bewapend en vertrokken naar de heuvels en zijn oefeningen. Ik nam Leegemmer mee, want heer Galan kon geen van zijn bedienden missen om mij te begeleiden. Ik had het gevoel dat Ardor niets meer met mij te maken had, de god van die maagd die ik als mijn vijand beschouwde. Maar de botten hadden iets anders beweerd toen ik ze de laatste keer gegooid had, dus verbrandde ik een lok van mijn haar op het altaar van Ardor.

Daarna vond ik Mai bij het altaar van Delf, waar ze elke ochtend langsging.

'Ik moet een paar visites afleggen,' zei ze. 'Heb je zin om mee te gaan?' Ze keek eens goed naar me en maakte klokkende geluidjes over mijn oude jurk en afgeragde mantel van schapenvacht. Mai droeg zelf een gewaad van grijs fluweel, met splitten in haar rok aan weerszijden van haar enorme buik die haar rode onderjurk lieten zien. Haar hoofddoek was hoog opgetast en omwikkeld met een zilveren ketting. Ze leek uit op een afranseling, want er waren een paar schildknapen in het Marsveld die niet graag zagen dat een sloof goed gekleed ging – beter dan een schildknaap zich kon veroorloven. Ze zei: 'Wat jammer dat je kleed nog niet klaar is. Nou ja, we moeten het ermee doen. Kun jij wijs zijn, vraag ik me af?'

'Hoe bedoel je?'

'Je moet vandaag wijs zijn voor mij. Ik denk dat je het best je mond stevig dicht kunt houden. Hoe minder je zegt, hoe eerder je aangezien wordt voor een wijze.'

'Ben ik dan zo dwaas als ik mijn mond opendoe?' Ik voelde me inderdaad een dwaas, omdat ik me erop had verheugd om Mai weer te zien en vergeten was hoe haar geplaag me irriteerde.

Ze gaf me een van haar stevige knuffels en lachte. 'Het is niet dat je dwaas bent, nichtje. Maar je bent wel nog groener dan gras. Het is heel lang geleden dat ik zo groen was als jij.'

Er bestaat een vrouwenwereld die de mannen nooit zien en Mai was een van de machthebbers in die wereld. Ik wist dat ze een kol was – hoe kon dat ook anders, nu ze me de middelen had gegeven om Galan te binden? – en nu zag ik hoe ze haar vak uitoefende. En ze hoefde me nauwelijks te vertellen dat ik stil moest zijn, want mijn tong schoot in een knoop toen ze me meenam naar het paviljoen van een zekere vrouwe van Prooi, de clan van de koning zelf. We lieten Leegemmer, Kniep en Balk voor de tent wachten terwijl wij naar binnen gingen. De vrouwe stuurde haar bewakers weg en liet haar meid blijven. Al gauw hoorden we de mannen buiten dobbelen.

De tent stond vol met zware gebeeldhouwde meubels van het soort dat eerder geschikt was voor een landgoed dan een veldtocht. Zonder twijfel zou het allemaal weer terug worden gebracht als de mannen oorlog gingen voeren en de vrouwen van Bloed weer naar huis gingen. De vrouwe zat aan een tafel, haar gezicht beschaduwd door een grote gehoornde kap waarover gaas gedrapeerd was. Ik kon het puntje van haar scherpe neus zien en de boog van haar neusvleugels, die rood waren alsof ze had zitten pimpelen of snotteren.

Mai nam een klein beursje uit haar gordel en uit het beursje een pakje van geolied doek, dat ze voorzichtig, ondanks haar dikke vingers, op tafel uitpakte. Ze onthulde een handvol verschrompelde witte bessen: kinderban. Genoeg voor een tiennachtse, op zijn minst. Ze zei: 'Dit komt helemaal van de ruggengraat van de wereld, uit de Eindeloze Bergen. In deze streken groeit het niet – het is kostbaar, uiterst zeldzaam.' Ze maakte een gebaar naar mij. 'Toen Vuurdoorn ze naar me toe bracht na een lange en zware reis, dacht ik meteen aan u, mijn vrouwe.' Ik wist niet zeker waar de Eindeloze Bergen konden zijn – elk van onze bergen had zijn eigen naam en geen enkele had die – maar ik knikte alsof ze zich zojuist geen slag in de rondte had gelogen.

De dame rekte haar lange nek uit en keek langs haar neus naar beneden om te zien wat er voor haar op tafel lag. 'Wat is het?'

Mai grinnikte en leunde naar haar toe. Ze verlaagde haar stem. 'Kinderban, mijn vrouwe. Voor het behoud van uw figuur en uw goede naam. Ooit bent u bij mij geweest om te zorgen dat uw echtgenoot 's nachts stevig zou slapen en u niet meer lastig zou vallen. Maar een koud bed wordt na een tijdje muf, vindt u niet? Nu kunt u een andere man vinden om u op te warmen – een aantrekkelijker man – die niet zo oud of zo dik is, met een omhoogstaande pik in plaats van een slappe oude bungel. En hij hoeft zijn zwaard niet terug te trekken voordat u genoeg hebt, hmm? Of u in plaats daarvan op hem laten zuigen (hoewel om eerlijk te zijn een slokje van het witte bloed zo nu en dan goed is voor de teint). Kauw na afloop een paar van deze en u hoeft niet te vrezen dat uw geheim een paar maanden later uitkomt.'

De neus van de vrouwe werd nog roder, en ik bloosde zelf ook. Het schokte me om Mai zulke zaken te horen aansnijden, en dan nog wel zo openlijk, zo plat, alsof ze met een andere schede of hoer sprak, niet met een vrouw van Bloed. Ik verwachtte dat de vrouwe haar lijfwacht zou roepen om ons weg te laten jagen. En bovendien had ik weleens gehoord van piklikkers, maar ik had gedacht dat dat een grapje was, iets waarvoor de soldaten elkaar uitmaakten. Morser noemde Leegemmer zeker twee keer per dag zo. Mai ving mijn blik op en knipoogde.

De vrouwe zat zedig met haar handen in haar schoot gevouwen, haar ogen neergeslagen. Ze zei: 'Hoeveel?'

Mai zei: 'Vijf blondjes.'

Vijf gouden munten! Ik merkte dat mijn mond open hing en sloot hem gauw.

De meesten van Bloed vinden afdingen onwaardig en daarom worden ze gemakkelijk bedrogen, tenzij hun dienaren voor ze onderhandelen. De vrouwe zei: 'Geef me dan wat ik voor vier kan krijgen. Meer kan ik me niet veroorloven.'

'Wat jammer,' zei Mai, 'om zelfs maar een beetje genot op te geven.'

'Ik heb nog iets anders van je nodig,' zei de vrouwe, en aarzelde.

Mai boog zich dichter naar haar toe en wachtte.

De vrouwe zei abrupt: 'Kun je me iets geven waardoor de mannen me gaan begeren? Een bezwering, of iets...'

'Dat heeft u toch niet nodig, zo'n mooie vrouwe als u! Er zijn er veel die graag willen – heer Celoso bijvoorbeeld. Heeft u hem niet zien kijken? Als u een keer met uw ogen knippert komt hij op een drafje naar u toe.'

De vrouwe keek Mai voor de eerste keer aan. Ze had de hele tijd naar de tafel gestaard of van de ene kant naar de andere of naar de handen in haar schoot. Daglicht uit de deurflap viel op haar gezicht. Geen bleekwortel kon het branden van haar wangen verhullen. 'Het is heer Brama die ik wil, en ik wil dat hij kruipt.'

Ik had nog nooit van de man gehoord, maar ik herkende haar behoefte. Het was gênant om te zien hoe de vrouwe open op tafel legde wat verborgen had moeten blijven – en om me te herinneren hoe ik niet zo lang geleden hetzelfde had gedaan. Mai had een gave om zulke geheimen eruit te trekken, want ze leek elke dwaasheid te begrijpen zonder neer te zien op de dwaas. In werkelijkheid had ze wel een oordeel, maar dat verborg ze goed.

Ik keek naar de dienstmeid van de vrouwe, die op een kruk achter haar meesteres zat. Ze hield een hand voor haar mond om haar glimlach te verbergen. Ze keek terug naar mij en haar ogen waren vrolijk.

Mai zei: 'Ah, ik begrijp het. Dat is een andere zaak. U hebt iets specifieks nodig. Maar u zegt dat u geen geld hebt?'

'Daarvoor kan ik u nog een goudkop geven.'

'Normaal gesproken kost het twee,' zei Mai. 'Maar voor u, mijn vrouwe, zal ik proberen mijn armzalige best te doen. Kunt u aan een lok van zijn haar komen?'

De vrouwe schudde haar hoofd.

'Dan wordt het minder zeker. Maar ik zal doen wat ik kan.'

* * *

Nadat we de tent uit waren, zei Mai: 'Ik had er acht moeten vragen; ze is rijk genoeg. Een van die blondjes is voor jou, weet je.'

Ik dacht: eentje maar? Ik had de kinderban voor haar gevonden. Maar toch was het een verbijsterende vergoeding. Ze maakte me rijk, zelfs terwijl ze zichzelf nog rijker maakte. Ik fluisterde mijn dank en vroeg toen: 'Ga je hem aan de vrouwe binden?' Misschien was het een minder grote gunst dan ik dacht dat ze mij had verteld hoe ik Galan kon binden, als ze dat voor iedereen deed. Toch had ze het mij voor niets uitgelegd. Ik vroeg me af waarom, nu ik wist dat dit haar handelswaar was.

Ze antwoordde niet. In plaats daarvan zei ze: 'Hoorde je wie ze wilde hebben? Dat is haar stiefzoon. Ze was te jong om met zo'n oude man te trouwen. Haar ouders hadden een betere keuze moeten maken. Verkoop dat eens aan een nieuwsventer! Daar geeft hij wel een paar zilverkoppen voor – vooruit, niet zenuwachtig worden, je hoeft je lippen niet zo op elkaar te knijpen. Ik verkoop haar geheim toch niet als het in mijn geldkist zoveel meer waard is.' Ze tikte tegen haar voorhoofd. Toen legde ze een hand op mijn wang en begroef haar vingers in mijn gezicht. 'Het is waar dat je je tong in bedwang hield daarbinnen, maar je hebt nogal een sprekend gezicht. Ik kan je lezen als een omen. Je hebt me haast aan het lachen gemaakt. Had je nooit eerder gehoord van zuigen op een pik?'

Ik was verlegen, en des te erger omdat de mannen en Leegemmer achter ons liepen en konden horen wat we zeiden. Maar ik begreep iets niet, dus fluisterde ik tegen haar en ze boog haar hoofd naar me toe om me te horen. 'Mai, ik snap niet hoe je kunt voorkomen dat je bijt.'

Ik wist zeker dat ze me zou bespotten om mijn onwetendheid, maar ze schudde alleen haar hoofd en keek me medelijdend aan. 'Dat leer je snel genoeg, want anders worden je tanden uit je mond geslagen, nietwaar? Je wilt toch niet eindigen als een van die tandeloze oude hoeren die zuigsters genoemd worden – alleen maar tandvlees. Hun spleet is uitgedroogd en verder zijn ze nergens goed voor.' Ze lachte, en er klonk iets bitters in door. 'Nu krijg je rode oortjes! Blijf maar bij me, nichtje. Ik zal je leren om niet te blozen.'

* * *

Na de middag, toen de mannen hun maaltijd lieten zakken bij een dutje, nam Mai me mee naar een paar hoeren die ze kende. Ze woonden aan de marktstraat in een rood-met-roze gestreepte tent. Balk wilde naar binnen; hij zei dat hij er geld voor had. Mai gaf hem een por en zei dat deze hoeren niet voor zijn soort waren. We lieten de mannen opnieuw buiten en gingen de tent in.

Er woonden zeven hoeren in die tent en een oude vrouw en twee of drie meisjes die boodschappen deden, kookten en de was deden – en een pooier, die naar mijn idee weinig te doen had. Toen wij naar binnen gingen lag de pooier op zijn bed. Hij stond op, trok een broek over zijn magere benen en stopte zijn piemel in een enorme lederen pikhouder die tot op zijn knieën hing. Mai zei: 'O, als je pik echt zo lang was!' en hij lachte en zei: 'Hij is groot genoeg als hij rechtop staat, zelfs voor een grote vrouw als jij – probeer maar eens wat ik ermee kan doen!' En hij zwaaide met de pikhouder en verlegde zijn grijns van Mai naar mij.

Toen hij naar buiten was gelopen, ging Mai op een van de bedden zitten, dat kreunde onder haar gewicht. Ze vroeg de hoer die onder de dekens lag: 'Wat doet hij er dan mee?' en de vrouw antwoordde: 'Lang niet zoveel als hij denkt,' en toen begonnen ze allemaal te lachen en tuimelde de ene grap over de andere heen.

Ik stond stijfjes net binnen de deur. Ik had nog nooit met een hoer gepraat. Tegenover me stond een houten beeld van Begeerte, Carnals vrouwelijke avatar en schutsvrouwe van de lichtekooien. Ze was als altijd naakt, op haar hoed in de vorm van een voorhuid na. Haar heupen waren even breed als die van Mai en haar ronde borsten en gewelfde buik waren glad van de handen van de vrouwen en hun klanten, die over haar heen wreven om haar zegen als ze de tent in- of uitgingen. Ze hield haar lamp hoog en wierp een gouden gloed de schemerige tent in. Het daglicht dat door de gestreepte wanden achter haar viel was rood. Het wit van haar ogen was ingelegd met parelmoer en haar pupillen waren van onyx.

Ik was Begeerte nog iets schuldig en vroeg me af hoe ze me zou laten betalen. Ik moest haar een duif offeren voor het te laat was. Maar ze had mijn eerbetoon al uit me getrokken, nietwaar, toen ze me zo hongerig naar Galan gemaakt had, toen ze ons beiden zo hongerig maakte dat we streden en vochten en elkaar de adem uit de mond roofden, tot Galan me half over de rand van het bed hing en ik me vasthield terwijl ik dingen zei die niet hardop uitgesproken mochten worden en het bed onder ons trilde en schudde alsof het in elkaar ging storten.

Ik voelde de aanraking van Begeerte in mijn spleet en de schok van de hitte ervan. Ze herinnerde me eraan dat zij hier heerste, waar de hoeren voor munt lagen te paren. Ze bleef me aankijken totdat ik mijn blik moest afwenden.

Een paar hoeren lagen nog in bed; een paar zaten in flinterdunne onderjurkjes te ontbijten of hun verf op te brengen aan tafels die afgeladen waren met halfopgegeten vogels, broodkruimels, appels en walnoten, pruiken, potjes verf, poeder, vijzels en stampers. Hun bedden stonden zo dicht bij elkaar als boten die in de haven lagen afgemeerd, elk met gestreepte gazen gordijnen eromheen aan de beddenstijlen die zo hoog waren als masten. De gordijnen verhulden erg weinig, net als hun kleren. De lucht was zwaar van musk, rook, zweet, pispotten en te veel parfum. En onder dat alles lag nog de stank van de looierij verderop aan de marktstraat.

Mai wenkte me en ik deed een paar stappen verder de tent in. Ze noemde mijn naam en vertelde dat ik de schede van heer Galan was. Hun namen waren gemakkelijk te onthouden, allemaal bloemen, hoewel ik het moeilijk vond om de bloem met de minnares te rijmen.

'Heer Galan?' vroeg er een. 'Is dat niet de pikmeester die een weddenschap heeft gewonnen over de deugd van een maagd?'

'Ik zou die idioot die tegen hem gewed heeft weleens willen ontmoeten,' zei een ander, die de naam Maïspluim droeg. 'Die moet gemakkelijk om de tuin te leiden zijn, als hij geld heeft ingezet op de kuisheid van een vrouw. Misschien gelooft hij ook wel dat ik nog maagd ben.' Ze zat met gesloten ogen en haar hoofd achterover, en droeg niet veel meer dan een sluwe glimlach, terwijl een korte hoer met een dikke kont haar lange zwarte haar borstelde totdat het zo steil als regen over haar rug stroomde.

Het gerucht moest als een vlo van de ene roddelaar op de andere zijn overgesprongen. Hoe kon Galans weddenschap anders hier onder de hoeren bekend zijn? En hoe lang zou het duren voordat de vader van de maagd het wist?

'Ik heb gehoord dat de maagd wegkwijnt om heer Galan, nu hij met haar klaar is.'

'Dat is omdat hij beter is dan andere mannen – ze zeggen dat hij een bot in zijn pik heeft, dat hij altijd klaar staat. Is dat zo?'

Ze moesten allemaal lachen om mijn beledigde uitdrukking, Mai het hardst.

Een hoer met touwkleurig haar – ze heette Corona – kwam dicht bij me staan. Ze raakte mijn wenkbrauw aan en zei: 'Is jouw haar echt zo rood? Of gebruik je daar verf voor?' Er was iets raars aan haar. Ze had smalle heupen en een bobbel in haar keel als een man. Was ze een eunuch? Ik had gehoord dat hoeren niet zo blij zijn met zoons, maar dat sommigen liever hun ballen afsnijden dan ze ergens in de heuvels achter te laten om te sterven.

Ik zei kortaf: 'Daar ben ik mee geboren.'

'Mag ik het zien?' vroeg ze en ze trok aan mijn hoofddoek.

Ik duwde haar hand weg.

'O, waarom niet?' zei Mai. 'We zijn toch met alleen vrouwen hier. Kom, ga zitten, dan zal ik je haar eens goed borstelen.' Ze klopte naast zich op het bed.

Ik liet me overhalen. Mai had mijn ijdelheid gestreeld, want mijn haar was de enige schoonheid waarop ik me kon beroemen. En daarbij was het beter om bewonderd te worden dan bespot, zelfs door hoeren. Ik ging op de verwarde lakens zitten en deed mijn hoofddoek af. De sletten kwamen kirrend om me heen staan en draaiden mijn lokken om hun vingers heen, en ik boog mijn hoofd en probeerde niet te glimlachen. Mai pakte een borstel en trok die door mijn haar totdat mijn hoofdhuid prikte. 'Wat een klitten!' zei ze, maar al gauw gleed de borstel gemakkelijk en was ik zo tevreden als een kat die onder zijn kin wordt gekrauwd.

'Wat glanst je haar mooi. Was je het soms met pis?' vroeg een hoer die Sleutelbloem heette.

Ik trok mijn neus op. 'Doribladwater werkt beter en stinkt niet.'

Sleutelbloem zei: 'Kun je mij aan wat van dat doriblad helpen?' Haar eigen haar was slap.

'Jij kunt beter varkenskootjes en beenmerg eten, als je dat kunt krijgen. Dat zal je haar dikker maken.'

Mai gaf me een por. 'Neem maar wat van dat water voor haar mee, als we hier de volgende keer zijn,' en ze trok aan mijn haar om haar woorden kracht bij te zetten.

'Natuurlijk,' zei ik. 'Ik zal wel wat voor je maken.' Ik wist al waar ik doriblad vandaan moest halen, want ik had een plek aan de kliffen bij zee gezien waar het tussen de rotsen uitgespreid lag als een tapijt. De bloemen waren nu verdord, maar ze roken nog steeds zoet als je erop trapte, wat een teken was dat ze hun kracht nog niet hadden verloren.

En zo kwamen we langzaam toe aan het doel van ons bezoek. We bleven er zo lang omheen draaien dat ik begon te denken dat Mai alleen als vriendin op bezoek kwam, maar dit waren ook klanten. Ze haalde een amulet te voorschijn dat ze voor een van de hoeren had gemaakt. Het was een leren zakje dat met een veter om haar nek hing. Geen van beiden zei waar het voor was, maar ik zag zes zilverkoppen (grijsbaarden noemden de hoeren ze) in het beursje verdwijnen dat Mai tussen haar borsten droeg.

Toen haalde Mai de kinderban te voorschijn en noemde haar prijs. Ze schepte op dat ze van plan was om de miskramer aan de bedelstaf te helpen; geen vrouw in het Marsveld hoefde haar leven nog toe te vertrouwen aan die bloeddorstige slager, nu een zwangerschap gestopt kon worden voor die begon. Toen zwoer Mai dat kinderban alleen groeide op de piek van de Dorberg in een ijstuin die bewaakt werd door beren die op hun achterpoten liepen en aangekleed waren als mannen, en dat ik – een vermaarde groenvrouw – wolven en stormen en beren en nog meer had getrotseerd om de bessen pal onder de neus van de goden te plukken. Het was een verhaal vol flauwekul, maar toch bleven de hoeren bij de les, vol vertrouwen in haar. Ik wist zelf dat kinderban werkte en ook dat Mai geen kwakzalver was. Had ze me geen krachtig geneesmiddel tegen jaloezie gegeven?

Maïspluim, de hoer met het zwarte haar, pingelde met Mai over de prijs totdat ze uitkwamen op minder dan de vrouwe had betaald voor veel meer bessen. Toen zei Maïspluim: 'Mai, je moet ook nog een maagd maken.'

Mai lachte. 'Waarom zou je die moeite doen? Niet een van jullie kan voor een maagd doorgaan.'

Maïspluim zwaaide met haar hand en riep op scherpe toon: 'Hier komen! Schiet op!'

Er kwam een naakt meisje achter de bedden vandaan. Ze was dun, afgezien van een buik die zo rond was als een pappot. Haar borsten moesten nog groeien en ze had geen vrouwenbaard om de zachte lippen van haar vulva te verbergen. Ze probeerde niet zichzelf te bedekken; ik neem aan dat ze geen bescheidenheid kende, wonend in een hoerentent. Ze ging naast Maïspluim staan, haar ene voet op de andere, en ik kon de gelijkenis zien. Haar zwarte haar hing in een lange vlecht over haar schouder.

'Je dochter?' vroeg Mai.

'Ja, en kijk eens naar haar! Sinds ze haar maagdelijkheid kwijt is pruilt ze. Wat een pruimenkop! Wie zou haar zo willen hebben?'

Het gezicht van het meisje stond somber en ze had donkere wallen onder haar ogen als een oude vrouw.

'Ze is nog jong, nietwaar?' zei Mai.

'Ze heeft tien jaar aan de borst gelegen. Het wordt tijd dat ze haar kostje verdient.' Maïspluim schudde haar dochter door elkaar en het meisje keek donker naar de vloer.

Ik was in slaap gesust, had gedacht dat de lichtekooien aardig waren – direct genoeg om blaren op mijn oren te kletsen, maar desondanks niet kwaad. Hier was het kwaad.

Ik vroeg het meisje hoe ze heette, maar ze keek me niet aan.

Haar moeder zei: 'Ik zal haar Pruim noemen als ze zich niet beter gaat gedragen – maar nu heet ze Kattekruid. Ze heeft vuurpis, of dat zegt ze tenminste, en ze probeert zich te drukken – toch, mijn hartje? – maar binnenkort is ze weer zo goed als nieuw.'

'Geen wonder dat ze pijn heeft,' zei Mai. 'Wat had je dan gedacht? Een grote stamper in dat kleine vijzeltje en dan maar malen. Natuurlijk heeft ze vuurpis. Veel volwassen vrouwen krijgen dat na hun huwelijksnacht. Het is nog erger voor een kleintje als zij.'

Maïspluim zei: 'Het is dat oude wijf, Hobbels. Die heeft een vloek over me afgeroepen omdat zij een oogje op heer Trasera heeft en hij liever mij heeft. Maar ik ben beschermd, dus heeft de vloek in plaats daarvan Kattekruid getroffen.' Ze raakte de tatoeage aan die ze onder aan haar keel droeg.

Mai zei: 'Je hoeft het niet zo ver te zoeken. De oorzaak is dat ze te jong is.'

'Niet jonger dan ik toen ik begon.'

Ik ging naar het meisje toe en nam haar handen in de mijne. Haar palmen waren droog en haar vingers koel: geen koorts dus. Ze liet me haar handen vasthouden alsof die niets met haar te maken hadden en Maïspluim maakte geen bezwaar, hoewel ze met haar ogen rolde toen het meisje de andere kant uit keek.

Ik vroeg aan Kattekruid: 'Heb je een brandend gevoel bij het plassen? En moet je 's nachts heel vaak op de pot?'

Ze knikte en keek me vanuit een ooghoek aan.

'Is je plas troebel of helder?'

Kattekruid haalde haar schouders op. Ik boog me dichter naar haar toe. Ze rook bedompt, als niet geluchte lakens. Haar polsslag versnelde onder mijn vingers en ik liet haar los. Ze schoof opzij zodat het bed tussen ons in stond. Ik vroeg haar welke pispot ze gebruikte en ze wees op een pot in de donkerste hoek.

Maïspluim nam het woord. 'Nou, wat je zegt, Mai, veel vrouwen krijgen vuurpis als ze voor de eerste keer bereden worden. En ze komen eroverheen.'

Ik bukte me en vond de pot. Een zure stank sloeg me tegemoet toen ik het deksel open deed. De pis had een melkachtig waas, maar er was geen bloed.

Ik was boos en deed geen moeite om dat te verbergen. 'Geen mannen meer,' zei ik. 'Ik zal een kruidenthee voor haar maken die zou moeten helpen – maar geen mannen meer.' Ik keek Maïspluim recht in de ogen. 'Het is waar dat de meesten eroverheen komen, maar als het branden voorbij is en de vrouw beter lijkt, gaat de koorts soms stroomopwaarts en krijgt ze pijn diep in haar nieren. En voor je het weet bezwijkt ze aan de koorts. Dus pas goed op, ja? Ik kom terug, en intussen moet je offeren aan Stroom, die de wateren van het lichaam beheerst. Vraag het aan de priesteres van Bron, zij zal tegen je zeggen wat je nodig hebt. En geef Kattekruid zachtgekookte eieren en knollenpuree – en peterseliewortel, als je die kunt vinden – om haar nieren sterk te maken.'

Ik pakte mijn hoofddoek en stopte mijn haar weer weg. 'Geef haar veel warme wijn, heel sterk aangelengd met een lepel honing en zuur sap in elke beker. Ze moet blijven drinken totdat haar pis helder wordt.' Honing was bijna overal goed voor, maar zou er ook voor zorgen dat het meisje bleef drinken en dat haar moeder (of haar pooier) diep in de buidel moest tasten. Ze moesten betalen, en veel ook. 'Zorg dat het honing van de lindebloesemboom is,' voegde ik eraan toe, want die was het moeilijkst te krijgen.

Kattekruid staarde me nu openlijk aan; ze staarden allemaal. Maïspluim keek naar Mai en zei: 'Dure ideeën heeft die vriendin van jou. Denkt ze soms dat wij op zakken munten slapen?'

Mai zei: 'Je moet nu een beetje uitgeven om later veel te verdienen.'

Maïspluim antwoordde net zo snel: 'Veel uitgeven bedoel je – om weinig te verdienen.'

Mai trok haar wenkbrauw op. 'Wat je wilt. Maar ik zal pas een nieuwe maagdelijkheid voor haar maken als ze genezen is. En ik denk dat je zult merken dat Vuurdoorn goede raad geeft. Haar manieren zijn wel een beetje boers, maar je kunt een groenvrouw toch moeilijk verwijten dat ze groen is?'

* * *

Buiten de tent zei ik tegen Mai: 'Denk je dat Kattekruid al haar eerste getijden heeft gehad?'

'Waarschijnlijk niet.'

Ik dacht dat Mai zich aan me ergerde omdat haar stem kortaf klonk. We liepen in stilte verder met onze begeleiders achter ons aan. Toen zuchtte ze. 'Ze zullen haar drie of vier keer als maagd verkopen. Elke man zal een lief sommetje betalen om de eerste te zijn, zonder te weten dat hij varkensbloed uit een kleine blaas trekt die in haar verstopt zit. Zonder twijfel zal een van hen haar zweren geven en dan zakt haar prijs. Maar ze is gezegend, weet je, dat ze een moeder heeft die voor haar zorgt, en zoveel tantes. En ik heb gehoord dat hun pooier te lui is om ze te slaan; hij laat zijn hoeren doen wat ze willen.'

'Noem je dat gezegend?'

'In zekere zin, ja. En als je naar de oorlog geweest bent en weer terug, zul jij het kunnen beoordelen – want je zult ergere dingen zien, veel erger. Maar gezegend als jij en ik? Nee. Begeerte heeft lang geleden naar me geglimlacht, anders was ik nu nog steeds hoer en geen schede. En wat jou betreft,' – ze begon te grijnzen – 'alle hoeren schreeuwden erom om jou te zien, want jij hebt een opmerkelijke overwinning behaald in de oorlog tussen de schedes en de vrouwes. Heer Galan denkt misschien dat hij de weddenschap gewonnen heeft, hmm? Maar wij weten wel beter.'

* * *

Ik had brutaal gesproken in de tent van de hoeren, maar die nacht, toen ik wakker lag terwijl Galan sliep, vroeg ik me af of ik geen verkeerde dingen had gezegd. Ik vreesde dat ik het vertrouwen niet verdiende dat ik van de hoeren had geëist, van Maïspluim en haar dochter. De Vrouwe was in mijn gedachten. Ze was er die hele dag geweest, als een kleine schim die op mijn schouder zat. Ik voelde haar minachting voor die vrouwe die haar honger zo open en bloot toonde en voor al die hoeren, en voor mij omdat ik geld aannam voor de kinderban die altijd en overal voor niets gevonden kon worden. Nu wilde ik haar in levende lijve zien zodat ze me kon vertellen wat ik moest doen. Ik tastte tussen het veren matras en het ledikant naar het zakje botten dat ik daar had verstopt, en hield het stevig vast.

De Vrouwe zei altijd dat de goden geen ziekte sturen zonder een remedie en dat hen geen blaam treft als we die niet ontdekken. En niet elke aandoening valt de goden te verwijten. Sommige roepen wij zelf over ons af, door dwaasheid of verwaarlozing; we wensen ze anderen toe uit boosaardigheid of krijgen ze toegezonden door schimmen die hun eigen redenen hebben om de levenden te teisteren. Zo was het met de ziekte van Kattekruid. Die mocht dan veroorzaakt zijn door de lust van een man (het domein van Begeerte en daarom haar werk), maar het was de moeder die haar dochter aan die man verkocht had. Zij had de poort geopend waardoor de aandoening binnen was gekomen.

Natuurlijk deed Maïspluim haar dochter niet met opzet kwaad. Maar ze had haar ziekte wel veroorzaakt en nu gaf ze Kattekruid de schuld, alsof het haar fout was, alsof ze haar zelfs verweet dat ze geboren was. En zo bracht de moeder nog meer schade toe. Er hoefde helemaal geen vloek te woekeren onder haar dochters huid – zo'n wolk nare gevoelens moest het meisje de ademhaling wel bemoeilijken en haar verzwakken, en haar ziekte sterk maken. Wat hielp daartegen?

Ik wenste dat ik een beetje zevenboomolie had. Ik had de Vrouwe twee keer geholpen het te destilleren uit de donkerblauwe bessen van de wintergroene struik. Het was onovertroffen voor het zuiveren van de wateren. Het meisje zou maar een paar dagen lang wat druppels nodig hebben – maar hier op het Marsveld kon ik onmogelijk aan die druppels komen. Zelfs als ik voldoende bessen verzamelde had ik geen destilleerkolf, geen houtskool, geen schoon stromend water... Misschien kon je zevenboomolie gewoon kopen? Er waren kruidenverkopers op de markt, maar ik vertrouwde hun waren niet. Hoe kon ik er zeker van zijn dat de kruiden geplukt waren op een moment dat de tekenen goed waren en dat ze op de goede manier bereid waren als ik het zelf niet deed?

Morgen zou ik ook offers brengen namens Kattekruid: aan Bron, de avatar van Stroom die ondergronds ligt te slapen, en die de wateren van het meisje had vertroebeld, en aan Ardor Wildvuur, die het vuur had aangestoken. Water en vuur, vuur en water. De twee goden waren tegengesteld in aard, maar niet in wil. Als ze wedijverden, probeerden ze geen van beiden de overhand te krijgen. Hun overwinning lag in evenwicht, en daar zou ik het geneesmiddel vinden.

En Carnal Begeerte, die moest ook gunstig gestemd worden.

Ik had een groter offer moeten eisen van die hoer Maïspluim. In het dorp was het een klap in je gezicht als je hoer genoemd werd, maar hoe kon het haar pijn doen als het een duidelijk feit was?

Maar misschien kon het haar wel iets schelen. Mai had me verteld dat dit soort hoeren, met eigen tenten en bedden, zich courtisanes, genotsvogels of iets dergelijks noemden en trots waren op hun veelzijdige talenten zoals zingen, dansen, een instrument bespelen en converseren. Toch gingen ze liggen onder elke man met voldoende munt – zolang hij van Bloed was. Maïspluim en haar zusters waren kieskeurig.

Ik wist wat Mai bedoelde toen ze zei dat wij gezegend waren. Ik had mijn geluk gevonden, hij lag naast me, en ik zou niet moeilijk doen over welke god me de gunst had verleend: Riskeer of Ardor of – wat dat aangaat – Carnal.

Ik draaide me om in Galans warmte en hij bewoog en trok me dichter naar zich toe, klemde me tussen zijn armen en zijn lichaam.

'Wat ben je onrustig vannacht,' mompelde hij. 'Een en al elleboog.' Hij streelde mijn rug. Ik voelde zijn eelt zachtjes schrapen en mijn huid kwam tot leven onder zijn aanraking.

Ik wreef met mijn neus tegen de hoek van zijn kaak en legde mijn knie over zijn benen. 'Uw vergiffenis, heer. Ik wilde u niet wakker maken.'

Hij draaide zijn gezicht naar me toe en ik voelde hem glimlachen. Het vedergewicht van zijn adem streek over mijn slaap. 'Is dat zo?' zei hij.

* * *

Als Bron wakker wordt, wat ze zelden doet, laat ze de aarde beven. Als ze slaapt onder haar rotsdekens droomt ze en bezoekt ons. Zo kwam ze bij me toen ik sliep, vermomd als droom, want zelfs de goden moeten een andere vorm aannemen als ze het domein van Slaap betreden.

Ik droomde van Mai's luie, gevlekte hondje. Hij stond voor me en ik stak mijn hand uit om hem over zijn kop te aaien, en hij schudde de hand van zich af. Ik stak mijn hand opnieuw uit en hij schudde zijn kop en gromde, en de volgende keer probeerde hij mijn hand tussen zijn tanden te nemen, en ik wist niet of hij wilde spelen of vechten. Ik werd zo bang van hem dat ik wakker werd. Ik dacht: het is Mai's oude hond maar, en sliep weer in.

Hij was er nog en dit keer begreep ik hem toen hij mijn hand in zijn bek nam en trok. Hij was niet dreigend, hij was vastberaden. Hij draafde ervandoor en ik volgde hem het Marsveld af, de heuvels over naar zee, naar een plek waar een deel van de kliffen afgebrokkeld was tot heuveltjes, bedekt met stijf bruin gras. De hond ging met zijn tong uit zijn bek liggen en ik ging naast hem zitten.

Toen ik wakker werd, had ik een regel uit een lied in mijn hoofd, een lied dat de Vrouwe me geleerd had: *Zoek het bij het wilde water, bij kalm water deugt het niet.* En ik wist – natuurlijk wist ik dat, waarom had ik er niet meteen aan gedacht? – dat het meisje geholpen kon worden met de wortels van puingras, dat ook wel hondsgras genoemd wordt omdat zieke honden de groene sprieten eten om over te geven. En dat ik het ergens bij de wilde zee zou vinden. De wortels zouden het hele jaar gebruikt kunnen worden, want het lied zei: *Bewaard door Bron is 't een heel jaar goed.*

Voor zonsopgang, toen Galan zijn wapenrusting aantrok voor de dag, ging ik naar de hondenkennel om Spoedvoet te vinden. Ik wist dat ik hem vroeg moest vangen of hij zou weg zijn, want hij liep altijd het hele Marsveld af voor boodschappen of kattenkwaad. Ik vond het afschuwelijk om vlak bij de manhonden te komen, hoewel ze aan de ketting lagen achter een stenen muur, een doornhaag en hoge netten. Natuurlijk gingen ze woest tekeer toen ik naar de poort ging. Spoedvoet kwam zodra ik hem wenkte, onbevreesd tussen ze door lopend. Ik vroeg of hij aan Hondenmeester wilde vragen waar je hondsgras kon vinden.

Spoedvoet zei: 'O, dat kan ik je wel laten zien. Ik heb het vaak gehaald als een van de honden een purgeermiddel nodig had.' Hij was nog geen hondenjongen, maar ik dacht dat het niet lang zou duren voordat Hondenmeester al zijn tijd zou opeisen, want hij was gewillig en snel.

'Is het ver?' vroeg ik, en hij haalde zijn schouders op.

Het was niet ver. Nog voordat de ochtendmist was opgetrokken hadden we het al gevonden bij het strand, boven de hoogste vloedlijn maar onder de kliffen, op een heuvel van zand en grind die erg leek op die in mijn droom. Toen doorzag ik Brons vermomming en zegde haar dank.

Terug in de tent was Leegemmer uit zijn humeur omdat hij zo ver had moeten lopen voor het ontbijt, maar zodra hij gegeten had viel hij weer in slaap. Ik zweer dat hij overal kon slapen, zelfs staand zoals een paard; zijn gedachten sliepen altijd. Spoedvoet bleef bij mij – want ik gaf hem goed te eten – en ik zette hem aan het werk om de doribladbloemen van hun steel te trekken. Er had doriblad onder onze voeten gegroeid toen we boven op het klif liepen, de bloemen broos en opgedroogd tot een dof goud. De zoete geur had me herinnerd aan de spoeling die ik Sleutelbloem voor haar haar had beloofd. Op de terugweg vond ik jonge brandnetelscheuten, heldergroen aan de voet van oude verkleurde stengels. Het sap van deze stengels zou de spoeling versterken. Ik was blij verrast dat ik alles wat ik die dag nodig had op mijn pad vond.

Ik schilde en schrapte de hondsgraswortels. Ik was met een zak vol teruggekomen. Ze zijn van het soort dat onder de grond in de breedte groeit, met bosjes haarwortels die naar beneden groeien en steeltjes omhoog. Spoedvoet en ik praatten over het dorp en het Marsveld – of liever, Spoedvoet praatte en ik luisterde met één oor. In het andere hoorde ik het lied waarmee ik die ochtend was opgestaan.

Mijn droom had me laten zien waar ik de hondsgraswortels kon vinden, maar niet hoe ik ze moest bereiden. Ik liet ze trekken in water dat net van de kook af was, vroeg Haardhoedster het vuur te zegenen en Bron het water. Maar hoeveel wortels, hoeveel water, hoe lang trekken? Ik ging verder aan de hand van de smaak en de geur, op de gok, totdat ik een slappe thee had waarvan Kattekruid glazenvol moest drinken. Het glibberde op de tong en smaakte nog viezer dan gekookte knollenschillen, dus voegde ik wat esdragon toe en een paar lepels honing. Later zou ik de thee inkoken tot die zo sterk was dat een lepel per keer volstond, maar het was nu beter dat ze zoveel mogelijk dronk.

Het was een vertrouwd werkje. De Vrouwe had me allerlei manieren van prepareren laten zien. Wat miste ik haar stenen bakken, haar distilleerderij, haar droogkamer vol doordringende geuren en warme haard in de winter! Ik voelde haar naast me als een beschermer. Wat ik deed voelde goed en ik was niet bang om fouten te maken. Een god had mijn werk gezegend. En het leek of de wortels zelf hun eisen aan mij duidelijk maakten.

* * *

Toen ik teruggging naar de tent van de hoeren zorgde ik ervoor dat Mai erbij was. Spoedvoet had haar gevonden nadat hij het halve Marsveld afgezocht had; hij was een uitstekende boodschapper, want hij liep nooit als hij kon rennen, zoveel plezier had hij in snelheid. Ze ontmoette me bij de heiligdommen rond het paviljoen van de koning, waar ik een paar van mijn gouden munten had omgezet in offers: twee duiven voor Carnal, een namens het meisje en een van mij, en een ampul kostbare tijmolie voor Stroom. Ardor gaf ik drie dikke kaarsen die een dag en een nacht zouden branden.

Kattekruid trok een vies gezicht, maar ze dronk meteen een beker van het medicijn leeg. Ze had vandaag kleren aan, maar dat maakte weinig verschil, want haar kleed was zo dun dat haar tepels naar buiten staarden als ogen door een sluier. Het was heet in de tent van te veel komforen en lichaamswarmte.

Het was laat in de middag en Maïspluim had een klant. Haar lange zwarte haar lag uitgespreid over het kussen. Ze had haar benen zo hoog opgetrokken dat ze op de schouders van de man rustten, naast zijn oren (iets waaraan ik nooit gedacht had), en zijn billen gingen op en neer en zij kreunde. Ze zag me en knikte en ging verder met wat ze aan het doen was. Toen de man klaar en weg was, trok Maïspluim een gewaad aan zonder de linten dicht te strikken en kwam naar me toe. Haar voorhoofd glom van het zweet, maar haar ademhaling was kalm.

Ze groette me en zei: 'Kattekruid heeft een zware nacht achter de rug – twintig keer eruit en maar jammeren. Dat kwam door al dat drinken.' Er lag een bezorgdheid in haar ogen die ik gisteren niet gezien had, en een beschuldiging.

Kattekruid zei: 'Het brandt zo.'

'Ik weet het,' zei ik, 'en het spijt me, maar het moet gebeuren.'

Kattekruid liet me haar hand nemen en haar naar een van de lege bedden trekken, en toen ik haar vroeg om te gaan liggen deed ze dat. Ze pruilde nog steeds; dat was zozeer haar gewoonte geworden dat het in haar gezicht gegroefd stond. Ik trok haar kleed op rond haar middel en moest onwillekeurig denken aan de man die dat voor mij gedaan had. Kattekruid piepte en probeerde mijn handen weg te duwen, maar Maïspluim ging naast haar zitten en pakte haar handen om ze stil te houden. Ik drukte op haar buik en draaide haar daarna om en drukte op haar onderrug, boven haar smalle billen. Ik vroeg of het ergens pijn deed – want ik was bang dat de vuurpis haar nieren zou ontsteken.

Ze mompelde in de beddensprei: 'Nee, maar je handen zijn te koud.'

'Des te beter doven ze het vuur,' zei ik, en keek op en zag Mai staan met haar armen over elkaar en haar hoofd schuin. Een vragende houding, maar haar gezicht stond nuchter.

Kattekruids lichaam was stevig en warm onder mijn handen, maar ze begon te beven. Ik vroeg haar zich weer om te draaien, op haar rug, en ik legde mijn handpalmen op haar kruis en spreidde mijn vingers over haar buik uit. Ik had vertrouwen in het aftreksel dat ik haar te drinken had gegeven, maar medicijnen alleen kunnen niet genezen als de goden geen mededelijden tonen, of geen gunst verlenen.

Zonder gebed is er geen genezing. Er ligt een gebed in de kruiden, in de oogst en bereiding ervan; er ligt een gebed in de kalmerende aanraking van de genezer. Maar ik had het nog nooit aangedurfd om, zoals ik nu deed, mijn handen op iemand te leggen en een god aan te roepen om haar te genezen. Ik was geen priesteres die gebeden wegzond op sterke vleugels. Maar mijn gebed en aanraking zouden zeker niet schaden en misschien baatten ze iets, in alle nederigheid – want ik bad tot de god die me ooit voldoende gunst had betoond om mijn leven te redden.

Dus zong ik boven Kattekruid het woordeloze lied dat de Vuurdoorn mij geleerd had en tegelijkertijd, in een stil contrapunt, bad ik Ardor Wildvuur om het branden weg te nemen en haar te sparen voor de gesel van de koorts. Toen ik klaar was, waren mijn handen warm. Ik trok Kattekruids rok naar beneden en hielp haar overeind, en ik legde mijn arm om haar schouders. Ze huilde stilletjes en beefde nog steeds. Haar lichaam verstijfde tegen het mijne, en wilde niet door mij getroost worden, dus liet ik haar los en ze ging naar Maïspluim en klemde zich vast aan haar moeders rokken als een veel jonger kind.

Om ons heen in de tent was stilte neergedaald. Alle hoeren stonden ons aan te staren. Ik verbrak de stilte en zei tegen Maïspluim: 'Ik heb gedaan wat ik kan. Stuur bericht aan Mai als het slechter met haar gaat, vooral als ze koorts krijgt, en dan zal Mai zorgen dat ik het te horen krijg.' Ik stopte mijn hand in de ossenblaas die ik gevuld had met het aftreksel van hondsgraswortel en dichtgemaakt met een stop van was, ingekrast met het godenteken van Stroom. 'Zorg ervoor dat ze drie keer per dag hiervan drinkt – en dat ze ook de aangelengde wijn blijft drinken.'

Toen kwam Sleutelbloem naar voren en vroeg om haar doribladwater, en ze vroeg wat ze me schuldig was. Ik haalde mijn schouders op en keek naar Mai, en die zei: 'Een grijsbaard,' en daar was ik tevreden mee.

Voor het genezen was er geen vergoeding. Hoe kan een genezer in rekening brengen wat de goden geven? Maar Maïspluim gaf me een schildpadden kam en liet me zien hoe ik die het best onder mijn hoofddoek kon vastmaken.

Toen vroeg een hoer me om iets om luizen uit te bannen, en een andere om iets om haar wakker te houden, want ze werkte zo hard dat ze in slaap viel onder haar klanten. 'Een man komt naar een genotsvogel om gevleid te worden,' zei ze. 'Als hij een vrouw wilde die hem saai vond, dan was hij wel thuis gebleven.' Het was een bedwelmend gevoel om wijs te worden gevonden.

Voordat ik vertrok zag ik Kattekruid in de donkere hoek op haar bed zitten, gewikkeld in een sjaal. Ik wist zeker dat het medicijn goed was. Was Bron niet naar me toe gekomen in een droom? Maar hoe eerder het meisje beter was, hoe eerder haar moeder haar weer zou verkopen.

* * *

Mai had haar roeping en ik begon aan de mijne. Zij was een volgeling van Carnal Begeerte en beoefende haar kunsten. Ze wist hoe je een man moet verleiden en misleiden, binden en afkoelen. Ze kon, zoals Maïspluim had gezegd, een vrouw weer maagd laten lijken met een pessarium als tweede maagdenvlies en varkensbloed om de lakens te bevlekken. Ze had een drankje, behoorlijk duur, dat ervoor zorgde dat je in je droom paarde met degene naar wie je verlangde. Ze had nooit gebrek aan klanten, hoog of laag.

Wat mij betreft, ik maakte naam als groenvrouw. Aandoeningen tierden net zo welig onder de vrouwen als ratten in een vuilnishoop: zweren, buikloop, trillingen en koortsen, schokken, lekkende pukkels, puisten en vurige jeuk. En er raakten ook vrouwen gewond. In het dorp sloegen sommige mannen hun vrouw ook, maar ik had het nooit eerder gezien zoals hier: de hoer wier pooier twee van haar ribben had gebroken en haar desondanks dwong om het gewicht van de klanten te dragen; het geitenmeisje wier vader haar had bewerkt met een zeis; de schede die door haar geharnaste met de punt van zijn dolk gekieteld was omdat zijn bediende te lang naar haar had gekeken; de wasvrouw die in haar eentje betrapt werd door een meute voetsoldaten bij de noordoostweg, die haar met geweld namen en daarna haar gezicht bewerkten met een kei.

Ik ontmoette de bottenzetter, de vroedvrouw, de stelper die het bloeden kon stoppen met een aanraking, en de kol die de vervloekten beter maakte door de beheksing terug te jagen naar degene die hem had gezonden. Ik leerde van hen en ik deed wat ik kon voor de vrouwen die mijn hulp nodig hadden. Maar wijsheid is ook weten wat je niet kunt doen. Er waren tijden dat ik niets deed omdat geduld de enige remedie was, en er waren tijden dat ik niet meer kon doen dan de reis met vaart-u-wel vergemakkelijken, omdat de Koningin van de Dood de schim al had opgeroepen om het vlees te verlaten.

Kattekruid had me geleerd voorzichtig te zijn. Ik beloofde nooit meer iemand te genezen voordat ik een middel had bedacht; die droom van Bron was een zegen geweest en je moet niet op zegeningen rekenen. Maar toch genas ik deze en gene, en ze waren dankbaar. Als ze me geschenken gaven, deelde ik die met Mai. Wat ik behield, verborg ik voor Galan, samen met de munt die ik rechtstreeks verdiende door kinderban en bloederklaar te verkopen, kalmeer en wekmij, poeders om de huid blank te maken en verf om een valse blos te geven, doriblad en dergelijke voor het haar en een zelfontwikkelde zalf om luizen te doden. Zelfs de schede van heer Guasca, Suripanta, liet wat van mijn wratwegelixer komen om haar puisten kwijt te raken; ik zag het als een overwinning, al was het een kleine, dat ze nu de moeite nam om mij vriendelijk te groeten. Spoedvoet werd mijn bode en ook hij voer er wel bij. Hij gaf alles wat hij verdiende uit aan vleespasteien en honingkoek. Hij at de hele dag door en werd nooit dik.

De meeste kruiden die ik had meegebracht uit het Koningswoud en verzameld bij de rivier waren op. Ik had genoeg voor mezelf meegenomen, zonder eraan te denken dat anderen ze ook nodig zouden kunnen hebben. Dus reed ik in de ochtenden uit op Thole, met Leegemmer op een muilezel naast me, om te kijken hoe Galan en de anderen oefenden – heuvels op en af rijden in galop, over stenen muurtjes springen, snel in het zadel komen en vechten alsof ze elkaar werkelijk wilden doden – en ik treuzelde onderweg, zoekend naar medicijnen tegen een of andere ziekte. Of anders gingen we 's middags naar de toernooien kijken, en terwijl Galan flink bezig was, reden Leegemmer en ik in steeds grotere cirkels om het toernooiveld heen en dwaalden we verder af, het veld in, totdat we de mensenmassa en de gevechten achter ons gelaten hadden en op een rustige helling op het zuiden waren waar een stroompje uit de rotsen sijpelde en een plek schiep waar planten welkom waren om te wortelen en te groeien. Ik was nu gewend aan de bagagejongen en vond het nooit erg dat hij er was. Terwijl ik mijn verzamelzak vulde, zat hij te gapen of te dutten of vermaakte hij zichzelf door vliegen te vangen of op zijn rug te liggen om te zien hoe de lage wolken voortgejaagd werden door de bries.

Net als in het Koningswoud probeerde ik nieuwe planten uit door te ruiken en te proeven, en ik ontdekte welke ik kon gebruiken en welke ik moest vermijden. En ik zocht de kruidenverkopers op de markt op, en hoewel sommigen krenterig waren met hun traditionele kennis deelden anderen die vrijelijk. Hun krachtigste geneesmiddelen groeiden in de wouden onder de zee en waren mij allemaal onbekend.

Ik hing de bundels kruiden aan de tentstokken te drogen – hoewel het daar eigenlijk te vochtig voor was en er veel verloren ging – en toen Galan vroeg waarom ik de tent zo vol stopte, zei ik dat die daar voor de kompressen op de kneuzingen waren, en die voor een tonicum tegen de kou, en weer andere voor het kruiden van Morsers waterige stoofpot, en daar was niets van gelogen. Maar ik zei ook veel niet. Morser klaagde dat hij steeds moest bukken en Ruys keek me steeds vaker schuins aan; maar ze waren beiden dankbaar voor mijn luizenmiddeltje.

* * *

Op een ochtend vertelde Mai: 'Ik was vandaag eerder wakker dan jij. Ik ben in het geheim opgehaald om naar maagd Vulpeja te kijken. Ze klaagt dat ze doodziek is van verlangen en ze kwijnt inderdaad weg.'

Ik vroeg onverschillig: 'En, heb je haar genezen?'

'Jij bent zo koud als de kut van een kol!' zei Mai. 'Het kind gaat dood van verlangen naar heer Galan en het lijkt wel of het jou geen snars kan schelen!'

'Vulpeja,' zei ik. 'Dus zo heet ze. Dat wist ik niet.'

Mai en ik hadden elkaar getroffen bij het heiligdom van Delf, zoals gewoonlijk. We staken onze hoofden bij elkaar en fluisterden.

'Is het waar dat ze dood gaat vanwege hem?' vroeg ik.

'Ik heb ontelbare mensen gezien die ziek van verlangen waren, maar nog nooit iemand die eraan gestorven is. Ze smacht, ja. Ze is ontroostbaar. Hij heeft geen bericht gestuurd, geen woord sinds hij met haar naar bed is geweest, en zij, gansje dat ze is en nog niet uitgevlogen bovendien, heeft in zijn beloftes geloofd. Ik kan haar een amulet geven, maar ik ben bang dat het haar niet zal genezen. Er is iets anders aan de hand.'

'Hoe kun je haar nu een amulet geven, Mai? Je geeft Galan met je rechterhand aan mij en met je linkerhand pak je hem weer af!'

Ze grijnsde. 'Geen angst, het is maar een amulet om haar te helpen hem te vergeten. Meer zou ik niet proberen, vanwege mijn reputatie. Je weet dat *zij* hem nooit zou kunnen binden.'

'Dat weet ik helemaal niet. Ze is mooi – van puur Bloed – en heel elegant. Ik ben niets van dat alles.'

Mai zwaaide met haar hand alsof ze een bediende wegstuurde. 'O, wat een flauwekul! Ze is een slappe pudding, niets dan pudding. Maar toch heb ik medelijden met haar, ze is zo minnetjes. Wat is dat voor ziekte die kramp en overgeven en zwakte veroorzaakt maar geen koorts? Ze kan geen voedsel binnenhouden, ze plast in bed, arm ding, en haar huid ziet eruit als talg en is ook klam. En ze is niet zo helder in haar hoofd.'

'Hoe lang is ze al zo?'

'Nou, het was voor de Dag van de Oproep – weet je nog? – dat ik aan jou vertelde dat ze ziek was. Nu is ze zo vermagerd dat er niet veel meer dan haar botten over zullen zijn om te verbranden. Ze zal over een paar dagen dood zijn, denk ik.'

'Is haar hart sterk of zwak? Hoe ruikt haar adem?' vroeg ik.

Mai snoof. 'Ik ben niet dichtbij genoeg geweest om daar achter te komen. En bovendien hebben we elkaar in een privaat ontmoet.'

'Natuurlijk,' mompelde ik.

'En het stonk daar flink. Ze is ernaartoe gedragen op een draagbaar. De zuster van haar vader was bij haar, om een oogje op haar te houden. Dat is het meest verzuurde wijf dat ik ooit gezien heb. Het meisje had me zonder haar verlof ontboden en de tante probeerde me weg te sturen zo snel ze kon; maar ik heb genoeg gezien. Zeg eens, aan welke ziekte denk jij bij deze tekenen?'

Ik haalde mijn schouders op. 'Ik weet het niet zeker. Het is raar dat ze geen koorts heeft, omdat koorts vaak zwakte en klamheid en verwarde gedachten brengt. Hebben ze er geen genezer bijgehaald?'

Mai boog dichter naar me toe en liet haar stem nog verder zakken. 'De tante verpleegt haar, en daar ligt de aandoening in, vermoed ik. Als ik je vroeg welk vergif deze tekenen kon veroorzaken, wat zou je dan zeggen?'

'Gif?' vroeg ik, een beetje te hard.

Mai zei: 'De kleine dwaas heeft haar lieve tante in vertrouwen genomen, en de tante heeft het aan haar lieve vader verteld. Het lijkt mij dat ze haar iets te eten gegeven hebben dat niet goed valt. Beter een dode maagd dan een geplukte. Ze proberen het stil te houden.'

Ik kon niet vergeten hoe de maagd haar dienaar had gestuurd om ons als honden weg te jagen. Maar toen ik in mijn hart naar medelijden zocht, vond ik toch een spoortje. Ik zei: 'Het zou het dodemansklokje kunnen zijn, denk ik, of vier of vijf andere dingen. Ik heb nog nooit iemand gezien die vergiftigd was, maar ik weet dat als je de bladeren van het dodemansklokje gebruikt tegen waterzucht – want je gaat ervan pissen en dat zuivert het lichaam – je er heel voorzichtig mee moet zijn. Het kan je doden als je te veel gebruikt. Het gebeurt vaak dat iemand er per ongeluk steeds meer van geeft omdat ze denkt dat dat de ziekte uitdrijft en daardoor juist de ziekte veroorzaakt die ze wilde genezen. Ik heb gehoord dat het ook gebruikt wordt tegen krankzinnigheid. Misschien was het niet de bedoeling om haar kwaad te doen.'

Mai grijnsde cynisch. 'Niet meer dan een priester de bedoeling heeft om het offer kwaad te doen. Maar is er iets tegen te doen, als het gif is?'

'Wat voor de hand ligt. Ze moet geen voedsel of iets anders dan zuiver water aannemen van haar vader en haar tante, of van alle anderen die bij haar wonen, zelfs van degenen die ze vertrouwt. Als ze nog niet te veel van het gif binnen heeft gekregen, kan ze misschien herstellen.'

'Als ze niet van honger omkomt,' zei Mai, 'want wie moet haar dan te eten geven?'

'Het is beter voor haar om van de honger om te komen. Dat duurt langer.'

Mai zei: 'Kan ik niet stiekem een geneesmiddel meegeven met het amulet? Dat komt misschien voorbij haar tante.'

'Het enige wat ik van gif weet heeft met genezen te maken: hoe je een veilige dosis van een gevaarlijk medicijn bepaalt of wat je moet doen bij een slangenbeet of als een kind te veel dillebessen eet. Als je er meer van wilt weten, moet je het aan een gifmenger vragen. Die ken je vast wel, Mai. Jij kent iedereen.'

Mai spoog op de grond en maakte een beschermend gebaar. 'Ik weet wel iemand, inderdaad. Maar ik twijfel er niet aan dat de tante haar eerder heeft geraadpleegd.'

Er viel een lange pauze. Toen vroeg ik, omdat ik het niet begreep: 'Waarom wil je die moeite doen? Wat maakt het jou uit of deze maagd Vulpeja leeft of sterft?'

Mai haalde haar schouders op en hief haar handen op alsof ze wilde zeggen: joost mag het weten. Maar toen somde ze wat redenen op en lachte ze om een paar ervan terwijl ze ze uitsprak: medelijden, omdat het meisje jong was; omdat ze nog nooit iemand kwijt was geraakt aan liefdesverdriet en niet wilde dat er gezegd zou worden dat ze in dit geval gefaald had. Verder gingen haar nekharen overeind staan van de oude vrouwe; haar gezicht en houding stonden haar niet aan en ze wilde haar graag een hak zetten. Ze moesten tegengehouden worden, het was walgelijk wat ze deden; en bovendien zou het haar plezier doen om te zien hoe de vrouwe het lid op haar lange neus zou krijgen.

'Genoeg,' zei ik. 'Je hebt me overtuigd dat je je redenen hebt, hoewel ze allemaal te zwak zijn om op eigen benen te staan. En het spijt me dat ik je niet kan helpen. Ik weet geen manier om haar te redden behalve haar uithongeren, als het echt gif is.'

'Nou, denk er eens overna. En denk hier ook eens over na: heer Galan is niet veilig. Ze deinzen er niet voor terug om hun eigen vlees en bloed te vergiftigen zodat de schande met haar sterft. Dan zullen ze ook geen scrupules hebben om hem iets aan te doen. Ze zullen hem niet openlijk aanvallen, want dan zou hun eerverlies bekend raken, maar hij moet zich beschermen tegen verraad. Hij moet voorzichtig zijn.'

We deden die ochtend verder geen zaken. Ik ging terug naar de tent, en terwijl ik aan mijn jurk zat te naaien, dacht ik aan wat Mai had gezegd. Ik had wat bleekgroen garen en ik borduurde bladeren op het lijfje, met daartussen kleine bloemetjes van schelpen. Ik borduurde zo verder op mijn gedachten: moeilijk te geloven dat ze stervende was... maar Mai had haar gezien, dus moest het wel waar zijn. Ze mag toch niet sterven om een weddenschap... Ik zou niet om haar rouwen... Als ze dood gaat krijgt hij er de schuld van... Nee, onzin, hij zal lof toegezwaaid krijgen omdat een maagd sterft van verlangen naar hem. Zelfs als de geruchten hem prijzen zal hij sterven, daar zal de vader wel voor zorgen... Loopt Galan meer gevaar als ze leeft of als ze sterft? Hij moet gewaarschuwd worden... Naar mij zal hij niet luisteren. Als ik haar zou zien, zou ik misschien weten wat ik moet doen... misschien kunnen de dodemansklokjes met urine uit haar gespoeld worden – of mosterd en azijn om te zorgen dat ze het uitspuugt... Ik kan me er beter niet mee bemoeien... Misschien moet ik wolfskers gebruiken – dat is sterk genoeg om haar te helpen, maar ze kan er ook aan sterven... Ze zullen denken dat ik haar vergiftigd heb, omdat ik daar reden toe heb... wat zou het vreemd zijn als ik haar zou redden... Ik zou weleens op de brandstapel kunnen eindigen als ik het probeer.

Steek na steek groeide het patroon. Mijn handen wisten wat ze moesten doen. Terwijl mijn naald stak had ik tijd om opnieuw boos te worden op Galan en hem te minachten: onbesuisde, brutale, arrogante, roekeloze, zelfingenomen dwaas! Maar ik had mijzelf aan deze man gebonden voor altijd en eeuwig, dus was ik niet net zo'n grote dwaas? Er had jaloezie gezeten in het binden, de wens om pijn toe te brengen waar die was toegebracht, de behoefte om te bezitten waar ik bezeten werd, en verlangen natuurlijk, gretig aanhoudend verlangen. Honger naar zijn aanraking. Hoewel ik er ook naar smachtte om hem te zien, naar zijn woorden, zijn zuchten, zijn glimlachjes, de klank van zijn stem, de manier waarop hij naar me keek, de smaak van zijn zout. Mai had me genezing gegeven en het had me een tijdje verlichting geschonken. Ik had zelfs trucjes meegenomen naar ons bed die ik geleerd had door naar de hoeren te luisteren, en als ik me liet gaan deed hij mee. Ik was in slaap gesust door de gedachte dat de weddenschap vergeten was en het gevaar voorbij, en ik had geprobeerd het uit mijn hoofd te zetten zoals Galan ook gedaan leek te hebben. Maar hij had met een maagd gerommeld, en dat soort gerommel kon een man zijn leven kosten. Net als de maagd waarschijnlijk zou sterven.

Maagd Vulpeja. Ik merkte dat ik haar niet voluit kon haten. Stel dat ze zichzelf echt gezien had als een goede partij voor Galan? Nou ja, ze was nog maar een beginneling in deze oorlog. Veel veteranen hadden dezelfde fout gemaakt, als de geruchten waar waren. Ze verdiende medelijden omdat ze net zo'n dwaas was als ikzelf, om voor de bijl te gaan voor zijn charmes. Alleen was ik degene die 's nachts bij hem was, terwijl zij op haar sterfbed lag. Hoe kon ik haar genezing misgunnen als die in mijn macht lag?

En Galan moest gewaarschuwd worden, al was ik bang om de stilte tussen ons over de weddenschap en de maagd te verbreken. Ik was bang voor wat hij zou zeggen en nog banger voor wat ik zou zeggen als ik eenmaal ging praten. Ik moest woorden vinden die heftig genoeg waren om hem te laten luisteren, maar niet zo heet dat ze hem in woede zouden doen ontsteken.

En zo nam ik steek voor steek en gedachte voor gedachte het besluit: ik zou doen wat ik kon om dit kwaad te keren.

Hoofdstuk 7

Toernooi om de eer

Crux en Ardor waren nu in conflict; Riskeer, die ze tegen elkaar opgezet had, stookte onrust onder ons allemaal. De goden stampen onze besluiten de grond in.

De nacht ging voorbij en de ochtend kwam, en nog had ik geen woorden gevonden om Galan te waarschuwen. Hij stond zoals gewoonlijk op voor het kraaien van de haan om zijn wapenrusting aan te doen en ik hoorde hem praten met zijn mannen over de tegenstanders in het toernooi van die dag. Ik luisterde met één oor, want ik hoorde deze conversatie dagelijks. Hij sprak over een medestander met wie ze weinig rekening hoefden te houden, omdat de man genoeg pit had om voor zichzelf te zorgen. Heer Rodela zei dat hij moest uitkijken voor een zekere heer Voltizo. Galan lachte en zei dat hij hem niet meer vreesde dan een muis.

Toen begreep ik het nog niet. Maar toen we die middag naar het toernooiveld gingen en ik de roze banieren van de andere clan naast de onze zag, realiseerde ik me dat Crux tegen Ardor ging vechten. Toen voelde ik me ongemakkelijk. Ardor telde meer mannen: drieëntwintig geharnasten tegen onze zeventien, zonder de schildknapen. De strijders zouden geen keurige paren van twee vormen, een tegen een. Als de ene clan meer strijders heeft dan de andere en de linies ongelijk zijn, kan een man nooit weten hoeveel tegenstanders hij krijgt.

De leiders van de clans hadden de schorpioen als aanvalswapen gekozen in plaats van de lans, en het zwaard mocht daarna desgewenst gebruikt worden. De schorpioen bestaat uit een houten steel van ongeveer manshoogte met aan de top een combinatie van angel, klauw en venijn. De angel is een steekwapen in de vorm van een kort zwaard. Onder de angel zit de klauw, een brede sikkel, scherp aan zowel de binnenkant als de buitenkant; die kon gebruikt worden om een tegenstander van zijn paard te haken en een van zijn ledematen af te snoeien. Ertegenover zit het zogenaamde venijn, een kleine, zware spies die een helm kan doorboren. Te paard wordt de schorpioen met één hand gebruikt terwijl de andere hand de teugels vasthoudt. Te voet wordt de schorpioen meestal met twee handen gebruikt, als een knuppel.

De mannen versierden de schacht van hun schorpioen met wapperende vaantjes en linten, net als hun lansen, zowel voor de sier als om de ogen van hun vijand te misleiden. Omdat dit toernooiwapens waren, waren de schachten niet van ijzerhout maar van dennenhout, en de bladen van eikenhout in plaats van gehard staal.

Toen de clans aanvielen, vergat ik me ongemakkelijk te voelen. Ik verloor mezelf in de menigte; we zogen onze adem in op het signaal en toen de aanval begon haastte de adem zich met een schreeuw naar buiten. We zaten gevangen in het allerspannendste en allermooiste moment waarop de mannen hun paarden de sporen gaven en de banieren wuifden in de windstroom van het rijden en de lucht trilde van het geluid.

Ik ademde opnieuw in en het moment was vervlogen. Galan had Semental twee passen vooruit laten rennen toen de linies elkaar ontmoetten. Het was een slechte gewoonte van zowel man als paard, die beiden te gretig waren, en de Crux zou Galan er later zeker voor berispen. Een dapper paard zal de eerste proberen te zijn en de laffe zullen achterblijven, en elke man moet daarom zorgen dat de lijn recht en sterk en strak blijft.

Nu vormden ze een mooi doelwit. Twee mannen vielen Galan aan: een geharnaste mikte hoog, met zijn schorpioen als een lans onder zijn arm geklemd om meer kracht te kunnen zetten; een andere mikte lager, op Semental, hoewel het gemeen was om in een toernooi om de eer een paard aan te vallen. Hun schildknapen gingen achter heer Rodela aan.

Ik zag Galan in het zadel schudden toen de schorpioen van de eerste geharnaste van zijn schouderstuk afketste. De klap had het zachte hout van de schacht moeten breken, maar die bleef heel. Toen Galan doorgaloppeerde lukte het hem zijn wapen zijdelings naar de man te zwaaien, maar het was geen harde slag en het lukte niet om de klauw achter hem te haken. Semental liet de andere paarden gemakkelijk achter zich. Heer Rodela bleef alleen achter om de aanvallers van heer Galan af te slaan.

Aan de rand van het veld keerde Galan en hij liet zijn schorpioen even op zijn zadelboog rusten. In de paar momenten die hij had voordat zijn achtervolgers hem inhaalden, zag ik dat hij zijn rechterhand strekte, alsof hij zeker wilde zijn van zijn greep. Hij boog zich voorover en trok een schorpioen met een versplinterde schacht uit het gevoerde kussen dat Sementals borst beschermde. Ik had die klap niet gezien.

Hij nam zijn wapen op en stortte zich in het strijdgewoel. Onmiddellijk vielen drie geharnasten Galan aan, terwijl hun schildknapen aan het werk gingen om heer Rodela van de zijde van zijn meester te verjagen. Heer Rodela gebruikte de schorpioen of de lans maar zelden. Hij kon zich slechts één toernooiwapen permitteren (en dat ene had hij van Galan geleend omdat de schildknaap twee toernooizwaarden had gewonnen maar er drie had verloren), dus hield hij zich bij het zwaard, waarmee hij beter om kon gaan. Deze keer werkte dat tegen hem, omdat een van de schildknapen die tegen hem vocht een schorpioen had en hem ervan langs gaf terwijl hijzelf ruim buiten bereik bleef. Heer Rodela hield zijn schild omhoog om de slagen af te weren. Al gauw kwispelde zijn zwaard steeds langzamer, als de staart van een geslagen hond. De schildknaap met de schorpioen bleef om hem af te maken en de andere twee gingen meehelpen in het gevecht tegen Galan.

Bij vorige toernooien was heer Galan eerder speciaal doelwit geweest; het lag voor de hand om een sterke strijder vroeg uit te schakelen als dat kon. Het leed geen twijfel dat ze hem deze keer met pure kracht tot overgave wilden dwingen, in plaats van hem voorbij de grens te drijven. Ze sloten hem van alle kanten in. Semental haalde uit met hoeven en tanden, draaide zich om en viel weer aan. Galan sloeg een schildknaap half bewusteloos; de man hotste als een zak knollen op en neer toen zijn paard kans zag om het veld af te draven.

De ruiters dreven hun paarden dichterbij, totdat Semental geen ruimte meer had om te keren. Galan was zijn schild kwijt. Een geharnaste haalde naar hem uit met de angel van zijn schorpioen terwijl de anderen probeerden hem uit het zadel te werpen door hun kromme klauwen in zijn wapenrusting te haken. Galan hield zijn schorpioen als een staf omhoog, weerde af met de steel en sloeg met beide uiteinden. Misschien vergat hij in het vuur van de strijd dat de schacht van dennenhout was en dus niet bestand was tegen een harde klap. Toen die brak hield hij het korte eind over, met het blad. Hij had geen tijd om zijn zwaard te trekken.

Ik keek naar Galan, alleen naar Galan, en toch zag ik de slag niet die zijn weg vond onder de borstplaat door, de gordel van zijn geschubde wapenrok doorsneed en toen door huid en spieren van zijn buik gleed. Ik dacht dat Galan zijn evenwicht verloren had toen hij opzij zakte in het zadel. Ik dacht dat hij weer overeind zou komen.

Toen gleed hij weg.

Toen viel hij.

Ik had geen bloed gezien. Maar toch stond ik meteen overeind en rende dwars door het gewoel de heuvel af, vloekend in zowel Hoog als Laag en biddend bovendien. Ik rende omdat ik niet bang genoeg was geweest voor de mannen van Ardor, die reden hadden om hem kwaad te doen, en nu was ik te bang. Hij was neergegaan als een dode.

Galan lag half verscholen tussen de benen van de strijdpaarden. Semental rende niet weg; Galan had hem getraind om klaar te blijven staan op het slagveld als hij werd afgeworpen. Het hoofd van de hengst hing naar beneden, alsof hij hard moest blazen. Een schildknaap steeg af, sneed Galans banier van de paal en nam hem zijn wapens af. De Crux reed naar hem toe en heer Alcoba volgde met zijn schildknapen – waarom kwamen ze nu pas? – en terwijl zij de mannen van Ardor flink bezig hielden, schoten Morser en Ruys toe. De bedienden tilden Galan op, een bij zijn hoofd en een bij zijn voeten, en droegen hem haastig naar de omheining op het veld. Zijn romp sleepte over de grond en zijn hoofd hing naar beneden.

Ik had genoeg benul om vlak voor de rookpotten stil te staan, want het zou heiligschennis zijn geweest als ik het veld was opgelopen tijdens een toernooi. De priesters van Kloof die de grens bewaakten zouden me neergeslagen hebben.

Het toernooi duurde en duurde maar. Ik wachtte tot het afgelopen was en keek niet meer naar het gevecht, maar naar de omheining voor de bedienden, waar een priester van Kloof heensnelde en toen nog twee, op hun hielen gezeten door Eerwaarde Xyster, de Auspex van Crux die als carnifex optrad. Ze bleven achter het rieten hek bij heer Rodela en Morser en Ruys, en al die tijd wist ik niet of Galan dood was, dodelijk gewond of alleen schrammen en builen had.

De ene clan of de andere won het toernooi en het kon me niets schelen. Galans mannen droegen hem zo voorzichtig mogelijk terug naar het kamp, op een draagbaar van twee lansen en een stuk zeil. Heer Rodela, Eerwaarde Xyster en ik liepen naast ze. Ze hadden Galans helm afgezet. Zijn gezicht was bleek. Zijn ogen waren half gesloten en lieten meer van het wit zien dan van de donkere pupillen. Hij lag met zijn gezicht naar mij toegedraaid. Hij zei: 'Die hoerenzonen hebben me geraakt, of niet?' en verder niets. Zijn adem kwam hortend en stotend met angstaanjagende tussenpozen en er liepen strepen over zijn wangen van het zweet en de stroompjes tranen. Heer Rodela had zijn eigen gevoerde linnen hemd uitgedaan en onder heer Galans borstplaat gestopt. Je kon het bloed op het rode hemd niet zien, maar achter ons liep een spoor van rode druppels over de modderige grond.

Ze brachten Galan rechtstreeks naar het paviljoen van de Auspexen van Crux. Toen ik ze achterna probeerde te gaan, hield een van de pages me met een duw tegen uit angst dat ik Galans bloed zou bezoedelen met mijn aanraking. Ik wenste dat ik zijn bediende was en niet zijn schede, want Morser en Ruys mochten wel voor hem zorgen. Als een van hen de tent verliet om iets te halen sprong ik hem op de nek om nieuws.

Morser zei dat heer Galans buik opengesneden was, van zijn ribben rechts tot een handbreedte links voorbij zijn navel. Hij en Ruys waren het erover eens dat de wond was toegebracht met de punt van een schorpioen, die tussen Galans kuras en wapenrok doorgestoken was, een gat in de maliën en linnen onderharnas had geprikt en over zijn buik gehaald was. Alleen de punt was erdoorheen gegaan; de haak van de schorpioen was blijven hangen aan zijn borstplaat en had het blad tegengehouden. Galan had ook afdrukken van hoeven op zijn dijen en onderarm, waar een paard of twee over hem heen waren gestampt, en een ernstige kneuzing aan zijn linkerschouder waar hij de eerste slag had opgevangen. Hij had geen botbreuken. Het was de buikwond die hen zorgen baarde.

De wond had heel goed fataal kunnen zijn. De man die hem toebracht had hem zeker zo bedoeld: de vader van maagd Vulpeja, dezelfde heer Voltizo over wie ze die ochtend hadden gesproken. Maar heer Galan had uiteindelijk toch het geluk aan zijn zijde. Eerwaarde Xyster zei dat de kling tot op zijn darmen had gesneden, maar ze niet open had gelegd. Een beetje dieper en zijn ingewanden waren naar buiten geperst en dan was hij zeker dood geweest. Hij kon natuurlijk nog steeds sterven als de wond zich slecht ontwikkelde, maar de carnifex had een duif geofferd en de ingewanden gelezen en de omens waren over het geheel genomen gunstig. Hij zou hem behandelen. Geen genezer zou zijn goede reputatie wagen aan een zinloze poging om een verdoemd man te genezen.

Morser wilde niet veel kwijt over de manier waarop de priesters Galans wond verzorgden. Hij was bruusk tegen me, alsof hij het veel te druk had voor mijn vragen. Maar Ruys vertelde me wel een paar dingen. Hij zei dat Eerwaarde Xyster voor het stelpen van het bloed spinnenwebben gebruikte uit een kist vol kleine rode spinnetjes, die hij speciaal voor dat doel bij zich had. De priester hoefde er maar met een stok in te roeren om handenvol van het spul op te diepen. Ruys moest de spinnen zorgvuldig verwijderen en ze terugstoppen in de kist zodat ze in het donker verder konden spinnen.

Eerwaarde Xyster had een soort vettige zalf op de wond gesmeerd. Ruys kon me niets vertellen over de ingrediënten, behalve dat het rook naar paardenpis en dat het kopergroen bevatte. De priester had een koperen schotel met aanslag erop uit een hoge pot in de hoek gehaald en met een mes over het oppervlakte geschraapt om een groen poeder te krijgen dat hij met de zalf mengde.

Hij had godentekens en bezweringen getekend op repen linnen met als pigment nog meer kopergroen, gebonden met eiwit, en de wond zo netjes en ingewikkeld verbonden dat het een wonder was, aldus Ruys. Tenslotte had hij de tent uitgerookt met salie, mirtebast en gedroogde troostbloemen – want die laatste geven vaak een droomloze slaap; ik kon ze zelf ook ruiken.

Ruys had veel gezegd voor een man die graag zweeg. Ik beloofde hem een duif voor zijn hulp en een paar kippeneieren als hij me wat van de zalf zou brengen. Ik had vertrouwen in de traditionele kennis van spinnenwebben en kopergroen, die zo anders was dan alles wat ik van de Vrouwe had geleerd. Zowel de kennis als de gebeden van de Eerwaarde moesten wel krachtiger zijn dan die van mij. Ik wilde graag zijn geheimen kennen, alsof ik door die kennis deel zou krijgen aan Galans genezing. In werkelijkheid kon ik niets doen, en dat was moeilijk te verdragen.

Ik hurkte neer tussen de tent van de Auspexen en die van heer Guasca, in het kleine stinkende schuilhoekje waarin ik al eerder de botten geworpen had. Ik leunde met mijn hoofd tegen de wand van de tent van de priesters. Ik hoorde niets van Galan, zelfs geen gekreun, alleen Eerwaarde Xyster die een gezang opzei. Het was avond. Het kwam bij me op dat het vreemd was dat de anderen niet terug waren gekomen van het toernooiveld. Het veld was leeg, op heer Galan na, de priester, zijn mannen, en ik.

* * *

Het was voor een houten kling meer dan een knappe prestatie om vlees te vinden dwars door een ijzeren pantser, een maliënhemd en gevoerd onderharnas heen. Het was onmogelijk.

Nadat we het veld hadden verlaten, gingen de priesters van Kloof omzichtig naar de koning. Ze hadden de wond en de uitrusting van heer Galan onderzocht en betichtten Ardors clan ervan dat ze echte wapens gebruikt hadden tijdens een toernooi om de eer. De wapens van de clan werden in beslag genomen, maar slechts een ervan, dat van heer Voltizo, bleek van scherp ijzer te zijn, verstopt onder een verzilverde laag.

Het was een belediging voor de koning, voor de clan van Crux en erger – voor de god Kloof. Hoewel de koning toernooien op leven en dood verboden had, brachten strijders natuurlijk hun persoonlijke conflicten mee in een toernooi om de eer. Maar het was ongebruikelijk om de regels voor het gevecht te overtreden, en nog ongebruikelijker om daarbij betrapt te worden. Niemand zou bezwaar hebben gemaakt als een man heer Galan in een eerlijk gevecht gedood had, maar zelfs de familie van heer Voltizo, die hem graag hadden geholpen om een vijand op het toernooiveld te vernederen, weken van zijn zijde toen zijn laaghartige bedrog ontdekt werd. Hij wilde niet zeggen waarom hij het gedaan had (hoewel sommigen dat al wisten) en hij beweerde dat niemand hem had geholpen; het speet hem alleen dat hij heer Galan geen medelijden had betoond toen hij de kans had. Iedereen begreep dat hij daarmee doelde op het door de spleten in het vizier steken met de punt van zijn dolk.

De Auspexen van Kloof consulteerden de ingewanden van een stier. Zoals verwacht eiste Kloof bloed voor de ontwijding. De koning en de Eerste van Crux vroegen eveneens om vergelding, de een vanwege het verbreken van de vrede van de koning, de ander voor de lafhartige aanval op zijn geharnaste, of de verwonding nu fataal zou blijken of niet. De partijen bleven lang samen onder het baldakijn van de koning. De Ardor pleitte ongetwijfeld voor mildheid, en de veelkoppige menigte verspreidde geruchten, waarvan de meeste absurd waren en andere de stank van waarheid droegen. Zoals dat heer Voltizo zijn dochter aan Kloof had aangeboden in zijn plaats, maar dat dat afgewezen was.

Het is het beste om niet te treuzelen wanneer de goden beledigd zijn. Heer Voltizo kreeg de keuze: een dood als strijder of een snelle dood. Het verbaasde niemand dat hij koos om te sterven als een strijder.

Men was het erover eens dat heer Voltizo zo'n vergrijp nooit zou hebben gepleegd – want hij stond bekend als een tamelijk nuchter en godvrezend persoon – als hemzelf niet iets was aangedaan. Als hij de aard van de belediging geheim wilde houden, was dat zijn zaak. Maar als heer Galan hem had beledigd en reden had gegeven om Kloof te beledigen, moest heer Galan hier ook voor betalen: met zijn beste strijdpaard, Semental. Het was bekend dat Kloof offers van goed paardenvlees op prijs stelde. Van de twee ter dood veroordeelden wist iedereen dat het paard het dapperst was. De hengst zou dezelfde kans krijgen als de man – niet om te vechten, want hij kon onmogelijk winnen – maar een kans om goed te sterven.

Galan wist hier niets van omdat hij in de tent van de priesters lag, aanvankelijk bleek, koud en rillend en later bleek en zwetend. Ik maakte gerstewater en bracht dat naar de tent, maar de carnifex stuurde me weg en zei nogal bot dat een man met een buikwond uiteraard geen voedsel of drank nodig had, op een purgeermiddel na om zijn ingewanden te spoelen. 'Uiteraard,' zei ik en ging beschaamd in heer Galans tent zitten waar ik het komen en gaan kon zien. Het gezelschap van heer Rodela bleef me tenminste bespaard. Hij was teruggereden naar het toernooiveld om de Crux in te lichten over Galans conditie.

De executie was een prachtig schouwspel, hoorde ik die avond toen de menigte terugkwam van het toernooiveld. Heer Rodela wilde er niet over praten. En Vliegenbeul evenmin, die Semental had opgeleid van veulen tot jonge hengst, tot heer Galan hem op driejarige leeftijd zelf ter hand had genomen. Ik hoorde het van Spoedvoet en Ev, die op de rug van heer Pava's reservestrijdros hadden gestaan om over de mensenmenigte heen te kunnen kijken.

Op sommige dagen op het Marsveld was het vallen van de avond moeilijk te onderscheiden van slecht weer. Dit was een van die dagen. Een korte vlaag regen verhulde de zonsondergang. De mensen die het toernooi gemist hadden waren aan komen rennen toen ze het nieuws hoorden. Ze keken toe hoe een muur van mannen van Bloed het toernooiveld omringden: priesters met toortsen, geharnasten en schildknapen te paard met wapens in de hand. Het was een somber gezicht in de schemering, maar er was groot plezier onder het kleivolk bij het vooruitzicht op een executie.

Heer Voltizo mocht zijn wapens kiezen; hij nam de schorpioen en het zwaard. Ze gaven hem Semental om op te rijden. Vier priesters van Kloof waren uitgekozen om tegen hem te strijden, maar slechts één van hen reed tegen hem uit. Naar hun oordeel was dat genoeg. De priester droeg helemaal geen bepantsering, zelfs geen helm, wat de menigte een belediging voor heer Voltizo vond.

De verdwenen Zon gaf iemand met scherpe ogen nog net genoeg licht om te kunnen zien wat er op het veld gebeurde. De gekozen priester reed op een drafje naar heer Voltizo. De veroordeelde was vanaf de eerste slag de mindere. Zijn zit was matig, hij zwaaide in het zadel heen en weer terwijl Semental wegdanste, en toen Semental zijn ruiter voelde wegglijden, hielp hij hem vallen. Hij was niet het soort paard dat geduld had met een slechte ruiter. Na een ogenblik lag heer Voltizo languit op de grond. Na nog een ogenblik boog de priester zich over hem heen en maakte hem af. Hij dreef de schorpioen zijn oksel in, door maliën en onderharnas en ribben heen. Hij werd later geprezen voor de krachtige stoot met slechts een hand (om dit soort zaken waren de priesters van Kloof vermaard). De priester moest afstappen om de schorpioen eruit te trekken, zo diep zat die. Zoals het hoorde liet hij het gevest van het wapen geen moment los. Heer Voltizo blies schokkend en bloed spuwend de laatste adem uit, en stierf dus alsnog een snelle dood.

Als Semental er niet geweest was, zou het publiek ernstig teleurgesteld zijn geweest. De zwarte hengst leverde een betere voorstelling dan heer Voltizo. Hij was erop getraind om Galan niet in de steek te laten, maar de man aan zijn voeten was zijn meester niet. Hij ging er dus vandoor. Ev kon er geen woorden voor vinden, zo diep raakte het hem, maar Spoedvoet vertelde me hoe het was gegaan.

Semental werd opgesloten in het veld door de mannen eromheen; er is geen paard dwaas genoeg om een muur van speren aan te vallen, tenzij hij een man die hij vertrouwt op zijn rug heeft die leugens in zijn oren fluistert. In het laatste vervagende licht joegen de priesters hem het toernooiveld rond. Hij galoppeerde heen en weer, steigerde, hinnikte drie keer uitdagend en viel een van de mannen aan die hem kwelden. Hij rende het licht van de toortsen in en uit. Hij was een zwart paard en in zijn groene leren wapenrusting ging hij haast op in de duisternis. Maar ze konden hem horen. Het publiek rond het veld was stil. Ze konden zijn hoefslag horen, het kraken van het leer en het rinkelen van zijn metalen tuig, en ze hoorden hoe hij steeds meer buiten adem raakte, totdat elke ademhaling hees door zijn luchtpijp raspte, met een vreemd hoog gefluit.

Er was één priester voor nodig om korte metten te maken met heer Voltizo, maar ze moesten gevieren uithalen met hun schorpioenen om Semental neer te krijgen. Tweemaal moesten ze van paard wisselen, want hij putte hun paarden uit. Hij liep dertien wonden op vóór de verwonding die zijn einde werd.

Tegen de tijd dat de brandstapel gebouwd was en de zeewind de meeste rook en as van heer Voltizo, Semental en de hoop droge doorns naar de bergen in het westen had geblazen, kende iedereen in het publiek het verhaal van heer Galan en heer Voltizo's dochter. Sommigen gaven heer Galan de schuld. Anderen – en dat waren er meer – gaven de schuld aan de dode man, vanwege twee zaken: dat hij haar te vrijelijk had getoond, en dat hij haar te slecht had bewaakt. De meesten echter gaven de schuld aan de dochter die haar huis en clan te schande had gemaakt. Ze hadden geen medelijden met haar als ze hoorden dat ze stervende was uit liefde. Hoe eerder ze doodging hoe beter, zeiden ze.

De Crux keerde naar het kamp terug toen de meesten van de mannen er al waren en het verhaal reeds was verteld en nogmaals verteld. Hij kwam aangalopperen en hield stil in een plas, modder omhoog spattend. Hij steeg af en gooide de teugels naar Mepper, zijn paardenmeester. Hij beende naar de tent van de priester en rukte de tentflap achter zich dicht.

In de tent hield de priester een lamp op terwijl hij met de Crux sprak, naast Galans strozak. De vlam gaf net genoeg licht om hun schaduwen op de wand van de tent te werpen. Ik kroop weer naar mijn verstopplekje om te luisteren. Ik was niet de enige luistervink. De geharnasten rond het haardvuur onderbraken er hun late maaltijd voor.

'Hoe gaat het met hem?' vroeg de Crux.

Ik kon zijn schaduw zien neerknielen. De priester bracht de lamp omlaag naar Galans gezicht.

'Hij heeft geluk,' zei Eerwaarde Xyster.

'Dus hij overleeft het.'

'Voorlopig wel – hoewel ik nooit waag te voorspellen hoe lang een strijder leeft. Zijn darmen zijn nog heel en dat is het beste voorteken dat we kunnen hebben bij een buikwond.'

Heer Galan verhief zijn stem en zei: 'Ik ben blij om dat te horen.' Ik schrok ervan – maar wat was het goed om hem te horen spreken, hoewel zijn stem kleintjes en moeizaam klonk, en meelijwekkend dapper.

De Crux stond abrupt op en liep weg. De priester volgde hem. Ze dempten hun stemmen.

'Hoe lang duurt het voordat hij hersteld is?' vroeg de Crux.

Eerwaarde Xyster antwoordde: 'Als de wond niet gaat zweren zal hij in minder dan een tiennachtse weer kunnen paardrijden. Klaar om te vechten met twee, zou ik zeggen. Hij heelt snel, te oordelen naar zijn gebroken rib. Maar als de wond giftig wordt...' Hij maakte de gedachte niet af. De Crux was al op weg naar de uitgang van de tent.

De priester volgde hem en zei dat Galan goed bij zinnen en aanspreekbaar was. De Crux zei: 'Ik zal hem morgen spreken,' en hij beet zijn woorden zo kort af dat ze maar amper aan zijn tanden ontsnapten.

Ik gluurde vanuit mijn schuilplaats achter de tentflap. De priester bleef in de deuropening van de tent naar de lucht staan kijken. Ik kon niet zien welke tekenen hij vond in de zware bewolking die de wassende maan en de sterren bedekte. Misschien kon hij omens ruiken in de kille zeewind. Hij stond daar een hele tijd, terwijl de Crux zich naar zijn eigen tent begaf en om zijn eten riep.

Rondom het vuur waren de geharnasten stilgevallen toen de Crux voorbij liep. Ieder van hen had op zijn tijd diens woede gevoeld. Hij gebruikte die goed, beet hen ermee in de flanken om ze te laten rennen naar waar hij ze wilde hebben. Maar dit was een ander soort woede. Ze vreesden de Crux des te meer omdat hij zijn gramschap de baas was en die uitstelde tot de volgende ochtend, totdat hij overdacht had wat er verschuldigd was en aan wie. Er was voldoende schuld. Galans weddenschap was hem op een of andere manier ter ore gekomen. Niemand van hen had het nodig geacht hem ervan op de hoogte te stellen, hoewel het de eer van de clan aantastte.

Ik hoorde Galan op zijn strozak schuiven, naar adem happen en vloeken alsof de pijn hem flink te pakken had. Ik kroop naar achteren om zo dicht bij hem te zitten als ik maar kon met de tentwand tussen ons in.

De wand stelde niet veel voor. Het was maar een stuk zeil met een dikke waslaag, hoewel het me de toegang tot de andere kant ontzegde. Ik ging snel van gedachte over op daad: ik pakte mijn kleine mes met het benen heft en maakte een kruiselingse snee in het zeil. Met één oog kon ik Galan zien liggen op een strozak, toegedekt met vachten. Hij was nog geen pas bij me vandaan. Ze hadden een laag scherm van matten om hem heen gezet, maar dat was niet voldoende om hem te beschutten voor de tocht van de deur, die de vlam van de olielamp naast hem deed dansen. In de schaduwen achter het scherm zag ik het altaar van Crux, met de blauwe kom van de hemel en daarin de beelden van de vergulde Zon en de zilveren Maan op hun eigen plaats. Galans linkerarm lag op de dekens. Zijn hand was tot een vuist gebald, en zijn gezicht leek ook wel een vuist, met een doorgroefd voorhoofd, opeengeklemde kaken, samengeknepen neusvleugels. Hij staarde omhoog. Zijn huid was kalkachtig en zijn lippen blauw. Hij had een man van steen kunnen zijn.

'Heer Galan,' fluisterde ik.

Hij draaide zijn hoofd naar het geluid en fluisterde terug: 'Ben jij dat?'

'Hoe gaat het?'

Hij forceerde een glimlach die een halve grijns was. 'Verbazingwekkend goed. Het lijkt erop dat ik nog even in leven blijf.' Zijn adem was oppervlakkig en snel en dat maakte zijn stem onvast.

'Is de pijn ernstig?'

Dat ontkende hij, maar ik kon zelf zien dat hij loog. Ik had het alleen gevraagd om hem te horen spreken.

'Ik neem aan dat we het toernooi verloren hebben,' zei Galan. 'De Crux leek nogal geërgerd. Ik neem aan dat hij iets verwed heeft dat hij niet wil verliezen.'

Hij had gelijk dat hij zich zorgen maakte over de stemming van de Eerste, maar zat zo ver af van de oorzaak dat het me de adem benam. Nu al waren we op gevaarlijk terrein. Ik zei zachtjes: 'Ik weet niet wie er heeft gewonnen of verloren.'

'Ik kan je niet verstaan,' zei Galan.

'Ik zei dat het me niet kan schelen wie er heeft gewonnen of verloren. Zodra jij gewond was ben ik gestopt met kijken.'

'Nou, haal Rodela dan eens. Hij kan me de stand wel vertellen.'

Hij waardeerde mijn gezelschap zo weinig dat hij liever heer Rodela had met zijn zure tong. Ik stond op zonder een woord, met pijn in mijn ogen. Ik wist dat wat hij van heer Rodela te horen zou krijgen hem opnieuw zou verwonden – en hij was al ernstig verwond.

Toen hoorde ik hem zeggen: 'Nee, blijf. Het heeft geen haast. Blijf een tijdje bij me.'

Ik liet me weer zakken en keek door het gat in de wand. Hij lag nog steeds naar me toe gedraaid. Zijn wenkbrauwen waren samengetrokken en ik kon zijn ogen flauw zien schitteren in zijn beschaduwde gezicht. Het duurde even voordat ik mijn stem weer vond. 'Hier ben ik, en ik blijf hier zolang je wilt.' Nog voordat ik uitgesproken was schold ik mezelf uit voor een hond die het ene moment kroop voor zijn meester en het volgende gromde.

Galans wenkbrauwen ontspanden zich en hij sloot zijn ogen. Ik keek weg en legde mijn hoofd op mijn knieën.

Ik zou iets tegen hem moeten zeggen, maar elk woord voerde rechtstreeks naar Semental.

Na een tijdje fluisterde hij: 'Vuurdoorn?'

'Ja?'

'Ik heb dorst.'

'Ik zal de carnifex halen.'

'Nee, nee. Geef me zo'n kruidenthee van je. Ik zal die nu zonder te klagen drinken.'

'De priester heeft iets beters voor je, denk ik. Zal ik hem voor je halen?'

'Blijf hier,' zei hij. Een lange stilte, en toen: 'Je moet morgen aan Riskeer offeren, want mijn geluk is nog bij me.'

'Je zou zeker dood zijn geweest als Kans de kling niet had afgeweerd.' Ik keek weer door het gat.

'Ja, mijn Geluk blijft vertrouwen in me houden.' Een flauwe glimlach gleed over zijn gezicht en was weer weg. 'Ze zou hier moeten zitten, in de tent. Wat kan dat voor kwaad?' Zijn ogen vielen weer dicht en hij viel al snel in slaap.

Ik wist dat hij het over mij had, niet over Riskeer. Ik had hem nooit verteld dat ik het grootste deel van mijn leven Geluk had geheten en toch noemde hij me bij die naam. Ik dacht dat ik hem stevig aan mij gebonden had, maar een man kan ook aan een vrouw gebonden zijn om andere redenen. Als ik alleen dat voor hem betekende, geluk en verder niets, waarom zou hij me dan niet de schuld geven als hij morgen niet zo fortuinlijk zou blijken te zijn als hij dacht?

Maar ik was zijn geluk niet. Hij had zelf moeilijkheden gezaaid; nu moest hij ze oogsten terwijl hij op zijn zwakst was. Ik had niets gedaan, dus hoe kon ik het ongedaan maken?

Wat Riskeer betreft, Galan ging te veel uit van de goedgunstigheid van de god. Hij vergat dat de god drie avatars had en slechts een van hen leek dol op hem te zijn. Riskeer in zijn vrouwelijke vorm is de blinde Kans, die een zwak heeft voor brutale en roekeloze mannen. Als ze voor een man haar vinger op de dobbelsteen legt of in een weddenschap met gelijke kansen de uitkomst bepaalt, of het paard van zijn tegenstander laat struikelen, ja, dan is ze zijn geluk, inderdaad. Net als de meeste vechtende mannen rekende Galan hierop. Strijders paaien Kans met gebeden en offers, en ze verafgoden haar des te meer omdat ze zo wispelturig is.

De mannelijke avatar van Riskeer is Gevaar. Hem komt respect toe en zelfs angst, maar hij is niet geliefd onder strijders omdat hij te onpartijdig is. Het derde aspect van de god heeft geen gezicht of lichaam en manifesteert zich alleen als een laag, bonkend geluid dat slechts een paar gezegenden – of vervloekten – gehoord hebben. Het is Fatum, een onverbiddelijke avatar.

Een paar van Riskeers Auspexen dienen alleen Fatum. Zij beweren dat zelfs de laagste sloof een voorbestemd pad bewandelt, waarvan hij onmogelijk kan afdwalen. Deze Fatalisten prediken dat Kans en Gevaar op zichzelf niets zijn, niet meer dan maskers voor het werk van Fatum, en dat bovendien alle goden zich voegen naar Fatums wens. Hun volgelingen halen troost uit de gedachte dat alles wat gebeurt een bedoeling heeft; dat geeft een excuus voor slechte daden.

Deze fanatiekelingen ontmoeten veel tegenstand bij andere priesters, die liever beweren dat Fatum een rijk is; het ligt zo dicht tegen het onze aan als tanden tegen de tong. Koningen en koninginnen worden hier geboren. De rest van het Bloed moet bidden dat hun pad ze er nooit heen zal leiden. De tempels staan bol van zulke meningsverschillen, alsof de priesters geloven dat ze in dispuut de aard van de goden en hun veelvoudige krachten bloot kunnen leggen en voor eeuwig vaststellen waarom alles dat plaatsvindt, ook zal en moet gebeuren.

Laat de priesters maar twisten. Ik nam de vingerbotjes van Na en de Vrouwe uit mijn zakje en hield er een in elke hand. Als het licht was geweest, had ik ze misschien geworpen en om raad gevraagd. Maar ik was te zeer gespitst op het vage licht van de lamp achter de canvas wand van de tent dat door de spleet viel. Ik keek weer door het gat. Galan sliep, maar hij was niet rustig. Ik kon zweet zien glimmen op zijn gezicht. Hij had de vacht weggeduwd alsof die hem verstikte, zodat het nette kruiselingse verband onder zijn ribben bloot lag, maar toch rilde hij. Waar was de carnifex? Galan had verzorging nodig.

Ik zou die ochtend aan Riskeer offeren, maar ik zou mijn gebeden niet richten tot Kans en haar blinde priesteres. Ik zou de priester van Fatum vragen of die het offerdier wilde doden. Hoe meer ik erover nadacht, hoe zekerder ik wist dat Galan gespaard was omwille van Riskeer Fatum, en niet omdat Kans naar hem had geknipoogd.

Als je één slecht zaadje zaait, zul je er honderd oogsten, en dat brengt je in het rijk van Fatum. Zo was het met Galans weddenschap. Zo veel gevolgen van een keer roekeloos paren – de maagd die stierf, haar vader en Semental dood en Galan ook bijna. Liet dat niet zien dat hij zich op verboden gebied had begeven?

Maar wie kan zeggen wanneer of waar iemand het domein van Fatum betreedt? Als de Fatalisten gelijk hebben zijn misschien al zijn stappen bedoeld om te leiden tot juist die ene daad, niet tot een andere.

Eerwaarde Xyster kwam binnen met een van zijn pages en ze maakten Galan wakker. Ze wasten zijn gezicht en armen en benen, en zijn rillen ging over in schudden. Toen purgeerden ze hem, eerst met een braakmiddel van mosterdzaadjes, daarna met een klysma. Ik zag het allemaal aan en vervloekte ze, want ik kon zien dat het een kwelling voor hem was. Het schokken was te veel voor hem. Het braakmiddel bracht een dun, donker braaksel omhoog; het klysma niet zozeer enige substantie maar wel een smerige stank. Hij lag op zijn zij met zijn gezicht naar me toe en staarde in het niets.

De carnifex sprak haast niet, behalve om tegen Galan te zeggen dat hij zich moest omdraaien of moest slikken. Galan zweeg ook, ik denk uit angst dat er gekreun aan zijn mond zou ontsnappen als hij hem open deed. Hij bleef maar rillen, zelfs nadat de priester en zijn man hem hadden toegedekt tegen de kou.

De twee andere Auspexen van Crux kwamen met hun dienaren binnen. Ze rolden hun matrassen uit – geen heide voor de priesters; zij lagen op veren matrassen met dikke stapels dekens erop. Een jongen deed de ronde om de lampen en kandelaars te doven, maar hij liet de mirtebast en de troostbloemen branden in het komfoor op het altaar.

Ik luisterde naar Galans ademhaling, hoe die hakkelde, hortte en stootte. Na hun behandeling ging het slechter met hem. Hij had gekotst en gescheten totdat hij niets meer in zich had en zijn wond was opengegaan van de inspanning; het verband was roodgevlekt. Toen gingen ze slapen zonder hem iets tegen de pijn te geven, op de rook van de troost na. Misschien was het purgeren nodig; dat zou wel. Maar ik zou het hem gemakkelijker hebben kunnen maken.

Mijn eigen ingewanden deden pijn. Ze waren zo strakgespannen als kattendarmen snaren op een vedel en ze trilden alsof ze aangeslagen werden. Als de priesters van Fatum gelijk hebben, resoneren we allemaal voortdurend onder Fatums vingers, hoewel de noot zo laag is dat we die niet kunnen horen. De gedachte maakte me bang.

Ik werd me bewust van de vingerbotjes, die ik zo stevig in mijn handen geklemd hield dat ze afdrukken maakten in mijn handpalmen. In de ene hand had ik de Vrouwe. Zij had nooit eer betoond aan Riskeer, in welke vorm dan ook: ze verachtte gokkers en mensen die hunkerden naar gevaar en minachtte iedereen die zijn eigen fouten en dwaze keuzes aanzag voor een lotsbestemming. Ik bloosde van schaamte bij de gedachte hoe zij heer Galan om zijn dwaasheid veroordeeld zou hebben, en mij omdat ik zijn schede was.

Ik was zo egoïstisch geweest om haar vingerkootje te houden. Dat betekende dat ze op de hoogte was van mijn toestand en gegriefd moest zijn om te zien hoe ik stapje voor stapje op deze stinkende plek tussen de tenten terecht was gekomen.

Toen sprak de Vrouwe tot me vanuit mijn rechterhand. Ik kende die toon in haar stem. Er lag niets zachts in zoals verdriet, of zwaks zoals medelijden. In plaats daarvan hoorde ik irritatie, ongeduld en een mespuntje vermoeide teleurstelling, alsof ze bang was dat de klei waaruit ik gemaakt was uiteindelijk toch niet geschikt was om gevormd te worden. Ze zei dat ze me niet had opgevoed om koppig en dwars te zijn, maar toch was ik dat nu. En zelfs als ik door mijn eigen roekeloosheid in het rijk van Fatum terecht was gekomen zou ik nog wijs genoeg moeten zijn om te weten dat er meer dan een manier was om er weer uit te komen. Dat was alles wat ze zei.

Ik had haar afkeuring over me afgeroepen, iets wat ik altijd gevreesd had. Maar toch voelde ik haar zorgzaamheid. Ze was al gevorderd op haar reis en had van ver moeten komen om tegen me te spreken. Ik kuste haar vingerbotje – zo'n klein dingetje, het laatste kootje van haar rechter wijsvinger –

en zag de Vrouwe voor me, niet haar gezicht, maar haar handen die rustten op de strakke schering van een nieuw opgezet weefsel. Elke tweede draad werd omhoog gehouden door een hevel en haar handen lagen op de glanzende draden zonder ze naar beneden te drukken. Haar huid was rozig en getekend met kleine sneetjes van de schering. Haar knokkels waren geschaafd, ook al smeerde ze haar huid elke avond in met lanoline; het was 's winters koud in de weefkamer want ze moest de luiken open houden voor het licht. Haar vierkante vingernagels waren vlak bij het maantje afgeknipt zodat ze niet bleven haken terwijl ze werkte. Ik kan me niet herinneren dat ik haar handen ooit zo stil heb zien liggen, want ze waren altijd in beweging toen ze nog leefde.

Ze draaide haar handpalm omhoog en in de lijnen die kriskras over haar palm liepen en de vouwen en heuvels van haar hand zag ik het koninkrijk van Fatum voor me. Het was als een kaart, waarop elk pad staat en elke kruising en alle overstromingen en afgronden die de wegen verraderlijk maken. Ik zag hoe we hier gekomen waren, hoe we een weg boven andere verkozen hadden; de bijwegen vervaagden in de hand van de Vrouwe terwijl ik keek, totdat ze niet meer waren dan flauwe lijntjes. Alleen de weg die wij genomen hadden was nog duidelijk, als een brede vouw in haar palm. Maar vanaf dat moment was niets meer duidelijk. De vouw vertakte zich en vertakte zich nogmaals; er waren veel uitwaaierende wegen en de paden kruisten elkaar onoverzichtelijk.

Maar ik zocht, en uiteindelijk vond ik een pad dat uit het domein van Fatum leidde. Het pad was smal en gevaarlijk. Galan was gespaard zodat hij verder kon. Hij kon ervoor kiezen om verder te gaan op dezelfde manier, blind en onbezonnen, en een oogst binnenhalen van nare gevolgen; of hij kon veranderen. Hij moest veranderen.

Hij moest terugbetalen wat hij gestolen had. Hij moest de maagd die niet langer een maagd was in zijn tent nemen voordat haar tante haar helemaal doodde. Ik zou haar verplegen totdat ze gezond was, zodat Galan haar terug naar huis kon sturen. En dan zou zijn vrouw mogen zorgen voor zijn concubine en konden ze van elkaars aanblik genieten.

Een smal pad, moeilijk begaanbaar. Ik kon weigeren. Kon ik haar niet genezen in de tent van haar familie – zou dat niet voldoende zijn? Maar ik zag dat pad ook afgetekend in de handpalm van de Vrouwe; het leidde naar de dood van de maagd en de mijne vanwege mijn bemoeienis, en het maakte geen einde aan de vete. Ze moest onder Galans bescherming gebracht worden; en zelfs dat was een *kans*, geen zekerheid, een pad dat bezaaid was met gevaren. Ik zag het nu, en zag duidelijk dat dit een last was die op mijn schouders rustte. Dit was natuurlijk de reden dat Ardor mij uitverkoren had in het Koningswoud, mijn leven had gered, me aan Galan had gebonden en me hierheen had gebracht: om een van zijn Bloed te redden. Als ik Ardor het leven van de maagd gaf, zou mijn schuld vereffend zijn en was ik niet meer door een god belast.

Maar het was wreed dat ik degene was die haar weer tot bloei moest brengen, in Galans tent, in zijn bed. Het was meer dan ik kon doen.

Het was het enige dat ik kón doen.

De Vrouwe sloot haar vuist en ze was verdwenen. Ik wiegde op mijn knieën heen en weer naast de tent, met de vingerbotjes nog steeds in mijn handen. In mijn mond proefde ik een verschroeide smaak en ik had het koud, koud, koud.

* * *

Door de spleet in de tentwand zag ik dat Galan wakker lag. Het wit van zijn ogen glom als schelpen. Hoe kon ik hem overtuigen van wat gedaan moest worden? Ik had geen omens nodig om te voorzien dat het moeilijk zou zijn om hem te overtuigen.

Ik zou het morgen proberen. Morgen. Want nu lagen de priesters en hun mannen te slapen, en het was beter om geen ruzie te maken, ze niet te wekken. Om Galan te laten weten dat ik hier nog steeds mijn wake hield, begon ik te neuriën, heel zachtjes. Hij draaide zijn hoofd naar me toe en glimlachte. Stukjes en beetjes van wijsjes vielen me in, liederen die de Vrouwe achter haar weefgetouw had gezongen, het gezang van de maaiers, de wiegeliedjes van Na: op de een of andere manier wikkelde het wijsje dat de vogel in de vuurdoornboom voor me had gezongen zich om de andere heen en maakte er één lied van. Het kalmeerde me; ik hoopte dat het Galan een beetje troost bood.

Voor zonsopgang stond Eerwaarde Xyster op om naar hem te kijken. Hij vroeg Galan of hij sliep en Galan zei van niet, een vogel hield hem wakker. Een tijdje nadat de priester teruggegaan was naar zijn bed fluisterde Galan: 'Ik dacht dat vogels zongen als de zon bijna opging. Is dit de langste nacht aller tijden?'

Ik dacht bij mezelf: hoe lang die ook is, jij mocht wensen dat er geen einde aan kwam. Maar ik zei: 'De ochtend zal komen, die komt altijd.'

En hij kwam ook, een grijze morgen met een verscholen Zon. In zijn kielzog verscheen de Crux, beladen met slecht nieuws en toorn. Hij stuurde de priesters en hun bedienden weg. Ik was niet de enige die met gespitste oren buiten de tent stond te luisteren, maar met mijn ogen voor het gat kon ik zien wat de anderen niet zagen. Het was binnen donkerder dan buiten. De rook van het komfoor benevelde de lucht. De Crux ging bij Galans strozak staan en keek op hem neer. Zijn gezicht stond grimmig, maar zijn stem klonk aanvankelijk mild. Hij vertelde Galan dat de kling die hem opengereten had van staal was, en Galan was zo onverstandig om te zeggen dat hij zich dat al had afgevraagd.

'En waarom vroeg je je dat af?' vroeg de Crux, op redelijke toon. 'Dacht je dat die man een reden had om staal mee te nemen naar een toernooi om de eer?' Uit respect voor de dode vermeed de Crux het om heer Voltizo's naam te noemen.

Heer Galan hield zijn mond.

De Crux wachtte. Terwijl hij wachtte begon hij rond te lopen, en de stilte werd steeds zwaarder totdat die ondraaglijk werd.

Galan zei – aarzelend, alsof hij twijfels had over de zaak: 'Ik dacht van wel, misschien.'

'Je dacht van wel, *misschien*,' zei de Crux, zich omdraaiend om Galan aan te kijken.

Galan zei: 'Misschien was hij er niet blij mee dat ik zijn dochter het hof maakte.' Hij dacht met zijn oom te kunnen schertsen, wat hij vaak deed, en dat hem niets ergers te wachten stond dan een beetje sarcasme. Hij had beter moeten luisteren.

De Crux deed drie stappen naar voren en knielde bij Galans hoofd. Hij boog dicht naar hem toe, alsof hij er zeker van wilde zijn dat er geen woorden op hun weg van hem naar Galan konden ontsnappen, en hij sprak zachtjes, weloverwogen, met een stem die trilde doordat hij hem zo strak beheerste. Hij zei: 'Net zo zeker als je buik door een zwaard gespleten is, is jouw tong gespleten. De man zou hofmakerij toegejuicht hebben, maar jij hebt zijn dochter haar deugd ontnomen, om geen andere reden dan een weddenschap. En dit is wat ervan komt: jouw geliefde Semental is dood en de vader van de maagd is terechtgesteld, en afgelopen nacht heeft iemand heer Alcoba's schildknaap alleen te pakken gekregen en zijn schedel ingeslagen, en nu staat Alcoba te trappelen om Bloed te vergelden met Bloed. Zie jij hier een einde aan komen?'

'Is Semental dood?' vroeg Galan. Ik kon hem nauwelijks horen.

'Ja, dood.' De Crux lachte ruw. 'Maar ik weet zeker dat het je zal troosten dat hij alles heeft gegeven voordat hij stierf. Wat meer is dan ik kan zeggen van de vader van de maagd.' Hij stond op, en zei vanuit zijn grotere hoogte tegen Galan: 'De carnifex zegt dat het geen dodelijke wond is; zorg ervoor dat je er niet aan sterft, want ik heb andere plannen. Ik heb je dit al eerder gezegd, neef, maar het lijkt erop dat je niet geluisterd hebt. Ik heb gezegd dat je kunt gaan lopen als je mijn geduld te zeer op de proef stelt: terug naar je vader of achter mij aan. Als jouw wond niet genezen is tegen de tijd dat de koning klaar is om ten strijde te trekken – en die tijd is bijna aangebroken – stuur ik je terug naar je vader, en ik zal je woord hebben dat je de gehele weg lopend aflegt. Als je je daarentegen goed voelt, mag je me volgen. Maar je zult te voet gaan, te voet vechten, en als het geluk aan jouw kant staat en de goden het je gunnen, zal ik je vader kunnen vertellen dat je net zo dapper gestorven bent als je paard.'

De Crux keerde zich om en verliet de tent. Ik hoorde hem tegen zijn priesters die buiten wachtten zeggen: 'Laat hem maar even.'

Terwijl de Crux tegen hem sprak had Galan op zijn rug gelegen, stijf en bewegingloos. Nu boog alles wat stijf in hem was. Hij draaide zich op zijn zij, gezicht naar de muur, en deed vreselijk zijn best om geen geluid te maken, maar faalde. Hij kreunde en snikte zo hartverscheurend dat ik het niet kon aanzien of -horen, en ik zat op mijn hurken te zwaaien met mijn handen tegen mijn oren.

Toen hij klaar was werd hij stil. Ik haalde mijn handen van mijn oren en hoorde dat hij zich omdraaide op zijn strozak. Hij zei, met een stem die ruw was van misbruik: 'Ben je daar nog?'

Hij kon het alleen maar tegen mij hebben. Ik fluisterde: 'Ja.'

'Wist je dit?'

'Niet alles.'

Hij zei bitter: 'Ik heb je mijn vogeltje genoemd. Ik had je beter zwarte kraai kunnen noemen. Die hele lange nacht, en jij hebt me met geen woord gewaarschuwd voor wat zou komen.'

'Het leek me beter om het niet te zeggen.'

'Wist je dat Semental dood was – en die man?'

'Dat had ik gehoord. Ik heb het niet zelf gezien, ik was hier in het kamp aan het wachten op nieuws over jou.'

'En toch heb je het me niet verteld.'

'Het was niet aan mij om dat te vertellen.'

'Dat is een laffe leugen!' schreeuwde hij. 'Niet aan jou? Heb je je daar ooit iets van aangetrokken? Het leek me dat je genoeg vrijheden nam. Je staat altijd klaar om te spreken als je zin hebt om onbeschaamd te zijn. Het is, zoals jij het uitdrukt, niet *aan jou* om iets voor mij achter te houden dat ik had moeten weten.' Hij ging zo luid tekeer dat de priesters naar binnen kwamen rennen om te zien wat er met hem aan de hand was. Ze dachten waarschijnlijk dat zijn verstand met hem op de loop ging, dat hij in discussie was met de lucht. Hij schreeuwde: 'Ga heer Rodela voor me halen. Ik hoef jouw slaapliedjes vandaag niet meer!'

Ik struikelde weg uit mijn schuilplaats, achter de gekantelde wagen en de tenten vandaan. Alles wat vannacht zo duidelijk had geleken was nu troebel. Had ik hem onrecht gedaan? Het was waar: ik was een lafaard geweest om hem niets te vertellen. Hij had geen tijd gehad om zich te wapenen tegen het geweld van de Crux, alleen omdat ik niet degene wilde zijn die hem pijn deed. Desondanks had hij elke klap verdiend.

Ik kwam Morser tegen bij heer Galans tent. Hij trok zijn wenkbrauwen op en haalde een duim over zijn keel. Binnen stond heer Rodela, terwijl Ruys knielde om zijn scheenbeschermers om zijn benen vast te maken.

'Kijk eens wie daar aankomt met haar staart tussen de benen. Ik dacht dat je voorgoed weg was,' zei heer Rodela glimlachend. Terwijl hij sprak draaide hij een ring aan de vinger van zijn rechterhand om, en voordat ik geraden had wat hij van plan was, stapte hij op me af en sloeg me zo hard op mijn wang dat mijn oren suisden. 'Waar heb je vannacht gelegen, terwijl je meester gewond was? Dus zo betaal je hem terug voor zijn gunsten: je dwaalt rond als een loopse teef. Kon je niet één nacht zonder een pik?' Hij maakte aanstalten om achter me aan te gaan.

Ik dook weg met mijn hand tegen mijn wang, terwijl Ruys – gezegend zij hij – heer Rodela's been vastgreep en zei: 'Sta stil alstublieft, heer. Ik ben nog niet klaar met deze gespen.'

Ik nam zelf het woord en zei met trillende stem: 'Heer Rodela, uw meester ontbiedt u. Gaat u snel. En als u wilt weten waar ik vannacht geweest ben, vraag het hem dan en val mij niet meer lastig.' Mijn hand kwam vol bloed van mijn gezicht af. 'Kijk wat u heeft gedaan. U vergist zich als u denkt dat ik zo ver uit de gunst ben dat u mij kunt ontsieren zonder dat heer Galan het u euvel zal duiden.'

'Ik heb je getekend,' zei hij en hield zijn hand op om het familiewapen te laten zien op de ring waarmee hij me had gesneden. 'Het is maar een krasje – een klein geheugensteuntje van mij dat je niet weer moet weglopen. En hier zijn je riem en halsband.' Hij trok Ruys overeind aan zijn oor en zei tegen hem: 'Ik weet dat je klaar bent met mijn scheenbeschermers. Je hebt er lang genoeg over gedaan. Breng me nu mijn helm en zorg ervoor dat zij hier blijft tenzij ik anders beveel.'

'Maar ik moet boodschappen doen op de markt, heer,' zei Ruys.

'Die boodschappen moeten maar wachten. Ben je vergeten welke schildknaap vannacht vermoord is? Niemand verlaat deze tent zonder vier of vijf anderen plus zijn wapens en zijn verstand. We hebben dit aan heer Galan te danken.' Hij wendde zich weer tot mij. 'Ik ga een bezoek brengen aan mijn neef. En als hij niet weet waar jij vannacht was, sla ik je gezicht vol strepen, en ik durf te beweren dat hij me daarvoor zal prijzen.'

Toen hij veilig weg was, ging ik op mijn buik op het ledikant liggen met mijn hoofd op mijn armen en dacht na over hoe snel de gebeurtenissen zich ontvouwden, sneller dan ze goedgemaakt konden worden. Nu was heer Alcoba's schildknaap dood en niemand stond terecht voor zijn moord. Heer Boei was waarschijnlijk door een bende aangevallen. Hij was een goede vechter geweest. Veel uithoudingsvermogen, eerder een os dan een stier. Hij dacht langzaam, maar kwam altijd uit waar hij zijn moest. Hij had heer Alcoba rust gegeven. De Crux had gelijk: het einde van de vete die nu openlijk begonnen was was moeilijk te zien.

Nu het licht was, wist ik nog steeds niet hoe ik Galan ervan kon overtuigen te kopen wat hij al voor niets gehad had, vooral nu hij kwaad op mij was en me waarschijnlijk niet in de buurt wilde hebben. Er was veel dat ik zou moeten doen en niets dat ik kon doen, dus ik lag daar ontroostbaar, mijn krachten verspild.

Morser en Ruys kletsten en rommelden rond in de tent. Ze hadden hun zware leren jakken aangedaan en zich bewapend alsof ze zich klaarmaakten voor een gevecht. Voor Morser was de vete, denk ik, een uitstekende manier om de tijd te doden totdat de oorlog begon. Ruys ging het meer aan het hart. Voor heer Galan hem gewonnen had in de weddenschap met heer Alcoba had hij onder heer Boei gediend en hem graag gemogen. Hij wilde zijn voormalige meester graag wreken – ongeacht wat hem gezegd was over in de tent blijven.

Heer Rodela kwam eerder terug dan ik verwacht had. Ik bleef zo ver mogelijk bij hem vandaan, op mijn hoede voor hem, maar hij besteedde geen aandacht aan mij. Hij liet Vliegenbeul komen en zei hem heer Galans strijdpaarden te roskammen, groene linten in hun manen en staart te vlechten en hun hoeven te vergulden. Heer Galan had gezegd dat de goden ze mochten hebben als hij ze toch niet mocht berijden. Kloof had zijn beste paard al; Crux kon Melena krijgen, het bruine paard met de zwarte manen, en Riskeer de grijze die hij van heer Alcoba had gewonnen, en misschien zouden de goden dan tevreden zijn.

'Ja, heer,' zei Vliegenbeul. Hij was een zwijgzaam man en zijn gezicht drukte voor hem uit hoe pijnlijk het was om zijn pupillen, waaraan hij dag en nacht alle zorg had besteed, zijn trots en vreugde, in een kort moment weggerukt te zien worden.

O, heer Galan maakte hier een fraai gebaar, al was het misschien ijdel. Een redelijk goed strijdpaard is meer waard dan een pachtershuishouden in twee jaar bij elkaar kan scharrelen, en echt goede paarden als deze waren een half dorp waard. Semental was onbetaalbaar geweest. Ik vroeg me echter af of de goden wel gunstig gestemd konden worden met een gift die geofferd werd uit rancune in plaats van eerbied. Niets dat aan de goden gegeven wordt is verspild, maar een os of twee had net zo goed volstaan, en zou zelfs gul zijn geweest. Twee strijdpaarden offeren kwam gevaarlijk dicht bij verkwisting.

Heer Rodela riep Morser, Ruys en Leegemmer bij zich en zei: 'Jullie meester komt morgen thuis. Maak alles klaar voor hem; keer de tent ondersteboven als het nodig is.' Hij nam de sleutel van heer Galans geldkist uit de beurs aan zijn gordel en gaf Morser een paar zilverkoppen (en het deed me pijn om hem zo vrij te zien omspringen met Galans sleutel en Galans zilver). 'Haal voldoende voorraad op de markt voor minstens een week. Heer Alcoba en heer Lebrel sturen deze middag hun mannen. Ga met ze mee en wees voorzichtig, hoor je?'

Ik verhief mijn stem. 'Ik moet ook gaan. Heer Galan zal kalmeer nodig hebben tegen de pijn en die heb ik niet meer.'

'Daar zullen de priesters wel voor zorgen,' zei heer Rodela. 'Jij mag het kamp niet uit.' Hij kwam dichterbij met zijn scheve grijns. 'Die kras valt wel mee, toch?'

Zodra de mannen de tent verlaten hadden, ging ik terug naar mijn schuilplekje. Ik keek en zag heer Galan eindelijk slapen. Ik zou hem niet wakker maken. Ik wikkelde me in mijn mantel en ging op het smalle strookje grond tussen de tenten liggen kijken naar de wolken die door het stukje lucht boven mijn hoofd zeilden. Gedachten dwaalden af naar dromen. Ik probeerde te dromen dat alles in orde was, alsof dat zou helpen, maar de dromen veranderden zo gemakkelijk van vorm als wolken en gehoorzaamden even weinig aan mijn wensen.

* * *

De priesters wekten heer Galan toen de avond viel en het tijd was voor de offers. Ze legden hem op een baar en droegen hem de korte afstand naar de altaren rond het paviljoen van de koning. Toen we op het Marsveld aangekomen waren, was het een eer geweest dat de koning ons kamp zo vlak bij hem had geplaatst. Ik vroeg me af of hij daar nu spijt van had. Hoe diep was de clan van Crux in zijn achting gedaald? Er waren altijd rivaliteiten tussen de clans en vetes kwamen en gingen; deze vete beloofde een tijd te blijven duren.

De Crux zelf leidde Melena en heer Alcoba de grijze. Vliegenbeul had de paarden goed voorbereid. Ze droegen alleen bitten en teugels en waren geborsteld totdat hun vacht glom, en zonder hun zware dekken kon iedereen zien hoe goed ze gebouwd waren, van voorhoofdlok tot het puntje van hun staart, en wat een goed paardenvlees nu gauw karkassen zouden zijn. Achter ze kwamen de Auspexen en heer Galan op zijn baar, gevolgd door de geharnasten, de schildknapen en de bedienden, allemaal met toortsen. Mannen en vrouwen van andere clans voegden zich bij ons toen het nieuws de ronde deed, evenals hun voetsoldaten en sloven, totdat er een grote menigte voor het paviljoen van de koning verzameld was.

De clan van Ardor bleef weg.

Een man fluisterde tegen zijn buurman en wees naar heer Galan. De volgende moest natuurlijk een tikje harder praten om over de eerste heen te komen, en zo ging het door, totdat de zachte stemmen tot een heel rumoer aanzwollen. Ze zwegen weer toen we stilhielden bij het heiligdom van Riskeer. Daar wachtten drie priesters die een akkoord van slecht passende tonen opdreunden. Een van hen – een Auspex van Fatum – bespeelde een instrument met een snaar die onder zijn duim een laag, pulserend geluid maakte dat ik in mijn tanden voelde. Op het stenen altaar stonden standbeelden van twee van Riskeers aspecten: een geblinddoekte houten Kans in een gewaad van rode verf, en Gevaar, gegoten in brons, met een zilveren harnas. Fatum was niet vertegenwoordigd. Een bundel gedroogde skunk, smeulend op het driepotige komfoor, gaf een benevelende rook af om het offer te bedwelmen.

De grijze ging onwetend zijn dood in. Niet gedwee, want een strijdpaard wordt niet gefokt om gedwee te zijn, maar zonder vrees en bereid om geleid te worden, wat algemeen beschouwd werd als een goed voorteken. De priesteres van Riskeer Kans hanteerde het mes. Ze hoefde geen blinddoek te dragen zoals haar meesteres, omdat ze lang geleden reeds haar ogen geofferd had. De priester van Fatum moest haar hand naar de keel van de grijze leiden. Toch sneed ze snel en zuiver.

De Crux hield Melena van het altaar afgewend, zodat hij het andere paard niet zou zien sterven. De neusvleugels van het bruine paard verwijdden zich toen hij het bloed rook en hij snoof. Maar het stoorde hem niet erg. Strijdpaarden worden aan die geur gewend als ze nog jong zijn, en moeten erbij staan terwijl een slager zijn werk doet.

Galan kwam ervoor overeind, hoewel hij niet recht of op eigen kracht kon staan. Hij leunde op de arm van Eerwaarde Xyster, zijn gezicht nog bleker dan het al was. Hij staarde recht en glazig voor zich uit, alsof hij niet kon zien wat er vóór hem gebeurde. Hij knipperde niet met zijn ogen en weende niet. Hij had zijn tranen vergoten voor Semental en had er geen meer. Hij leek er koudhartig door, maar ik kon zien wat het hem deed om toe te kijken; hij had zijn kracht verspild, zijn koppigheid, zijn wil. Toen het paard dat van heer Alcoba was geweest door zijn poten zakte, schokte en stil lag, draaide heer Alcoba zich om en keek Galan bitter aan.

Galan keek naar de grond. Zijn knieën bezweken en Eerwaarde Xyster ving hem onder zijn armen op en liet hem op de draagbaar zakken zodat hij naar het altaar van Crux gedragen kon worden, aan de andere kant van het paviljoen van de koning. De menigte ging mee, sommigen voor, anderen achter, maar allemaal om ons heen. Het was geen optocht meer maar een stroom vol draaikolken die mij meevoerde, een stofje tussen andere stofjes die zich verdrongen en duwden en mijn oren volstopten met roddels en onzin.

Melena was nu geprikkeld. Hij steigerde en bokte en rukte met zijn hoofd. De geur van het bloed, de mensenmassa, het geluid betekenden een toernooi voor hem en hij was er klaar voor. Hij wilde niet stil staan bij het altaar. Twee mannen hadden zich met hun ellebogen voor mij gewerkt, maar over hun schouders heen kon ik Melena's ronde ogen zien, zijn naar voren gespitste oren, zijn zwiepende staart, de spieren die rolden in zijn achterwerk toen hij terugdeinsde, opnieuw aan de teugels rukkend die de Crux vasthield. Ik zag zijn verbijstering toen de Crux hard aan het bit rukte en Vliegenbeul aan de rechterkant van het paard opdook en hem bij de manen vastgreep en zijn gewicht op zijn schoften gooide om hem stil te houden voor het mes.

Galan stond weer. Eerwaarde Hamus, de Auspex van de Zon, sneed, maar het was geen zuivere snede omdat Melena zijn hoofd van links naar rechts gooide en zijn keel twee keer doorgesneden moest worden. Bloed spatte over het gouden standbeeld van de Zon en het zilveren beeld van de Maan, over de Auspexen en de Crux en de toeschouwers en ook over Galan. Maar er werd voldoende opgevangen in het glazen bekken dat de Hemelen representeerde voor de priesters om mee waar te zeggen. Melena wankelde. Er liep een rilling over zijn vel. Zijn linkerachterbeen zakte door en hij viel opzij, naar de Crux, en even later hield het schoppen op en was hij dood.

De menigte om me heen maakte een luid murmelend geluid, als de zee, maar ik bewoog me in stilte, alsof ik doof was van het lawaai. Ik probeerde een ander geluid te horen, het lage bonken van Fatum. Ik wist dat het er was, buiten gehoorsafstand. Ik kon het onder mijn ribben voelen, in mijn maag, in mijn baarmoeder. Toortslicht wierp schaduwen over de glanzende vacht van het gevallen paard en de grijze staande stenen van de altaren. Galans lichaam zwaaide in dit licht, zelf een halve schaduw. Het haar in mijn nek ging overeind staan en ik voelde dat de ogen van de goden ons werkelijk gadesloegen in goede en slechte tijden.

* * *

Velen bleven voor het uitbenen, de zoektocht naar betekenis in de ingewanden en de andere bloedrites van de Auspexen. En ze bleven voor het feestmaal daarna. Het kleivolk zou die avond goed eten van de offers – des te beter omdat het Bloed geen paardenvlees blieft. Ik volgde Galans draagbaar terug naar de tent. Hij was ineengezakt en buiten bewustzijn geraakt, zijn wond bloedde weer vrijuit. Hij had al zoveel bloed verloren. Hoeveel was er nog over?

Deze keer keek ik door mijn kijkgat terwijl Eerwaarde Xyster Galan verzorgde en het kon me niets schelen of dat heiligschennis was. Ik zag alles wat de priester deed. Hij vroeg zijn dienaar om snel te komen en zijn handen op de wond uit te spreiden en te duwen. Het bloed welde op tussen zijn vingers, maar uiteindelijk stopte het bloeden. Gelukkig was Galan nog steeds buiten bewustzijn. Toen kwamen de spinnenwebben en de zalf, een schoon verband en nog meer rook. Eerwaarde Xyster had weinig geduld. Hij vervloekte Morser en Ruys omdat ze in de weg stonden, sloeg zijn page omdat die de verkeerde zalf had gebracht en mompelde dat heer Galan een idioot was. Maar zijn handen waren nauwkeurig, vast en vriendelijk.

Galan gromde en opende zijn ogen en Eerwaarde Xyster zei tegen hem: 'Probeerde je soms je eigen bloed ook te offeren? Ik zal je hier moeten houden totdat ik zeker weet dat je jezelf niet nog meer aandoet.'

Galan antwoordde niet, op het sluiten van zijn ogen na, en hij draaide zijn hoofd af. De priester ging op zijn hurken zitten en bekeek hem een tijdje. Toen stond hij op en spoelde zijn handen in een waterbekken. Hij zei tegen Morser en Ruys dat ze bij heer Galan moesten blijven en hem snel halen als het slechter met hem ging of als hij weer ging bloeden; hij zou met de andere priesters bij het altaar zijn.

Toen Eerwaarde Xyster weg was, wisselden Morser en Ruys een blik. Ruys controleerde of zijn riem stevig zat en zijn zwaard gemakkelijk uit de schede kwam en zei: 'Hou jij de wacht, ik ga.' Morser grijnsde en wenste hem een goede jacht, en ik wist dat het niet goed zou aflopen met elke man van Ardor, van bagagejongen tot geharnaste, die vanavond alleen gevonden werd. Ik hoopte dat niemand van hen zo dwaas zou zijn.

Morser nestelde zich op de grond met zijn rug tegen een houten kist en zijn benen voor zich uitgestrekt, en al gauw knikkebolde en schokte hij terwijl hij vocht tegen de slaap en verloor.

Dus hield ik de wacht over Galan, en ik zag hoe zijn gezicht veranderd was. Als hij gezond was kon ik mijn blik nooit zo lang op hem gericht houden; als hij zag dat ik keek moest ik blozen en de andere kant op kijken. Nu kon hij zich niet verdedigen tegen mijn ogen.

Zijn huid was het bruin van de zomer langzaam kwijtgeraakt op het Marsveld. Hij reed de hele dag buiten, maar onder de wolken en meestal met zijn wapenrusting aan. Toch was hij nog blozend van gezondheid geweest, maar vanavond was zijn gezicht zo bleek als vellum, en op het vellum was in inktzwarte schaduw de vorm van zijn schedel getekend. Ik zag hoe de koorts hem opnieuw besloop tot zijn haar aan zijn voorhoofd plakte van het zweet en er rode vlekken op zijn wangen bloeide. Hij draaide zijn hoofd van de ene naar de andere kant. De spieren van zijn armen en handen trokken.

Ik hield mijn wake in mijn hoekje naast de tent, dag en nacht. Galan sliep meer dan hij wakker was. In zijn slaap mompelde hij en schreeuwde het uit, maar als hij wakker was zweeg hij, zijn mond een harde streep. Hij zei zelfs niets als Eerwaarde Xyster hem zijn dagelijkse smerige braakmiddel gaf, dat hem dwong de bodem van zijn maag uit te spugen als er niets was om op te geven. Daarna lag hij plat van zwakte, en ik zag zijn ogen tussen zijn samengeknepen oogleden glinsteren, zijn handen rusteloos en trillend tussen de dekens. Zijn wond druppelde weer.

Eerwaarde Xyster verbrandde kruiden en zong boven Galan, en hij raadpleegde de andere priesters van Crux en de omens. Galan zelf had zijn wond verergerd, maar de goden waren ook verstoord. De Auspexen waren gealarmeerd over Crux Maan op de avond van de offers. Hij had laag in de lucht gehurkt, kwaadaardig geel, en het bovenste deel ontbrak, wat er onbeholpen uitzag. Aan de andere kant hadden ze veel haviken over het Marsveld zien cirkelen, een teken dat de voorouders van het Huis van Falco in de buurt waren – maar het was moeilijk te zeggen of ze over heer Galan waakten of hem bij zijn dood begeleidden.

De Crux bezocht Galan niet, en zijn vroegere vriend heer Alcoba evenmin. Heer Rodela kwam vaak. Soms hurkte hij bij heer Galans strozak en vertelde hem nieuwtjes terwijl Galan bleef zwijgen. Had hij gehoord dat het beste paard van heer Limen een been gebroken had? Of dat een paar voetsoldaten van heer Alcoba twee sloven van Ardor hadden afgeranseld achter de beerputten en ze voor dood achtergelaten? En de bagagejongen van heer Lebrel was verdwenen – gedood in de vete of gedeserteerd, niemand kon het zeggen. Heer Rodela zei dat het hele Marsveld in rep en roer was en elke man, zelfs de laagste voetsoldaat, de kleuren van zijn clan droeg, in een lint of een veer op zijn kap. De clan van de koning zelf, Prooi, liep wachtrondes om de vrede te bewaren, alsof hun Bloed zuiverder was dan dat van de rest, en het zou al gauw zo beledigend worden dat er een antwoord moest komen.

En heer Rodela vertelde Galan: 'Je schede is vannacht weer niet thuisgekomen. Waar denk jij dat ze heen gaat?' De schildknaap wist heel goed waar ik was; dat wisten alle mannen van heer Galan tegen die tijd, hoewel ze nooit ontdekt hebben waar mijn kijkgaatje was. Galan keerde heer Rodela de rug toe, en de schildknaap glimlachte.

Maar ik zag heer Rodela ook aan Galans zijde zitten als zijn meester wegzonk in de oceaan van Slaap en bezocht werd door dromen die hem tot spreken brachten. De woorden die Galan in zijn slaap sprak waren dik en verminkt, onbegrijpelijk. De schildknaap luisterde met bezorgdheid op zijn voorhoofd. Hij friemelde aan zijn baard en rolde de huid van zijn stoppelige kaak tussen duim en wijsvinger heen en weer, een gewoonte die hij had ontwikkeld nadat heer Galan zijn haar had afgebrand. Sindsdien volgde hij Galans gladgeschoren mode niet meer. Zijn donkere ogen rustten op Galan of ergens achter hem.

Ik had me vaak afgevraagd wat heer Rodela voor zijn meester voelde, behalve de afgunst die een soort verwrongen bewondering leek. Ze schertsten en spotten ruw met elkaar op een manier die onder mannen soms wijst op sympathie. Maar als er sympathie was, verborgen ze het te goed. Wat deed gevoel ertoe, zolang de schildknaap maar loyaal was? Ik dacht dat hij dat was; ik hoopte het. Nu zag ik in het donker iets onverwachts op heer Rodela's gezicht. Het verraste me dat de zoon van de bastaard zo veel zorg liet zien voor zijn hogergeboren neef.

Heer Galan kreeg nog meer bezoekers, maar ze gingen onbevredigd weg. Hij verbrak zijn stilte niet.

Ook ik vond niets om te zeggen.

* * *

Op de tweede ochtend wandelde Mai zo brutaal als je je maar kunt voorstellen het kamp in op haar hoge houten zolen, Balk en Kniep aan haar armen. Ze liet me halen door Morser. Toen ze me zag klakte ze met haar tong, maakte ze misbaar en zwoer ze dat ze mijn botten kon horen rammelen. Ik gaf toe dat ik vaak vergeten was te eten. Ik stortte bijna in toen ik haar zag. Als ik had gekund had ik mijn hoofd tegen haar borst gelegd en gehuild als een kind.

We konden nergens praten zonder dat iemand ons hoorde, dus bleven we in de tent, gooiden we takjes in het komfoor en praten we zachtjes, met Galans mannen in de buurt.

'Ik zag heer Galan bij het offer,' zei Mai. 'Een veer had hem omver kunnen duwen. Ze sluiten weddenschappen over hem af op de markt. Sommigen geven hem een dag; anderen een week.'

'Hij had nooit uit bed moeten komen. Hiervoor was hij aan de beterende hand. Maar hij knapt nog wel op, je zult het zien.' Ik geloofde het ook nog, om slechts één reden: ik kon me niets anders voorstellen.

'Het was de eerste keer dat ik hem eens goed kon bekijken.'

'Hij heeft er weleens beter uitgezien,' zei ik.

Mai grijnsde. 'Zelfs dan nog. Ik kan wel zien dat hij de juiste snit heeft.'

Ik slikte de knoop in mijn keel door voordat ik zei: 'Hij is in elk geval naar mijn maat gesneden.'

'Ik zou het niet erg vinden om hem zelf de maat te nemen,' zei Mai.

Ik antwoordde snel: 'Dat zou zeker zijn einde worden.'

Ze lachte die borrelende lach van haar diep in haar buik, die ze gebruikte bij treffende scherts. 'Wees niet bang,' zei ze en ze stak haar handen op. 'Zonder mij heeft hij al problemen genoeg.'

Ik boog me dicht naar haar toe en vroeg zachtjes: 'Wat zeggen ze over hem op het Marsveld? Vinden ze de offers verkeerd?'

Ze zei: 'Hij kan geen stap verkeerd doen. Als hij gedwee had ondergaan dat de Crux een voetsoldaat van hem maakte, had hij zijn gezicht voor altijd verloren. In plaats daarvan heeft hij de Crux' baard aan zijn snor vastgeknoopt en de oude man moest het lijdzaam ondergaan – hij kon moeilijk zeggen dat de goden zo'n genereuze boetedoening niet verdiend hebben.'

'Maar elke man van Bloed die heer Galan vroeger benijdde zal hem nu toch zeker minachten als hij hem ziet lopen?'

Mai haalde haar schouders op. 'Misschien. Of misschien ontketent hij een dwaze modegril en springen alle jonge mannen van hun paarden af om achter hem aan te wandelen.' Ze wandelde met twee vingers over de heuvel van haar dij. 'Natuurlijk zeggen de *nuchtere* mannen, de voorzichtige oude vrekken – heer Torosus bijvoorbeeld – dat de Crux te mild is geweest en heer Galan te driest. Nou en? De hoeren zijn dol op heer Galan. De driftkop – het lijkt alsof zelfs de goden dol op hem zijn. *Ik* zou nooit tegen hem wedden.'

'Het is niet zo'n verdienste om door dwazen geprezen te worden,' zei ik, 'en voor mij is het ook geen troost. Hij zal bij zijn eerste stap op het slagveld gedood worden. Hij kan net zo goed naakt vechten als zonder paard.'

Mai zuchtte en nam mijn hand tussen de hare. Haar vingers waren warm en de mijne koud. 'Heeft je moeder je aan de borst niet gewaarschuwd dat je bij soldaten uit de buurt moest blijven?'

Ik schudde mijn hoofd en kon geen woord uitbrengen. We zwegen even en ik dacht aan wat er van Mai zou worden als heer Torosus zou sterven en zijn vrouw hoog op de heuvel zou achterblijven, zonder liefde voor de schede van haar echtgenoot en zijn kleikinderen. Ik kneep in haar hand en zei: 'Goed advies is vaak voor dovemansoren, nietwaar?'

Ik keek de tent rond. Leegemmer lag achter een paar graanzakken te slapen; hij dacht misschien dat hij verstopt lag, maar zijn gesnurk verraadde hem. Heer Rodela en Ruys waren weg. Balk en Kniep zaten bij de deuropening te dobbelen. Morser zat vlakbij met het tuig van de strijdpaarden om zich heen. Hij zette het leer in de olie en poetste het metaal. De zadeldekken werden teruggestuurd naar heer Galans huis omdat hij ze nu niet nodig had.

Ik koos mijn volgende woorden met zorg omdat Morser ons kon horen. 'Mai, weet je nog – die lichtekooi waarover je me vertelde – met de kwijnende ziekte? Hoe gaat het met haar?'

'Nou, ze is nog niet dood, hoewel ik niet begrijp hoe dat kan. Ik heb haar gisteren bezocht en wat medicijnen gegeven: gerstewater met name, en het schoonste bergwater dat ik kon kopen.'

'Gerstewater moet goed zijn voor wat haar kwelt,' zei ik. 'En haar zure oude tante? Verzorgt die haar nog steeds met zoveel... toewijding?'

‘Ze wordt nogal in beslag genomen door andere zaken. Het hele bordeel, kun je zeggen, is in rep en roer.’

Ik tilde het rooster van het komfoor op om de vlammen te voeden. We zaten in een kleine poel van warmte. Elke dag werd de lucht aan de kust killer en waren we meer gesteld op het komfoor. Ik brak een tak doormidden om mijn stem in het kraken en ritselen te verbergen en zei, alsof ik onverschillig maar nieuwsgierig was: ‘Het lijkt me dat die hoer nu goedkoop zal zijn. Ze ziet er waardeloos uit, maar als iemand haar kan genezen heeft die een koopje aan haar.’

Mai lachte. ‘Ben je van plan om pooier te worden?’

Ik rolde mijn ogen naar Morser om haar te waarschuwen en zei: ‘Nee, ik vraag me gewoon af wat voor prijs zij nu op zou brengen.’

Mai keek me schuins aan. ‘Heeft ze nog niet genoeg gekost?’ was alles wat ze zei.

Ik wist dat ze begreep wat ik bedoelde, ook al ontgingen mijn beweegredenen haar. Ze zou voor me uitzoeken wat de prijs was die Ardor vroeg voor een concubine nu ze gebruikt was en daarvan te lijden had gehad.

* * *

Op de avond van de derde dag vroeg heer Galan met raspende stem om water. Ik ging rechtop zitten om door het kijkgaatje te turen. Ik had onder een stuk afdak gelegen dat ik van twee oude zakken had gemaakt. Een miezerregen, opzij gejaagd door de wind, stak de naakte huid van mijn gezicht en nek. Er hingen druppels als zandvliegen aan de vacht van mijn mantel.

Binnen in de tent was een haven van licht en warmte. Ze hadden drie komforen om Galan heen gezet omdat hij van koorts naar kou dwaalde en weer terug, steeds opnieuw. Ruys sprong bereidwillig overeind en bracht hem een beker water; hij en Morser waakten om beurten. Eerwaarde Xyster hurkte naast zijn patiënt om te kijken. Galan kon zelf niet overeind komen, dus tilde Ruys zijn hoofd op en zette de beker aan zijn lippen. Galan nam drie of vier slokken – ik kon de droge beweging van zijn keel horen – en begon te hoesten. Eerwaarde Xyster draaide hem op zijn zij tot de hoestbui voorbij was en liet hem toen weer op zijn rug liggen. Hij duwde Ruys weg en gaf Galan zelf water, maar langzaam, slokje voor slokje.

Toen Galan genoeg had gedronken haalde Eerwaarde Xyster zijn arm weg en vroeg bars: ‘Ben je er weer? Ik was al bang dat de schimmen je hadden meegenomen.’

Galan schudde zijn hoofd op het kussen. ‘De schimmen wilden me niet,’ zei hij. ‘Ze hebben me teruggestuurd.’

Eerwaarde Xyster zei: ‘Dat is ook maar beter. De Crux zou mijn oren afgesneden hebben als je gestorven was. Maar het was je uur nog niet. Ik dacht wel dat je zou blijven leven – voor een buikwond was het een schone wond. Het zal een mooi litteken worden.’

'Bof ik even,' zei Galan. Hij draaide zijn hoofd naar de wand, naar mij. Zijn ogen vielen dicht in de slaap van een man die zo uitgeput is dat elk woord zijn krachten te boven gaat.

* * *

Eerwaarde Xyster beweerde dan wel dat hij steeds geweten had dat Galan zou blijven leven, maar ik had de carnifex op momenten gezien dat hij niet zo zeker was, toen hij 's nachts opstond om Galans voorhoofd te voelen en onder het verband te kijken, toen hij zijn page gevraagd had om hem te baden in koud water of Ruys om kolen of vachten te brengen en snel een beetje.

Toen Galan om water vroeg had ik voor de eerste keer in dagen onbelemmerd ademgehaald. Tijdens mijn wake was ik zo bevangen van angst dat als zijn adem kort was de mijne dat ook werd, alsof ik in mijn eigen zenuwen geraakt werd. Die maagd – Vulpeja – bleef in gedachten bij me terwijl Galan daar hulpeloos lag. Zij was ook hulpeloos, omgeven door liefhebbende vijanden, en dat was zijn schuld, net als de vete die al levens gekost had. Onder de angst lag woede. Hoe meer ik die dempte, hoe sterker die werd.

Hoe kon ik over haar beginnen terwijl hij al zo terneergeslagen was? En ik was bang voor zijn woede. Hij had de laatste dagen alleen maar liggen broeden; hij had natuurlijk veel tijd gehad om na te denken over hoe ik tekortgeschoten was door niets te zeggen.

Als ik nu niet sprak, schoot ik weer tekort.

* * *

In het holst van de nacht hoorde ik Galan op zijn strozak van de ene op de andere zij draaien en weer op zijn rug, en ik kon aan zijn ademhaling horen dat hij wakker lag en pijn leed. Al die mannen die in de tent sliepen – de priesters en hun sloven, Galans bedienden – en toch was Galan alleen. Pijn wordt altijd in eenzaamheid geleden.

Ik leunde met mijn wang tegen de wand van de tent en fluisterde door het zeil heen: 'Heer, u komt snel naar huis. Morgen of de dag daarna, hoorde ik Eerwaarde Xyster zeggen.'

'Ben je daar? Ik dacht al dat ik de afgelopen dagen geritsel buiten de tent hoorde, als een muis in de muur. Maar het was niets voor jou om je mond te houden.'

'Ook niets voor u, heer.'

'Je had iets moeten zeggen.'

'Had je dan antwoord gegeven?'

Stilte. Ik was zo bang dat hij niets meer zou zeggen dat ik mijn adem inhield.

'Ik heb gedroomd dat je hier was,' zei hij uiteindelijk. Zijn fluistering klonk slechts iets luider dan een zucht.

'Dat was geen droom.'

'Dus je hebt echt bij me in de tent gelegen en jezelf om me heen gewikkeld en me koorts gegeven tegen de kou?'

'Ik vrees dat ik niet zo brutaal ben geweest.'

'Ik heb ook gedroomd dat je me verliet,' zei hij.

'Ik heb je nooit verlaten.'

'Maar ik herinner me geloof ik dat ik je wegstuurde.' Zijn woorden waren scherp maar zijn stem klonk berouwvol.

Vreugde rees in me op. Hij sprak niet over mijn overtreding; dat zou ik ook niet doen. Misschien had de koorts zijn woede tot as verbrand. Zo verdween zijn jaloezie soms ook, zo snel als een zomerstorm die over de bergen zwiept.

Nu ik zeker was van zijn antwoord durfde ik hem te vragen: 'Ben je van plan om me weer te verbannen?'

'Nee,' zei hij.

'Maar goed ook. Ik zou niet gegaan zijn.'

'Koppig,' zei hij. Ik hoorde er genegenheid in. 'Dat is de fout van elke vrouw.'

'Die fout heb jij ook,' zei ik.

'Voor een man is het geen fout.'

Een van de priesters bewoog zich in zijn veren bed en ik wachtte tot hij weer stil was. 'Volgens mij wel. Je was er zo op gebrand om je paarden te offeren dat je opstond van je ziekbed en dat heeft je bijna het leven gekost.'

'O, maar ik ben te koppig om te sterven.'

Met mijn lippen vlak bij het tentdoek murmelde ik: 'Dan ben ik daar blij om. Als de schimmen je niet willen hebben omdat je zo'n stijfkop bent, is het nog ergens goed voor.'

Ik hoorde een gedempte lach die abrupt eindigde toen hij naar adem snakte. 'Minder grappen, graag,' zei Galan. 'Daar kan ik vannacht niet tegen.'

Ons gefluister was vrij in de nacht, ging waar wijzelf niet konden komen, alsof onze lippen een oor streelden, alsof ademhaling aanraking was. En als we onzin praatten, wat dan nog? Het stelde me gerust om met hem te redetwisten. Toch kruisten we onze geesten vlak bij een afgrond; een misstap en we konden vallen.

Ik keek door de spleet. De lampen waren uit, maar zijn gezicht kon ik duidelijk zien. Zijn wangen en kaak werden beschaduwd door een baard; de rest was beenwit. Hij draaide op zijn zij, naar mij toe, en legde zijn hoofd op zijn arm. Hij kromp ineen van de beweging, maar hij glimlachte toen hij zei: 'Ik heb het koud. Kom me verwarmen.'

Ik stelde me voor hoe ik naast hem op de strozak zou liggen en de gedachte brandde. Maar ik zei: 'Eerwaarde Xyster slaapt niet zo vast als je denkt. Je hoeft maar te woelen en hij rent naar je toe.'

'Dat risico neem ik.'

'Maar ik niet.'

Er lag nu geen lach op zijn gezicht. Hij worstelde om overeind te komen.

Het dek gleed naar beneden en liet zijn torso vrij, behalve het verband dat kriskras over zijn middenrif liep. Hij boog zijn hoofd en zijn haar viel over zijn gezicht; zijn adem was ruw en snel. Hij begon zichzelf over de vloer naar mij toe te trekken. Een paar dagen geleden zou hij de grond tussen ons nog in een stap overgestoken zijn.

'Wat doe je?'

'Als jij niet naar mij wil komen, moet ik naar jou toe,' zei hij.

'Dan ben je roekeloos, en bovendien een dwaas.'

'Dwaas, zeg je?'

'Hoe noem *jij* een man die alles wat hij heeft vergooit aan een gril en een weddenschap? Zelfs zijn leven – dat ben je ook kwijt als je niet voorzichtig bent.' Ik was zelf roekeloos. Ik had niet zo bot willen zijn, maar mijn woede had haast en wilde niet wachten op wijsheid.

Hij stak zijn hand uit en raakte de wand tussen ons aan. 'Ssst,' zei hij. 'Ik heb de laatste dagen meer dan genoeg tijd gehad om na te denken over wat een grote dwaas ik ben, en van welk soort. Dat hoef jij me niet te vertellen. Maar vertel me dit eens: *ben* ik alles kwijt? Ik heb gedroomd dat ik jou verloren had. Is dat zo?'

Ik zei: 'Ik weet waarom jij me wilt, waarom je me onderhoudt. Het gaat om geluk, om geluk alleen. Dat heb je zelf gezegd. Wat heb ik nog voor nut nu jouw kansen gekeerd zijn?'

'Wat voor nut?' vroeg hij. 'Wat heeft ademen voor nut?'

Ik antwoordde: 'Voor een dode man geen enkel. Ga dus liggen en rust uit.' Maar de woorden bleven tussen ons in hangen en nu hoorde ik ze beter: *wat heeft ademen voor nut?* Dit had ik gezocht toen ik hem bond, dat ik net zo nodig voor hem zou zijn als lucht, water en brood. Toch had ik reden om aan zijn woorden te twijfelen.

Hij wilde niet gaan liggen. Ik was in het voordeel, ik kon hem zien, terwijl hij alleen duisternis zag. Ik zocht naar voortekenen in de rimpels op zijn voorhoofd en de hoeken van zijn mond. Ik zou hem goed moeten kunnen lezen; ik had zijn tekenen bestudeerd sinds we elkaar ontmoetten, zorgvuldig als een priester omens bestudeert. Ik had zijn lange stilte gezien als een teken van verdriet en woede omdat hij hier lag. En zijn woede op mij vergat ik ook niet. Had ik hem verkeerd gelezen? Er was zowel verdriet als woede, dat wist ik zeker; maar als hij berouw had, betekende dat dat hij zijn woede voornamelijk op zichzelf had gericht.

Ik volgde de lijn van zijn profiel, van voorhoofd naar neus naar lippen, en daar bleef ik hangen. Ik kon hem nauwelijks horen. 'Je zult me verlaten, zo zeker als Kans me in de steek heeft gelaten.'

Hij keerde zich af, en aan het krommen van zijn schouders, de hoek van zijn nek, de curve van zijn rug zag ik het duidelijk: hij had verdriet, maar toch weigerde hij te huilen. Wat kon ik zeggen om hem te troosten? Ik kon hem niets bieden dat zo kostbaar was als wat hij had verloren – de gunst van Kans, paarden, het aanzien van zijn makkers. Ik had het weinige gegeven dat ik had, en voor zover ik kon beoordelen waardeerde hij, afgezien van lieve woordjes, dat kleine beetje niet buitensporig.

Na een tijdje draaide hij zijn hoofd weer naar me toe. Zijn ogen waren smaller en zijn mond stond grimmig. 'Je zult me verlaten, vroeg of laat. Nou, probeer het maar – maar je zult merken dat je niet mijn verlof hebt om te gaan.'

'Het was een droom,' zei ik.

'Het was een *ware* droom.'

'Niet waar. Waarom zeg je zulke dingen? Ik ben standvastig geweest. *Jij* bent degene geweest die het elders heeft gezocht.' Heftige woorden, ingehouden door een fluistering.

'En misschien doe ik dat weer. Dat heeft niets te betekenen.' Hij was al jaloers op de wind die mijn huid streelde, maar een schede had nu eenmaal niet dezelfde rechten.

'Voor iets dat niets betekent heb je een dure prijs betaald.'

'En als ik jou ook verlies, heb ik te veel betaald.'

'Mooie woorden. Als je ze zou menen.'

'Wil je met opzet niet begrijpen wat ik bedoel? Ik ben zo duidelijk geweest als ik kan. Ik heb toch geprobeerd om het je naar de zin te maken? Ik dacht dat je tevreden was.'

'Met een hoofddoek, een stuk wol en een paar muiltjes.'

'Als je geschenken wilt – als dat alles is wat je wilt – kun je ze krijgen. Wat voor zeldzame en kostbare zaken mis je? Ik zal ze voor je kopen. Je vergeet dat mijn oom me iets heeft laten houden toen hij me mijn trots ontnam. Hij liet me mijn geld houden.'

Ik drukte mijn wang tegen de tent. Mijn gezicht was nat. Een woordenstroom had ons tot hier gebracht, verder dan ik had willen gaan. Maar toch niet ver genoeg – ik moest nu over die maagd beginnen, hoe ook zij boette voor wat ze gedaan hadden. Maar ik was te bang om erover te spreken. En ik was egoïstisch; nooit hadden bittere woorden zo zoet geklonken.

Galan zei: 'Ik heb je iets gegeven waarvan ik dacht dat je het liever had. Je bent een havik van nature; prima, ik heb je aan je riemen laten ontsnappen en je met je dikke vriendin op het Marsveld laten jagen onder de vrouwes en de hoeren, om wat munt te maken. Misschien heb ik dat verkeerd beoordeeld. Ik zie dat ik daar geen dank voor krijg.'

'Dus je hebt me laten bespioneren.' Ik dacht aan Leegemmer, de simpele Leegemmer, die me volgde als mijn eigen schaduw. Ik had moeten raden dat hij verhalen overbriefde.

'Als je één geheim voor me hebt, heb je er misschien meer. Ik mag dan een dwaas zijn, maar ik ben niet zo dom om een vrouw op haar woord te geloven als het om haar tijdsbesteding gaat,' zei hij bars.

'Beoordeel me dan naar mijn daden, niet naar mijn woorden – zoals ik dat bij jou doe. Wat voor reden heb *jij* om me niet te vertrouwen? Waarom beschuldig je me en zeg je dat ik je zal verlaten? Is het omdat je graag wilt dat ik ga? Ik ben maar een schede, en als de oorlog voorbij is zul je je zwaard opbergen en mij weggooien. Als die tijd al gekomen is, vertel het me dan snel, dan is het achter de rug.' Ik keek weg van het kijkgaatje, van zijn gezicht en zijn blind starende ogen.

'Genoeg,' zei Galan. 'Is dit jouw wraak voor een paar nachten wegblijven uit jouw bed? Je vermoordt me met je spot.'

'Ik bespot je niet,' fluisterde ik.

'Misschien verdien ik het wel. Alles wat ik aanraak heb ik vernield, zelfs dit, wat me het liefst is.'

'Nu spot je met mij.'

'Nee, nooit.'

Er viel een lange, lange stilte. In die stilte klonken veel geluiden die ik niet eerder had gehoord: de wind, het spatten van regen op de tenten, blaffende honden, een snurkende man. Ik was zo gespitst op Galan geweest dat ik bijna vergeten was dat de priesters en hun sloven in de tent sliepen. Ik was zijn stem gevolgd, diep in de stilte tussen ons, waar hij niet luider sprak dan een ademhaling maar toch werd gehoord en waar niemand anders ons hoorde.

Toen hij opnieuw sprak, voelde ik dat hij zijn woorden met veel zorg koos voordat hij ze liet gaan. 'Toen ik je voor het eerst zag, vond ik je al leuk; misschien vanwege de kleur van je haar. Ik dacht dat twee keer rollebollen wel genoeg zou zijn. Maar hoe meer ik kreeg, hoe meer ik wilde. In de derde nacht, toen ik je vroeg om met me mee te gaan, vroeg ik me af waarom ik zo tevreden was als je naast me lag te slapen. En toch – je stemde te snel in en dat vond ik verdacht, en ik was niet de eerste en dat maakte me jaloers – en dus was ik ontevreden. In de vierde nacht dacht ik: wat is dat voor trek, die groeit hoe meer je hem voedt en die je nooit kunt stillen? Ik vroeg me hetzelfde af in de vijfde nacht en de zesde en elke nacht daarna. Ik dacht dat de kleine maagd mijn verlangen zou kunnen genezen; ik gokte erop, zou je kunnen zeggen. Maar het enige dat ze genas was mijn twijfel.' Hij liet een pauze vallen. Zachter dan een fluistering zei hij: 'Als je dit echt niet weet – als je niet weet dat ik er nu naar snak om je te zien – dan vrees ik dat het geen spot is maar iets ergers: onverschilligheid. Het betekent dat jij niet dezelfde behoefte voelt.'

Als een vrouw ontmand kan worden, was ik het nu. Ontmand en ontwapend. Ik leunde tegen de tent en legde mijn palmen tegen het doek en mijn oog tegen de spleet en ik zag hem zitten, stil en gespannen met zijn hoofd scheef, alsof hij naar iets luisterde – naar mij.

'Galan,' zei ik, en ik stopte. Ik had hem nooit eerder Galan genoemd zonder 'heer' ervoor. Ik begon opnieuw. 'Je hebt me weggestuurd, maar hier zit ik. Waarom zou ik hier anders zijn?'

Hij glimlachte flauwtjes. Hij zei: 'Om me te kwellen, denk ik,' maar hij ademde gemakkelijker.

'Omdat we gebonden zijn, jij en ik,' zei ik naar waarheid. Als ik hem mocht geloven was hij al aan mij gebonden voordat ik de vrouwenwoord had begraven. We moesten dus twee keer gebonden zijn – maar dat zei ik niet. 'Het is een strakke knoop. Hij is alleen door te snijden.'

Ik drukte tegen de wand tussen ons. Onder mijn vingers voelde ik een naad die twee stroken canvas bijeenhield omhoog lopen over de wand. Er lag een dikke waslaag over de naad om de regen buiten te houden, maar de steken waren ruw en groot.

'Galan, slapen de priesters nog?'

'Lijkt er wel op. Als beren in de winter.'

Ik zette mijn mes tegen de zware draad van de naad, sneed hem door en begon met mijn mes en vingertoppen het stiksel uit te halen. Ik fluisterde een vloek omdat ik hier niet eerder aan had gedacht: ongemerkt een stukje van de wand los halen en weer dicht naaien voor de dag aanbrak.

Galan lachte kort en ademloos. Ik hoorde hoe hij zichzelf dichterbij sleepte. 'En dan noem je *mij* een dwaas,' zei hij.

Hoofdstuk 8

Eer

Eerwaarde Xyster hield woord en stuurde heer Galan de volgende dag naar zijn eigen tent. Degenen die gewed hadden dat heer Galan zou sterven, betaalden hun schuld en sloten nieuwe weddenschappen af of hij naar huis of naar de oorlog zou gaan. Een paar dwazen wedden dat de Crux medelijden zou krijgen en hem zou laten rijden. Het was een wedren tussen heer Galans herstel en het begin van de oorlog.

De mannen van de koning waren klaar met het hakken van de weg naar zee. Ze lieten een brede witte wond achter, geplaveid met kalkachtige steenslag. De mokers waren stil. Maar bij de scheepswerven weerkaatsten de rotswanden de slagen van de breeuwers die met zware voorhamers touw in de kieren sloegen, en in de wapensmidses op de markt klonk een gebonk, gerinkel, geklink, gestamp, gerasp en gesis van de verschillende hamers, groot en klein, en van vijlen, beitels, blaasbalgen en heet metaal dat in koud water werd ondergedompeld. Dat alles zou doorgaan tot we vertrokken en ook daarna nog; zulk werk was nooit af.

Waarom bleef de koning dan treuzelen op het Marsveld, terwijl de winter inviel? 's Nachts wolkte onze adem in de lucht en op sommige ochtenden lag er een laagje rijp op de gaspeldoorns. De mensen waren niet alleen bang voor de kou, maar ook voor het vocht dat erbij hoorde; de twee metgezellen dwaalden door het kamp en verspreidden koorts en andere kwalen, stookten onrust. Een tweedaagse koorts die de brandende werd genoemd ontrukte heer Limen aan onze tenten en liet de Crux achter met het ongelukkige aantal van zestien geharnasten, en tevens eiste hij het leven van heer Erials bediende, Hoede, en vijf voetsoldaten. Een van hen was Lap, uit mijn dorp. De carnifex paste aderlatingen toe bij de zieken in de tenten, verdoofde ze met een soort koortsverzachter en liet de voetsoldaten aan hun lot over. Ze zeiden dat Eerwaarde Xyster aan de kleur van het bloed kon zien of een man zou sterven, want dan was het eerder zwart dan rood. De meesten die de brandende kregen herstelden net zo snel als ze ziek waren geworden, of Eerwaarde Xyster ze nu aderliet of niet. Wat de anderen aanging, haalden de soldaten hun schouders op en zeiden dat Kans hun botten wilde hebben om mee te dobbelen.

Maar onrust is ook besmettelijk. 'Zaai op het verkeerde moment en de oogst zal schraal zijn,' zeiden de sloven, waarmee ze bedoelden dat ook oorlog zijn seizoenen had en dat de winter daar niet bij hoorde. Hoe langer koning Thyrse wachtte, hoe meer we allemaal zouden lijden, wanneer voedsel, voer en beschutting steeds moeilijker te vinden werden. De nieuwsventers beweerden dat hij een reden voor het oponthoud had, maar nog geen twee waren het erover eens wat die zou zijn of wanneer we zouden gaan. De Crux, die uren opgesloten bij de koning doorbracht, zei niets en de tijd wees uit dat de geruchten leugens waren.

Een keer vroeg ik Mai waarom de koning talmde. Ze haalde haar schouders op en zei dat ik het wachten moest leren waarderen. Ze zei dat het 't lot van de soldaat was om te wachten en wachten en nooit te weten waarom, en de rest was stof en modder en hard ploeteren, gevolgd door een plotselinge scherpe steek in een oog, en als een man dat alles overleefde, volgde er meer van het zelfde. Lijkt erg op het leven van een schede, zei ze, alleen vinden wij het niet zo erg als er iets in ons gestoken wordt.

* * *

Heer Galan was vastbesloten om snel te herstellen. Hij stelde zich ten doel om ten strijde te trekken, zelfs als hij moest lopen. Hij beloofde Eerwaarde Xyster te zullen gehoorzamen, om te slapen wanneer hem dat gezegd werd en in bed te blijven totdat hij mocht opstaan, te eten en drinken wat hem voorgezet werd en in alles gezeglijker te zijn dan ik hem ooit had meegemaakt.

Ik hoopte dat hij ook zo meegaand voor mij zou zijn, want ik moest hem op de proef stellen in de kwestie van de maagd Vulpeja; ik had al te lang gewacht. Af en toe betwijfelde ik of ze vergiftigd werd, maar dan bedacht ik me hoe een langzaam werkend vergif het beste stiekem toegediend kon worden. Bijna een tiennachtse geleden had Mai gezegd dat de maagd niet meer dan een paar dagen te leven had, en toch was ze er nog. Maar ik twijfelde er niet aan dat ze zou sterven als ze de tent van haar clan niet snel inruilde voor betere verzorging. Dat was ook een wedren, hoewel niemand erop wedde.

Die eerste nacht dat Galan weer in zijn eigen bed sliep, kneep ik de vlam van de laatste brandende lamp tussen mijn vingers uit en boog me over hem heen.

'Ik ga op de vloer liggen,' fluisterde ik, 'voor jouw comfort.'

'Dat dacht ik niet,' zei hij.

We waren alleen in de tent op Leegemmer na, die op zijn strozak bij de graanzakken sliep. De regen was overgedreven, oostwaarts naar de bergen, en in plaats daarvan was er tegen de avond mist op het kamp neergedaald. Het Bloed had zijn avondeten mee naar buiten genomen en nu zaten de meesten van hen rond de gemeenschappelijke vuurplaats, een cirkel van zwartgeblakerde stenen. De bediende van heer Guasca haalde zijn doedelzak te voorschijn en iemand anders een stel kalebastrommels en ze speelden eerst weemoedige wijsjes en daarna de rauwe liederen die je hoort na te veel wijn. Het vuur flakkerde en smeulde terwijl het stukken drijfhout, vochtige gaspeldoorn of zo'n bundel goedkoop zout hooi gevoerd werd; het licht van het vuur holde een gewelf uit in de witte mist.

Ik maakte mijn hoofddoek los, schudde mijn jurk van me af en kroop naast Galan in bed, voorzichtig, omdat ik bang was dat ik hem pijn zou doen. Het ledikant had nog nooit zo smal geleken. Geen ruimte om te liggen tenzij we elkaar stevig vasthielden en de een zich omdraaide als de ander dat ook deed. Galan rook niet lekker; de zurige lucht van koortszweet hing nog om hem heen.

Ik had de deurflap niet vastgebonden en hij klapperde in de wind. Een koude windvlaag vond zijn weg naar binnen en rafelde het lint van rook dat van de troostbloemen op het komfoor opsteeg. De kooltjes ademden een flauwe rode gloed. Ik zou opgestaan zijn om de deurflap dicht te doen, maar ik was blij met de lucht, die de geur van de zee aanvoerde.

Galan en ik lagen met onze gezichten naar elkaar toe. Zijn huid brandde tegen de mijne, behalve waar het verband hem bedekte. Ik legde mijn arm onder zijn nek en hij stopte zijn hoofd tussen mijn schouder en wang; hij zuchtte en ik zuchtte. Toen begon hij te schokken, en na een moment besefte ik dat hij zachtjes lachte. 'O,' zei hij, 'ik zal nooit vergeten hoe je de afgelopen nacht een deur in een tent maakte waar er geen zat. Je bent een slimme naaister.'

'Misschien. Maar schep er maar niet over op, anders gooit de Crux me voor de honden. Dat heeft hij beloofd als ik hem voor de voeten zou lopen, en hij is een man van zijn woord.'

'Ach ja. Mijn *teerbeminde* oompje...' zei hij en de woorden waren beladen met bittere trots. Hij beweerde dat de Crux hem zijn trots had ontnomen toen hij hem onteerde, maar desondanks was die er nog – en een groot deel ervan was trots op zijn Bloed, zijn huis, zijn oom en de gunst van zijn oom. Maar Galan had die gunst verkwistend rondgestrooid totdat er niets meer van over was. Er zou geen mildheid komen van de Crux, geen andere vriendelijkheid dan die hij al betoond had.

Terwijl ik hieraan dacht draaide ik mijn hoofd zo dat ik hem in de ogen kon kijken en drong aan: 'Galan, je moet de tijd nemen om te herstellen. Of doe anders net alsof je ziek bent. Niemand zal je iets verwijten als je niet voldoende hersteld bent om oorlog te voeren. Accepteer het gebaar van je oom en ga naar huis. Waarom zou je je leven weggooien? Je zult het toch nooit goed doen in de ogen van de Crux – daarvoor is het te laat.'

Hij lachte. 'Jij kent mijn vader niet. Thuis is het niet veel veiliger.'

Het ergerde me dat mijn angst hem amuseerde; ik zou die niet meer tonen. Ik bespotte hem en zei: 'Dus je bent bang voor je vader?'

'Meer dan voor welk leger ook,' zei hij en kuste me voordat ik het verwachtte. En al gauw had hij een been tussen de mijne en gleed zijn hand over mijn rug, en zijn mond was in mijn hals en de vraag die ik had willen stellen was vervlogen. En toen had ik mijn been om zijn middel en de deken gleed naar beneden, en toen zijn tanden om mijn onderlip en zijn arm onder mijn knie, en toch dachten we er nog aan dat hij mijn gewicht niet kon dragen en hij ook niet op mij kon liggen, dus bleven we op onze zij naast elkaar liggen en dat was onhandig, totdat we uitvonden hoe het paste. Toen opende ik mijn ogen en zag dat Galan met een klein glimlachje naar me keek. Hij bewoog eventjes, toen niet, toen weer een beetje en hield toen op, mijn heupen een wieg voor zijn geschommel. Mijn adem stokte bij de ongelooflijk zoete kwelling en ik sloot mijn ogen voor zijn glimlach. Toen greep hij mijn schouders, klauwden zijn handen in mijn haar en trok hij me met kracht naar beneden.

Na afloop hijgde hij uit in mijn nek en zei dat er honing door mijn aderen vloeide. Mijn ledematen voelden vol en zwaar en warm aan, zelfs terwijl de koude lucht het zweet van mijn huid likte. Hij vroeg of ik tevreden was en het speet me dat hij sprak, want ik was tevreden en wenste dat ik dat kon blijven, naast hem liggend, de hele vredige nacht lang.

Ik wachtte te lang met antwoorden en maakte mezelf wijs dat maagd Vulpeja de morgen wel zou halen, en als ze toevallig de nacht niet zou overleven, konden de goden mij dat moeilijk kwalijk nemen. De hele tijd wist ik echter dat mijn moed me in de steek liet en dat alle toespraken en woorden die ik voor dit moment in stelling had gebracht er als deserteurs vandoor waren gegaan. Hij drong aan en nog aarzelde ik en hij drong nog meer aan, denkend dat ik een geheim had. Tegen die tijd had ik hem al zo geërgerd met mijn zwijgen dat ik net zo goed kon spreken. Dus zei ik tegen hem dat ik tevreden zou zijn als hij Vulpeja's prijs zou betalen, haar als zijn concubine in zijn tent zou nemen en haar leven redden. Hij verraste me door lang en hard te lachen.

'Ik meen het. Waarom lach je?' vroeg ik.

'Haar leven redden? Denk je dat ze stervende is aan liefdesverdriet en dat ik het medicijn ben?'

'Ze is nu dichter bij de dood dan jij deze nachten geweest bent. Ik heb gehoord dat haar familie haar vergiftigd heeft, alleen maar omdat ze een zekere zakkenroller bij haar maagdenvlies heeft gelaten, een ondankbare dief met snelle vingers. Een onbetrouwbare dief. Je bent haar helemaal vergeten – of niet soms? – maar zij sterft vanwege jou.'

Hij zei: 'Haar vader heeft haar geleerd om een hoer te zijn. Hij moet niet verbaasd zijn dat ze er een is geworden.'

Ik had mijn woede lang ingehouden. Nu kwam die omhoog en ook mijn stem verhief zich. Ik zei dat als zij een hoer was, hij dat van haar gemaakt had, en nu stierf ze ervoor, net als haar vader en de schildknaap van heer Alcoba, en Semental, en omwille van zijn eer zou hij iets moeten doen om het goed te maken.

Er was een lange stilte voordat Galan sprak, en toen hij dat deed was zijn stem laag; en waar mijn woorden snel waren geweest hadden de zijne een bedachtzaam tempo. '*Jij* gaat niet over mijn eer,' zei hij en hij draaide zich op zijn rug en staarde naar het dak van de tent.

'Wat stelt jouw eer voor – voor een vrouw?' zei ik. 'Ik vraag me af wat je gezegd hebt tegen maagd Vulpeja in de latrinetent, wat voor beloften je hebt gedaan, wat je hebt gezworen, wat voor eed je hebt gedaan op je geloof en op je woord?' Mijn arm lag op zijn borst en ik voelde zijn ademhaling veranderen en zijn spieren verstijven. Ik haalde mijn arm weg. Plotseling voelde ik dat het gevaarlijk was om hem aan te raken, hoewel we dicht tegen elkaar aan lagen.

Hij keek me aan met een blik die mijn stem deed stokken in mijn keel. 'Denk je dat ik meineed moet plegen om een maagd zover te krijgen dat ze haar rokken voor me optilt? Ik heb niet meer gezegd dan nodig was, dat ze mooi was en dat ik haar wilde. Wat geen leugen was. En aangezien ze de zevende van zeven dochters is en geen bruidsschat heeft – en binnen bereik is van elke oude man met een zak goud die denkt dat het bloed van een maagd en een nauwe schede zijn roestige pik zullen oppoetsen – vind je het gek dat ze gemakkelijk te overtuigen was? Ze gaf haar maagdelijkheid weg voor een paar goeie stoten, en wat ze gaf, gaf ze vrijwillig.'

Hij liet het me opnieuw zien, hij wilde dat ik het zag zoals ik het me al veel te vaak ongevraagd had voorgesteld sinds hij de weddenschap had gewonnen: maagd Vulpeja wijdbeens op zijn schoot in de latrinetent, haar rokken opgeschort rond haar middel, zijn handen om haar heupen, zijn stem in haar oor.

Ik zei tussen opeengeklemde tanden door: 'Jij bent een vooraanstaand pikmeester, lijkt me. En ik weet zeker dat je voordat dit alles gebeurde veel bedden in en uit bent gegaan en veel scharrels hebt gehad, maar je bent nooit in je eer geraakt, terwijl je degene die je aanraakte haar eer ontnam. Maar dit is anders, vind je niet? Haar maagdelijkheid, die jij zegt voor niets gekregen te hebben, heeft je je gezondheid gekost en je paarden, en zal je binnenkort waarschijnlijk je leven kosten. De rest van haar zal goedkoop zijn – want ze *was* mooi. Ze is nu niet mooi meer. Nu lijkt haar gezicht dat jou zo beviel wel een doodskop. Drie kisten linnen en vijftien goede melkkoeien voor de bruidsschat van een van haar zusters en ze is van jou. Of van wie ook.'

'Laat wie ook haar dan maar hebben. Ik ben haar niets verschuldigd.'

'Maar jij hebt haar onteerd. En probeer het maar te ontkennen, maar dat heeft jou ook je eer gekost.'

Hij rolde zich naar me toe en legde zijn hand op mijn mond, hard duwend, en zijn gezicht was zo dichtbij dat ik zijn adem op mijn wang voelde. Op dat moment herinnerde ik me hoe hij heer Rodela had toegestaan te ver te gaan voordat hij zijn haar afbrandde. Op dezelfde wijze had hij me mijn eigen graf laten graven, woord voor woord. Maar het was te laat om de woorden nog in te slikken.

Met schorre stem zei hij: 'Ik zou een man kunnen doden voor minder dan jij vanavond hebt gezegd. En jij – een kleivrouw – pretendeert mij te kunnen vertellen wat de eer van mijn Bloed vereist. Het is waar wat ze zeggen: "Een sloof die je slaat zal je dienen, maar een verwende sloof zal je beschamen." Ik had je lang geleden al moeten slaan. Misschien zou je me dan niet onderschatten.'

Hij haalde zijn hand weg en ik haalde adem om te zeggen dat ik hem niet onderschatte, dat ik hem nooit had onderschat. Hij legde zijn hand weer op mijn mond en fluisterde: 'Wees stil! Ik zou je niet voor mijn plezier afranselen, maar ik doe het als je me nog verder op de proef stelt.'

En daarmee duwde hij zich van me af en ging met zijn rug naar me toe liggen.

Ik verbaasde me over zijn geduld, en vroeg me af waarom hij me niet geslagen had om de dingen die ik had gezegd. Hoe kon ik over zijn eer beginnen terwijl ik wist dat hij daar zo jaloers over kon zijn? Ik had me deze ruzie binnengeblunderd met ondoordachte woorden en mijn kans verspeeld om te winnen. Er was geen veilig heenkomen in bed, dus stond ik op en trok mijn jurk aan. Ik legde de deken over Galan heen, maar hij schudde hem van zich af. Toen ging ik op de grond naast het ledikant zitten en boog mijn hoofd.

Ik snapte niet hoe het mogelijk was dat Galan – die zijn hand al op zijn zwaardgevest had als een man hem wat te doordringend aankeek, klaar om zijn wapen te trekken en zijn eer te verdedigen – kon vinden dat hij met zijn eer intact uit de latrinetent gekomen was, terwijl maagd Vulpeja net zo gebroken was als haar maagdenvlies. Het Bloed beweert dat het kleivolk geen noemenswaardige eer heeft, en het is waar dat wij vruchtbaarheid belangrijker vinden dan maagdelijkheid en het een bastaard niet kwalijk nemen dat hij geen vader heeft. En we bestelen en bedriegen onze meesters en ontduiken onze plichten, daar is geen woord van gelogen. En waarom zouden we dat niet doen, aangezien het Bloed het brood rechtstreeks uit onze mond stoot in de vorm van belasting? Maar we laten een man links liggen die het schaap of de vrouw van zijn buurman steelt. En als een man belooft om een ander een bepaald gewicht aan graan te betalen als zijn oogst binnen is en ze beiden in het stof spugen om de afspraak te bezegelen, zal de een de ander zeker betalen. En als er dan een paar stenen door de tarwe gemengd zijn, tja, dan had de tweede maar moeten zeven.

Ik wist echt wel iets over eer, al had ik die zelf niet. In de huishouding van de Vrouwe had eer te maken met een zekere kieskeurige eerlijkheid en lichtgeraakte trots. Geen man kon ooit iets op haar goede naam of goede afkomst aanmerken, ondanks dat ze geen echtgenoot had.

Ik had gedacht dat *dat* eer was voor een vrouw, totdat ik naar het Marsveld kwam en Mai ontmoet had. Ze had vele klanten onder de vrouwes van Bloed, die hun goede naam droegen als verguldsel – een kras zou allerlei wellustigheden bloot leggen. Maagd Vulpeja zou nog onbeschadigd zijn als ze haar geheim bij bepaalde oren weg had gehouden.

Mannen hadden ook verschillende soorten eer. Galan was niet iemand die licht over de zijne dacht. Het drong te laat tot me door hoe ik hem beledigd had toen ik hem ervan beschuldigde dat hij de maagd met valse beloften had overgehaald haar maagdelijkheid af te staan. Het raakte hem diep dat ik zijn woorden zo oppervlakkig vond. De rest had hij me misschien vergeven. Ik dacht bitter dat hij zorgvuldiger met de weddenschap omging dan met de vrouwen.

Ik veegde mijn ogen en neus af aan de deken. Galan lag wakker; ik hoorde het aan zijn ademhaling. Heer Rodela's hortende lach klonk op uit heer Alcoba's tent en Morser deed mee op hogere toon. Als heer Rodela lachte betekende het dat iemand een probleem had. Hij had zijn maliënhemd bij ons in de tent gelaten, maar dat stelde me niet gerust, want ik had hem eerder gezien en toen droeg hij een geleend jak met metalen ringen aan het leer, zodat hij geruisloos kon bewegen. Ze zouden vanavond op jacht gaan, want ze hadden een prijs op het leven van heer Boei gezet en waren niet tevreden tot iemand van Ardors clan die had betaald.

Ik bleef nadenken over wat ik kon zeggen nu ik te veel had gezegd. Ik probeerde een zin en nog een, en vond dat ze allemaal tekortschoten. Tekort. Mijn gedachten schoten in het rond en maakten berekeningen en voedden twijfels en intussen leed mijn lichaam. De kooi van mijn ribben was dichtgesnoerd en ik kon haast geen adem krijgen. Mijn keel was rauw.

De goden hadden zich ermee bemoeid, dat was het probleem. Anders zou ik de last van maagd Vulpeja's leven niet hoeven dragen. Maar al gauw begon ik me af te vragen of ik de tekens van de goden goed gelezen had, en het duurde niet lang of ik betwijfelde of Ardor en Riskeer me eigenlijk wel tekens hadden laten zien. Misschien had ik te veel opgemaakt uit een paar splinters: vuurdoornbessen en twee vingerkootjes, een dagdroom die op het verkeerde moment kwam, 's nachts – en mijn trots, mijn temperament, mijn grote mond.

Ik twijfelde het meest aan Galan. Hij had me duidelijk gemaakt wat er zou gebeuren als ik met hem probeerde te praten. Als Galan en ik elkaar in roodgloeiende drift te lijf zouden gaan was dat niet zo erg, maar een koude afranseling – een methodische afranseling – en daarna nog meer van deze koude stilte, dat zou moeilijk te verdragen zijn. De stilte het meest van alles. Ik kreeg er de rillingen van als ik dacht aan hoe ik ons had gebonden. Stel dat de band hield, terwijl hij me verachtte en nooit meer de moeite zou nemen om tegen me te spreken?

Ik had nog geen frons van hem op het spel moeten zetten voor de maagd, want zij had me alleen kwaad gedaan. Wat het kwaad betreft dat zij leed, ze had ervoor gekozen. Laat haar snel sterven en mij met rust laten.

Nog steeds op de vloer zittend, draaide ik me om naar Galan en keek naar zijn rug. Zijn krullen lagen donker in zijn nek. Het nette verband dat van ribben tot heupen om hem heen gewikkeld zat, was verward en gedraaid. Dat hadden we in onze roekeloosheid gedaan. Vorige nacht, vannacht zelfs, was ik nog in zijn greep geweest. Nu was ik daarbuiten. Zijn rug was onverbiddelijk, een muur van vlees en botten. Ik besloot dat ik mezelf klein genoeg zou maken om door een gaatje in de voegen te kruipen – als ik er een kon vinden – en een pak slaag riskeren als dat nodig was, want ik wilde niet buitengesloten worden.

'Heer, geef me verlof om te spreken,' zei ik.

Hij bewoog zich niet, maar zijn ademhaling veranderde. Hij verbood het me niet. Ik beschouwde dat als toestemming. Ik sprak zachtjes en vroeg om vergiffenis. Ik had niet willen zeggen dat hij onteerd of meinedig was, dat nooit; het was de schuld van mijn onwetendheid dat ik mijn woorden zo slecht had gekozen. Hij had gelijk, ik wist niets van eer en had mijn mond moeten houden. Het was niet meer geweest dan het lichtzinnige kwispelen van mijn onbeteugelde tong. Dat was een fout van me, en ik had vaak reden om die te betreuren, maar nooit meer dan nu.

Dit alles zei ik tegen zijn rug, en ik meende het ook, veel ervan, maar zelfs in mijn eigen oren klonk mijn stem vals, hoe ernstig ik ook sprak. Vals en laſhartig. De stem van een sloof tegen haar meester, want zo had hij me genoemd en dat was ik. Vorige nacht had hij een ander liedje gezongen. Maar was dat niet hetzelfde liedje waarmee hij de oren van maagd Vulpeja had gekieteld? *Je bent mooi en ik wil je.* Ik had meer gehoord omdat ik dat had gewild. Ik balde mijn vuisten op mijn knieën en legde mijn voorhoofd erop en viel stil. Hij had me laten spreken zonder een hand op te heffen om me tegen te houden, maar daar putte ik geen troost uit; ik had in zijn oor gezoemd als een vlieg waarvoor hij niet de moeite wilde nemen om die dood te slaan. Hij keek niet eens naar me. Spreken had geen zin. Ik zou moeten wachten.

Maar al wachtte ik de halve nacht, zittend naast het ledikant, liggend en weer zittend, uiteindelijk zou ik het wachten niet langer kunnen volhouden dan hij. Hij was koppiger dan ik. Ik had geprobeerd hem te paaien en dat was mislukt. Hij stond niet toe dat ik me terugtrok uit de ruzie; ik kon er alleen uitkomen als ik doorging. Ik kon me niet van maagd Vulpeja bevrijden, tenslotte, want of de goden nu met ons speelden of niet, zolang er een vete was zou iedere man en bediende van Ardor Galan zoeken als trofee. Het was angst die me dreef, geen moed, toen ik de pit van de olielamp aanstak en ermee om het ledikant heen liep waar ik hem in de ogen kon kijken, binnen zijn bereik. Hij keek kwaad en ik aarzelde.

Ik zette de lamp voorzichtig op de grond voordat ik hem recht aankeek. 'Galan, denk je dat ik die hoer in jouw tent wil? Denk je dat ik voor haar een pak slaag zou riskeren? Ik zei het vanwege *jou*.'

Hij richtte zich abrupt op een elleboog op, en ik stak een hand uit, met de palm naar hem toe, om de dreiging in zijn ogen af te weren.

'Waarom zou ik haar helpen als het niet voor jou was?' vroeg ik. 'Denk je dat ze me dankbaar zal zijn als ik haar genees? Ze zal waarschijnlijk in mijn ogen spugen – en als ze sterft krijg ik de schuld. Maar ik heb dit *gezien*. Riskeer Fatum toonde het me op de avond dat je gewond raakte.'

Hij was zo stil als een kat die een muis uitdaagt zijn pad te kruisen.

Ik ging snel verder: 'Alles is verkeerd gegaan sinds jouw weddenschap. Dit is Kans niet, net zomin als het alleen Kans was die je spaarde. Je bent nu in het domein van Fatum. Toen ik de wacht hield bij de tent zag ik de paden zo duidelijk als ik jouw gezicht hier voor me zie, zo duidelijk als de lijnen in mijn handpalm, en er is maar één weg en die is behoorlijk smal. Je moet haar leven redden om de vete te beëindigen.'

Daarop vloekte hij en ging op zijn rug in het ledikant liggen, omhoog starend. Alle kleur was weggetrokken uit zijn gezicht. Toen wist ik waarom hij had geluisterd, waarom hij zijn hand had ingehouden. Hij was bang.

Ik zette door. 'Als je wacht – zelfs maar een dag – is het misschien te laat. De paden in het koninkrijk van Fatum blijven niet lang op dezelfde plaats liggen.'

Hij zei: 'Riskeer heeft *jou* een visioen gezonden? De goden bevuilen zich niet met klei.' Ondanks de minachting in zijn stem beschouwde ik het als een overwinning dat ik hem aan het praten had gekregen.

'De goden maakten ons het eerst en we bevielen hun, anders had jij geen voorouders gehad.'

'O, je bevalt mij ook. Maar klei is klei.'

Klei is klei. Ik kwam overeind en liep weg van het ledikant, buiten zijn bereik. 'Ooit heb je me een nakomeling van Riskeer genoemd. Ben je dat vergeten?' Het deed er niet toe dat ik dat niet geloofde, als hij het maar deed. 'Als Riskeer me naar jou toe heeft gestuurd, was dat misschien om dit tegen je te zeggen. Maar nu weet ik dat mijn woorden verspild zijn. Je zult haar nooit als concubine nemen, want wat zullen de heethoofden zeggen? Liever beledig je de goden dan dat de mensen zeggen dat je je weddenschap verloren hebt en alsnog voor haar betaald hebt. Waarom de goden het zich aantrekken, weet ik niet, want er is niets bijzonders aan een gescheurd maagdenvlies. Je hebt geprobeerd het goed te maken – je hebt kwistig geofferd aan Kloof en aan Crux en aan Riskeer, aan elke god behalve die je het meest beledigd hebt. Je hebt Ardor iets misgund, en hij zal je ervoor achtervolgen.'

Galan ging abrupt overeind zitten en zette zijn voeten op de grond alsof hij wilde opstaan, maar de pijn hield hem tegen en hij ging niet verder. Hij greep zich stevig vast aan de rand van het ledikant. De blik die hij me toezond was nog steeds vol woede, maar werd overschaduwd door angst en gekwetstheid en nog iets anders – walging. 'Ik ben het zat. Ik heb genoeg hoon van je gehoord,' zei hij, en hij was even stil om op adem te komen. 'Wat ik niet kan uitstaan is jouw boosaardigheid. Het ene moment lijk je dol op me, maar het volgende...' Hij schudde zijn hoofd en keek weg. Ik kon de vermoeidheid in zijn gezicht zien, in de asgrauwe huid, het blauw onder zijn ogen en de ingevallen wangen.

Hij ging verder. 'Het kan me niet schelen waar je vannacht slaapt, maar je zult niet naast me liggen. Als je morgenochtend nog steeds een afranseling wilt, vraag het me dan maar.' En hij boog voorover, doofde de pit van de lamp en nestelde zich op zijn zij met zijn rug weer naar me toe en de deken over hem heen.

* * *

Het was het diepste getijde van de nacht toen ik buiten kwam en bij de verlaten vuurplaats ging zitten. Ik pookte in de kooltjes. De mist werd dunner, donkere plekken doorschoten het wit, maar het was nog steeds moeilijk om de overkant van het gemeenschappelijke veld te zien, laat staan voorbij de tenten. Ik had leren vertrouwen op de schaduwen om iets in het donker te zien, maar in de mist was ik net zo blind als ieder ander. De mist bleekte de nacht en smoorde je blik. Hij bracht geesten de wereld in die bewogen tussen de tenten, en ik was bang om te lang naar ze te kijken en ze te herkennen.

Ik rilde onder mijn mantel en legde een handvol zout hooi op het vuur. Ik wilde dat ik de nacht over kon doen. Als hij vroeg of ik tevreden was zou ik ja zeggen en nogmaals ja, en vervloekt zijn maagd Vulpeja en haar hele familie die tussen ons in staan.

Ik hoorde een lage grom, keek op en vergat te ademen. Een grote manhond ontblootte zijn tanden niet meer dan tien passen bij mij vandaan. Een man achter de hond zei: 'Wie is daar?' en ik herademde toen ik zag dat het Hondenmeester was en dat het beest aan de ketting zat.

Ik zei: 'Ik ben het,' en bedacht een moment later dat ik eraan toe moest voegen: 'Vuurdoorn.'

Hij kwam dichterbij en de manhond doemde boven mij op, zijn nekharen overeind en nog steeds grommend. Hondenmeester legde een hand op zijn nek en zei tegen de hond: 'Stil! Geen gevaar.' Tegen mij zei hij: 'Wat doe jij buiten in het holst van de nacht?'

Ik haalde mijn schouders op. Ik kon me niet herinneren dat hij ooit eerder iets tegen mij gezegd had.

'Je kunt beter naar binnen gaan,' zei hij en hij draaide zich om en liep langs de tenten de mist in. Hij was op patrouille, en ik was een leeghoofd dat ik er niet aan gedacht had dat als heer Alcoba en heer Rodela problemen konden gaan maken, Ardor ook problemen naar ons toe kon brengen. Het was goed weer voor een overval.

Ze zouden Galans tent herkennen aan de banieren. Ze wisten dat hij daarbinnen lag, gewond. Dank de goden dat ze niet wisten dat hij alleen was met uitzondering van Leegemmer, die nog erger dan nutteloos was.

Ik ging naar de tent van heer Alcoba en gluurde naar binnen. De tent was leeg, zoals ik had gevreesd. Ik bleef staan, en toen ik me omdraaide stond heer Alcoba daar met zijn zwaard op mijn borstbeen gericht. Hij trok een zwarte wenkbrauw op en zei: 'Zoek je iemand?'

'Heer Galans mannen, heer,' zei ik met mijn ogen naar de grond gericht. 'Hij ligt daar zonder bewaking.'

Heer Alcoba wenkte en Ruys kwam tussen zijn tent en die van heer Galan vandaan. Vanuit mijn ooghoek zag ik een andere gedaante bewegen, Morser, op het pad dat ons kamp begrensde. Heer Alcoba met heer Galans mannen, nou ja, dat was niet meer dan eerlijk, want hij was door Galans weddenschap ook zijn bediende en schildknaap kwijt. Pakker was nu heer Alcoba's bediende, bevorderd van bagagejongen tot opvolger van Ruys, maar hij had nog geen schildknaap gevonden om heer Boei te vervangen. Misschien moest hij hem eerst wreken.

'Ik dacht dat je op jacht was, heer,' zei ik.

Hij wees naar Galans tent. Ruys nam me bij mijn elleboog en duwde me naar binnen. Toen ik me omdraaide om te protesteren, legde hij een vinger op zijn lippen en knielde buiten de deurflap met zijn ontblote zwaard voor zich. Ik scharrelde onder Galans ledikant naar mijn riem met het kleine mes. Niet voor de eerste keer wenste ik dat ik een langere kling had en wist hoe ik die kon gebruiken.

Ik ging binnen bij de deur zitten en keek de tent in. Ik wist hoe eenvoudig je een ingang in het tentzeil kon snijden; de mannen van Ardor konden uit elke richting komen. Een aanval op Galan, die diep lag te slapen na onze ruzie. Hij zou door zijn eigen dood heen slapen als hij niet uitkeek.

Dus doorwaakte ik de nacht, koud en rillend. Als ik een geluid hoorde – en er viel weinig te horen behalve het snuiven van de manhond rond de tent, het rammelen van zijn ketting, het sloffen van Hondenmeesters voeten – sloeg de hitte door me heen en droop het zweet van mijn huid. Maag overstuur, droge mond, kloppend hart. Mijn gedachten dwaalden af van het gevaar en een keer dutte ik in, om alleen maar nog banger te ontwaken. Na een tijdje bedacht ik dat ik Galans zwaard kon trekken. Dat was natuurlijk dwaasheid. Wat kon ik ermee uitrichten tegen een geoefend man, tenzij hij er zelf voor koos erin te vallen? Het zwaard was zwaarder dan ik had verwacht. Maar mijn hand werd getroost door de aanraking van het gevest.

Er blafte een hond. De andere strijdhonden hieven een lawaai aan en ik sprong op en siste tegen Ruys: 'Zijn ze daar?' en ontdekte dat hij niet meer aan de andere kant van de tentdeur stond. De mist leek nu meer op gaas dan ongekaarde wol. Ruys stond naast de tent met zijn hoofd schuin. Hij zag me en haalde zijn schouders op. De honden werden weer stil, maar pas nadat ze antwoord hadden gekregen van een paar andere op het Marsveld en die weer van andere.

Ik hoorde iemand vragen: 'Is er iets?' en heer Alcoba zei: 'Niets.'

'De goden zenden ons een rustige nacht,' zei de Crux en hij liep weg.

Heer Alcoba gaf geen antwoord.

* * *

In plaats van de dageraad kwam er regen die de mist verjoeg. Toen het opklaarde bleven er donkere wolken in het oosten hangen, voor de Zon, maar boven de zee waren er meer blauwe vlakken in de hemel dan we vele dagen gezien hadden. Morser kwam als eerste terug naar de tent en ik haastte me om Galans zwaard in de schede te schuiven toen hij binnenkwam.

Hij grijnsde toen hij het zag en vroeg of ik goed had geslapen.

'Ongeveer zo goed als jij,' antwoordde ik.

Ruys kwam binnen, en Morser lachte en zei dat hij eruitzag als een verzopen kat. Niet dat Morser recht van spreken had, met zijn druipende haar tegen zijn voorhoofd geplakt.

Leegemmer had de hele nacht door alles heen geslapen. Morser schopte hem uit bed en stuurde hem weg, sniffend en met een ochtendhoestje, om de nachtpot te legen en water te halen. 'Lui varken,' riep hij hem achterna.

Galan sliep nog, dus ik sprak zachtjes. 'Dacht je werkelijk dat Ardor de afgelopen nacht onze tenten zou aanvallen? En de vrede van de koning breken?' 's Nachts had dat zo waarschijnlijk geleken, maar nu het dag was en er niets was gebeurd behalve dat de honden geblaft hadden, had ik zo mijn twijfels.

'Pff,' zei Morser minachtend. 'De Crux is te voorzichtig.' Hij maakte de veters van zijn zware leren wambuis los, dat stijf stond van de touwvoering en drijfnat was van de regen, en hing het aan een tentpaal. 'Hij betrapte ons toen we het kamp wilden verlaten en legde ons aan de ketting, liet ons het kamp bewaken.'

Ruys droogde zijn zwaard en dolk af aan een deken. 'Jammer dat Ardor niets geprobeerd heeft. Ik denk dat de Crux daarop rekende. Hij had naast ons nog vijftien mannen op wacht staan om ze op te wachten. Als ze gekomen waren, hadden we hun bloed vergoten zonder dat het ons kwalijk genomen was.'

Leegemmer zette de emmer water neer en zei: 'Jullie hadden me wakker moeten maken.'

Morser snoof.

Ik zei: 'De Crux is veel te verstandig om zo'n vete te willen. Verstandiger dan jullie. Ik wed dat hij de afgelopen nacht meer problemen van heer Alcoba verwachtte dan van Ardor en dat hij jullie tegen jezelf op wacht heeft gezet.' Ik lachte om hoe de Crux ze te slim af was geweest, maar zijn scherts had mij ook geraakt. Ik hoopte dat ik nooit meer zo'n nacht mee zou hoeven maken.

Maar dat zou ik wel. Was ik niet op weg naar een oorlog? Ik vroeg me af of ik daar wel de kracht voor had.

Ruys schudde zijn hoofd alsof hij het niet met me eens was, maar geen moeite wilde doen om in discussie te gaan. Morser zei: 'Huh. De Crux spuugt op de naam van Ardor. Hij moet iets van plan zijn om de moord op onze schildknaap te wreken.'

Ik zei: 'Hoe zorgvuldig je ook het bloed afmeet dat aan beide kanten vergoten wordt, de balans zal nooit in evenwicht zijn. Hij slaat altijd door naar de ene kant of de andere – het is gemakkelijker een vete te beginnen dan te beëindigen.'

Morser keek spottend en gaf me het oude gezegde: 'Een wijze lafaard is als een kuise hoer – lui en niet te vertrouwen.'

Ruys schudde opnieuw stilletjes zijn hoofd en haalde zijn olie en slijpsteen te voorschijn.

Ik stak het komfoor aan en maakte sterke wekmij. Toen ik opkeek lag Galan naar me te kijken. Ik bloosde en vroeg me af hoe lang hij al wakker was.

Zijn blik gleed langs me heen en hij zei tegen zijn mannen: 'Waar is Rodela?'

Morser gaapte.

'Nou?'

'Ik weet het niet, heer,' antwoordde Morser. Het was duidelijk dat hij een idee had waar heer Rodela kon zijn en het niet wilde zeggen.

'Kom hier,' zei heer Galan, 'en help me op de po.'

Morser en Ruys sprongen overeind en hielpen Galan op de rand van het ledikant. Een sterke zure lucht walmde uit het beddengoed. De ene bediende greep hem onder zijn arm om hem overeind te houden, terwijl de andere de po vasthield. Toen Galan geplast had schudde hij ze van zich af en bleef met gebogen schouders zitten. Na een tijdje zei hij: 'Breng me mijn kleren,' en Ruys haalde een linnen hemd en liet dat over zijn hoofd glijden. Het was niet zo eenvoudig om zijn beenkappen aan te doen, maar Galan stond erop, hoewel we konden zien dat het hem pijn bezorgde. Daarna stond hij op en liep hij, met Morser en Ruys aan weerszijden, een paar passen in de tent heen en weer.

Ik vroeg: 'Is dit verstandig?' Hij negeerde me, maar kneep zijn lippen op elkaar en ik kon zijn tanden haast horen knarsen. 'Ik zal Eerwaarde Xyster halen,' zei ik. Toen keek hij me aan en ik stopte, half overeind, en ging weer op de grond zitten.

Hij riep om zijn laarzen en bovenkleed. Voor het aantrekken van zijn laarzen moest hij gaan zitten en opnieuw overeind komen, en tegen die tijd zag zijn gezicht er woest uit. Hij ging de tent uit met een hand op Morsers schouder en de andere op die van Ruys, en ik zag hem langs de tenten van heer Guasca en de priesters naar die van de Crux lopen – niet veel stappen, maar elke stap moeizaam – en terwijl hij liep rechtte hij zijn rug en leek hij zekerder te worden.

Er waren al een paar geharnasten bij de vuurplaats. Ik gokte dat de meesten de hele nacht op waren geweest; ze waren luidruchtig, bemoeilijkten Kok en zijn sloven het werk en kakelden van het lachen bij elke schimpscheut. Ze juichten Galan toe toen ze hem zagen. Hij hief zijn hand op en glimlachte en ging het paviljoen van de Crux in. Ruys en Morser bleven buiten, hurkend op hun hielen en stenen gooiend in een plas water. Het duurde niet lang voordat de mannen van de Crux de tent uit kwamen en Galan met hem alleen lieten.

Ik zat op de grond pap te eten en keek naar de deuropening van de Crux toen heer Rodela terugkwam. Hij kwam aankuieren alsof hij een wandelingetje had gemaakt met zijn geleende jak met ijzeren ringen, zijn zwaard en zijn gebruikelijke scheve grijns. Waar hij ook was geweest, de regen had hem overvallen, want hij was doorweekt. Hij had zijn armen over elkaar geslagen, wat ik vreemd vond totdat ik zag dat de ene arm de andere ondersteunde en er bloed tussen zijn vingers door sijpelde. Hij gebaarde met een ruk van zijn hoofd dat ik met hem mee de tent in moest komen.

Hij ging op Galans ledikant zitten en begon met een hand zijn jak los te maken. De leren veters waren gezwollen van de regen; hij riep me ongeduldig om hulp. Het was zijn gewoonte om me op te dragen het een of ander te doen, en de mijne om te doen of ik hem niet hoorde. Ook Morser was vaak doof voor zijn bevelen. De bediende en ik waren tenminste bondgenoten in onze eigen oorlog tegen de schildknaap, en hoewel het riskant was, waren we geoefend in het lezen van zijn stemmingen; zijn glimlach voorspelde vaker moeilijkheden dan zijn frons. Deze ochtend was heer Rodela zeer met zichzelf ingenomen, verwarmd door een geheim binnenpretje, hoewel zijn linkerhand nutteloos in zijn schoot lag en er bloed op Galans beddengoed droop. Ik zei tegen Leegemmer dat hij hem moest helpen en hield me bezig met de kookpot en het komfoor.

De schildknaap pruilde en vroeg: 'Waar is heer Galan?'

'Dat vroeg hij zich ook af over u, heer,' zei ik.

'Nou, ik ben hier,' zei hij scherp. 'Waar is hij? Ik dacht dat hij veilig in bed zou zijn.'

'Hij is bij de Crux.'

'Aha, blaast de wind uit die hoek.' Hij leek niet verontrust. Ik vroeg me af of hij wist waarom Galan naar de Crux was gegaan; niet dat het er iets toe deed, aangezien heer Rodela me altijd graag vertelde wat ik niet wilde weten en de rest voor zich hield.

Hij trok een grimas toen Leegemmer zijn jak en het gevoerde rode hemd uittrok. Hij boog zijn linkerarm bij de elleboog en inspecteerde hem.

Leegemmer zoog zijn adem tussen zijn tanden door naar binnen, en ik wierp er een blik op en zei: 'Ik zal snel de carnifex halen.' Ik had een snee verwacht, maar deze wond had het vlees bloot gelegd over de hele lengte van heer Rodela's harige onderarm, van zijn elleboog tot halverwege zijn pols. Er welde bloed uit op.

'Nee,' zei heer Rodela, naar mij kijkend. 'Niet nodig. Verbind jij het maar.'

'Ik raak u niet aan. Eerwaarde Xyster zou me levend villen. Het bloedt te veel.' Ik vroeg me af waarom hij zo bereidwillig verontreiniging riskeerde door een vrouw zijn wond aan te laten raken. Wilde hij een vergrijp uitlokken zodat hij de priesters op me af kon sturen?

Hij klemde zijn kaken op elkaar en zei: 'Het is niet zo erg; ik heb wel ernstiger meegemaakt. Vooruit, maak schoon en snel een beetje – en denk erom dat je je mond houdt of *ik* vil je levend.'

Leegemmer stond daar met open mond, totdat ik hem toesnauwde dat hij wat linnen moest vinden – een hemd, van wie dan ook – en het tegen heer Rodela's wond moest houden. 'Hard duwen,' zei ik, 'zelfs als hij je vervloekt.'

Ik haalde regenwater uit de vaten. Het was niet al te schoon, maar het moest maar. En verder? Morser had ooit wijn in een snee gegoten. Dat was het enige wat we hadden, zonder Eerwaarde Xysters spinnenwebben en stinkende zalven. Als hij een vrouw was, zou ik er een pasta van wondkruid op hebben gedaan en het misschien zelfs dichtgenaaid, maar dat zou ik niet riskeren voor heer Rodela. En Leegemmer was er te onhandig voor; ik had hem heer Galans hemden zien verstellen.

Heer Rodela zocht mijn ogen over Leegemmers schouder heen. Hij gaf geen krimp terwijl Leegemmer drukte. 'En de andere man?' vroeg ik. 'Hoe heb je die achtergelaten?'

Hij glimlachte een van zijn gevaarlijke lachjes. 'Geknipt en geschoren,' was alles wat hij zei.

Ik vroeg Leegemmer de doek op te tillen; het bloeden was minder, maar het linnen was bijna helemaal doordrenkt. Ik zag iets wits dat eruitzag als bot. 'Dit is diep. Als je niet wilt dat ik de priester haal, laat me dan Morser erbij halen. Hij zal zijn mond houden.'

Heer Rodela zei: 'Die kan zijn mond alleen houden als ik zijn tong eruit ruk.'

'Denk je dat Leegemmer dat wel kan? Hij vertelt alles door aan heer Galan,' zei ik. De bagagejongen leek te maf om geslepen te zijn, maar ik zou me niet nog eens in hem vergissen – en als ik hem vanwege heer Rodela met problemen opzadelde, kon me dat niets schelen. 'Laat me Morser halen.'

Morser wilde niet komen op heer Rodela's verzoek, totdat ik hem influisterde waarom hij nodig was. Op weg terug naar de tent, onder de ogen van de geharnasten, vroeg ik zachtjes of hij gehoord had wat heer Galan en de Crux tegen elkaar zeiden. 'Want ik weet dat je hebt geluisterd,' voegde ik eraan toe.

Hij beweerde dat hij er geen woord van had opgevangen.

Morser begon heer Rodela's wond te verzorgen. Er lag een gemaakt lachje op zijn gezicht toen hij de wijn in de wond goot, en heer Rodela piepte en noemde Morsers moeder een zeug en zei dat hij zijn hele familie zou slachten om hun spekvet. Toen zei hij dat Morser niet langer moest treuzelen en de wond snel dichtnaaien.

'Wie heeft dit gedaan, heer?' vroeg Morser terwijl hij een reep linnen van heer Rodela's enige laken afscheurde om rond zijn arm te winden.

Heer Rodela zei: 'Probeer dat maar te raden.' Hij maakte het trekkoord van de zak aan zijn riem los en trok er een handvol bruin haar uit. Hij liet het voor ons bungelen. Even begreep ik het niet; toen zag ik dat het haar vastzat aan een bloederig stuk hoofdhuid ter grootte van mijn handpalm. Ik keek van het ding naar heer Rodela, die zo trots was op zijn trofee, en voelde de huid op mijn eigen hoofd strak trekken. Leegemmer giechelde.

Morser zei: 'Waar is de rest van hem?'
'In zee.'
'Wat was hij, een bediende?'
'Heer Bizco.'
Morser kraaide en ik vroeg: 'Wie?' Ik herhaalde de naam niet, want het zou de aandacht van de dode man op ons vestigen.

Leegemmer zei: 'De schildknaap van de man die heer Galan verwond heeft, natuurlijk.' Alsof iedereen dat wist. Hij hupte van de ene op de andere voet van opwinding.

Ik draaide me om naar heer Rodela. 'Ben je van plan om deze schildknaap met zijn haar aan ons te binden? Hij zal je ervoor blijven achtervolgen.'

'Ik zal *hem* achtervolgen. Ik ben van plan om ervoor te zorgen dat hij dicht bij de levenden blijft, lang genoeg om spijt te hebben over alles. Pas dan zal ik dit verbranden en hem laten gaan.' Hij stopte de pluk haar en huid terug in zijn zak en hoonde: 'Om te beginnen zal het hem spijten dat hij te goed over zichzelf dacht en niet goed genoeg over mij.'

Tegen de tijd dat Morser klaar was met het verbinden van zijn arm hadden we de rest van het verhaal gehoord, want hij was opschepperig genoeg om het niet voor zich te kunnen houden. Hij noemde de naam van de dode vrijuit, alsof hij het geweldig vond dat zijn schim het kon horen. Morser vroeg hoe hij de schildknaap gepakt had en heer Rodela zei dat hij aan was komen lopen toen hij hem riep, dravend als een hond.

De beide schildknapen hadden hun eigen redenen om de vete tussen Ardor en Crux heimelijk voort te zetten, vanwege hun meesters en vanwege henzelf. Op de rekening van schande en eer is een gelijke stand niet voldoende; je moest beter zijn dan de ander. Ik herinnerde me hoe heer Rodela vernederd en overmeesterd was door een man met een schorpioen – heer Bizco, zonder twijfel – in hetzelfde toernooi dat eindigde met Galans verwonding en heer Voltizo's schande. Heer Bizco had hulp gehad van twee andere schildknapen, maar hij moet hebben gedacht bewezen te hebben dat hij hetzelfde ook wel alleen af kon. Heer Rodela was van plan geweest hem het tegendeel te bewijzen.

Ze ontmoetten elkaar voor zonsopgang aan de voet van het klif onder het einde van de zuidwestelijke weg en liepen ver het strand op, want het getij was laag, en ze vochten tussen de getijdepoelen, zand en kiezels omwoelend op het strand. De opkomende vloed zou de sporen van hun gevecht uitwissen. Het zou waarschijnlijk niet opgemerkt worden dat de voetsporen van twee mannen naar zee leidden en van slechts een man terugkeerden. Heer Rodela was aan zijn onderarm verwond door heer Bizco, maar hij had geantwoord met een ergere slag en niet veel later met een dodelijke. Ze waren begonnen in de mist en geëindigd in de regen.

Heer Rodela riep naar Leegemmer om hem zijn helm te brengen. Hij sneed de lamsstaart af die hij eraan had gehangen nadat heer Rodela hem had geschoren. Hij had zijn eer weer terug; hij zei het met een scheve grijns en wikkelde een lok van heer Bizco's haar in een leren koord en bond dat aan de richel op zijn helm.

'Volgens mij moet je er niet zo mee te koop lopen,' zei ik, 'tenzij je wilt dat de hele wereld het weet.'

'Ze zullen het aanzien voor de gunst van een vrouwe,' zei hij. Hij keek ons een voor een aan. 'Geen woord hierover tegen wie dan ook, zelfs niet tegen heer Galan.'

Ik zei: 'Je denkt toch niet dat je dit voor hem verborgen kunt houden, heer? Hij zal het zeker zien. Stel dat hij hier was geweest?'

'Een kwestie van geluk. En ik ben van plan om geluk te blijven houden.' Hij richtte zijn ogen op mij en zijn glimlach was kwaadaardig. 'Als jij dit aan heer Galan of aan wie ook vertelt, zweer ik bij mijn twee zakken dat ik ook een reep van jouw vacht zal villen, maar dan niet van je hoofd. Vanonder je rokken.'

Morser grinnikte alsof dat een goede grap was, maar zo vatte ik het niet op.

Hoofdstuk 9

Concubine

Drie dagen later kwam heer Galan terug van een bezoekje aan de Crux en zei tegen zijn bedienden dat ze een hoek van de vloer leeg moesten maken en zijn linnen beddengoed als gordijnen moesten ophangen om een kamer af te schermen in de tent. Zijn ledikant moest achter de gordijnen neergezet worden.

'Waar moet ik de bagage laten?' vroeg Morser, want het was al krap in de tent met de strozakken, kisten, zakken, potten, vaten, wapens, harnassen en paardenvoer.

'Berg het goed op of berg jezelf op buiten de tent,' zei Galan. Zijn manier van doen maakte duidelijk dat er verder geen vragen gesteld moesten worden. Hij wendde zich tot mij. 'Ik laat een concubine in de tent komen. Ze is jouw verantwoordelijkheid en ik verwacht dat je goed voor haar zorgt, zoals je beloofd hebt.'

Zoveel woorden tegelijk had hij niet meer tegen me gesproken sinds onze ruzie over maagd Vulpeja. Al die tijd had ik mijn magere hoop gevoed met lege schillen, zoals een glimlach wanneer hij vergat te fronsen, een woord dat eruit flapte, een blik die eerder gekwetst dan boos leek. Nu hij tegen me gesproken had, met warmte in zijn ogen en kilte in zijn stem, merkte ik dat ik niets kon zeggen. Hij had mijn raad over maagd Vulpeja toch opgevolgd. Maar wat had ik eraan om de ruzie te winnen als ik Galan verloor? Berouw is altijd een verlate gast, altijd te laat, nooit meer welkom. Het bitterste kruid draagt niet voor niets die naam.

Galans bedienden staarden hem aan, maar heer Rodela observeerde mij. Wat hij op mijn gezicht zag amuseerde hem. Hij zat tegen een zadel geleund, zijn mantel van vervilte wol om zich heen geslagen om zijn arm te verbergen die opgezwollen was tot het formaat van een dijbeen. De avond daarvoor had Morser het verband weggesneden toen Galan sliep. Het vlees was roodgestreept en er kwam pus uit die naar bederf stonk. Heer Rodela had over een lichte koorts geklaagd om zowel de mantel als zijn aanvallen van beven te verklaren. Ruys was er niet ingetrapt, maar het leek Galan niet op te vallen.

Het was niets voor Galan om zo weinig nieuwsgierig te zijn, maar nadat hij thuis was gekomen uit de tent van de priesters had hij zich teruggetrokken in zijn ledikant, waar hij lag te slapen of na te denken. Hij kwam er alleen uit om elke dag een klein stukje verder en langer te lopen, totdat hij moe genoeg was om te rusten. Zijn mannen hadden snel geleerd om voorzichtig met hem te zijn, niet te lachen, te babbelen of te riskeren dat hij zijn geduld verloor. Vroeger was hij niet te goed geweest om met ze te schertsen. Ze waren gewend aan een gemakkelijker meester en hadden een idee wiens schuld dit was. Van de Crux bijvoorbeeld; ze kozen allemaal Galans kant, en hoewel hun meester nooit klaagde over zijn straf of zei dat hij die niet verdiend had, zeiden zijn mannen het voor hem als hij buiten gehoorsafstand was. En ik bijvoorbeeld. Ze wisten dat Galan en ik ruzie hadden gehad. Dat kon ze onmogelijk ontgaan zijn, nu ik naast zijn ledikant sliep in plaats van naast hem en hij mijn aanraking afweerde. De stilte tussen ons vulde de hele tent.

Heer Rodela nam het woord en ik zag dat hij geen moeite deed om zijn onbeschaamdheid voor Galan te verbergen. 'Zo, is er iemand anders die je aanstaat?'

Galan wendde zich tot hem. 'Maagd Vulpeja komt hier. Je zult haar de hoffelijkheid betonen die haar toekomt of er zwaait wat.'

Als dit heer Rodela verbaasde, verborg hij het goed. Ik denk dat hij snel nadacht en dat de uitkomst hem wel beviel. Hij trok zijn dikke wenkbrauwen op en glimlachte naar me. 'O, we zullen haar welkom heten, nietwaar?'

Gemalin Vulpeja – ze was geen maagd meer nu ze concubine was en ze zou nooit een Vrouwe zijn – werd die middag naar onze tent gedragen in een gesloten draagbed, door vier bedienden van de clan van Lynx die als tussenpersonen hadden gediend in de transactie tussen Ardor en Crux. Naast haar schande bezat ze alleen een kist kleren. Haar clan had haar weggestuurd zonder een deugdelijk escorte, een dienstmeid of een paard. Daar zou een armzalige vrede van komen, als ze al vrede wilden.

Dezelfde mannen van Lynx die haar in heer Galans tent neerzetten, tilden een zware zak op en droegen die weg. De zak bevatte het grootste deel van Galans goud. Ik hoorde later van Mai, die het van een nieuwsventer had nog voordat het lied het hele Marsveld over ging, dat de Ardor maagd Vulpeja's prijs had verhoogd toen hij ontdekte wie er op haar kwam bieden; verhoogd en gelachen, en toen Galan de nieuwe prijs wilde voldoen, vroeg hij om meer. Hij eiste een veulen van Sementals lijn. Daar waren er niet veel van en er zouden er niet meer komen nu Semental dood was, en Galan wilde de twee die hij had zelf houden. Hij wilde niet toegeven en de onderhandelingen mislukten bijna. Uiteindelijk accepteerde de Ardor twee strijdpaarden van mindere komaf. Ze zouden van Galans burcht naar die van haar vader gezonden worden. Elk zou voldoende bruidschat zijn voor haar ongetrouwde zusters.

De Ardor meldde niet dat maagd Vulpeja ziek was. Dat was al wijd en zijd bekend. Zonder twijfel vond hij het een goede grap dat Galan zo'n hoge prijs zou betalen voor een beschadigd artikel. Wat Galan betreft, hij liet zich bespotten en bedotten en zei nooit waarom.

Ruys en Morser tilden haar van het draagbed in het ledikant in de afgeschermde kamer. Dat had ik zelf ook gekund. Ze woog niet veel meer dan een fluwelen mantel voor een vrouwe. Ze wist niet waar ze was, misschien zelfs niet wie ze was. Haar oogleden waren halfopen, maar haar ogen stonden glazig, het wit grijsachtig. Haar lange haar, ooit goud als rijp graan, was nu slap en dof. Waar de bovenkant van haar voorhoofd geëpileerd was geweest groeide nu fijn dons. Haar huid lag bleek over een net van blauwe aderen. Ze voelde koud aan. Het enige geluid dat ze maakte was het raspen van haar adem terwijl ze vocht om lucht.

Ik boog me over haar heen en trok haar mantel weg: nog een teken van de minachting van haar clan, want die was gemaakt van wol die zo grof was als jute. Onder de mantel droeg ze een gevlekte mousseline onderjurk die zo dun was dat ik de gebogen stokken van haar ledematen erdoorheen kon zien, haar smalle kippenborst, haar slappe borsten, de schaduw van haar tepels en de driehoek van het haar boven haar vulva. Wat er verder ook mis was met haar, ze was aan het verhongeren. Galan stond er met een frons bij en toen ik deze keer zijn ogen zocht was zijn woede niet op mij gericht. Hij vroeg zijn mannen of ze niets te doen hadden en ze lieten ons met haar alleen.

Haar adem rook zoet, niet zuur. Ik knielde, legde mijn hoofd op haar hart en probeerde de flauwe klop te horen onder de hardere geluiden van haar snakken om lucht. Het ritme was onregelmatig en zo langzaam dat ik het haast niet kon geloven. Ik voelde mijn eigen polsslag en mijn hart deed bijna twee slagen tegen elk van het hare. Ik keek naar Galan en schudde mijn hoofd. 'Ik ben bang. Ze is... Horen dat ze dood ging was één ding, maar om het te zien...'

Hij kwam een stap dichterbij en zei: 'Ik geloofde je eigenlijk niet, tot nu. Weet je *zeker* dat het vergif is?'

'Ik zou dit geen liefdesverdriet noemen, jij?' zei ik. 'Ik ben nergens zeker van, behalve dat ze weggekwijnd is in... hoeveel tijd? Bijna een maand na je weddenschap. Ik vind het moeilijk te geloven, zelfs nu ik de tekenen voor me zie, dat een vrouw het kind van haar eigen broer kan vergiftigen. Ik ben blij dat ik geen familie heb, als dit is wat familie doet.' Ik trok de mantel op tot haar kin, haar aanblik moe. Ik legde mijn hand op haar wang. Wat was ze koud. Haar ogen knipperden niet. Ik vroeg me af of ze ons gehoord had.

'Wat voor tekenen?' eiste Galan. 'Heb je bewijzen?'

'Dit lijkt onnatuurlijk. Het ziet er misschien uit als kwijnende ziekte; het lijkt er genoeg op. Maar als het dat was zou ze koorts hebben, haar huid zou gelig zijn en haar adem zou naar rottend vlees ruiken. Ik denk dat ze haar misschien dodemansklokje hebben gegeven, steeds een klein beetje zodat ze langzaam wegkwijnt – want dat zou minder vragen oproepen dan een snelle dood. Het dodemansklokje beschadigt het hart, en dat is zeker zwak. Het klopt onregelmatig en langzaam, gaat dan weer een paar stappen snel en vertraagt weer.'

'Je weet te veel af van gif,' zei hij bars. 'Hoe komt het dat je zo veel weet?'

'Dodemansklokje is ook een geneesmiddel – maar het is gevaarlijk in de verkeerde handen.' Ik aarzelde, stond toen op en keek hem in de ogen. Hij verdiende het om de waarheid van me te horen. 'Ik doe wat ik kan, maar ik weet niet zeker hoe ik haar moet genezen. Het kan zijn dat ik haar in plaats daarvan dood.'

Hij keek me somber aan. 'Daar had je eerder aan moeten denken.'

Daar was geen antwoord op. Tijdens onze ruzie had ik gedaan alsof ik zeker was, en toen die zekerheid vervlogen was, had ik me beroepen op goddelijke raad en hij had me voldoende vertrouwd om op basis daarvan te handelen – en nu had ik ons wellicht rechtstreeks een van de valstrikken in geleid die verborgen liggen langs de paden in Fatums rijk.

Hij draaide zich om om weg te gaan.

Ik zei: 'Er zijn kruiden die een zwak hart sterker maken, maar ik moet ze gaan zoeken. Ik heb niets dat geschikt is voor zo'n ernstige toestand.' Ik zei niet tegen hem dat de krachtigste remedie die ik kende ook een gif was, het kruid dat wolfskers heette. Ik had gehoopt dat ik het niet zou hoeven gebruiken, totdat ik haar zag en haar aarzelende hart hoorde. In deze tijd van het jaar zouden de inktzwarte bessen nog aan de takken hangen, minder schadelijk dan de wortels en de bladeren en misschien gemakkelijker te gebruiken, zoet waar de bladeren bitter zijn. 'En ik heb hulp nodig om dag en nacht over haar te waken. Vind je het goed dat ik een meisje dat ik ken laat halen dat bij haar kan zitten als ik slaap? We hebben ook een geit nodig voor melk, en veel honing.'

Galan keek over zijn schouder. 'Ga de kruiden halen die je nodig hebt, maar neem Morser en Ruys allebei mee. Er is een wapenstilstand, maar het is nog niet veilig.'

'En de andere dingen?'

'Laat alles halen wat je nodig hebt, maar wees voorzichtig met wat je uitgeeft. Mijn beurs is bijna leeg na dit...' – hij wees op gemalin Vulpeja – 'dit *koopje*.'

* * *

De concubine wilde niet eten of drinken, wat ik ook deed om haar over te halen. Ik knielde naast haar en hield een stoffen speen die droop van de geitenmelk bij haar lippen. Ze draaide haar hoofd af met strak samengeknepen lippen en de melk liep over haar kin. Ik tikte met mijn vinger op haar wang, fluisterde tegen haar en zei haar naam, maar hoewel haar ogen halfopen waren, zag ik geen sprankje bewustzijn.

Ik had het die middag druk, zond Ruys weg om een geit te kopen en Spoedvoet om Mai te vragen haar dochter Zonop te laten helpen met de verzorging. Ik liet Leegemmer en Morser af en aan rennen om een komfoor te halen, en een deken, water om haar te wassen en dingen die haar tot drinken moesten verleiden: geitenmelk, merriemelk, aangelengde wijn, kalmerende kruidenthee, regenwater dat door het fijnste weefsel was gezeefd, bier, enzovoort. Galan bleef uit de buurt. Maar toen het gedoe voorbij was en ze gewassen was en ik haar magere ledematen had gewreven om haar warm te krijgen en haar huid ingesmeerd had met geparfumeerde olie en haar haar gekamd en een redelijk schoon hemd had gevonden om haar in te kleden – en ik weer met haar alleen was – was hetzelfde probleem er nog. Ze wilde niet eten of drinken.

Ze moest zijn gaan dwalen en haar lichaam achtergelaten hebben, met de opdracht alles te weigeren. Ik was ongeduldig en later boos op haar, maar hoe kon ik boos blijven als de koppige weigering waarschijnlijk haar leven had gered? Het was mijn raad die ze opgevolgd had, de raad die ik in het voorbijgaan zorgeloos aan Mai had gegeven, en ik kon me niet indenken hoe ze voldoende kracht had om het vol te houden in deze merkwaardige toestand tussen slapen en waken in. Het had haar gered, maar het doodde haar nu.

Als ze zou eten hoefde ik misschien geen wolfskers te gebruiken.

Ik had tegen Mai verteld dat ik alleen van gif wist wat aan genezen grensde, en dat was tot op zekere hoogte waar. Maar soms lagen genezen en schaden zo dicht bij elkaar dat er nog geen haar tussen paste. Ik had van de Vrouwe geleerd dat elk vergif een tweeling heeft en dat de ene een tegengif voor de ander is, maar van deze tweelingen waren er maar een paar bekend aan de mensen: bijvoorbeeld het dodemansklokje en wolfskers. Het een kon een teveel van het andere genezen; beide waren dodelijk.

Kloof regeerde de vergiften. Kloof, de god die ik het meest van allen vreesde, die in al zijn aspecten verschrikkelijk was: als Koningin van de Dood, als Krijger en als Vrees. En wolfskers hoorde thuis in het domein van de Koningin van de Dood.

Om een hart te laten kloppen of te stoppen, zei het lied over wolfskers. Het was een vrolijk wijsje, zoals Kloof Koningin graag had. En waarom zou ze niet opgewekt zijn? Het inwonertal van haar rijk groeide dagelijks en nam nooit af.

Het lied stond vol raadsels. *Zoek hier en daar en ik laat je met rust, zoek hoog en laag en je vind me gerust.* De Vrouwe had het een keer voor me gezongen, op de dag dat we wolfkers hadden gevonden tussen de stenen van een vervallen toren diep in het Koningswoud. De toren had op een rotspunt gestaan en de helling eronder was zo overbegraasd dat er nooit meer bomen waren teruggekomen, hoewel de kuddes al lang weg waren. Ze vertelde me dat wolfskers van rotsachtige grond houdt zoals in ruïnes en steengroeves, land dat verstoord was door de mens. Het tierde welig in arme, uitgeputte grond. Maar ze waarschuwde me er ook voor en zei dat de meeste toepassingen kwaadaardig waren. Ik vroeg waar het goed voor was.

Ze zei: 'Wolfkers kan in het uiterste geval gebruikt worden bij een falend hart; voor minder zou ik het niet riskeren. Let erop of iemand zo verzwakt is dat hij dicht bij de dood is en met name een onregelmatige polsslag heeft. Als het hart erg zwak en traag is, zal wolfskers het versterken. Maar als je te veel geeft vertraagt het de polsslag nog meer; geef je te veel dan is het vergif dodelijk.' Ik vroeg haar toen: 'Hoeveel is te veel?' en zij had op haar zadelknop geleund en gezegd: 'Ik weet het niet. Ik heb het nooit hoeven gebruiken. Twee kinderen van Zeugmeester zijn eraan overleden. Ze aten flink wat bessen voordat ze ziek werden, en ze stierven pas na drie dagen.'

Als ik wolfskers gebruikte zou ik de concubine waarschijnlijk doden. Maar als ik haar niet wakker kon krijgen, zou ze verhongeren.

Daar, bij het ledikant, opende ik mijn zakje met vingerkootjes. Ik zou de Vrouwe vragen om op me te wachten, hoewel ik haar niet kon opeisen uit een familieband of een verplichting. Toen ze nog leefde had ze me alles wat ze wist over wolfskers geleerd, en dat was heel weinig. Maar ze zeggen dat de schimmen steeds wijzer worden op hun reis, en verder zien. Misschien kon ze me nu helpen, zoals ze had geholpen in de nacht dat ze me haar handpalm liet zien.

Ik trok het trekkoord los en streek het zakje plat, en daar was het godenkompas dat Az op het leer had geborduurd, kleiner dan ze in het stof had getekend. Het zou goed genoeg zijn. Ik smeerde houtskool rond mijn oogleden, zoals Az had gedaan, om me te helpen zien. Ik blies op de twee kleine botjes om ze te verwarmen en toen gooide ik ze neer in de cirkel, de Vrouwe en Na, en vroeg of ze me wilden zegenen met hun advies als ze me ooit lief hadden gehad.

* * *

Ik liet de concubine achter in handen van Zonop. Mai's dochter was zelf zo mager dat ze eens goed bijgevoed moest worden, en ze was verlegen en verstopte zich achter haar haar, maar ze was ook vriendelijk. Ze begon gemalin Vulpeja vol ernst over te halen de warme geitenmelk met honing te drinken. Ze klopte de vrouw op haar arm en haar alsof ze een kind was. Ik had haar hetzelfde zien doen bij Tobie, haar kleine broertje.

Galan stond in de deuropening van de tent toen ik achter het gordijn vandaan kwam dat gemalin Vulpeja's ziekbed aan het oog onttrok. Ik zei tegen hem dat ik met Morser en Ruys noordelijk van het kamp wilde zoeken naar het geneesmiddel dat ze nodig had en dat ik zo vlug mogelijk terug zou keren, maar dat ik geen idee had hoe ver we moesten gaan om het te vinden. We hadden geen dag meer te verliezen.

Ik klonk zekerder van mijn zaak dan ik me voelde. De botten hadden gesproken; ik had maar een klein deel begrepen van wat ze zeiden. Ze hadden me een richting gegeven en een gevoel van haast. Daardoor wist ik dat ik de wolfkers moest proberen of haar anders verliezen.

Galan knikte en stapte bij de deur vandaan zodat ik er langs kon. Hij zag er onverbiddelijk uit, als hij al naar me keek. Vaak, nu ook, leek hij ergens anders te zijn. Heer Rodela keek naar ons vanuit een hoekje. Hij lag op zijn zij met zijn mantel tot over zijn oren opgetrokken, voor een keer zelf te ellendig om te genieten van andermans sores.

Galans stilte kwetste me. Het was zo kleinzielig dat hij me geen woord gunde, niet eens vaarwel. Ik wilde zijn stilte met een gil beantwoorden; een feeksengekrijs rees op in mijn keel, voor gemalin Vulpeja en mijzelf. Ik slikte het weg, boog mijn hoofd en stapte langs hem.

De middag was voorbij. De lucht was fris maar minder vochtig dan de afgelopen tijd. Het jaar liep al ten einde en beetje bij beetje verslond de nacht de dag. Ik zag de Zon al zeewaarts gaan achter de hoge wolken. Als we ons haastten vonden we misschien voor donker wat we zochten.

Ik gokte dat Morser en Ruys achter de tenten zouden dobbelen met een paar andere bedienden, wat ze vaak deden als ze even niets te doen hadden, dus liep ik het terrein over om ze te zoeken. Heer Pava zag me en riep me. Hij zat voor zijn tent op een vouwstoel van leer en hout. Zijn benen had hij voor zich uitgestrekt, met de enkels over elkaar geslagen, en hij leek de tenen van zijn laarzen te bewonderen. Ik ging, denkend dat hij wilde roddelen; niet dat ik hem zijn zin zou geven, maar het was niet verstandig voor een sloof om een geharnaste helemaal te negeren en te laat om net te doen alsof ik hem niet had gehoord.

Toen ik niet dichtbij genoeg kwam naar zijn zin, wenkte hij me. Hij bracht zijn blik van zijn laarzen naar mijn gezicht en glimlachte. 'Jij moet wel... heel charmant zijn. Tenslotte heeft het lang geduurd voordat heer Galan genoeg van je kreeg.'

Ik voelde mijn bloed heet worden en vervloekte mijn dunne huid die zo snel bloosde.

Hij ging overeind zitten en boog zich naar me toe. Ik deed een stap achteruit. Hij zei: 'Je hoeft niet verlegen te zijn. Ik wil je alleen laten weten dat als je zonder bed komt te zitten, ik je er wel een kan geven.' Hij opende zijn mond en lachte tot ik in zijn keelgat kon kijken.

Het hele kamp wist dat Galan zich van me afgekeerd had en ze dachten dat ik een nieuw zwaard zocht om te omvatten. Wat konden ze anders denken nu Galan een concubine had genomen? Het deed er niet toe dat ze haast een skelet was. Morgen zou er waarschijnlijk al een lied de ronde doen over hoe zij stierf van verlangen totdat hij haar zijn geneesmiddel tegen alle kwalen gaf. Ook hieraan zou hij ontsnappen door zijn charme, als ze het overleefde.

Ik had graag mijn vuist in heer Pava's keelgat gestoten. Maar ik deed niets en zei niets. Ik haastte me weg met gelach op mijn hielen.

Morser en Ruys kregen de ruwe kant van mijn tong te horen toen ze klaagden omdat ze zo laat nog het kamp uit moesten. Tegen de tijd dat we de paarden gezadeld hadden en ik Thole tot draf had aangespoord – onder Morsers gemopper dat een vrouw die balkt als een muilezel geslagen moet worden alsof ze er een is – werd het licht al gelig en de schaduwen lang.

Ik had de oostnoordweg eerder gevolgd, op jacht naar kruiden met Leegemmer. Voorbij het toernooiveld en de verspreide pachterijen van de herders bereikte de weg de gehavende wand van een lange rotsuitloper die grofweg van oost naar west liep. Leegemmer en ik waren nooit verder gegaan, maar de weg liep door, tussen de rotsen door klimmend naar een plateau dat de mensen uit de streek Grabbelzwaar noemden. Daarboven hoopte ik wolfskers te vinden.

Thole was klaar om te rennen en ik liet haar even. Galan had tenminste een paar van de paarden het offer bespaard en wij mochten rijden terwijl hij dat niet mocht. We zetten er een behoorlijke vaart in toen we van het Marsveld af waren, de vervuilde lucht en de mensenmassa uit. Ik had in het kamp opgesloten gezeten sinds Galans verwonding, eerst omdat ik niet van zijn zijde wilde wijken, later omdat hij – ook al sprak hij niet tegen me – niet wilde dat ik wegging van de tenten van de clan terwijl de vete dreigde. Zijn zorg had me drie dagen opgesloten; zijn woede maakte de gevangenis troosteloos. Zelfs weg van het Marsveld voelde ik me er niet vrij van. Ik droeg de smet bij me, de stank van mijn eigen gedachten. Ik kon niet verdragen dat Galan zweeg. Of dat hij me eruit zou gooien en ik weer ten prooi viel aan heer Pava en zijn soort. Of om gemalin Vulpeja te verplegen tot ze beter was zodat ze Galan van me kon afpakken. Of dat ze stierf en het mijn schuld was en ik alles kwijtraakte om niets.

Ik reed in een roes totdat Thole struikelde en ik haar manen vastgreep, en toen ik opkeek zag ik dat we de rotsen al aan het beklimmen waren. Thole en ik gingen voorop. Ik zag dat haar vacht donker was van het zweet en ze zich tussen de rotsen met gestrekte hals omhoog duwde, terwijl haar hoofd op en neer ging en ze zwaar ademde. Ze was een sloof en ze verdroeg wat er verdragen moest worden. Zoals ik ook zou doen, omdat ik geen andere keus had.

Zigzag bewogen we ons over de rotshelling, en terwijl we klommen werd steeds meer zee zichtbaar, goud gebrand door de ondergaande Zon. Het Marsveld was een kleurrijke vlek onder ons, met banieren van rook die oprezen van de kookvuren. Vlakbij zag ik het jofferklokje en geitenoor en galkruid en andere planten tussen de rotsblokken en steenlagen van de helling groeien, maar we reden door. Er was geen tijd.

Toen we de top van het plateau bereikten, pauzeerden we om de paarden op adem te laten komen. Het hoogland om ons heen was somberder dan het land rond het Marsveld en dat had ik al kaal gevonden. Hier waren geen heggen, velden of weiden, niets om zelfs een herder in leven te houden. Overal lagen bleke rotsen, zo groot als een huis, stenen zo rond als broden, hopen grit en gruis. De rotsbodem brak door de aarde heen als een ruggengraat langs de lage richels. Zelfs dat grijs was aangetast. Er groeide een tapijt van lage kruipers, zegge en mos op de grond, en hier en daar was een struikje erin geslaagd in de beschutting van een rotsblok te wortelen, de takken uitstrekkend naar het oosten, in vorm geblazen door de harde zeewind.

Morser keek een keer om zich heen en wees naar de Zon in het westen, die rood was en half onder water. 'We kunnen nu beter teruggaan. Ik weet niet wat je hier denkt te vinden, maar het is een ongunstige plek en ik wil de terugweg liever niet in het donker afleggen, jij?'

Ik was het niet met hem oneens, maar ik had genoeg van zijn gekanker de hele weg naar boven over onmogelijke zoektochten en bazige vrouwen. 'Ben je soms bang in het donker?'

Ruys keek naar ons beiden, maar hield zich erbuiten.

Morser keek dreigend. 'Het is hersenloos om die heuvel af te gaan zonder zelfs maar de maan.'

'Er is nog genoeg licht. We kunnen toortsen maken als het nodig is.'

'Heer Galan zal niet blij zijn als jij je nek breekt.'

'Daar ben ik niet zo zeker van.'

Morser snoof. 'Jaag jezelf de dood maar in, als je wilt, maar laat mij erbuiten.' Hij rukte aan de teugels en keerde zijn paard.

Ik riep hem achterna: 'Heer Galan weet dat ik alleen doe wat nodig is.'

Morser draaide zich om met zijn hand op de achterboog van zijn zadel en keek naar Ruys. 'Ga je mee of niet?'

'Ga maar,' zei ik tegen ze, 'als jullie zo bang zijn. Blijf onder aan de helling op me wachten. Als ik bij het laatste licht niet heb gevonden wat ik zoek, kom ik terug.'

Ruys sprak als laatste. 'Ik blijf bij je,' zei hij, en Morser keek hem kwaad aan, trok zijn schouders op en schopte zijn paard de helling af.

Ik keek Ruys schaapachtig aan na mijn blijk van ongeduld. 'Ik probeer snel te zijn, maar ik ken dit land niet en weet niet of ik hier kan vinden wat ik zoek.'

'Laten we dan maar gaan,' zei hij schouderophalend. Hij zag er niet uit of hij zich zorgen maakte, hoewel terwijl Morser en ik ruzie maakten de Zon onder gegaan was in zee, een rode poel in haar kielzog achterlatend.

In de schemer draafden we langs de weg, die breed was en een vers karrenspoor had. Af en toe stuurde ik Thole naar een bosje of een hoop stenen met groen leven in de hoekjes en boog ik in het zadel naar beneden om een plant van dichterbij te bekijken. Het leverde niets op dan krassen van de dorens van een magere hondenroos en een paar rozenbottels, die ik plukte als genoegdoening voor de krassen. Ik gaf Ruys er een paar. Het was een wrange maar welkome verfrissing. In de zomer zou dit land bloeien. Nu bood het alleen schrale hoop.

We hadden misschien een paar kilometer gereden voordat Ruys zachtjes zei: 'Denk je dat we toortsen aan moeten steken?' Ik keek om me heen en zag dat de avond gevallen was. Ik had het niet gemerkt omdat de weg breed was en bleker dan het land eromheen, en de wassende Maan gaf een zachte gloed aan de wolken. Voor mij was alles zo helder als bij daglicht. Maar Ruys had mijn ogen niet. Hij bleef dicht bij me, reed knie aan knie, tot nu toe zonder iets te zeggen.

Ik toomde Thole in en keek hem aan. Ruys' gezicht was bleek en ik kon een strakheid rond zijn kaken zien die in tegenspraak was met zijn kalme stem. Het was koppig van me om in het donker verder te gaan. Maar ik kon niet opgeven en dat zou hij ook niet vragen.

'Goed,' zei ik en steeg af van mijn merrie. Mijn benen trilden. Ik had al dagen niet meer zo ver gereden. Ik gaf Tholes teugel aan Ruys en vroeg hem te wachten. Al gauw had ik twee toortsen gemaakt: bundels gaspeltakken omwikkeld met bindkruid, met hompen mos en gras aan het uiteinde. Ik stak er een aan met het kooltje dat ik in de koperen vuurkruik aan mijn gordel droeg, zachtjes biddend tot Ardor. De toorts was grof en gaf meer rook dan licht. Hij zou niet lang meegaan.

'We rijden door tot deze op is,' zei ik tegen Ruys. 'Dan gaan we terug.'

Ik kon minder ver zien met de toorts. Het licht bewoog met ons mee, voorbij rotsblokken die op grote slapende dieren leken, en de weg bewoog onder ons. We gingen een lange heuvel af en een andere op, en aan de andere kant van die heuvel leidde de weg abrupt naar de rand van een diepe put en liep om de rand heen.

Ik steeg af en liep naar de uiterste rand, en Ruys slaakte een kreet en zei: 'Wees toch voorzichtig!' Ik keek over mijn schouder om hem gerust te stellen en er vielen een paar kiezels over de rand die ver beneden neerploften.

Ik boog me voorover om te zien waar ze terecht gekomen waren. 'Het is een oude steengroeve, denk ik.'

Ruys zei: 'De toorts is bijna op. Zullen we nu teruggaan?'

'Nee. Als ik ergens kan vinden wat ik zoek, is het hier.' Ik vroeg hem de paarden weg te leiden van de rand en ze te laten grazen. Ik zou terug zijn voor de tweede toorts opgebrand was.

Hij bood me die aan en zei dat hij er nog wel een kon maken, maar ik schudde mijn hoofd. 'Ik zie beter zonder,' zei ik. Hij staarde me aan en zei niets.

Ik nam de weg die de rand volgde en naar beneden liep, waar een brede helling in de wand van de groeve uitgehakt was. Ik liet mijn handen over de muur glijden, die wit en glad was en uit veel massievere rots bestond dan het poreuze kalk van de zeekust. Het wit glansde in het donker. Ik kon zien dat de steen in grote treden en richels uitgehakt was, sommige nog perfect en andere kapot en met scheuren erin. Daar had zich aarde verzameld, uit de gesel van de wind, en de regen had de bodem van de groeve gevuld als een waterreservoir. Overal om deze poel heen hadden bomen wortel geschoten, in de scheuren in de muur. Hun zaden waren op een of andere manier naar Grabbelzwaar komen vliegen, waar geen bossen groeiden of voor zover ik kon zien ooit gegroeid hadden. En ik daalde af in het gefluister van die bomen en de schaduwen die van hun kale takken stroomden, verwonderd terwijl ik mijn hand groetend op hun stammen legde, hier de gladde huid van een beuk en daar de ruige bast van een iep, daar de snelle vogelpest en hier een zilverberk. Geen van de bomen was erg groot, maar ik voelde desondanks dat ze heel oud waren.

En daar, in een hoop massieve blokken die door ijs uit de wand waren gehakt of misschien door de mens uitgehouwen en afgekeurd, vond ik wolfskers: twee volle planten, een bijna zo groot als ikzelf en de andere kleiner, met stevige takken en droge stijve bladeren vanwege het late seizoen. Ik herkende hem zelfs in het donker aan zijn eigen duisternis. Onder de bladeren vond ik de zwarte bessen en toen wist ik het zeker.

Het was goed dat de Vrouwe mijn geheugen getraind had, want we hadden alleen die ene keer over wolfskers gesproken, verder nooit. Ze had geen geduld voor herhalingen en hoefde me zelden iets twee keer over planten te vertellen, hoewel ik nooit kon onthouden hoe ik het zomer-en-winter-patroon moest weven of het liefdesknoopje, hoe vaak ze me ook op de vingers tikte met de spoel.

Ik had vertrouwd op haar woord, een lied en twee vingerkootjes en zowel hoog en laag gezocht, en mijn stappen hadden me regelrecht over de Grabbelzwaar naar deze groeve en de plant geleid.

Een geschenk van de Koningin van de Dood, want een dode vrouw had mij hierheen geleid. Maar ik voelde de aanwezigheid van de Vrouwe niet. Ik moest dit alleen doen.

Eén plant zou genoeg zijn – meer dan genoeg. Ik wikkelde mijn verzamelzak rond mijn handen als bescherming tegen het gif en trok de kleinere plant uit, Kloof bedankend terwijl ik trok. Eerst kwam de wolfskers onwillig omhoog, toen snel, alsof een hand hem liet gaan. Ik pakte een van de bessen en liet die in het gat vallen waar de wortels hadden gestaan, begoot die rijkelijk met bloed uit de plooi van mijn elleboog en duwde de modderige aarde eroverheen zodat hij volgend jaar misschien herboren werd, groot en dodelijk. Alle goden verwelkomen bloedoffers, maar Kloof eist ze.

Ik sneed de plant met mijn mes in stukken en deed alles in mijn zak: wortels, stengels, bladeren en bessen. Toen waste ik mijn handen en armen in het ijskoude water van de poel in de groeve.

Halverwege de helling stopte ik om te rusten. Ik vroeg me af wat voor bouwwerken met deze stenen gemaakt waren en of ze vervallen waren of nog steeds ergens stonden. Ik haalde diep adem en rook vochtige afgevallen bladeren: de geur van het late najaar. Tijdens het wachten op het Marsveld was de herfst aan me voorbij gegaan – want wat was een herfst zonder bomen om hem te tonen?

En toen hoorde ik het ruisen van vele vleugels. De vleermuizen kwamen naar buiten. Ze kwamen uit de grotten in de wand van de groeve als een zwarte wind die door de lucht boven en onder me stroomde.

Kloof Vrees kwam. Als dit een reactie op mijn gebeden was, had ik zijn geschenk nooit gewenst. Vrees manifesteert zich in de zwerm, van insecten of vogels of vleermuizen; soms laat de avatar zich zien in de wolken of in stof of as, in opspuitend water of wervelwinden. Maar zonder die dingen heeft hij geen lichaam, tenzij wij ons aan hem overgeven. Vrees is het meest intieme aspect van Kloof, want hij kruipt in ons.

Ik wist heel goed dat de vleermuizen geen kwaad konden; het landgoed had een vleermuizentoren gehad om de insecten in de hand te houden, naast de duiventil – en toch zocht ik laf dekking op de weg met mijn armen over mijn hoofd, in blinde, redeloze paniek. Bezeten door Vrees. Het duurde eindeloos tot de angst wegtrok en ik mezelf terugvond, misselijk en slap en badend in het koude zweet.

De god had een zaadje van angst achtergelaten. Ik had de hele tijd al bang moeten zijn toen ik afdaalde in de groeve in het donker. Iedereen zou dat zijn geweest. In plaats daarvan was ik zonder vrees en zelfs vrolijk gegaan, blij om weer onder de bomen en de schaduwen te zijn.

Ik was al lang weg uit het Koningswoud. Wat had het met me gedaan?

* * *

Toen ik terugkwam uit de groeve zag ik dat Ruys een vuur had gemaakt en zich bezig had gehouden met betere toortsen maken dan de mijne. Hij was niet op zijn gemak bij me toen ik terugkwam. Zijn blik was verlegener en zijn stilte voorzichtiger. Hij reed iets achter me, niet naast me. De weg was zo breed dat we een drafje waagden en de toorts rookte en wierp een armzalig, schokkend licht voor de hoeven van de paarden. In dat tempo bleek de steile helling toch niet zo ver weg te zijn.

We keerden in het donker op het Marsveld terug en zagen dat de geharnasten bezoek hadden van een andere clan, zonder twijfel de echtgenoot van iemands zus en een keur aan neven. Ze waren net klaar met eten en zaten aan de zoetigheden en noten en zongen drinkliederen rond de vuurplaats. De schildknapen stonden achter hen en aten hun taaiere stukken schapenvlees, als ze geen wensen voor hun meester hoefden te vervullen.

Galan was niet bij de geharnasten. Hij was in de tent, uitgestrekt op een strozak met zijn handen onder zijn hoofd. Zijn avondeten – de flauwe gekookte groenten en gerstepap die hij mocht eten van Eerwaarde Xyster – was onaangeroerd. Toen ik alleen binnenkwam, nadat ik de paarden had overgelaten aan Morser en Ruys, ging Galan rechtop zitten. Hij bewoog zich behoedzaam. Heer Rodela lag met zijn gezicht naar de muur en te horen aan zijn raspende gesnurk sliep hij.

'Wat ben je laat,' zei Galan en hij keek naar zijn eten alsof hij het voor het eerst opmerkte. Hij pakte het bord en zette het weer neer met walging. 'Bah, het is koud.'

Ik ging voor hem op de grond zitten en nog keek hij weg.

'Ik had je eerder verwacht,' zei hij.

'We moesten ver rijden.'

'Ik hoop dat het daardoor kwam.' Zijn stem was hard, maar zijn blik, toen die de mijne eindelijk kruiste, was dat niet.

Ik knikte. De stilte tussen ons trok, een draad die zo teer was dat een ademtocht hem kon breken. Ik durfde zelfs niet te glimlachen en keek op mijn beurt naar beneden.

Maar toen ik opkeek, stond zijn gezicht weer bars, en ik slaakte een zucht. Ik kwam overeind en zei dat ik voor gemalin Vulpeja moest zorgen, en ik nam het bundeltje wolfskers mee haar kamer achter de gordijnen in. Ik voelde nog steeds de stilte tussen ons trekken, zo gespannen als een koord.

Gemalin Vulpeja leek met open ogen te slapen. Haar adem alarmeerde me. Het deed pijn om naar het geluid te luisteren; er zat iets opgeslotens en wanhopigs in, hoewel het uit een lusteloos lijf kwam.

Ik probeerde haar bij te brengen. Ik kneep in haar polsen en wangen en schreeuwde hard in haar oor, maar hoewel ik Zonop uit haar slaap haalde bewoog gemalin Vulpeja zich niet. Ik schudde haar; ik probeerde haar mond open te krijgen. Ik liet Zonop warme wekmij halen en haalde de stomende beker onder de neus van de zieke vrouw door. Ik dacht dat ik het eerste beetje uitdrukking op haar gezicht zag – afkeer. Nadat ik me had uitgeput met haar te kwellen voelde ik haar polsslag in de nek en die was nog steeds heel traag traag traag, haar hart een begrafenisstrommel.

Zonop keek toe terwijl ik dit deed, haar mond een beetje open. Toen ik me naar haar omdraaide, kromp ze ineen alsof ze dacht dat ik haar ook door elkaar zou rammelen. Ik stuurde haar de kamer uit, zei dat ze iets te eten moest vinden en zoveel slapen als ze kon, omdat ik haar later in de nacht wakker zou moeten maken om zelf uit te rusten. Ze kroop net buiten het gordijn in een nest van oude zakken en vuil linnengoed.

Ik leunde achterover en staarde naar gemalin Vulpeja. Ik was moe en hongerig en vooral onzeker. Ik had een slappe kruidenthee van de wolfskersbessen willen maken en haar die teugje voor teugje geven – maar hoe kon ik haar laten slikken?

De botten hadden niet op Ardor gewezen. Wist ik maar zeker dat ik Ardors wens uitvoerde, dat ik de hulp van de god had bij wat ik moest doen. Maar ik was die dag al door een god geholpen, en in plaats van dankbaarheid had ik vrees gevoeld. Het was verschrikkelijk om bij Kloof in het krijt te staan.

Mijn blik viel op het komfoor. Ik bedacht dat men zegt dat Ardors priesters in het vuur de toekomst lezen; ik zag niets dan een enkele vlam opkruipen langs een verkoolde tak. Toch pakte ik mijn mesje en opende opnieuw de snee in mijn arm, en druppelde een plengoffer in het komfoor voor Ardor, voor gemalin Vulpeja. De vlam dook en spuugde naar me. Ik voegde nog een tak toe en snippers mirtebast om de rook zoeter te maken.

Ik wikkelde oude lappen om mijn handen en leegde mijn verzamelzak op een doek die op de grond uitgespreid lag. Ik legde eerst de bessen opzij. Het waren er maar acht, minder dan ik had gehoopt; een beetje gerimpeld maar nog wel met een glans op hun zwarte velletje. Ik trok de broze bladeren van de takken en er droop wittige melk uit die zo zuur rook als wei. Ik liet de wortel met rust. Die was zo dik als twee vingers en vertakt, met een grijzige bast. Nadat ik de plant verdeeld had stopte ik de bessen in een uitgeholde kalebas en wikkelde de onderdelen in verschillende bundels, want ze hadden allemaal hun eigen kracht. Ik lette goed op dat er geen bes, blad of stengel achterbleef op de grond.

Ik kwam op het idee door de mirtebast. Ze wilde geen voedsel of drank, maar lucht kon ze niet weigeren. Daarvoor was geen koppigheid sterk genoeg.

Ik verkruimelde drie blaadjes van de wolfskers klein in een ondiepe aardewerken schaal. Ik nam een kooltje uit het komfoor en liet die in de schaal vallen, en de bladeren begonnen een bittere geur af te geven. Ik boog me over gemalin Vulpeja heen en blies de rook zachtjes naar haar neusgaten. Elke keer dat ik adem haalde, wendde ik mijn hoofd af. Toen de bladeren opgebrand waren, luisterde ik naar haar hart. Haar ademhaling was iets rustiger; het maakte niet meer zo'n herrie als die haar borst in- en uitging. Haar hart was nog steeds te traag.

Ik kreeg tranen in mijn ogen en wreef erin. De rook versluierde mijn blik en besmeurde alles met grijs, meer rook dan ik ooit verwacht had van die paar bladeren. Ik deed mijn hoofddoek af, wapperde ermee om de lucht schoon te vegen en stak mijn hoofd om het gordijn om Ruys te vragen de deurflap open te maken. Galan keek me vreemd aan, maar verbood het niet. Aan hun kant rook het eerder naar uien en boerenkool en houtrook dan naar wolfskers en mirtebast.

Toen wachtte ik. Ik wist niet of ze te weinig, te veel of genoeg van de rook had ingeademd. De wolfskers had misschien tijd nodig om zijn werk te doen; maar het was net zo waarschijnlijk dat zijn kracht al uitgeput was. Ik kon niets anders doen dan een tijdje wachten. Nog een tijdje. Maar ik kon moeilijk geduld opbrengen. Zo moe als ik was, jeukten mijn ledematen alsof ik wilde bewegen.

Er brandden veel lampen in de tent. Ik kon de schaduwen van Morser en Ruys op het witte gordijn zien bewegen en hoorde Morser botten kraken en leegschrapen voor mergsoep. Hij zei dat hij zijn hele paard wel op kon vanavond, zo'n honger had hij. Heer Galan vroeg hoe ver we gereden hadden. Er viel een stilte voordat Ruys antwoordde dat we de Grabbelzwaar op waren gegaan, helemaal tot aan de steengroeve. Dus ze kenden het terrein allemaal. Dat hoefde me niet te verbazen; de Crux had zijn mannen te paard hard laten werken om ze af te harden.

Ze ademde echt gemakkelijker, ik wist het zeker. Maar nu gleed haar adem zo geruisloos in en uit dat ik haast niet kon zien of ze nog leefde. Ik legde de vingers van mijn linkerhand tegen de grote ader in haar keel en voelde tegelijkertijd aan mijn eigen ader, en dat stelde me niet gerust. De rivier van haar bloed vloeide traag, terwijl de mijne snel en sterk stroomde en de ader opsprong onder mijn hand.

Ik bekeek haar nauwkeurig. De tatoeage van Ardors godenteken lag donkerblauw op haar bleke wang; er lag een streep boven die het aspect van de Smid aangaf. Als concubine zou ze nooit het teken van Crux dragen. Haar ogen glansden onder de oogleden, een gefixeerd staren. Waar was ze? Waar was ze heengegaan, als ze niet hier was?

De rook had haar niet bijgebracht. Ze had meer nodig. Ik verkruimelde nog drie bladeren en drapeerde deze keer een deken over ons heen zodat de rook niet kon ontsnappen, en telkens als ik adem moest halen tilde ik een hoekje op.

Ik wist dat het gevaarlijk was; ik kon de rook niet helemaal vermijden, het prikte in mijn neus en verzamelde zich in mijn haar. Toen de bladeren tot as vergaan waren, dook ik onder de deken uit en hield die als een tent over haar heen. Mijn armen trilden. Ik hijgde en mijn mond was zo droog als pluis. Mijn tong voelde vreemd en dik aan, hoorde niet meer in mijn mond, en ook mijn gezicht voelde niet alsof het bij mij hoorde. Het was gevoelloos, een masker van vlees.

Ik liet de deken op de vloer vallen, wankelde naar de tentwand en leunde ertegenaan. Het doek rekte uit om mij heen en trok aan de touwen en palen, en ik zakte in elkaar tegen de muur en gleed naar beneden totdat ik zat. Ik boog of viel voorover en mijn gezicht was vlak bij de wand. Een beetje koude lucht vlocht zijn weg tussen het tentdoek en de grond door. Ik slokte het op, samen met de geur van zeewater en modder en ook beerputten, maar het was niet genoeg om de rook uit te bannen die in de lucht hing als kaf boven een dorsvloer of meel in een molen, maar niet danste zoals kaf of meel doen. Deze rook lag over en om alles heen, dik genoeg om tussen je vingers te wrijven, bewegingloos als lang neergeslagen stof.

Ik kroop terug naar gemalin Vulpeja. Haar hart klopte sterker, krachtiger, sneller dan daarvoor. Ik leunde tegen het ledikant, op mijn knieën. Ergens was opgetogenheid, niet de mijne, maar toch voelde ik het door me heen klotsen als een warme vloed. Er waren schaduwen in de rook, in mijn ooghoeken. Ik was niet bang voor schaduwen, begroette ze als oude vrienden. Ik voelde hoe ik uit mijn huid glipte en lachte omdat ik weer vrij was, maar ik maakte geen geluid en boog vanuit mijn middel voorover, zwaaiend en geluidloos lachend, duizelig, zijdelings vallend. In plaats van licht genoeg te worden om te vliegen werd ik zwaar en lag ik op de grond, met mijn ogen open en vol schaduwen, en ik zag Na en kon dwars door haar heen kijken naar het gordijn dat aan het plafond van de tent hing. Na lachte ook en zwaaide heen en weer, haar mond wijd open, haar tanden versleten en geel. Ik wilde haar vragen wat ze zo leuk vond, maar kon geen woord uitbrengen, en het deed er niet toe want haar gelach werkte aanstekelijk, als een geeuw die ik haar gaf en zij weer terug aan mij. Mijn ribben deden pijn van de pret, ik piepte en hapte naar adem. Na een tijdje hield Na op met lachen, kwam naar me toe en boog zich over me heen zoals ik over gemalin Vulpeja heen had gestaan. Ze keek naar me en zei toen dat ik goed vast moest houden, en toen was ze weg.

Ik wilde de Vrouwe zien. Ik dacht dat als Na hier was zij ook in de buurt moest zijn. Ik zag in de verte een figuur die een kaars droeg en ik was blij, omdat ik dacht dat ze naar me toe kwam; toen zag ik dat ik de kaars droeg. Ik had gemalin Vulpeja's vuile mousseline hemd aan en mijn voeten waren bloot en de grond ijskoud. Ik liep wankel, struikelde. Het kaarslicht was te fel; het deed pijn aan mijn ogen. Ik kneep de vlam uit en toen kon ik beter zien, overal schimmen om me heen, massa's schimmen, en toch waren ze allemaal alleen. Ik zocht lange tijd naar de Vrouwe voordat ik me realiseerde dat ik eigenlijk gemalin Vulpeja kwam zoeken, en ik begon haar naam te roepen. Mijn stem was het enige geluid in een gedempte stilte, en toen ik haar vond zat ze rechtop op een kruk, in een gewaad van roze en blauwe zijde, zo ongenaakbaar als ze op het toernooiveld was geweest, zo lang geleden, toen ze nog maagd was. Ze was niet blij om me te zien, helemaal niet. Ze verweet me dat ik haar rust verstoorde.

Ik schreeuwde tegen haar zonder er rekening mee te houden dat zij van Bloed was en ik niet. Ik noemde haar een hoer en een dwaas en een zwakkeling en een lafaard, en toen mijn beledigingen haar niet raakten, begon ik te pleiten. Ze draaide zich om om weg te lopen. Ik sloeg haar toen met mijn vuisten en greep haar bij het haar en sleepte haar achter me aan, hoewel ze brulde dat ik haar los moest laten.

Maar ik wist niet waar ik heen moest. Alle richtingen waren hetzelfde in deze donkere, kale plaats waar de Zon nooit opkomt of ondergaat. Ik stopte en de concubine spartelde in mijn handen en probeerde weg te komen, en ik hield goed vast, zoals Na gezegd had. En ik bad, hoewel ik niet wist waar ik was en of een god me kon horen.

Er klonk een geluid, een geneurie, een woordeloos wijsje dat ergens achter me vandaan kwam. Het lied van de wolfskers. Het klonk nu niet zo vrolijk maar eerder troosteloos en statig, en ik dacht: *dus zo moet het gezongen worden.* Ik draaide me om en hoorde het vóór mij en had weer een richting. En ik ging in de richting van het lied en onder het lopen trok ik gemalin Vulpeja mee aan de teugel van haar haar, en de melodie werd een pad. Ze krijste zo hard tegen me dat ik het lied bijna niet meer kon horen, maar ik volgde het noot voor noot, stap voor stap. Als het rees, klommen wij hoewel het gebied vlak was, en als het daalde gingen we naar beneden. De weg naar buiten leek langer te zijn dan de weg naar binnen. We werden moe en gemalin Vulpeja strompelde stil als een slaapwandelaar achter me aan. Eindelijk zag ik het witte gordijn in de verte, als een vlag, en ik ging erheen en daar boog Galan zich over me heen, mijn naam roepend. Mijn vuist was vastgeraakt in gemalin Vulpeja's haar en hij maakte hem voorzichtig los en trok me overeind. Hij greep mijn schouders stevig vast en schudde me, schudde me.

'Wat heb je gedaan?' vroeg hij steeds weer, en mijn oren tuitten van het trillen en het schreeuwen.

Ik zei: 'Hou op!' en greep zijn mouw, en na een tijdje hoorde hij me.

'Bij de goden,' zei hij, 'wat heb je jezelf aangedaan?'

Mijn hoofd zwaaide op mijn nek. Zijn gezicht was vlak voor het mijne en toch kon ik hem haast niet zien. Het licht deed pijn en ik sloot mijn ogen en er drupten tranen uit.

'Wat smerig,' zei Galan. 'Je zit helemaal onder je eigen braaksel.' Hij riep om een ketel water en toen Morser die bracht stuurde hij hem weg, hij stuurde iedereen weg. Hij trok mijn jurk over mijn hoofd en nam een doek en veegde mijn gezicht en haar en lichaam schoon. Ik kon niet rechtop zitten; hij liet me tegen het ledikant leunen terwijl hij iets schoons voor me zocht om te dragen. 'Heb je geen andere jurk?' vroeg hij. 'Ik had toch gezegd dat je er een mocht kopen.' Ik wilde zeggen dat ik nog niet klaar was met borduren, maar mijn tong was dik en een moment later was ik de vraag al vergeten. Hij opende gemalin Vulpeja's kist en haalde er een gewaad van roze wol uit. We hadden ongeveer dezelfde maat gehad, de maagd en ik, voordat zij begon te verhongeren, al was ik langer. Hij trok de jurk over mijn hoofd en leidde mijn armen door de mouwen. Ik probeerde te helpen, maar mijn lijf was zwaar en onhandig. Hij reeg de jurk niet dicht aan de achterkant.

Ik vond mijn stem en vroeg om water. Ik kon niet voldoende speeksel verzamelen om te slikken, zo droog was mijn mond. Toen ik bijna een beker gedronken had en de rest over me heen had gemorst, zei ik: 'Breng me naar buiten.'

Galan tilde me op en ik hoorde zijn adem stokken. Ik dacht vluchtig dat hij zich zou bezeren als hij me droeg, maar ik kon maar één gedachte tegelijkertijd in mijn hoofd houden: ik moest niet vergeten om te ademen. Als ik dat vergat zou ik stikken. Ik hield me hieraan vast terwijl andere gedachten voorbij flitsten maar snel uit mijn herinnering verdwenen, zoals gemalin Vulpeja, zoals wolfskers, zoals Galan. Dit zelfs terwijl Galan me naar buiten droeg en met mij naast de tent ging zitten. Ik zat tussen zijn benen, leunde achterover tegen zijn borst, omhoog gehouden door de cirkel van zijn armen. Ik kneep mijn ogen dicht en zoog de lucht in. Hij trok een deken over ons beiden heen en legde zijn hoofd tegen de achterkant van mijn nek. Toen ik begon te rillen drukte hij zich dichter tegen me aan.

Ik vergat dat ik eraan moest denken om te ademen en toch ademde ik door, en na een tijdje trok het trillen weg.

Hij vroeg het me opnieuw en deze keer hoorde ik zijn woede: 'Wat heb je jezelf aangedaan, hm? Vertel.'

'Het komt van de wolfskers,' zei ik.

'Wolfskers? Wat is wolfskers?'

'De ban,' zei ik. 'Het geneesmiddel.'

Hij schudde me. 'Wat bedoel je?'

De woorden ontglipten me, op een na. 'Rook,' zei ik.

Hij trok mijn vochtige haar achterover en siste in mijn oor: 'Als je jezelf kwaad hebt gedaan... voor haar...' Hij haalde adem, maar ging niet verder.

'Het gaat goed met mij. Zo meteen.'

'Beter van wel,' mompelde hij.

Ik kon mijn gezwollen hart voelen en het stromende bloed dat in mijn oren bonkte als de zee tegen de rotsen, golf na golf. De golven kwamen te snel. Wonderlijk dat Galan ze niet kon horen, zo luid waren ze. En ik kon niet helder zien. We hadden de rook achtergelaten in de tent, maar toch hing die voor mijn ogen – of in mijn ogen – een veeg, een schaduw. Maar mijn gedachten waren helderder.

'En gemalin Vulpeja?' vroeg ik. 'Hoe gaat het?' Het zou me niet verbaasd hebben als ik haar met mijn behandeling gedood had. Ergens lag angst en spijt, maar ver weg, zonder scherpte.

Hij zei dat het hem niet kon schelen, maar ik hield aan. Toen stuurde hij Zonop weg om naar haar te kijken, en al gauw kwam ze terug en zei: 'Ze is wakker, heer.'

Goed nieuws, maar ik voelde het niet. 'Ik moet haar verzorgen,' zei ik.

'Nee, dat moet je niet. Zeg tegen het meisje wat er gedaan moet worden.'

Zonop stond te wachten met gebogen hoofd, ons zijdelings aankijkend. Ze leek schemerig en onwerkelijk.

'Ik moet naar haar hart luisteren. Laat me opstaan,' zei ik, want zijn armen omsloten me stevig.

'Je kunt niet eens staan,' zei Galan. 'Dus blijf rustig en laat het meisje naar haar kijken.'

Zijn woede ontmoedigde me deze keer niet. Ik leunde tegen hem aan, draaide mijn hoofd om en zijn adem was op mijn wang.

Ik fluisterde: 'Als ik kan staan, mag ik dan?'

'Probeer maar,' zei hij, maar zijn greep verslapte niet.

Maar ik probeerde het niet; ik had noch de kracht noch de wens om te staan. Ik zei tegen Zonop dat ze gemalin Vulpeja water moest geven, zoveel als ze wilde drinken, en het meisje ging weg. Ik zei tegen Galan: 'Laat me liggen. Ik moet liggen,' want ik werd overvallen door duizeligheid. Ik lag op de aarde en die duizelde en draaide onder me, en ik voelde hoe immens die was, de uitgestrekte velden en bossen en bergen en zeeën die verder reikten dan de kring van onze horizon, tot de horizon die alleen de goden zien, de rand van de wereld; ik voelde ook hoe klein ik was, gedragen in deze kring. En toch waren we in het middelpunt, alsof het Marsveld de as was van de rondtollende wereld. De hemel boven ons was lichtend grijs, helderder dan de volle maan hem kon kleuren, en pas toen het oosten rood begon te blozen begreep ik dat de nacht voorbij was, de uren vergleden.

Galans hoofd was omgeven door licht. Het was moeilijk om zijn gezicht te zien tegen de schittering boven hem. 'Nooit, nooit, nooit,' zei hij, en een keer zei hij: 'Dwaas,' en met elk woord duwde hij, en ik maakte ruimte voor hem en ik dacht dat hij niet dieper kon komen maar dat deed hij wel. Toen hij klaar was lag hij bewegingloos op me, zijn gezicht tegen mijn hals. Nu was het de lucht die rondtolde, maar langzaam, en de aarde bleef op haar plaats. Ik kon niet ademen door zijn gewicht op mij en dat zei ik, en hij hief zijn hoofd op.

'Zweer op Crux dat je nooit meer zoiets dwaas doet.'

'Ik dacht dat het nodig was,' zei ik.

'Wat, voor mijn eer?' vroeg hij bitter.

Ik schudde mijn hoofd; ik zou niet meer over zijn eer praten. Hij tilde zich van mij af en ging op zijn rug liggen met een arm over zijn ogen en zijn beenkappen los. Ik ging overeind zitten, wat veel moeite kostte, en streek mijn rokken glad en keek naar hem. Mijn polsslag hamerde nog door mijn lichaam, maar de slagen waren langzamer dan daarvoor. 'Er is niets gebeurd,' zei ik, 'behalve iets goeds. Ik waagde een gok. Je gokt zelf, je zou het moeten begrijpen.'

Hij haalde zijn arm weg van zijn ogen en keek me aan. 'Ik zou geen haar op jouw hoofd voor haar in gevaar brengen, nog niet om haar leven te redden.' Er was niets teders in zijn stem, alleen woede.

Ik kon het niet helpen: ik lachte hem uit. Ik trok een haar uit en liet die voor hem bungelen. 'Neem er maar een, neem er zo veel als je wilt. Een haar is niets. Je hebt me meer dan dat gekost toen je wedde dat de maagd een hoer was.' Ik liet de haar los en de wind nam hem mee. Ik kwam moeizaam overeind. De aarde begon weer te bewegen en ik wankelde. 'Ik ga naar binnen,' zei ik en liep weg.

* * *

Er hing nog steeds te veel rook in de tent. Ik begreep niet dat niemand anders dat opviel. Er was nog een andere geur, een stank, en die kwam van heer Rodela. Morser en Ruys knielden samen bij hem neer. Hij had een leren band tussen zijn tanden en er stond zweet op zijn gefronste voorhoofd. Het stinkende verband lag in een hoop op de vloer. Ik kon zien dat zijn gezwollen onderarm rond de wond donker was.

Morser had een mes vast en Ruys een kom. Ik vroeg wat ze deden en Morser zei: 'Aderlaten natuurlijk.'

Ik zei: 'Je moet de priester roepen – dat heb ik al gezegd.'

Morser zei: 'Eerwaarde Xyster zou hem ook gewoon aderlaten. Laat ons nu met rust en doe je eigen werk.'

Ik overbrugde de afstand van de deur naar de kamer van gordijnen. Overal waren obstakels: de bagage en de strozakken en Leegemmer die meel aan het malen was. Zonop zat met rechte rug boven op gemalin Vulpeja's linnenkist, wakend. Ik vond het beschamend om haar zo onafgebroken haar plicht te zien vervullen.

'Heeft ze water gedronken?' vroeg ik.

'Een beetje,' zei ze met gedempte stem. 'Ik denk dat ze nu slaapt.'

'En jij? Heb jij slaap?'

Ze haalde haar schouders op.

De geur van de wolfskers was doordringend in deze kamer; de rook had zich aan de gordijnen en het beddengoed gehecht. En ik had Zonop zonder nadenken naar binnen gestuurd. Ik zei snel: 'Je moet nu naar buiten gaan, de tent uit. Blijf een tijdje buiten. Laat Leegemmer je iets te eten en water geven. Slaap als je kunt, en ik zal je laten halen als ik je nodig heb.'

Ze keek me met ronde ogen aan en scharrelde weg.

Ik pakte mijn mes, sneed de draden door van een lange naad in de tentwand en maakte een raam waar er eerder geen was. Daar had ik vannacht aan moeten denken – want ik wist hoe gemakkelijk het ging – maar mijn hoofd was net zo beneveld geweest als de lucht in de tent, en moest door de wind schoongeblazen worden.

Toen ging ik naar gemalin Vulpeja. Ik had dat lang uitgesteld, bang om naar haar te kijken.

Ze had een rode blos in haar nek die omhoogkroop naar haar wangen. Ik legde mijn hoofd op haar borst en luisterde, en haar adem was rustig maar haar hart klonk luid. Ik kon haar polsslag niet opnemen, want de mijne was nog steeds in galop en de hare draafde flink en regelmatig. Ik hief mijn hoofd op en ze staarde me aan. Haar ogen zagen er vreemd uit. Ik had nog nooit zulke zwarte ogen gezien; haar hazelnootbruine irissen waren zo dun als gouden ringen. Ik kon mezelf erin zien kijken, weerspiegeld in de allesopslokkende pupillen.

'Ik denk dat je uiteindelijk toch blijft leven, gemalin,' zei ik.

Haar ogen volgden me terwijl ik opstond.

'Dat is mijn jurk,' zei ze. Haar stem was roestig van het weinige gebruik. 'Wie ben jij?'

'Ik ben heer Galans...' – ik aarzelde over het woord – 'schede.'

Ze kneep haar ogen samen. 'Trek uit. Verbrand hem.'

Ik lachte. 'Je bent zeker beter, gemalin. Het doet me plezier om te zien dat je jezelf weer bent. Ik zal de jurk uittrekken en graag ook, maar niet verbranden. Je familie heeft je arm achtergelaten – je kunt het je niet veroorloven.' Ik plukte aan de wol van de rok. Die was licht en fijngesponnen. Het weefsel was gewoontjes, de enige versiering een geborduurde bies die aan de voorkant over het lijfje en om de hals heen liep, in goudkleurige draad die geen gouddraad was. Zonder twijfel moest dit onder een rijkversierde overjurk en over een luchtig onderkleed gedragen worden. Maar de Ardor had het niet passend geacht om die mee te sturen. Dit was het beste kledingstuk dat nog in haar kledingkist over was.

De blos spreidde zich uit totdat haar hele gezicht rood was.

Ik ging de kamer uit om mijn groene jurk uit de bundel te halen waarin ik mijn spullen bewaarde. Ik was nog niet klaar met het borduren van de ranken. Toen Galan gewond was geraakt, had ik het werk opzij gelegd en vergeten. Ik kwam terug en trok haar jurk uit en legde die weg. Mijn borsten en heupen waren rond naast de hare, en het kon me niet schelen dat ze dat wist. De wol van mijn jurk was haast net zo fijn als die van haar. Haar jurk sloot op de rug en ze had een dienares nodig om hem dicht te maken. De mijne sloot van voren. Hij paste goed; daar had Mai voor gezorgd.

Ik keek naar haar en ze wendde haar gezicht af. Haar wangen waren ingevallen, haar kaken strak. Ik had alweer spijt van mijn uitval. Als ze niet zo zwak was geweest had ze me zonder twijfel manieren geleerd. Het punt was dat ze me aan vrouwe Lyra deed denken, en *haar* manieren herinnerde ik me nog levendig.

Ik verzachtte mijn stem. 'Wil je iets eten, gemalin Vulpeja? Ik heb geitenmelk, heel dorstlessend, of bouillon als je wilt. Dat zal je kracht geven.'

'Wiens tent?' vroeg ze. Het vroeg veel van haar krachten om te spreken; ze was zuinig met woorden.

'Van heer Galan, natuurlijk. Dat kun je zien aan zijn kleuren.' Ik gebaarde naar de tentwand met het opgedrukte patroon van groene en gouden vlakken.

Ik dacht dat ze blij zou zijn om dat te horen, maar ze sloot haar ogen en er drupten een paar tranen uit.

'Hij zal zo wel komen. In de tussentijd moet je iets drinken. Of denk je dat je kunt eten?' Ik schonk een beker geitenmelk met honing voor haar in en bracht die naar haar toe.

Ze schudde haar hoofd.

'Water, misschien?' zei ik en bracht de kruik naar haar lippen. 'Het is maar water. Het kan je geen kwaad doen.'

Ze weigerde nog steeds, haar mond en ogen stevig dichtgeknepen. Ik ging vermoeid bij het gordijn zitten en schonk mezelf een beker in. Ik had dorst, zelfs als zij dat niet had, maar ik had een tinachtige smaak in mijn mond die het water niet weg kreeg. De wolfskers was bijna met me klaar. Mijn polsslag was eindelijk rustig en mijn ledematen gehoorzaamden weer aan mijn wil. Wat restte was gruis in mijn gewrichten, lood in mijn botten en onrust diep in mijn buik. Mijn ogen brandden in het licht.

Ik had de afgelopen nacht veel gezien, maar weinig dingen helder. Ik herinnerde me Na, ik herinnerde me dat ik gemalin Vulpeja's haar vastgreep, maar de halve nacht was samen met de rook verwaaid. Ik moet hebben rondgedwaald in het land tussen dat van de levenden en dat van de doden toen ik gemalin Vulpeja tegen haar wil terugbracht. Ik had nooit kunnen denken dat die landen zo uitgestrekt en druk bevolkt waren. De schimmen die ik had gezien, waren dat de pas overledenen die met tegenzin op reis gingen? Wachtten ze op hun geboorte? Misschien waren er nog meer die net zo ziek waren als gemalin Vulpeja, niet in staat om te reizen naar leven of dood.

Ik kon het me niet herinneren en misschien was het maar beter zo. Ik had degene die ik zocht tussen velen gevonden, en dat zou me tevreden moeten stellen. Meer wilde ik er niet van weten.

Ze had veel meer rook binnengekregen dan ik. Dank de goden dat ze het overleefd had. En bij de goden, wat was ze halsstarrig. Ik kon haar erom bewonderen. Ze tilde een hand op en begon aan de hals van haar hemd te plukken alsof die haar hinderde. Ik was blij om te zien dat ze kon bewegen. Ze had zo stil gelegen sinds ze aangekomen was.

'Laat Warretje komen,' zei ze.

'Wie is Warretje?'

'Mijn meid. Ga haar halen!' Haar stem was schril, de scherpe roestkantjes waren er al af.

'Je hebt geen meid.'

'Lieg niet. Ze was hier net nog.'

'Aha, dat was Zonop,' zei ik. 'Die is niet van jou. Zal ik haar laten halen? Wil je dan drinken?'

Haar hoofd rolde heen en weer op het kussen, nee, nee en nog eens nee. Ze zei: 'Je liegt. Je liegt.'

Ik boog me over haar heen en legde mijn hand op haar wang om haar hoofd stil te houden. 'Ik zal heer Galan halen, dan zul je het zien. Je bent nu veilig.'

Ze staarde, haar ogen te zwart en te achterdochtig.

* * *

Achter het gordijn was het druk in de tent. Heer Galan zat op twee zakken zonder hemd aan en Eerwaarde Xyster verzorgde hem mopperend, want de wond had die nacht een beetje gebloed en moest opnieuw verbonden worden. De carnifex vernieuwde het verband liever niet te vaak, want de wond genas beter als die met rust gelaten werd. Hij mopperde dat heer Galan te onvoorzichtig was en nooit zou genezen.

Toen hij klaar was met heer Galan vroeg hij: 'En je nieuwe concubine? Ik heb gehoord dat ze de kwijnende ziekte heeft.'

Galan kwam overeind, zich optrekkend aan de tentpaal. 'Ik zou het op prijs stellen als u even naar haar wilde kijken en zeggen wat er voor haar gedaan kan worden. Ik ben bang dat ze sterft. Het is een mager ding, vel over been, en ze heeft nog niets gezegd sinds ze hier gekomen is – staart voor zich uit zonder iets te zien en beweegt niet. Het is alsof ze slaapt met haar ogen open. Komt u?' Hij gebaarde naar het gordijn.

Ik sprak, met mijn ogen neergeslagen: 'Staat u mij toe, heer Galan, maar ik denk dat ze vandaag beter is.'

'Is dat zo?' zei Galan, me ongelovig aankijkend.

'De goden zijn geprezen,' zei Eerwaarde Xyster. 'Dat is een goed omen.'

Ik volgde Galan en de priester naar gemalin Vulpeja's kamer. Ze stonden aan weerszijden van haar ledikant en keken op haar neer. Ze keek van heer Galan naar Eerwaarde Xyster en weer terug, en de tranen kwamen en ze begon te snikken: grote snikken voor zo'n klein lijf. Ze huilde met de overgave van een zuigeling, hoewel ze haar gezicht met de handen bedekte.

'Waarom huilt ze?' vroeg Eerwaarde Xyster.

Galan haalde zijn schouders op en fronste afkeurend. 'Ik vraag uw geduld, maar ik weet het echt niet. Ik dacht dat dit was wat ze wilde.'

Het leek mij duidelijk genoeg dat ze was bevangen door hoop. Kon hij daar blind voor zijn? Tegen leed, angst en afgunst was ze beter bestand; hoop had haar muren omgehaald.

'Doet er niet toe. Het enige waarover het moeilijker waarzeggen is dan over de gedachten van een god zijn de gedachten van een vrouw.' De priester schudde zijn hoofd. 'De Ardor had nog niet de helft van zijn prijs mogen vragen, want ze is meer dan halfdood. Een kwade wens kan haar einde zijn.'

Galan zei: 'En toch is het opmerkelijk hoe ze in een dag is opgeknapt.

Gisteren zou ik gewed hebben dat ze nooit meer wakker zou worden – niet dat ik op zoiets zou wedden, natuurlijk,' voegde hij er snel aan toe.

Ik zei: 'Ze wil niet eten of drinken, heer. Heeft u daar een middel tegen?'

Eerwaarde Xyster erkende niet dat ik iets had gezegd.

Toen gemalin Vulpeja's gesnik was afgenomen tot hikken, gaf ik haar een doek om haar gezicht af te vegen. Ze zei tegen de mannen: 'Draai u om, ik smeek u – kijk niet naar me. Ik ben nooit mooi geweest, maar nu zou ik kinderen de stuipen op het lijf jagen.'

Galan keek weg van haar, kauwend op zijn lip. Eerwaarde Xyster knielde en klopte op haar schouder. 'Wat hoor ik nu? Je moet eten. Dat ben je verplicht. Je moet wat vlees op je botten krijgen en opnieuw knap worden, want dat ben je heer Galan verschuldigd als concubine.'

'Ben ik dat? Ben ik zijn concubine?' vroeg ze, en de vreugde op haar gezicht was meelijwekkender dan haar snikken.

Ze keek naar Galan voor een antwoord, maar het was Eerwaarde Xyster die zei: 'Inderdaad. Weet je dat niet meer?'

'Ik weet niets meer sinds de dood van mijn vader.'

'Dan hebben ze je tegen je wil hierheen gezonden,' zei Galan. De goden weten dat veel ouders hun dochters als concubine verkopen zonder hun goedkeuring, en ook uithuwelijken, maar Galan was daar te trots voor. Dat was iets voor oudere en lelijker mannen.

'Natuurlijk wil ik dit. Natuurlijk,' zei ze en de tranen regenden neer, nog terwijl ze glimlachte.

Na een stilte zei Galan onhandig: 'Beloof je te eten? Je moet sterk worden, want we zullen veel moeten reizen.' Hoewel zijn stem vriendelijk was, stond zijn gezicht streng, alsof hij ontevreden over haar was.

Heel gedwee zei ze: 'Ja, heer.' Al haar koppigheid was nu verborgen.

Eerwaarde Xyster en Galan vertrokken. Ik hoorde de priester buiten de tent zeggen: 'We zullen de glimlach van de Ardor tussen zijn tanden vandaan stelen, Galan. We poetsen haar op tot ze glimt en dan zullen we zien wie de beste koop heeft gesloten.'

Toen ze weg waren vroeg ze om haar spiegel. Ik zocht in haar kist, maar vond er geen. Ze geloofde eerst niet dat hij er niet was – hij was van brons met een reliëf in goud van de Smid bij zijn vuur. Was ik soms blind? – en toen leek ze te denken dat ik hem gestolen had, te oordelen naar haar kwade blik. Dus deed ik wat elke sloof zonder spiegel doet: ik vulde een zwarte ketel met water en zette die op een krukje. Toen het water niet meer bewoog draaide ik haar op haar zij zodat ze naar zichzelf kon kijken. Ze was te zwak om het gewicht van haar eigen hoofd te dragen, dus ondersteunde ik haar en bracht de lamp dicht bij haar gezicht.

Het was wreed om haar te gehoorzamen. Ze liet een gekreun ontsnappen en ik voelde haar terugdeinzen. Ze sloot haar ogen en legde haar gezicht op mijn schouder. Ik legde haar weer neer en ze hield lange tijd haar ogen dicht.

Toen ze ze weer opende, begon ze kritiek te leveren. De geitenmelk was zuur en de runderbouillon te zout, de wijn was azijn en de pap te dik. Ze moest overal van kokhalzen. Hoe meer ze me uitputte, hoe sterker ze werd. Pas na de middag vonden we iets voor haar, en dat kostte geld en moeite. Ze eiste iets dat haar grootmoeder ooit had aangeraden: een vers ei door bouillon geroerd die getrokken was van de kip die het ei gelegd had. Tenslotte sliep ze.

Ik liet Zonop bij haar achter en ging buiten haar kamer liggen. Ik deed een dutje. Ik kon Ruys aan het pantserhemd horen werken, een vest van stijf groen canvas gevoerd met ijzeren schubben dat heer Galan soms bij het oefenen droeg in plaats van de zwaardere maliënkolder en kuras. Ruys wreef met puimsteen het stof van het ijzer, sloeg op de ringen die de schubben op hun plaats hielden en zong zachtjes 'Of je wilt of niet'. Hij leek alleen het refrein te kennen, dat hij steeds weer opnieuw zong.

Wat we van Slaap verlangen zijn niet de dromen, maar het niets. Dat had een winter in het Koningswoud mij geleerd; dat weet elke sloof voor wie het leven lijden is. *Of je wilt of niet,* zong Ruys, *ik krijg mijn zin.* Wat is het dat we vergeten als we wakker zijn?

Ik had gedacht dat ik gemalin Vulpeja gevonden had in het grensgebied tussen onze levende wereld en het rijk van de Koningin van de Dood. Maar misschien had ik slapenden gezien. Misschien had ik de weg gevonden naar een sombere kust aan de oceaan van Slaap, waar onze schimmen ronddwalen in de korte dood die we elke nacht ondergaan als we droomloos slapen. *Ga dus maar liggen, meisje, en lach, want tranen maken je niet mooi.* Een onverbiddelijke plaats is dat dan; er is geen welkom. Geen vrouw groet haar kind en geen man zijn vrouw, hoewel hun slapende lichamen misschien tegen elkaar aan liggen. *En als de dag aanbreekt,* zong Ruys, *ben ik er al vandoor.*

En toch is de slaap een betere genezer dan de beste carnifex of groenvrouw. Als gemalin Vulpeja echt kon slapen – niet die vreemde staat, die afwezigheid – zou ik haar snel beter zien worden... *Want tranen maken je niet mooi.* Goden, wat was ze ontdaan geweest; ik vond het schokkend om haar zo in elkaar te zien storten voor Galan. Het had haar geen goed gedaan – ik had hem zien kijken. Ze was uiteindelijk niet berekenend. *En als de dag aanbreekt, ben ik er al vandoor.* Hoe goed zou ze genezen als ze ontdekte dat hij niet naar haar verlangde? Ze moest zich met valse hoop voeden totdat ze sterk genoeg zou zijn om gespeend te worden.

Of je wilt of niet, zong Ruys terwijl hij roest van de schubben schuurde. Ik zou tegen hem gezegd hebben dat hij zijn mond moest houden als ik voldoende puf had gehad om de mijne open te doen. Ik kon zelfs niet woelen. Mijn hart klopte onwillekeurig, de slaap trok me naar beneden en het lied schoot door mijn dromen heen.

Van al mijn dromen kon ik me er nog maar eentje herinneren toen ik weer wakker werd. Maar die had me verrijkt met een woord: *fedan.* Ik wist dat het een woord uit mijn moedertaal was, de taal die ik vergeten was. Fedan – vader.

Ik stond tussen de knieën van mijn vader en hij zette me mijn wollen muts op en knoopte de touwtjes van de oorflappen dicht onder mijn kin. Mijn haar bleef aan zijn ruwe handen haken. Ik was vervuld van puur geluk, het geluk dat alleen kinderen kennen, want ik zou met mijn vader over de bergen rijden om het hengstveulen te verkopen. Niet dat ik het veulen kwijt wilde, want ik was dol op hem. Maar mijn vader zei dat hij mijn hulp nodig had om goed te onderhandelen, en ik was te jong om te bedenken dat hij me misschien voor de gek hield.

Ik stelde vragen: Fedan, gaat de nieuwe meester het hengstveulen castreren? Zal hij net zo snel worden als Ganos? Fedan, krijg ik een gebakken taartje als we op de markt zijn? Fedan, gaat het veulen een goede prijs opbrengen?

Zijn naam kwam niet tot mij in de droom. Voor mij was hij altijd Fedan.

Ik kan me geen kamer herinneren, geen raam of stoel, alleen de aanwezigheid van mijn vader, de stevigheid van zijn sterke benen in leren rijbroek, zijn handen. De geur van paarden; de geur van de zurige soep die altijd op het vuur stond. Mijn muts van blauw vilt, zo donker dat het bijna zwart was, geborduurd met rode en gele ruiten. Mijn rode vest, mijn mooiste kleren voor de markt. Ik was zo klein dat mijn schouders net boven zijn knieën kwamen, maar oud genoeg om op mijn eigen pony met hem naar de markt te rijden, een lichte vos die goed bij mijn haar kleurde. Mijn pony galoppeerde nooit, behalve heuvelopwaarts, en dan nog maar een paar passen, hoe hard ik ook schopte.

Tweemaal had ik nu een ware droom over mijn vader gehad. Ik had geen waarzegger nodig om me te vertellen wat ze betekenden. Ik herkende mijn vader aan zijn ruwe handen en geduldige aanraking, hoewel ik me zijn gezicht niet duidelijk voor de geest kon halen. Hij was een boer, een paardenfokker.

Als vondelinge had ik me elke afkomst kunnen inbeelden die ik maar wenste, en soms dacht ik dat de Vrouwe zo dol op me moest zijn omdat iets in mijn bloed het hare aansprak; misschien was ik van betere komaf dan ik leek, een bastaard van Bloed – die hoop was zo heimelijk dat ik hem zelfs voor mezelf wegstopte toen ik eenmaal een verstandige leeftijd bereikt had. Maar het zaadje van de fantasie was gebleven, en nu had ik die uitgewied. Ik was geen bastaard. Ik had een vader, en ook een moeder, hoewel ik nooit van haar droomde – wie zou anders mijn muts en mijn vest zo mooi geborduurd hebben? Ik had ze gehad en verloren.

Ik was mijn vader dierbaar. In mijn droom was ik hem dierbaar.

* * *

'We moeten het *nu* aan heer Galan vertellen. Wij krijgen de schuld als hij heer Rodela op een ochtend dood aantreft.' Dat was Ruys, fluisterend.

'Hij gaat niet dood,' fluisterde Morser terug.

Ze maakten me uit mijn laatste droom wakker. Ik had nog wel langer willen blijven. Ik hield mijn ogen gesloten en mijn lichaam roerloos.

'Wel,' hield Ruys vol. 'Kijk dan, het wordt zwart.'

'Veel mensen genezen daar weer van.'

'De meesten niet. En het is niet alleen het zwart. Het is die dode man. Ben je vergeten dat heer Rodela een stukje van je-weet-wels hoofdhuid heeft? Je kunt er donder op zeggen dat zijn schim in de buurt is, en kwaad – hij maakt de wond kwaad.' Morser zweeg. Ruys fluisterde verder, na een pauze: 'En wat denk je dat heer Rodela met het lichaam heeft gedaan? Hoe zit het daarmee? Ik betwijfel of hij het heeft verbrand. Hij heeft ons allemaal in de problemen gebracht.'

Het is bekend dat schimmen van Bloed steeds kwaadaardiger worden als ze hier tegen hun wil en de gewoonte in vastgehouden worden. Het lichaam van heer Bizco lag waarschijnlijk onder water weg te rotten, en zolang de golven zijn lichaam nog niet tot zand vermalen hadden zou hij uit wraak hier blijven. En als we zijn lichaam achterlieten wanneer we het Marsveld verlieten en de zee overstaken, en heer Rodela droeg nog steeds zijn prijs van huid en haar – welnu, dan kon de schim ons volgen.

'Heer Rodela dam Hoerenjong van Zeugneuker,' zei Morser, en ik hoorde Leegemmer giechelen. 'Vertel eens wanneer hij ons *geen* ellende bezorgd heeft?'

'Dus laat hem maar sterven, dan?' zei Ruys.

'Ik doe alles voor hem wat mogelijk is – de priesters zouden niet meer kunnen doen,' zei Morser knorrig.

'Niet waar. De priesters kunnen bescherming tegen de dode man oproepen en dat kun jij niet.'

'In elk geval ga ik het niet tegen heer Galan zeggen,' zei Morser. 'Als hij te blind is om te zien wat er onder zijn neus gebeurt – of te ruiken, wat dat aangaat... Hij zal ons slaan of erger omdat we het niet eerder hebben verteld. Hij is de laatste tijd in een afschuwelijk humeur, en ik ben niet dwaas genoeg om mijn hoofd in een horzelnest te steken alsof het een hoed is. En stel dat heer Rodela beter wordt – en ik ben er vrij zeker van dat dat gebeurt – dan zal hij nog iets ergers voor ons verzinnen als we hem verraden hebben.'

'Een boze schim kan je meer kwaad doen dan heer Galan of heer Rodela of een zwerm horzels.'

'Ik waag een gokje met de doden. Over de levenden maak ik me meer zorgen.'

'Dat is omdat je een stomkop bent,' zei Ruys met enig vuur.

Ik verwachtte dat Morser beledigd zou zijn, maar ik had beter moeten weten, want ik wist dat hij een lafaard was. Hij mompelde iets en was toen een tijdje stil. Toen zei hij: 'En als we het aan de kol vragen?'

Ruys zei: 'Wat vragen?'

'Wat je tegen een schim moet doen, stomme klont!'

Er viel weer een stilte.

Ruys zei heel, heel zachtjes: 'Heel goed. Vraag jij het maar.'

‘Nou, zal ik doen,’ zei Morser.

‘Nou – toe dan.’

Ik hoorde Morser opstaan en door de tent lopen. Hij schudde me wakker.

Een kol. Ze dachten dat ik een kol was. Ik opende mijn ogen en hij stapte achteruit, verschrikt. Ik moest zwarte ogen hebben van de wolfskers, net als gemalin Vulpeja. De grijze schaduwen die mijn zicht hadden gehinderd waren weg. De tent was vol licht. Het was alsof ik in een lantaarn zat. Mijn ogen traanden en ik knipperde.

Ik deed mijn mond open om ruzie met hem te maken en bedacht me toen. Ik ging overeind zitten en wachtte tot de duizelingen wegtrokken. Ik voelde me zo versleten als tweehonderd jaar oud linnen, te vaak gebleekt en geschrobd.

‘Help me overeind,’ zei ik. ‘Ik moet naar gemalin Vulpeja.’

‘Ze slaapt,’ zei Morser. ‘Ik heb net nog bij haar gekeken. Jullie hebben allebei de hele middag, nacht, ochtend en halve middag doorgeslapen.’

‘Zo lang? Echt waar?’

Hij knikte.

‘Waarom heb je me dan wakker gemaakt, als het niet voor de concubine is?’ vroeg ik hoewel ik het antwoord al wist. ‘Mijn dromen waren prettiger dan jouw gezelschap, dat kan ik je verzekeren.’

‘Het gaat over heer Rodela. Hij wordt niet beter.’

‘Je kunt me maar beter laten slapen, tenzij hij sterft.’ Ik stak mijn hand uit naar Morser en hij aarzelde een lang moment voordat hij me overeind hielp. Ik keek naar Ruys. Zijn lippen waren opeengeperst, hoewel hij eerder dapper genoeg was geweest.

Ik knielde naast heer Rodela. Hij sliep een diepe koortsslaap en zijn benen schokten; zijn ademhaling ging moeizaam. Hij had zijn mantel van zich afgegooid. Eronder droeg hij alleen zijn gewone hemd, dat doorweekt was, verdraaid om zijn borst zat en zijn lichaam eronder bloot liet. Morser had een los verband gemaakt toen hij ontdekt had dat een strak verband in het vlees sneed als de arm opzwol. Nu was heer Rodela’s arm gezwollen tot aan zijn schouder; zijn vingers waren dikke rode worstjes. Ik kan niet zeggen dat ik medelijden met hem had en het was moeilijk om een bedreiging in hem te zien, zo slap zag hij eruit met zijn harige benen uitgespreid, zijn slapende piemel en zijn gezicht bleek onder de baard.

Ik legde een handpalm op zijn brandende voorhoofd en de andere op zijn borst, en vroeg Ardor in stilte om hulp. In een oogwenk waren mijn handen heet en verplaatste de warmte zich naar boven, en ik trok wat hitte uit hem weg. Maar er ging vuur onder het verband schuil dat ik niet mocht aanraken. Ik had het zwart eerder gezien, hoe het zich verspreidde als een vuur en een spoor van geblakerd vlees achterliet. ‘Heb je hem in koud water gebaad?’ vroeg ik. ‘Nee? Nou, ga het dan halen en snel!’

‘Het komt door de schim van de schildknaap,’ zei Morser. ‘We vroegen ons af wat we daaraan konden doen.’

'Schim of geen schim, ik heb al gezegd wat je moet doen: ga de carnifex halen.'

Ruys en Leegemmer sleepten een vat water naar ons toe. 'Nu heb je een doek nodig,' zei ik tegen Morser. 'Was hem met het water en doe het steeds opnieuw totdat hij afkoelt. Ik heb je beter voor je paard zien zorgen als dat oververhit is! En zorg dat hij ook water drinkt, zoveel als hij kan hebben. Ik zal zelf Eerwaarde Xyster halen.'

'Niet zo snel,' zei hij. 'We hebben de priester niet nodig als jij ons vertelt wat we tegen de dode man kunnen doen.'

Ik lachte hem uit. 'Wat weet *ik* daarvan? Niet meer dan jij – niet meer dan welke dwaas ook. Waarom verbrand je zijn trofeetje niet? Dan kan de schim hem niet meer zo gemakkelijk vinden.'

'Dat zal niet genoeg zijn.' Eindelijk zei Ruys iets.

'Nee, je hebt gelijk. Je hebt de carnifex nodig. Het zwart zal hem doden als de koorts het niet doet.' Ik knielde en begon heer Rodela's kleren te doorzoeken. 'Maar laten we het toch maar verbranden. Misschien helpt het – en het kan geen kwaad. Waar is het?'

Ik vond het zakje in het kleine, met ijzer beslagen kistje waarin heer Rodela zijn waardevolle spullen wegborg. Morser liet me de sleutel zien. Hij had lang geleden al gezien waar die verstopt was. Hij was slim vermomd: als de tong van de gesp aan heer Rodela's messengordel. Ik maakte het trekkoord van het zakje los en trok het stukje scalp naar boven aan een paar zijdeachtige haren, zo zacht als die van een vrouw, als van gemalin Vulpeja. Heer Bizco was zeker familie van haar geweest, een verre neef op zijn minst, als hij de schildknaap van haar vader was. Ik kreeg er de rillingen van om het aan te raken. 'Ruys, pak zijn helm.'

Ik liet het gruwelijke ding op het komfoor vallen en het begon te smeulen. Ik voegde een handjevol mirtebast toe en wat zout hooi en het vuur vlamde op. Ruys knielde bij het komfoor en gooide de haarlok van de helm erbij en keek hoe die verbrandde tot as. 'God, wat een stank,' zei hij.

'Net als toen de meester heer Rodela's haar afbrandde,' zei Leegemmer.

'Heb je ooit geroken hoe een verdronken man ruikt als hij verbrand wordt?' vroeg Morser. 'Dat is nog veel erger.'

'Moet je niet iets zeggen?' vroeg Ruys aan mij met een enigszins beschaamde blik.

'Wat dan?'

'Ik weet het niet. "Verdwijn, heer Bizco, en mogen uw levende verwanten vervloekt zijn als u ooit nog terugkeert." Zoiets.'

'Nou, dat heb jij nu al gezegd.'

'Jij moet het ook zeggen.'

Ik begon te lachen. Al gauw begon Leegemmer te giechelen en Morser deed mee. Ruys niet. Toen ik zijn gezicht zag, bleef de lach in mijn keel steken. Ik zei: 'Ik ben geen heks, Ruys. Ik ben een groenvrouw, meer niet. Mijn vervloekingen hebben niet meer kracht dan de jouwe.'

Hij wilde me niet in de ogen kijken. Dit was het gevolg van onze expeditie in het donker. Hij was een dapper man, maar ik had hem bang gemaakt. Ik ging staan en vond mijn evenwicht door me vast te grijpen aan Ruys' schouder, met mijn vingers in zijn vlees. Hij kromp ineen maar verdroeg het. 'Het mag dan misschien klikken zijn, maar ik ga de carnifex halen,' zei ik tegen Morser, en mijn stem klonk schor. 'Heer Rodela was aan jouw goede zorgen toevertrouwd en zie eens wat ervan komt. Je zou hem nog eerder laten sterven dan toegeven dat je iets hebt achtergehouden voor heer Galan dat hij had moeten weten.'

'Waarom krijg ik de schuld?' zei Morser. 'We hebben het allemaal verborgen gehouden.'

'Niet meer,' zei ik.

'Wat houd je niet meer voor me verborgen?' vroeg Galan en hij trok de deurflap achter zich dicht. Wij sloven hadden onder elkaar gesproken in het Laag. Ik wist niet dat hij daar zoveel van begreep.

* * *

Hij ranselde ons af, allemaal. Hij deed het met een riem op onze schouders en rug en we stonden er stil voor, een voor een, behalve Leegemmer, die over de vloer rolde en jammerde. Maar eerst ontbood hij Eerwaarde Xyster, die heer Rodela wegbracht naar de tent van de priesters, en toen wachtte hij tot ik gemalin Vulpeja het kleine beetje gevoerd had dat ze kon eten – een puree van witbrood en melk – en toen was het haast etenstijd.

Heer Galan gaf mij niet meer slagen dan ieder ander, noch minder: precies vijftien. Ik kreeg als laatste mijn deel. Toen hij klaar was zei hij dat we dankbaar mochten zijn dat zijn kracht nog niet terug was, anders zou hij de huid van onze ribben gepeld hebben, wat alsnog zou gebeuren als we ooit weer zoiets zouden doen. Heer Rodela mocht ons dan rondcommanderen en het was onze plicht hem te gehoorzamen, maar niet als dat betekende dat we hem – heer Galan – ongehoorzaam waren. Hij was, en daar zou hij ons niet aan moeten hoeven herinneren, meester van ons allen en ook van heer Rodela.

Daarna beende heer Galan naar buiten en we konden horen hoe de geharnasten buiten hem nafloten en toejuichten. Ze kwamen net terug van het oefenveld en waren van hun eigen ongemak en pijn afgeleid door het geluid van de riem op vlees en het gekreun dat Galan ons had ontlokt.

Morser trok zijn hemd aan, huiverend, en zei dat we er gemakkelijk vanaf waren gekomen – maar wacht maar tot heer Rodela beter was, dan zouden we wensen dat we nooit geboren waren. We zouden in elk geval wensen dat hij dood was.

Ik liet het lijfje van mijn jurk over mijn rug en schouders glijden en trok de veters dicht, maar niet te strak. Galan had ons harder kunnen slaan. Nu hadden we brede strepen en maar een paar dunne rode lijntjes waar de huid kapot was. De jurk was nieuw en nu zouden er bloedvlekken op komen, maar ik had niets anders om aan te trekken, want mijn oude jurk was nog steeds besmeurd met wolfskersbraaksel. Ruys maakte een afwerend gebaar met zijn vingers en ik merkte dat ik vloekte, achter elkaar door. Ik ging naar de kamer van gemalin Vulpeja, want ik had genoeg van heer Galan en zijn sloven.

Zij was geen haar beter. Ze begroette me met een valse lieve glimlach en zei: 'Je hebt een milde meester, vind ik. Te mild volgens mij. Hij had je honderd slagen moeten geven.'

Ik wierp een blik op haar en raapte mijn besmeurde jurk op in de hoek waar Galan hem had neergegooid. Ik vulde een pan uit het vat dat we in haar kamer hadden gezet en maakte een vuur in het komfoor om het te verwarmen. Bewegen deed pijn: niet alleen door de riem, maar ook van de rit op het paard en een laatste restje rook van de wolfskers, waardoor ik stijf was en overal pijn voelde.

'Negeer je mij? Als je dat doet zorg ik ervoor dat je nog een pak slaag krijgt.' Ze lag op het ledikant met haar handen gevouwen op haar middel en draaide haar hoofd naar me toe.

'Nee, gemalin Vulpeja. Wat heb je nodig?'

'Je moet antwoord geven als ik tegen je praat.'

'Ja, gemalin.'

Zonop zat in de hoek bij de tentpaal, zoog op een lok haar en keek hoe we praatten.

'Arm kind,' zei ik tegen haar. 'Je kunt snel naar huis. Vind je dat fijn?'

Ze haalde haar haar uit haar mond en zei: 'Mijn moeder zegt dat ik moet blijven zolang ik nodig ben.'

'Ik wil haar hebben,' zei gemalin Vulpeja. 'Ze luistert goed naar me en ik heb een nieuwe meid nodig. Heer Galan zal haar aan mij geven.'

'Hij hoort niet bij haar,' zei ik.

'Dus dan word jij mijn meid, neem ik aan,' zei ze.

Ik gooide mijn jurk in de pot, hoewel het water nog niet heet was – zou het dan nooit gaan koken? – en begon de stof te schrobben met een poetssteen en houtas.

'*Mijn* was moet gedaan worden,' zei ze.

'Ik zal zorgen dat je beter wordt, gemalin, als ik kan. De rest neem ik niet op me.'

'Dat maakt heer Galan wel uit.'

Ik schudde mijn hoofd, ging rechtop zitten en staarde haar aan. 'Nee, dat maakt hij niet uit,' zei ik. 'Dat maakt hij echt niet uit.'

Hoofdstuk 10

Vete

De volgende dag was het vrededag en, zoals bleek, doodtij. Toen de zee zich terugtrok, verder en verder dan we ooit gezien hadden, liet het water een strand achter dat naakt glinsterde van de kiezels, schelpen en stroompjes water. En tussen de grote rotsblokken met huiden van zout hooi en eendenmossels lag één rots die er niet hoorde. Iemand zag het vanaf het klif: onmiskenbaar de gedaante van een man die op zijn rug lag, wijdbeens.

Al snel wist iedereen dat het heer Bizco was en dat zijn kleren waren volgestopt met stenen. Er zat zand in zijn neusgaten en mond en er waren zoutkristallen aan zijn oogleden vastgevroren. Zijn lichaam was opgezwollen en zijn gezicht pafferig en vreemd gevlekt, en er ontbrak een deel van zijn hoofdhuid.

De Ardor zelf klauterde het klifpad af om het lijk te zien. Zijn clan haalde heer Bizco terug en verbrandde hem met de gebruikelijke ceremonies. Men zei dat zijn gezicht te misvormd was om een goed dodenmasker te kunnen maken, dus stuurden ze zijn helm om zijn plaats in de Raad der Doden in te nemen. De rest van zijn wapenrusting werd met hem verbrand, want hij had geen zoon, maar zijn wapens gingen naar de clan. Een strijder die sterft als een strijder – op het slagveld, niet in bed – laat veel van zichzelf in zijn wapens en harnas achter; zijn zonen en clan kunnen die kracht opeisen, hoewel het de reis van de schim zwaarder maakt. Juist daarom zal een man altijd proberen de uitrusting van zijn vijand buit te maken, om dubbel overwinnaar te zijn: eenmaal over de levende man en nog eens over de dode. Na een zwaar gevecht zal hij de trofeeën in zijn burcht hangen, ze dagelijks bespotten en ze niet vrij laten kopen. Dat houdt de herinnering in stand en de oorlogen vurig.

Heer Rodela had het lichaam verstopt en een intiemere prijs dan het harnas genomen – de huid van de man zelf. De Ardor wist niet wie heer Bizco gedood had, maar hij twijfelde er niet aan welke clan verantwoordelijk was voor zowel de dood als de ontwijding.

Vechten is op vrededag verboden, maar de volgende dag ontwaakte de slapende vete opnieuw. Een van de geharnasten van Ardor kwam net uit de tent van een hoer toen een van de onze – heer Ocio – haar ging bezoeken, en de schermutseling die volgde resulteerde in een paar zwaardsneden en een gebarsten hersenpan. Heer Ocio liep een jaap op zijn wang op en iedereen zei dat dat zijn uiterlijk ten goede zou komen; maar de Crux keek dreigend en zette elke nacht mannen op wacht.

Dus heer Galan had zijn trots voor niets geofferd. Het enige wat hij erbij gewonnen had was gemalin Vulpeja, die aan Galan een heel ander gezicht liet zien dan aan mij. Tegenover Galan hield ze haar stem hoog en haar ogen neergeslagen, alsof ze nog steeds een maagd was. Misschien besefte ze niet hoe slecht dit een hongerpatiënt stond. Misschien dacht ze dat ze hem ooit geboeid had en dat opnieuw zou kunnen. Het bewees hoe slecht ze hem kende. Ze had kort kennis gemaakt met zijn charme en zijn pik en kende zijn reputatie in het gebruik van beide, en ook de naam die hij had gemaakt met zijn lichtelijk koppige moed op het toernooiveld. Maar hoe kon ze hem kennen?

Hij zou respect hebben gehad voor haar moed, als hij die had gezien.

* * *

Ze begon aan haar herstel te werken. Ze was slank geweest, glad en zuiver van ledematen. Nu had ze niet voldoende vlees om in te knijpen en haar huid hing papierachtig en los om haar skelet. Ze dwong zichzelf te eten, hoewel voedsel haar tegenstond. De helft van wat ze at spuugde ze weer uit en veel van de rest kwam naar buiten als diarree. Ze was zo zwak dat ze soms flauwviel van de inspanning van het overgeven. Maar desondanks hield ze een beetje voeding binnen: genoeg om te leven, genoeg om terrein te winnen.

De concubine was zichzelf niet méér meester dan een zuigeling. We moesten linnengoed lenen. Als ze zichzelf bevuilde waste ik haar met water met zoetruikende kruiden en liswortel, tegen de stank en de wonden van het liggen. Zonop hielp me. We draaiden haar om en weer terug, en gemalin Vulpeja onderwierp zich in stilte, haar ogen gesloten, alsof ze deed alsof wij er niet waren.

Dit alles deed me denken aan de Vrouwe, mijn eigen vrouwe, die wegkwijnde voor ze stierf, en aan hoe ik haar waste en voor haar zorgde, hoe haar langzame dood een kwelling voor ons beiden was. Ik kon geen sympathie voor gemalin Vulpeja opbrengen. Het beste wat ik te bieden had was medelijden – wat zij minachtte – en geduld, en de zachtste aanraking die ik kon geven.

Ze had last van vreemde buien. Het ene moment was ze lethargisch, en het volgende lachte en huilde ze om niets. Maar meestal was ze bezeten van een geërgerde, rusteloze wil. O, ze haalde het bloed onder mijn nagels vandaan, goot azijn in mijn wonden. Ze had niet de kracht om uit bed te komen en kon alleen praten, en dat deed ze dan ook. Ze wilde hebben wat ze niet kon krijgen, en als ik het dan met heel veel moeite voor haar bemachtigd had, was het niet langer gewenst.

Ze vroeg naar heer Galans vrouw. Was ze mooi? Had ze een prettig karakter, lief, volgzaam? Hoe groot was haar bruidsschat? Ik kon haar vragen niet beantwoorden omdat ik niets over zijn vrouw wist. Ze noemde mijn stilte schaamteloos. Maar als ik wel iets zei, beledigde dat haar ook. In beide gevallen zei ze ervoor te zullen zorgen dat Galan me opnieuw een pak slaag zou geven.

Ze vroeg wat Galan voor haar had betaald. De trots van een vrouwe is de bruidsschat die ze haar echtgenoot brengt, maar die van een concubine is de prijs die ze opbrengt. Daar kon ik antwoord op geven. Het hele Marsveld wist hoe Galan zichzelf voor haar aan de bedelstaf had gebracht. Het nieuws bracht vlees op haar botten. Wat kon ze anders denken dan dat Galan gek op haar was?

Hij kwam 's avonds langs. Ze bereidde zich op zijn bezoekjes voor als een man die zijn wapenrusting aantrekt. Ik had haar voorhoofd geëpileerd zoals ze me gevraagd had, en ze perste een paar geluidloze tranen van pijn weg. Ze stuurde me weg als hij kwam, maar de muur van haar kamer was niet meer dan een laken. Ik hoorde het. We hoorden het allemaal. Galan vroeg naar haar gezondheid en ze zei dat ze aan de beterende hand was. Ze vroeg hem naar zijn gezondheid en het antwoord was hetzelfde. (Geen van beiden sprak over haar vader, die de verwondingen had veroorzaakt.) Hij merkte op dat het nog steeds smerig weer was, maar dat de priesters beweerden dat het binnenkort beter zou worden. Dat was het wel, met wat stiltes erbij. Je zou denken dat zijn tong aan zijn tanden vastgebonden zat.

Na zo'n conversatie verliet Galan de tent zonder iemand aan te kijken, en ik ging naar gemalin Vulpeja en trof haar opgewonden aan, te oordelen naar de blos op haar wangen en de hartenklop in haar hals. Als ik iets zei zou ik misschien gemeen worden, dus toomde ik me in en kauwde op het zure metaal van het bit. Galans bezoekjes waren een beter elixir dan ik ooit voor haar kon maken.

* * *

Wij, de concubine en ik, werden nog steeds gekweld door de wolfskers. Kloof Vrees bezocht haar in haar slaap en volgde haar het daglicht in. Ze piepte dat er mieren over haar heen kropen. Ze was op de vlucht voor dieven en meutes zwarte honden. Haar dode vader bezocht haar en liet woedend een stroom vervloekingen op haar neerdalen. Ze smeekte me haar los te maken, denkend dat haar enkels vastgebonden zaten. Ze zwoer dat ik haar vergiftigde.

Ik leerde wachten totdat de verwarring voorbij was en ze haar angst onder controle had. Ondanks haar wantrouwen nam ze eten van mij aan – de hele tijd opzij kijkend. Ik kon haar nauwelijks kwalijk nemen dat ze achterdochtig was, want ze was inderdaad vergiftigd door de mensen die voor haar moesten zorgen. En ze wist dat ik, als Galans schede, weinig redenen had om van haar te houden en veel om haar te benijden.

Het was Kloof Krijger die mij bezocht. Ik droomde van de dood. Niet zozeer van sterven, maar van doodmaken. Ik werd wakker uit dromen van vuur en een mes in mijn hand en bloed op het lemmet, wakker doordat ik schreeuwde in mijn slaap, om te ontdekken dat ik geen geluid had gemaakt.

En Galan, die me vroeger vastgehouden en in een aangenamer slaap gebracht zou hebben, lag niet meer naast me. Ik was niet welkom in zijn bed. Ik sliep op de vloer naast zijn concubine en verdroeg dat zij dacht dat het door haar kwam.

Had ik me de tederheid ingebeeld toen Galan na de wolfskers voor me zorgde? De striemen op mijn rug zeiden dat ik het gedroomd had. Ik kon niet op mijn geheugen afgaan, want dat was onbeholpen en onbetrouwbaar, een leugenaar die elke dag een ander verhaal vertelde sinds ik de rook had ingeademd. Ik wist nog steeds niet zeker welk rijk ik had bezocht en welke god daar heerste. Ik hoopte dat ik nooit meer wakend en levend naar dat land zou hoeven reizen. Het leek nu op een koortsdroom, niet te vertrouwen.

* * *

Ik zag Galan nauwelijks. Hij bleef zoveel mogelijk weg uit de tent. Soms ging hij naar de tent van de Auspexen om heer Rodela te zien – die zou opknappen, zei de carnifex – en soms naar de tent van de Crux voor allerlei vergaderingen. Maar meestal ging hij met zijn bedienden en paardenmeester naar een beschutte plek buiten het Marsveld, om zijn kracht op de proef te stellen, of wat daar nog van over was, en te proberen die terug te krijgen. Hij had een groot deel van zijn leven besteed aan het leren vechten vanaf een paard; hij had geleerd om in zijn harnas erop en eraf te springen en meer van zulke kunststukjes. Zonder paard was hij het beste deel van zijn bewapening kwijt. Nu legde hij zijn maliënkolder en beenkappen af en het grootste deel van zijn harnas, en was licht bepantserd zoals de priesters van Kloof. Beter voor het wegduiken, zei Morser. Galan moest nieuwe trucs leren, of ze uitvinden.

Als de avond viel kwam Galan te voet terug naar de tent terwijl zijn mannen naast hem reden: een gek gezicht, en de andere geharnasten spotten ermee. Hij hield zijn helm op met het vizier neergeslagen totdat hij in de tent was, en als hij hem afzette was zijn gezicht bleek en hard als ivoor, glanzend van het zweet. Als hij zich uitkleedde kon ik zien dat zijn wond genas en een dikke rand littekens achterliet die onder zijn ribben en langs zijn navel kronkelde. Ik maakte me zorgen dat de zenuwen in zijn buik, die nog maar net aan elkaar gegroeid waren, los zouden laten door zijn inspanningen. En elke dag opnieuw liep hij klappen op, nieuwe blauwe plekken, nieuwe sneden, van zijn mannen. Ik vond hem roekeloos maar zei dat niet: mijn raad had hem geen goed gedaan en ik had geen zin meer om die te geven. En dat hij alleen en te voet over het Marsveld liep – alleen, op zijn bereden soldaten na, waarvan er één een grote lafaard was – was een uitdaging aan de clan van Ardor om hem te grazen te nemen.

Galan had zijn mannen teruggewonnen. Morser en Ruys waren weer de zijne, alsof ze niet dagenlang de tent rond waren gekropen als straathonden die uit waren op een schop, alsof ze hem nooit onrecht hadden aangedaan en daarvoor gegeseld waren, alsof hij ze nooit beperkingen had opgelegd.

Alle beperkingen lagen tussen ons.

* * *

Mai kwam de derde ochtend na vrededag. Ze droeg haar zoontje Tobie op haar heup en werd geflankeerd door haar gebruikelijke escorte. Ze waren gewapend met lange zwaarden en Kniep had een manhond aan een wurgketting, terwijl het kleine gevlekte vuilnisbakje er los naast liep. Mai nam een risico door ons kamp te bezoeken, want de clan van Ardor hield bij wie onze vrienden waren en beschouwde ze als vijand.

Zonop zag haar het eerst en riep me naar buiten. Tobie kraaide toen hij zijn zus zag en stak zijn armen naar haar uit, en Mai liet hem gaan en we keken hoe het jongetje over het erf scharrelde op zijn dikke beentjes. Zonop ging achter hem aan en greep hem. Ze giechelden totdat ze het uitgilden. De honden begonnen te blaffen tegen de geit buiten onze tent en de geit gaf antwoord, en Kniep vloekte en trok de manhond weg. Ik lachte om alle commotie totdat ik zag dat Mai haar dochter met een frons bekeek. Zonop rende rond, haar blote enkels uitstekend onder de gerafelde zoom van een rok die plotseling veel te kort voor haar leek. Ik zag hoe snel ze was opgefleurd en haar ernstige en waakzame manier van doen had laten varen. Daardoor dacht ik dat ik er verkeerd aan had gedaan om haar zo lang bij me te houden, zo lang weg van thuis.

Ik zei tegen Mai: 'Het is een lief kind, je dochter.'

'Wat heb je haar te eten gegeven?' vroeg Mai. 'Ze is te veel gegroeid.'

Ik vatte het op als scherts, maar toen ik zag dat ze nog fronste, zei ik: 'Dochters groeien nu eenmaal. Is dat zo erg?'

'Ze groeien op tot dwazen. Ze worden ongehoorzaam.'

'Zonop toch zeker niet.'

Mai haalde haar schouders op en veegde de frons van haar gezicht. 'Heer Torosus is knorrig omdat ik haar heb uitgeleend. Zegt dat de Zon zonder haar niet opkomt in onze tent.'

Dat verraste me. Ik had heer Torosus gezien en hij leek minder saai dan Mai hem afgeschilderd had, nogal mager waar zij dik was, zo hard als ijzer en snel in woord en daad – een echte man. Maar toch had ik nooit gedacht dat een man van Bloed zijn kleikinderen zou opmerken, laat staan een ervan zou missen. Ik zei tegen Mai: 'Gemalin Vulpeja is ook dol op haar en wil haar als meid.'

'Ik heb Zonop nodig, anders zou ik haar graag in dienst doen,' zei Mai. 'Ze zou geluk hebben, want gemalin Vulpeja gaat niet met ons mee naar de oorlog, toch?'

Ik schudde mijn hoofd.

'Weet ze dat?'

'Nog niet.'

'Denk je dat ze mee wil?'

'Ze verwacht dat ze gaat. Je hebt haar toch een amulet gegeven om heer Galan te vergeten? Ik kan niet zeggen dat het werkt. Ze leeft op haar hoop, van zijn ene glimlach tot zijn volgende.'

Mai snoof. 'En jij zeker niet.'

Soms is ze scherp.

'En, heeft ze een kans?' vroeg Mai.

Ik dwong mezelf te glimlachen. 'Geen enkele. Maar valse hoop genoeg. Ik weet zeker dat ze denkt dat er ballades over hen tweeën geschreven zullen worden.'

'O, die zijn er al. Je bent niet meer vaak op het Marsveld, anders zou je ze wel gehoord hebben. De eerste maakt heer Galan uit voor stommeling omdat hij zo'n hoge prijs betaald heeft voor een zak botten. Maar nu is er een tweede lied dat heer Galan zelf niet beter had kunnen schrijven – en misschien heeft hij het wel zelf gedaan, wat dat aangaat, of een nieuwsventer betaald om het te schrijven. Zal ik het voor je zingen?'

'Jij zingt vast als een schorre kraai.'

'Helemaal niet,' zei ze met haar borrelende lach. 'Ik zing heel lief. Heer Torosus zelf vergeleek me met een gans, de laatste keer dat ik voor hem zong.' Ze begon een lied te gakken en ik bedekte mijn oren en schreeuwde om genade.

Ze hield op en ging zachter praten. 'Je wordt gemist. Je hebt Naja een smeersel voor haar winterhanden beloofd, weet je nog? En de oude Mullen – die vrouw die kleiamuletten verkoopt – heeft een hoest die haar longen kapot scheurt. De concubine is niet de enige zieke op het Marsveld.'

Ik haalde mijn schouders op. 'Ik durf haar niet alleen te laten. Ze is nog zwak; ze kan nog niet zelf overeind komen.'

'Ik dacht dat ze zo langzamerhand wel beter moest zijn. Let op: er moet met haar gepronkt worden, en gauw ook, anders zullen de driftkoppen een ander deuntje zingen.'

'Ze is beter. Kijk zelf maar.'

Mai legde een hand op mijn arm. 'Wees gewaarschuwd: ik heb een klein tovermiddeltje voor haar meegebracht, iets dat haar hoop levend houdt.'

'En wat zal dat met heer Galan doen, jouw middeltje?' vroeg ik.

'Helemaal niets, mijn hartje, helemaal niets.'

Toen Mai naar het ziekbed ging, pakte gemalin Vulpeja haar hand en kuste die, wat ik nooit verwacht had. Maar toen bedacht ik dat de maagd Mai gezien moest hebben toen ze ziek was – Mai, die het oplettende oog van haar tante trotseerde om haar amuletten en raad en waarschuwingen te brengen.

Gemalin Vulpeja zei half huilend: 'Mai, ik ben zo blij je te zien!'

Mai keek op haar neer vanuit de hoogte, die nog vergroot werd door haar houten zolen, en zei: 'Ik ben blij om te zien dat je zo veel beter bent.'

De concubine drukte Mai's hand tegen haar hals en wilde die niet loslaten. 'Zonder jou zou ik hier niet zijn. Maar toch kan ik je niet mijn dankbaarheid betuigen zoals zou moeten. Mijn clan heeft me zonder middelen achtergelaten.'

Mai trok haar hand terug en ging op de linnenkist vlakbij zitten. Ze liet zichzelf met een kreun zakken. Haar gewaad spande strak om haar buik en de rok hing hoog van voren. Haar enkels waren gezwollen en dikke blauwe aderen rezen op onder de huid. 'Geeft niet,' zei ze. 'Het is genoeg dat ik zie dat je leeft en dat er goed voor je gezorgd wordt. En hoe is het eten? Beter dan wat je tante serveerde, zou ik denken.' Ze grijnsde en wierp een blik op mij.

Gemalin Vulpeja wilde dat niet toegeven. 'Het is niet lekker en daarbij word ik er ziek van,' zei ze.

Ik zei: 'Het is alleen dat haar maag nog gevoelig is.'

'Het eten is gezond,' zei Mai streng tegen de concubine. 'Je moet zo veel eten als je buik kan verdragen.'

'Dat probeer ik,' zei ze, en de tranen vloeiden zo snel als smeltende sneeuw. En toen, tussen snikken en snuiven door, lamenteerde ze dat heer Galan haar nooit meer zou willen. Hoe kon hij ook? Zij was afzichtelijk, ze was verschrompeld. Het was beter geweest als hij haar nooit meer gezien zou hebben – en hij had zoveel voor haar gegeven en ze zou hem nooit bevallen – en ze werd al slap als hij naar haar keek, dan sloeg het vuur door haar heen (ze trok aan het beddengoed alsof ze het heet had) – maar een blik van medelijden was niet waarnaar ze hunkerde.

Ik kromp ineen, wilde dat allemaal niet weten. Het herinnerde me aan de manier waarop ik over Galan tegen Mai had gejankt. Had ik ook zo geklonken?

Mai boog zich voorover en klopte op de hand van de concubine. Ze zei: 'Binnenkort ben je weer jezelf. Hij zal vergeten hoe je er nu uitziet. Het verlangen van een man wordt gevoed door wat voor hem staat, niet door wat hij gisteren gezien heeft – is dat niet de gebruikelijke klacht?' Ze lachte. 'Maar nu is dat juist goed.'

'Je hebt natuurlijk gelijk,' zei gemalin Vulpeja, haar gezicht afvegend aan het beddengoed. 'Hij heeft me tenslotte laten halen. Daar moet ik moed uit putten.'

'Ik heb iets voor je meegenomen,' zei Mai en ze haalde een in stof gewikkeld pakje uit de beurs aan haar lage gordel. 'Als je je elke dag hiermee baadt – gewoon een klein beetje in het badwater – zul je begeerd worden. Maar je moet niet verwachten dat het meteen werkt. Het zal wat tijd kosten.'

Gemalin Vulpeja zei: 'Wat kan ik je geven als dank voor al je hulp? Het is een zware last om je zoveel schuldig te zijn. Kijk eens in mijn kist, die waar je op zit. Pak maar wat je hebben wilt, en dan ben ik je nog meer schuldig, want ik heb mijn leven en mijn plaats aan jou te danken.'

Mai zei: 'Vuurdoorn heeft jouw leven gered,' maar de concubine leek het niet te horen. Ze rustte niet voordat Mai een geschenk had genomen – wat dan ook – alles, als ze wilde, zo veel als ze wou.

Uiteindelijk opende Mai de kist. Ze boog zich eroverheen met een hand op haar rug, alsof bukken pijn deed, en met de andere hand bevoelde ze de inhoud. Een roze jurk, twee mousseline hemden, een ruwe wollen mantel die een bediende zou kunnen dragen, een sluier, kousen en kousenbanden, een leren gordel met een lege beurs, twee bontmanchetten (konijn slechts), een pelerine van vos, een kleine houten doos met een kam, een zilveren ketting en een paar losse parels.

Mai keek me aan, een wenkbrauw optrekkend vanwege deze schamele bezittingen. We kenden allebei hoeren en dienstmaagden die even veel bezaten. Desondanks kwam ze overeind met de mantel in haar hand.

* * *

Buiten de tent vroeg ik Mai: 'Ben jij mijn vriendin?' Dat vroeg ik me inmiddels af.

Ze grijnsde en legde haar zware arm op mijn schouder. 'Nichtje, je hebt zelf de koekoek in je nest uitgenodigd. Ben je verbaasd om te zien wat er uit haar eieren komt? Ze is hier en je moet er het beste van maken, en het beste wat je kunt doen is haar oplappen en naar Galans burcht sturen, zo snel je kunt.'

Tobie kwam aanrennen en begroef zijn hoofd in Mai's rokken. Ze hees hem omhoog zodat hij op een heup kon zitten en hij trok aan haar jurk omdat hij melk wilde. Ze gaf hem een tikje op zijn hand. Zonop kwam naast mij staan en keek naar de twee, opnieuw ernstig. Mai wierp haar de mantel toe die ze van gemalin Vulpeja had gekregen en zei dat ze het goed had gedaan, en als ze naar huis kwam – en ze hoopte dat dat gauw zou zijn – zou ze van de mantel een overjurk voor haar maken, tegen de winterwind.

Ik zei: 'Mai, kan ik ook iets krijgen van wat je aan gemalin Vulpeja gaf?'

'Denk je dat je dat nodig hebt?'

Ik knikte. Ik zou niet gaan janken zoals gemalin Vulpeja. Ik zou niet janken.

'Waarom dan? Is heer Galans pik zijn kracht kwijt?'

'Dat is het niet.'

'Dan hebben jullie zeker ruzie gemaakt. Dat heeft niets te betekenen. Je hebt hem gebonden en hij zal niet ver komen voor hij de ketting voelt. Bovendien heb ik je verteld dat dit middel niets zal uithalen bij heer Galan. Het is om haar gemoedsrust te geven, want het verlangen dat zij nodig heeft is verlangen om te leven. Ik zal je iets beters sturen als je wilt, maar ik zeg nog steeds dat hij naar je toe zal rennen als je fluit.'

Daar moest ik om lachen. Het was een wrange grap dat zij dacht dat Galan aan de ketting lag terwijl ik de halsband om mijn eigen keel voelde knellen.

* * *

Dezelfde dag kreeg gemalin Vulpeja nog meer visite: vrouwe Hartura, de vrouw van heer Farol. Hoewel ze tegenover ons aan het gemeenschappelijke erf woonde, had ik in geen dagen een glimp van haar opgevangen. Ze verliet de tent alleen om naar toernooien te gaan en daar bleef ik weg sinds Galan gewond was geraakt. Ze kwam een geschenk en subtiele hints geven dat zij een echtgenote was en gemalin Vulpeja niet. Het geschenk was mooi: voldoende fijn batist om een onderjurk van te maken, met een rand van wit borduursel op wit. Er zat wel een vlek in, maar niets waarmee een goede naaister problemen zou hebben.

Gemalin Vulpeja liet me haar rechtop in bed helpen voor het bezoek. Ik bleef in de buurt uit angst dat ze flauw zou vallen. Eerst gingen ze na of ze familie gemeen hadden, wat ze natuurlijk hadden, in de verte. Het Bloed ontleedt zijn bloedbanden zeer diepgaand en over vele generaties, terwijl wij kleivolk niet verder rekenen dan nodig is om te voorkomen dat we met de verkeerde paren.

Gemalin Vulpeja kneep haar neusvleugels een beetje samen toen vrouwe Hartura begon over heer Galans zoon, een stevige jongen, een heel gezonde zuigeling – precies zijn vader – die ze gezien had voordat ze van Ramus naar het Marsveld gekomen was. Je hoefde gemalin Vulpeja niet te vertellen dat een laken twee kanten had en dat elke zoon die Galan eventueel bij haar zou verwekken aan de verkeerde kant geboren zou zijn.

Wat het geschenk betrof, dat raakte haar zeer, maar ze verborg het goed. Ze liet haar hoofd hangen en zei dat ze zich nederig voelde bij vrouwe Hartura's vrijgevigheid; ze was het niet waard om zulk fijn weefsel te dragen, onwaardig om het te krijgen, en dan nog uit zulke elegante handen! Ze zwaaide het geschenk zoveel lof toe dat het leek alsof vrouwe Hartura haar karrenvrachten fluweel en hermelijn had gebracht, en ze haalde zichzelf naar beneden en zei dat ze het niet waard was opgemerkt te worden door haar hoge bezoek. Dit alles zei ze precies goed en het werd ook verwacht, net als dat vrouwe Hartura op haar beurt zou zeggen dat het geschenk niets was, minder dan een gebaar, dat ze haar niet wilde beledigen maar dat dit het enige was dat ze kon missen uit haar armzalige linnenkist. Toen voegde ze eraan toe dat gemalin Vulpeja wijd en zijd bekend stond om haar schoonheid en dat het een genoegen was die te mogen omlijsten. Deze laatste steek, leek het, kon ze echt niet binnenhouden.

Na dit bezoek liet gemalin Vulpeja haar slechte humeur de vrije loop en ging de hele middag tegen mij tekeer bij alles wat ik deed, tot de avond toe. Ze sloeg me ook, maar zo slapjes dat ik me er niets van aantrok, denkend dat het geen wonder was dat ze lichtgeraakt was na vrouwe Hartura's liefdadigheid.

Maar toen ze tegen Zonop van leer trok en haar bang maakte, bezwoer ik haar dat ik boven op haar zou gaan zitten als ze niet kalmeerde, en ik keerde haar de rug toe en begon een kruidenthee te trekken die haar slaperig zou maken.

Heer Galan kwam thuis op het moment dat zij krijste dat ik een zeug met hoevenpoten was, een onhandige, giftige stinkende sloof, en dat niet alleen, ik was een slet met een kankerkut zo groot als een haven, ruim genoeg om drie schepen tegelijk te herbergen – te wijd voor een man. Hij trok het gordijn opzij en keek haar aan vanonder het vizier van zijn helm. Toen ze hem in het oog kreeg, hield ze abrupt haar mond en haar rode gezicht trok wit weg.

Hij zei niets tegen haar. Tegen mij zei hij vriendelijk: 'Vuurdoorn, kom me even helpen met mijn harnas.'

Ik dook onder zijn arm door en hij liet het gordijn achter ons dichtvallen. Hij stuurde zijn pages naar de wapensmid om een nieuwe handgreep op zijn schild te laten zetten en het uit te laten deuken. Ze moesten elke boodschap gezamenlijk doen in verband met de vete.

Er waren een heleboel sluitingen, gespen, haken en oogjes, en precies zoals hij in zijn harnas werd geholpen werd hij er ook uit gepeld, van boven naar beneden. Hij zette zelf zijn helm af en knoopte de gevoerde kap los. Hij rook scherp naar zweet.

Zijn gezicht stond grimmig. 'Gaat ze altijd zo tegen je tekeer?' vroeg hij terwijl ik de gespen van zijn nekbeschermer losmaakte. 'Ik had nooit gedacht dat ik zulke smerigheden uit haar mond zou horen – het leek wel of ze een stinkende latrineput open trok.'

'Ze is buiten zichzelf vandaag. Ze had bezoek en dat vroeg te veel van haar.'

'Wat voor bezoek?'

'Vrouwe Hartura. Ze heeft haar een mooi stuk stof gegeven voor een onderjurk. Kun je je een naaister veroorloven om die te laten maken?' Ik hield mijn stem koel.

De zijne was nog killer. 'Laat een naaister komen als dat nodig is en val mij er niet mee lastig. En maak je geen zorgen over mijn geld; wat ik over heb zal genoeg zijn, en als dat niet zo is zal ik kunnen lenen van wat de oorlog me op zal leveren.'

'Zal ik de naaister dan ook een fluwelen gewaad laten maken en een brokaten overkleed? En ook een warmere mantel, denk ik. In de kleren die je concubine mee heeft gebracht kan ze zich niet vertonen. Bovendien heeft ze niets in jouw kleuren.'

Toen raakte hij verhit. 'Heb jij een hart van steen? Hoe kun je dat vragen en vragen en vragen op zo'n... keiharde manier terwijl ze je voor je zorgen terugbetaalt met beledigingen? Hoe kun je het van *mij* vragen? Ik heb haar nooit in mijn gevolg gewild en ik wil niet dat zij mijn kleuren draagt.'

Als mijn hart van steen was, was het vuursteen die vonkte tegen het zijne. Ik zei: 'Je wilde haar anders graag genoeg, ooit.'

'Waaraan jij me bij elke gelegenheid herinnert. Ik ben deze discussie beu, en ook dat jij me maar blijft instrueren over mijn plichten met een tong die zo scherp is als een dolk, terwijl jij je *eigen* plichten vergeet. Ik vind jou de laatste tijd niet zo betrouwbaar.'

Ik protesteerde niet. Hoe zou ik dat kunnen? Ik stortte me op de sluitingen van zijn maliënkolder onder de linkerarm en hield mijn gezicht afgewend.

Hij legde een hand op de mijne om me te laten ophouden met mijn werk. 'Het meest van alles,' zei hij, en zijn blik verschroeide me al keek ik hem niet in de ogen, 'het meest van alles ben ik het beu dat je naast haar slaapt in plaats van naast mij.'

Ik keek hem aan. 'Ik dacht dat ik daar niet meer vereist was.'

'Vereist? Moet je vereist zijn? Doe wat je wilt,' zei hij bitter. 'Ik zal je niet *vereisen*.'

Een verkeerd woord en opnieuw was hij beledigd. 'Ik bedoel – het leek alsof je me daar niet wilde hebben.'

'Nou, daar vergiste je je in. Niet voor het eerst.'

Uit ging de maliënkolder en de geschubde rok en de beenkappen. Het gevoerde onderharnas ging ook uit, met meer haast, en toen had hij alleen nog zijn verband aan en toch hielden we niet op, niet totdat hij mijn hoofddoek af had en mijn veters los en de jurk van mijn schouders en over mijn heupen afgestroopt had. Toen hij de dikke striemen op mijn rug voelde werd hij voorzichtiger. Hij ging op de strozak liggen en trok me op hem neer, maar ik deed niet zo voorzichtig. Ik ging wijdbeens op hem zitten en bereed hem stevig en gaf hem de sporen. Ik krabde een paar striemen in hem zodat hij me niet zou vergeten, zoals ik hem de afgelopen nachten niet had kunnen vergeten.

* * *

We bleven te lang liggen en sliepen nog toen Galans mannen met het gerepareerde schild terugkwamen. Morser en Ruys maakten ons wakker toen ze binnenkwamen en de lampen aanstaken. Galan stond op en kleedde zich aan, ongehaast, en ging naar buiten om te dineren met de andere geharnasten.

Morser wachtte tot hij weg was, snoof toen nadrukkelijk de lucht op en zei met een sluwe grijns tegen Ruys: 'Zeg maar dag met je handje tegen je nachtrust. Ze is weer krols, dus we hebben weer elke nacht kattengejank.'

Ruys keek me van opzij aan.

Ik was niet in de stemming voor Morsers scherts, maar dit kon ik niet laten passeren. Hij zou een stier nog kietelen met een rijzweep totdat die hem op de horens nam. Ik voltooide het omknopen van mijn hoofddoek en zei: 'Als Ruys door jou gesnurk heen slaapt kan hij door alles heen slapen, want jij klinkt als een balkende ezel.' Leegemmer gniffelde en ik draaide me naar hem om. 'En wat jou betreft, Leegemmer, jij snurkt eerder als een merrie – met gesnuif ertussen. Soms zou ik zweren dat er een paard in de tent lag.'

Leegemmer hield vol dat hij nooit snurkte; als hij dat deed zou hij zichzelf wakker maken, want hij werd al wakker bij het minste geluid. Dat was zo'n flagrante leugen dat Morser en ik hem om de oren sloegen en er werd gejoeld en luid gelachten.

Maar Ruys lachte niet mee.

Ik maakte gemalin Vulpeja's soep van bouillon en zachtgekookt ei en bracht die naar haar. Het enige licht in haar kamer kwam van achter het gordijn. Zonop was in slaap gevallen in haar nest van vodden en was de lampen vergeten. Toen ik ze ging aansteken zei gemalin Vulpeja: 'Laat het donker.'

'Ik heb je avondmaal,' zei ik. 'Je moet eten.'

Ze draaide haar hoofd af en zei: 'Laat me met rust.'

Ik herkende de klank in de stem van de concubine en de harde lijn van haar samengeperste lippen. Het had niet langer geduurd dan de schemering, het uur waarin het licht kleurde en uit de hemel wegtrok, om alles wat ze in de afgelopen dagen gewonnen had weer kwijt te raken.

* * *

Galan stond de volgende ochtend niet zo vroeg op als anders, want toen hij wakker werd lag ik naast hem. Ik was terug in zijn bed na een lange ballingschap, maar te oordelen aan het vuur van zijn welkom zou je denken dat *hij* verbannen was geweest. Hij was er de man niet naar om een belediging te vergeven; het leek erop dat hij in plaats daarvan probeerde te vergeten dat ik hem gezien had als een man van onbetrouwbare woorden en aangetaste eer. Niet dat we daarover spraken. En ik wilde hem alles vergeven om weer thuis te mogen komen. Hij was het enige thuis dat ik had.

Na een tijdje stond hij op, trok zijn harnas aan en ging weg met al zijn mannen behalve Leegemmer.

Gemalin Vulpeja wilde nog geen flintertje voedsel aannemen, zelfs niet van Zonop. Haar moed had gefaald, maar haar koppigheid hield stand. Mai had me ooit verteld dat ze nog nooit iemand dood had zien gaan aan verlangen. En aan wanhoop dan? Want gemalin Vulpeja leek erop gebrand om te sterven.

De hele ochtend paaide ik haar en zij reageerde met stilte en boze blikken die luid en duidelijk spraken. In de middag maakte ik een bad voor haar klaar met de kruiden die Mai had gebracht, die zoet en een tikje muskusachtig roken. Ze sloeg het wasbekken uit mijn handen en schreeuwde dat ik Mai's kruiden verwisseld had met andere die haar kwaad zouden doen – waarschijnlijk haar huid aantasten – en zelf die van Mai had gebruikt. Na haar geraas had ze rode konen en een witte kring om haar mond. Toen verviel ze in apathie en zei niets meer.

Ik had geen oprecht woord van troost voor haar. Ze had Galan horen zeggen dat hij haar nooit gewild had. Ze had meer dan dat gehoord. Ik bleef haar voedsel en drank aanbieden en iets om haar gemakkelijker te laten rusten, met een vleiende stem en zachte handen, maar de hele tijd ging er een gezoem en getrommel door me heen, een juichend – zelfs pochend – zingen in mijn bloed. Ik was onthutst dat ik het voelde, maar desondanks was dat zo. Ik voelde het en vergat het prikken van mijn kleren tegen de striemen op mijn rug. Is dat wat een man voelt als zijn vijand in het stof ligt met een zwaard tegen zijn keel en hij geniet van de vraag: naar beneden duwen of niet?

Jaloezie kent gewoonlijk geen genade.

Hoofdstuk 11

Schildknaap

Die middag stond er een koude, droge wind die vanaf de Grabbelzwaar naar beneden waaide. Het tentzeil klapperde tegen de palen en de touwen kraakten. Leegemmer was met een paar keukenjongens van de Crux brandhout aan het verzamelen. Er was tegenwoordig nog geen takje te vinden, en houtskool uit de bergen was zo duur dat het per handje verkocht werd, niet per zak. We brandden gedroogde paardenmest, twijgjes van de gaspeldoorn en zout hooi, en van dat alles veel, vanwege de kilte in de lucht en alle lakens die uitgekookt moesten worden. Het was alsof Ardor Haardhoedster haar gunsten aan het Marsveld had ingetrokken en onze vuurtjes liet flakkeren, stinken en te snel uitsputteren. Of ze waarschuwde ons dat we haar niet als vanzelfsprekend moesten beschouwen.

Ik zou graag taken geruild hebben met Leegemmer en buiten zijn, de wind door me heen laten blazen, maar ik bleef in de schemerige tent, vlak bij gemalin Vulpeja. Was dit de verandering van weer waarop men zei dat de koning wachtte? Er waren goede omens in de Hemelen waargenomen door de Auspexen van Crux, zoals speervormige troepen ganzen die naar het westen over de Inwaartse Zee vlogen in plaats van naar het zuiden, en een raaf, gedood door een visarend, die voor de voeten van de koning viel tijdens een toernooi.

Ik had zelf naar tekenen gezocht en de botten opnieuw geworpen voor gemalin Vulpeja. Maar na drie worpen hadden ze alle kanten uitgewezen en net zo goed stom kunnen zijn, zo weinig begreep ik ervan.

Ik was gerst aan het malen; weer een handvol graan tussen de ruwe, ondiepe vijzel en de ronde steen van de stamper. Ik dacht aan Az, en dat bracht me op Spoedvoet en hoe weinig ik hem de laatste tijd gezien had, nu ik geen boodschapper nodig had. Ik had nu maar één patiënt, en haar ziekte ging mijn krachten te boven.

Heer Rodela dook onder de deurflap door. Hij keek op me neer met een grijns die dicht bij sarcasme lag.

Ik stond ervan te kijken dat hij op eigen krachten gekomen was. Ik dacht dat we hem niet meer zouden zien totdat hij languit op een baar de tent van de priesters uitgedragen zou worden. Zijn wangen waren ingevallen onder zijn donkere bakkebaarden. Zijn haar was dun boven op zijn schedel en verder overal dik; het was over zijn oren gegroeid en hing bijna op zijn schouders; aan de lengte ervan kon ik de tijd afmeten sinds heer Rodela hem had geschoren. Toen hij zijn mantel uitdeed, zag ik dat zijn verbonden onderarm weer bijna zijn normale dikte had. Hij ging op zijn gewone plekje op zijn strozak zitten, strekte zijn benen uit en leunde met zijn rug tegen het zadel. Hij zei een tijdje niets en ik ging onder zijn blik verder met malen, mijn hoofd zo laag alsof ik knielde voor de vijzel. Hij was een handvol dagen in de tent van de priesters geweest, een halve tiennachtse, en ik was eraan gewend geraakt dat hij er niet was. Nu hij terug was herinnerde ik me maar al te goed de sombere zwaarte van zijn aanwezigheid, de kwelling van zijn blik.

'Ik dacht dat je weg zou zijn,' zei hij.

Ik zei niets.

'Heeft heer Galan je nog steeds nodig? Je moet zeker voor hem en zijn nieuwe bedgenote zorgen tot ze beter is. Ik zag haar toen ze gebracht werd – het zal wel even duren voordat ze goed genoeg is om genomen te worden.'

Gisteren, voordat Galan me weer in zijn bed nam, had zijn beschimping me kunnen raken; vandaag was ik ertegen bestand. Ik bleef malen en zei: 'Ze kan je horen, heer.'

'Ah, dus het is waar dat ze ontwaakt is uit haar lange bewusteloosheid. Zal ik haar mijn excuses gaan aanbieden?'

'Laat haar met rust, heer. Ze heeft geen kracht genoeg voor bezoekers.'

Hij had zijn schimpscheuten lui uitgedeeld, alsof hij geamuseerd was, en liet zijn tanden in zijn baard zien. Nu werd zijn stem bars. 'Dat maak jij niet uit. Ga vragen of ze mij wil ontvangen.'

Ik kon zijn grillen nooit voorspellen en was opgelucht dat hij het voor het moment niet op mij gemunt had. Ik stapte achter het gordijn. Zonop was bezig een groene draad in gemalin Vulpeja's haar te vlechten, in een heleboel kleine vlechtjes rond de kruin van haar hoofd. De ogen van de concubine waren gesloten.

'Slaapt ze?' fluisterde ik tegen Zonop. Zonop knikte net ja toen de concubine haar ogen opende en naar mij keek door samengeknepen ogen.

'Heer Rodela is er, gemalin,' zei ik. 'Hij vraagt verlof om u te komen bezoeken.'

'Wie is heer Rodela?' vroeg ze.

'Heer Galans schildknaap.' Waarschijnlijk hadden ze elkaar eerder ontmoet, maar niet zo dat ze zich zijn naam herinnerde.

'Nee,' zei ze fronsend.

Ik wachtte even, maar er kwam niets meer. 'U wilt hem niet zien?'

Toen ze antwoordde trilde haar stem en rees de toon. 'Zeg tegen hem dat hij zoiets niet moet vragen. Denkt hij dat ik een sloerie ben die een man alleen ontvangt? Laat hem zijn meester om verlof vragen als hij thuiskomt. Dan zal ik hem misschien zien, in gezelschap van heer Galan – of misschien niet, want hij heeft mijn kuisheid in twijfel getrokken. En als *jijzelf* een haar beter was dan een tweekoperhoer zou je beter weten dan mijn oren te bevuilen met zo'n bericht!'

Dat kwam aan, want ik wist inderdaad te weinig van de omgangsvormen van het Bloed. Ik verdacht heer Rodela ervan dat hij me met opzet gestuurd had om berispt te worden.

Ik dacht dat hij me zou bespotten toen ik naar buiten kwam. In plaats daarvan zakten zijn wenkbrauwen en brulde hij: 'Denkt ze soms dat ik niet weet wat haar kuisheid waard is? Ik stond op wacht buiten de latrinetent terwijl zij haar billen ontblootte en voorover boog om gedekt te worden, en nu doet ze net alsof ze nog maagd is? Vervloekt zij heel haar stijfkoppige clan! Kijk maar naar haar vader – hoe hij zijn schande bedekte met een laagje zilver. Zij zou hetzelfde doen als ze kon. Maar mij zal ze niet misleiden!'

Ze krijste vanachter de gordijnen: 'Ik zal heer Galan vertellen over je onbeschaamdheid. Hij zal je leren. Hij snijdt je ballen af en stopt je mond ermee dicht!'

Hij stond op en ging vlak bij haar kamer staan, honend. 'Als zij geen manieren leert – en snel ook – die bij haar nieuwe stand passen, als ze naar beledigingen blijft zoeken achter elke beleefdheid, jaagt ze Galan nog de dood in in een duel over de eer die zij al vergeven heeft. Een concubine kan geen zout op elk klein slakje leggen. Ik wilde alleen maar een groet brengen, en zie eens hoe ze tegen me tekeer gaat!'

'Ik ken mijn plaats, maar jij de jouwe niet!' schreeuwde ze. 'De teef die jou heeft geworpen moet uit de kennel ontsnapt zijn dat ze zo'n mormel heeft gebaard. Hoerenzoon! Kleigeborene!'

Ik verborg mijn glimlach achter mijn handen toen ik haar eens iemand anders de mantel uit hoorde vegen, maar toen ik heer Rodela's gezicht zag, verdween mijn glimlach.

'De concubine zou moeten weten,' zei hij met heldere stem, 'dat mijn Bloed zuiverder stroomt dan het hare, want ik heb het nooit met een druppel oneer bezoedeld.'

Hij wachtte op antwoord, met een hand het gordijn vastgrijpend. Het was maar beter dat ze uiteindelijk haar mond hield en geen antwoord gaf, anders was hij zeker zonder verlof de kamer ingegaan en wat hij dan gedaan zou hebben kon ik niet eens raden. In plaats daarvan zette hij zijn grijns op en keerde zich af. 'Ze heeft een lieve persoonlijkheid, vind je niet? Heer Galan zal wel blij zijn. Nu heeft hij twee feeksen in de tent die aan zijn zakken knagen en zijn graan opeten. Ik wens hem veel plezier met jullie beiden.'

Ik ging naar gemalin Vulpeja en trof haar wenend in haar beddengoed aan. Haar humeur verbeterde niet toen ze mij zag. Het herinnerde haar er te veel aan dat ze haar plaats in huis en clan op het spel had gezet voor een man bij wie ze niet welkom was. Ik liet haar achter bij Zonop, die naast haar in het ledikant lag en haar stevig vasthield. De concubine duwde haar niet weg; maar ze leek de aangeboden troost niet te accepteren.

Tegen de tijd dat ik uit haar kamer kwam hoopte ik dat heer Rodela weg was om elders beter gezelschap te zoeken. Maar daar zat hij, naast zijn geldkist. Hij had hem geopend en ontdekt dat zijn beurs leeg was, afgezien van zijn munten en een paar haren van heer Bizco's hoofdhuid die in de naden waren blijven hangen. Toen hij me zag bleef ik doodstil staan, zo bang alsof ik een adder bij mijn voeten zag en niet wist waar ik mijn voeten neer moest zetten.

Hij blafte: 'Waar is het?'

Ik deed niet alsof ik hem niet begreep. 'Verbrand, heer,' zei ik en deed een stap opzij naar de deur.

'Wie heeft dat gedaan? Jij?'

'Het was om uw leven te redden, heer, om de schim van de schildknaap tot rust te brengen. Hij riep die koorts over u af.' We hadden het nooit moeten doen. Morser had gelijk, we hadden hem moeten laten sterven.

Hij stond op. 'Om mijn leven te redden? Mijn leven is gered door maden, niets dan maden. Zie je dit?' Hij trok het verband van zijn onderarm en ontblootte zijn wond. De zwarte korst was weg en in plaats daarvan zag ik het roze van een nieuw litteken, dat groeide tussen de lippen van de snee. 'De priesters hebben bromvliegen in mij laten broeden en het werk aan de wormen overgelaten. Ze zijn erg slim, de priesters. En de maden ook, om op te eten wat dood is en de rest te laten zitten.' Hij liet zijn harde lach op zichzelf los. 'Knabbelen en knagen de hele nacht door en overdag ook. Ik kon het af en toe voelen kietelen.'

Ik glipte richting de deur, maar hij zag me en was in twee passen bij me.

'Weet je wat me troostte toen ik in de tent van de priesters lag? De gedachte dat heer Bizco er ook ellendig aan toe was, dat hij de tijd had om nog eens na te tellen wie hij onrecht had aangedaan en wie hem onrecht hadden aangedaan. Dat ik van die laatste de belangrijkste was. Dat hij nog niet van me af was en ik ook niet van hem. Dus wie heeft dat van me afgenomen? Wat het mijn neef, mijn fortuinlijke neef? Heb jij het aan heer Galan verteld?'

Ik opende mijn mond en er kwam geen woord uit. Zelfs als ik loog en beweerde dat Galan het stukje huid had verbrand en dat ik er niets mee te maken had, zou heer Rodela een manier vinden om mij de schuld te geven. Het deed hem plezier om mij de schuld te geven.

Hij glimlachte toen hij zag dat ik zo bang was. 'Ik heb je gewaarschuwd voor wat er zou gebeuren als je bij heer Galan klikte. Ben je vergeten wat ik zei dat ik zou doen? Laat geen man – of vrouw zelfs – beweren dat ik mijn woord niet houd.'

Hij stapte achteruit naar zijn strozak en toen hij knielde om zijn dolk te pakken, rende ik weg. In plaats van te proberen de deur te bereiken, duwde ik het gordijn opzij en schoot door gemalin Vulpeja's kamer naar de snee die ik in de tentwand had gemaakt in de nacht van de wolfskers. Ik had hem nooit dichtgestikt en liet hem meestal open voor licht en lucht; vandaag was hij met veters dichtgebonden tegen de koude wind. Ik sneed de knoop door met mijn kleine mes. Het gat was groot genoeg voor mij maar niet voor heer Rodela. Ik klauterde erdoorheen, mijn hoofd eerst, maar hij haalde me in voordat ik er half uit was en sleepte me aan mijn enkels terug de tent in. Ik lag op de grond en hij schopte in mijn buik en ik kreeg geen adem. Hij trok me overeind met zijn arm om mijn nek, mijn keel dichtknijpend met zijn elleboog, en hij duwde de punt van zijn dolk onder mijn ribben. Hij stond achter me en ik kon zijn gezicht niet zien. 'Maak je geen zorgen,' zei hij in mijn oor, 'ik zal je niet doden.' Ik geloofde hem niet. Hij sleepte me de kamer door en ik zag Zonop op het ledikant zitten en wilde tegen haar roepen dat ze hulp moest halen, maar geluid noch adem kon langs de greep om mijn luchtpijp komen. Gemalin Vulpeja staarde.

Hij bracht me naar zijn strozak. Het mes prikte door mijn jurk heen. Ik ging waar hij me heen sleepte en had niet de kracht om het te beletten. Hij duwde me neer met mijn hoofd naar beneden. Ik snakte naar adem, dacht dat als ik mijn longen maar kon vullen ik zou kunnen bewegen, smeken. Maar ik kreeg de kans niet, want hij schopte me weer in mijn zij, onder mijn ribben, en ik slaakte een gesmoorde kreet en rolde me op tot een bal, en toen zag ik zijn gezicht. Alleen schedels hadden een bredere grijns.

Hij noemde me een klikkende teef en een huidschede en een moddergat en nog meer dingen, maar wat hij zei deed er niet toe. Zijn razernij was gigantisch en uitgehongerd. En wat was ik voor zijn razernij? Niet eens de oorzaak. Hij had geen oorzaak nodig. Maar hij hongerde naar mijn doodsangst.

Heer Rodela draaide me met zijn laars om en ging boven op me liggen – niet als een man die wil paren, maar andersom, met een gebogen knie onder mijn kin mijn keel dichtdrukkend en met zijn zware dij op mijn ribbenkast. Zijn groene beenkappen waren ruw en gekreukt en versteld op een bil. Zijn laarzen zaten vol aangekoekte modder. Mijn wereld was ineengekrompen tot dit, tot heer Rodela, en ik zag elke minuut met grote helderheid.

Hij trok mijn rok tot mijn middel op en greep een paar korte koperkleurige haartjes in mijn kruis vast om de huid strak te trekken, zette zijn mes op me en begon te zagen. Hij ging me villen, zoals hij gezegd had. Hij wilde mijn vrouwenbaard als trofee. Ik worstelde, ik schopte, maar hij was zwaarder dan ik en ik kon hem niet wegduwen. Hij zei: 'Lig stil! Je wilt toch niet dat de dolk uitschiet?' En hij drukte zijn knie harder in mijn luchtpijp.

Het was genade dat pijn en angst na een tijdje ver weg leken, net als mijn lichaam. Wat van me overbleef berekende hoe ik in leven kon blijven, van moment tot moment. Als hij me niet stak, zou hij me al gauw laten stikken. Ik had geen lucht meer en het bloed brulde in mijn oren, er kropen zwarte zwermen als vliegen over mijn ogen. Ik ontdekte dat mijn linkerarm onder hem vast lag, maar mijn rechterhand was vrij en ik vond mijn mes in die hand; ik had het gebruikt om me een weg uit de tent te snijden. Nu stak ik hem waar ik hem kon raken, been en heup en zij.

Zijn lichaam had van ijzerhout kunnen zijn, zo slecht kon ik hem snijden.

Hij vloekte en vertelde me dat het eerder voorbij zou zijn als ik stil lag.

Toen lag ik ook stil. Ik liet de beheersing van mijn ledematen los. Ik had maar een gedachte, een laffe gedachte: de hoop dat hij me in leven zou laten als hij klaar was.

En ik kon niets anders, want hij had de adem uit mij geperst en het zwart liep over.

* * *

Ik kwam bij op Galans strozak. Zonop hield een doek tegen mijn wond gedrukt. Ademen deed pijn; de lucht raspte door mijn luchtpijp met het geluid van de vijl van een wapensmid op staal.

Zonop was hulp gaan zoeken en had de kok van de Crux gehaald. Hij had zijn grote uitbeenmes bij zich, want hij was net een schapenkarkas in stukken aan het hakken toen zij hem vond, maar hij hoefde het niet te gebruiken. Ze zei dat toen ze binnen kwamen heer Rodela nog steeds omgekeerd op me lag. Kok riep zijn naam vanuit de deuropening, en hij kwam met bestudeerde nonchalance overeind en streek zijn wambuis glad. Hij stopte zijn dolk in de schede en iets anders in zijn beurs, en met zijn voet duwde hij de rok weer over mijn dijen. Die was al gauw nat van het bloed. Hij bloedde ook, uit een heleboel kleine gaten – vijf, telde de priesters toen ze hem verzorgden – maar zowel Zonop als Kok zagen dat zijn leren pikhouder nog dichtgeknoopt was.

Nu zat Kok in kleermakerszit naast me met het uitbeenmes op zijn dijen. Dat lag erbij alsof hij het vergeten was, maar ik voelde me toch veiliger met het gezelschap van zowel mes als Kok. Kok had hetzelfde grijs in zijn baard als zijn meester, de Crux, en dezelfde lijnen langs zijn mond, dezelfde stand van zijn kaak; ze leken op elkaar als broers die aan verschillende kanten van het beddenlaken geboren waren. Hij regeerde zijn keukenjongens met afkeuring, met een ijzeren vuist en een saus van een klein beetje lof, en ook daarin leek hij op zijn meester.

Ik probeerde hem te vragen of heer Rodela er was en ontdekte dat praten nog meer pijn deed dan ademen. Het geluid dat ik maakte leek niet erg op praten.

Hij begreep genoeg om antwoord te geven. 'Weg. Ik denk niet dat hij terugkomt.'

Ik ging overeind zitten en mijn armen trilden onder mijn gewicht. Voor mijn ogen zwommen donkere stofjes en tranen. Na een tijdje duwde ik Zonops hand weg om te zien wat heer Rodela had gedaan. Het vel van een konijn is los en komt er zuiver af, en daaronder is het lichaam heel en strak, de spieren gebonden met pezen. Ik was niet zo netjes gevild. Er liep een rauwe streep door de bos touwachtig haar in mijn kruis, een roodwitte groef zo lang als mijn duim. Het vlees was daar niet dik en hij had tot op mijn schaambot gekerft. Er zat een gat in mijn dij; misschien was het mes toch uitgeschoten. De gaten die hij in mijn rug geprikt had voelde ik niet eens, later pas.

Ik nam de doek van Zonop en drukte die tegen de wond. Het bloeden was op een dun stroompje na al gestelpt. Ik moet een hele tijd buiten bewustzijn geweest zijn. Ik wenste dat ik dat nog steeds was, want de pijn van de snee krijste me toe.

De angst kwam terug en ik trilde. Ik bedacht dat heer Rodela mijn luchtpijp had kunnen vermorzelen als hij maar een beetje harder had geduwd.

Ik zou ervoor zorgen dat hij spijt kreeg dat hij mij had laten leven.

* * *

Heer Galan kwam na donker thuis en ging rechtstreeks naar zijn tent, zonder iemand onderweg te groeten. Toen ik hem liet zien wat de schildknaap had gedaan, trok zijn gezicht wit weg van woede. Het eerste wat hij vroeg was of heer Rodela mij had genomen, of hij me had geprikt. Ik zei: 'Alleen met zijn mes,' met een stem die zo ruw was dat hij ineenkromp bij het geluid. Hij eiste te weten waarom ik hem niet meteen had laten halen. Ik begon te huilen en zei dat ik geen idee had waar hij was – dacht hij dat we een mier in een tarweveld konden vinden? Toen bestrafte hij Leegemmer omdat hij de vrouwen alleen had gelaten in de tent, hoewel ik degene was die hem om een boodschap had gestuurd. Hij sloeg hem met zijn handschoen en schreeuwde terwijl Leegemmer om genade riep met zijn armen om zijn hoofd en Morser, Ruys en paardenmeester Vliegenbeul er zonder een woord bij stonden.

Op dat moment begon gemalin Vulpeja te lachen. We kregen het er allemaal koud van, denk ik, om te horen hoe zij alleen in haar donkere kamer lachte. Zonop rende naar binnen om naar haar te kijken en na een tijdje kalmeerde ze.

Galan leek verbijsterd; de woede was weggeëbd en liet hem achter op het droge. Hij liet zijn handschoenen vallen, trok zijn helm en kap af en veegde zijn gezicht af met zijn handen.

Hij hurkte naast mij neer en vroeg: 'Weet je waar hij naartoe is gegaan?'

Ik schudde mijn hoofd. Mijn keel was dichtgeschroefd van de zwelling en het huilen.

'Waarom heeft hij dit gedaan? Omdat je niet met hem wilde slapen?'

Ik schudde mijn hoofd opnieuw.

'Waarom dan? Vertel.'

De woorden moesten naar buiten gedwongen worden, een voor een, door de pijn van het spreken heen. 'Hij kwam terug. Opende geldkist, beurs. Weg.' Ik keek naar Morser om hulp, maar hij vluchtte weg voor mijn ogen.

'Hij dacht dat je hem beroofd had?'

'Geen munt,' zei ik. Ik stopte om te hijgen, een tijdlang niet bij machte om iets te doen.

Het was Ruys die naar voren stapte en het verhaal afmaakte. Maar daarvoor moest hij bij het begin beginnen, dat heer Rodela heer Bizco gedood had. Galan gaf niet het minste teken van verbazing. Hij had ons allemaal geslagen voor het verbergen van heer Rodela's wond zonder één keer te vragen hoe zijn schildknaap die had opgelopen; zonder twijfel had hij het de volgende dag geraden, toen het lichaam gevonden werd.

Ruys leek zijn woorden maar langzaam te kunnen vinden en toen ze eenmaal uitgesproken werden, leken ze een slap excuus voor het verzaken van onze plichten jegens onze meester. Galan staarde hem aan en zei dat hij zijn luie tong moest aansporen. Hij luisterde in meedogenloze stilte terwijl Ruys vertelde hoe heer Rodela ons had bedreigd als we het heer Galan of iemand anders zouden vertellen, en hoe hij als een banier gezwaaid had met heer Bizco's hoofdhuid. 'Ik was er niet bij toen hij thuiskwam,' voegde Ruys eraan toe, 'maar ik kon het niet helpen dat ik zag dat hij gewond was. Dus bedreigde hij mij ook.' Hier trok de huid om Galans ogen strak bij de herinnering: hij had het niet gezien, tenslotte, terwijl het duidelijk was.

Galan zei tegen mij: 'Was je zo bang voor hem?'

Ik keek naar beneden. Hij had me niet eerder gevraagd waarom ik ongehoorzaam was geweest, maar de vraag had tussen ons in gelegen. Angst was maar een deel van het antwoord. Ik kon de rest niet aan hem uitleggen, uit schaamte. Ik kon niet zeggen dat ik wat dit betreft meer zijn sloof dan zijn meisje was. Toen Galan en ik ruzie hadden in de nacht dat heer Rodela gewond raakte, toen was ik zijn meisje. Tegen de ochtend was ik zijn sloof en verder niets, de afstand tot hem was dagenlang onoverbrugbaar – was hij dat zo snel vergeten?

Sloven hebben veel geheimen voor hun meesters.

Nu was hij boos op mij, om mijn stilte. 'Je had ermee naar mij toe moeten komen. Dacht je soms dat ik je niet tegen mijn eigen schildknaap kon beschermen?'

Ik gebaarde alsof ik de vraag wilde afweren, want het antwoord lag recht voor hem. Ik zag hem ineenkrimpen, alsof hij zijn eigen woorden te laat had gehoord.

'Maar als je het me verteld had,' zei hij, 'zou ik gewaarschuwd zijn geweest...'

Toen nam Morser het woord, en onder Galans blik stotterde en stamelde hij. Hij zei dat het niet alleen zo was dat heer Rodela ons bang had gemaakt – dat was tenslotte hoe hij was, we waren eraan gewend: de ene dag bood hij aan ons te frituren, dan weer te roosteren aan het spit – maar we hadden allemaal gedacht dat de wond maar een kras was, dat hij snel zou genezen en dat het niet nodig was om zoiets kleins door te vertellen. Dat het niet nodig was om heer Galan bezorgd te maken. Maar heer Rodela had de koorts gekregen en nog steeds had hij de carnifex geweigerd en wij hadden gedacht dat het door de dode man kwam. 'En daarom verbrandden we het – de hoofdhuid – en we stonden op het punt het aan u te vertellen, heer, toen u binnenkwam en ons afranselde.'

Ik keek goed naar Galans gezicht terwijl hij luisterde, en wat ik nu zag had ik niet verwacht: zijn gezicht ontspande, liet los op een manier die op opluchting wees. Hij draaide zich naar mij om en zei: 'Dus jij was de eerste die hij in zijn vingers kreeg toen hij thuis kwam en ontdekte dat zijn trofee weg was.'

Ik haalde mijn schouders op en keek weg. Dat wilde hij graag denken.

'Of was er meer aan de hand? Iets anders dat je me niet verteld hebt?' Hij legde een vinger op mijn wang en draaide mijn gezicht naar zich toe.

Galan was blij dat heer Rodela het verboden gebied niet had betreden waar hijzelf vaste gast was. Dat was het enige dat hem iets kon schelen. Natuurlijk was er meer aan de hand, maar niets dat ik hem kon vertellen. Had ik vanwege een paar beledigende woorden naar Galan toe moeten rennen en onenigheid tussen hen veroorzaken? Had ik moeten klagen over heer Rodela's ogen, hoe vaak ik toevallig had gezien dat hij naar me keek? En toch was het nooit lust wat ik zag, eerder iets als hebzucht. Nooit lust, totdat ik onder hem lag en zijn pik stijf voelde worden tegen mijn zij voordat ik flauw viel. Ik was ook blij dat Kok binnen was gekomen voordat hij nog meer had kunnen doen. Maar heer Rodela had zeker genoeg gedaan.

'Moet er nog meer zijn?' vroeg ik.

Galans gezicht was dichtbij. Een lok haar hing over zijn voorhoofd, slap van het zweet, en hij duwde hem weg. Zijn oogleden sloten half en zijn blik dwaalde af, naar het niets, voordat hij bij me terugkwam. 'Nee,' zei hij.

Hoofdstuk 12

Beproeving

Galan ging heer Rodela zoeken. Hij liet zijn helm achter met het serene metalen gezicht op het vizier. Toen we uit elkaar gingen, had hij niet meer uitdrukking op zijn gezicht dan dat masker en zijn kalmte was verkillend. Behalve zijn ogen. Zijn ogen waren rusteloos, ze verbrandden alles wat ze aanraakten. Ik was blij hem te zien gaan. Ik had een buikvol van hetzelfde vuur en zou niet tevreden zijn voor heer Rodela dood was. Ik twijfelde er geen moment aan dat Galan daarvoor zou zorgen.

Maar de Crux dacht er anders over.

Hij en de andere geharnasten waren die avond eerder dan Galan terug van het toernooiveld. Omdat het Galan verboden was te rijden oefende hij apart van de anderen en bleef langer; niemand wist precies wat hij deed, behalve zijn mannen.

Toen de Crux ontdekte dat het eten nog niet klaar was, brulde hij tegen Kok, en Kok had hem verteld wat de reden was. Ze hadden heer Rodela moeiteloos gevonden, want hij was naar zijn strozak in de tent van de priesters gegaan om een dutje te doen.

Dus nog voordat Galan drie stappen verwijderd was van de deuropening werd hij binnen genodigd in de tent van de Crux. Morser, die achter hem aan naar buiten was gekropen hoewel Galan het had verboden, kwam terug om ons dit stukje nieuws te brengen en vertrok net zo snel weer om nog meer buit te maken. Hij kwam weer terug en zei dat de tent van de Crux door schildknapen bewaakt werd en dat hij niet dichtbij kon komen. De geharnasten waren allemaal binnen.

Galans mannen kauwden op dit feit, maar het was niet meer dan gebakken lucht. Morser praatte aan een stuk door; hij was vol vrolijkheid als hij dacht aan heer Rodela die voor de Crux gesleept zou worden, al had hij liever gezien hoe Galan hem meteen aan het spit reeg. Ik lag op de strozak met mijn rug naar hen toe en mijn gezicht naar de wand. Ik zag de schaduwen bewegen en wist dat ik beroofd was. De Crux was erachter gekomen. Hij zou de punt van Galans woede bot maken. Als het nu niet gebeurde, zou het nooit gebeuren.

Na een tijdje kwamen ze me halen. De Crux stuurde zijn schildknaap, heer Rassis, en Eerwaarde Xyster. De priester vroeg me hem de wond te tonen. Ik deed wat hij vroeg zodat ze met hun handen van me af zouden blijven. Nog een vernedering die heer Rodela me aandeed. Ik trok mijn rok op en maakte het verband los dat ik kort daarvoor in wondkruid had geweekt, terwijl het bloed naar mijn wangen steeg en me in een schaamteblos kleedde. Ik hield mijn blik van Eerwaarde Xyster afgewend. Hij hield de lamp dichterbij om mijn wond goed te kunnen zien. Ruys draaide zich om, maar Leegemmer en Morser staarden openlijk.

Mijn adem ging snel en raspte zo luid dat de priester het hoorde. Hij tilde mijn kin op en bekeek de sporen op mijn keel. Wat hij ook zag, hij vond het erg genoeg om zachtjes te knorren.

Hij zei: 'En, kun je spreken?'

Ik zei: 'Als het moet,' en werd herinnerd aan wat me dat zou kosten. Het voelde alsof er een visgraat vastzat in mijn keel.

Toen ze me naar de tent van de Crux brachten leek het alsof ze mijn stem niet eens wilden horen. Ze vroegen me niets. Ik stapte door de deuropening, wierp een vluchtige blik rond en zag Galan aan de andere kant van de tent. Hij zat er bewegingloos en zonder emotie bij. Maar toen mijn blik op hem viel zag ik nog iets: ik zag hoe hij zich dwong tot stil zijn. Beheersing sprak uit zijn kaaklijn, de stand van zijn schouders, de manier waarop zijn ene hand de andere gevangen hield in zijn schoot. De Crux had hem gestrikt en nu moest hij onder de ogen van al zijn maten stilzitten terwijl de privé-zaken van zijn huishouding, tot en met zijn schede, werden blootgelegd en beoordeeld; stil zitten voor mij terwijl heer Rodela een paar passen bij hem vandaan knielde, binnen handbereik. Ik zag zijn schaamte en wendde mijn blik af voordat hij dat kon doen.

Het paviljoen had door kunnen gaan voor de zaal van een landgoed, zo groot en rijk gemeubileerd was het, afgezien van de noordenwind die tegen de wanden leunde en ze liet trillen en klagen, de olielampen aan hun kettingen deed zwaaien en de gordijnen opbollen. Ik kon op geen stukken na bedenken hoeveel de kleden kostten die de vloeren bedekten of het tapijt achter de Crux dat de Zon en de Maan afbeeldde in goud- en zilverdraad in een veld van blauwe Hemelen. Waren er genoeg ossenkarren geweest om dit alles te vervoeren? Toen vroeg ik me af hoe ik aan zoiets kon denken terwijl de zenuwen in mijn benen uitrafelden als slecht gesponnen draad en het me al mijn kracht kostte om overeind te blijven.

Want er waren te veel mannen. De geharnasten zaten verspreid door de tent, in hun bovenkleden in verschillende tinten groen die allemaal zo versierd waren met gouddraad, kralen en fijn borduursel, dat patroon wegviel tegen patroon en er niet een meer opviel. De pluimen en vogelvleugels op hun hoeden werden geplaagd door de wind. In deze menigte vielen drie mannen op door de eenvoud van hun kleding: de Crux, in een bovenkleed van somber groen fluweel zonder versiering behalve een diamanten godenteken rechts op zijn borst en een kraag en hoed van glanzend zwart bont; Galan blootshoofds naast hem, als enige in wapenrusting, half glanzend en half dof, met zijn gepoetste nekplaat en met canvas bedekte pantserhemd vol klinknagels. Zijn zwaardarm was bedekt met glinsterende schubben en zijn schildarm met rood onderharnas. En daar stond heer Rodela, gekleed in zijn korte leren wambuis over een tuniek en versleten beenkappen. Hoewel hij knielde leek hij niet voldoende geïntimideerd. Hij zat op zijn hielen en keek over zijn schouder naar mij.

Iedereen keek naar mij.

Dat zag ik voordat er een woord was gezegd. Toen ik achteruit deinsde merkte ik dat heer Rassis tussen mij en de deuropening stond. Ik liet mijn hoofd hangen en staarde naar het kleed onder mijn voeten.

Eerwaarde Xyster liep de tent door om zijn plek tussen de andere priesters in te nemen, die links van de Crux zaten terwijl Galan rechts zat. De carnifex beschreef mijn wond en heer Rodela deed geen moeite om te ontkennen dat hij die toegebracht had. Iedereen kon zien dat er bloed op mijn jurk zat, en hoewel een deel ervan van heer Rodela was, was het meeste van mij. De schade kwam Galan duidelijk niet goed uit, en dat was aanleiding voor enig vermaak onder de verzamelde geharnasten.

Ik hield mijn hoofd gebogen en tuurde onder mijn wenkbrauwen langs. Ik lette op dat ik geen man in de ogen keek; dat zou beschouwd worden als onbeschaamdheid. Ik wist niet waarom ik daar was. Als heer Rodela een paard behandeld had zoals mij, zouden ze dat dan de tent in brengen om het te laten zien? Misschien wilden ze me op en neer laten lopen zodat ze mijn waarde konden afzetten tegen de schade en de boete vaststellen die heer Rodela moest betalen. Ik gokte dat ze me veel minder waard zouden vinden dan een strijdpaard, misschien iets meer dan een damespaard. Spoedig zou ik niet meer hoeven gokken en wist ik het precies. Hun glimlachjes maakten me boos, en dat was goed. Ik hield mijn benen stijf tegen het trillen.

Er klonk geen amusement in de stem van de Crux. Hij leunde op de arm van zijn stoel met hoge rugleuning en zei: ‘Ze zal genezen, Galan. Het is niet redelijk om volledige genoegdoening te eisen als zij geneest. Of kun je haar niet langer gebruiken nu Rodela haar een litteken heeft gegeven?’

Daar had ik nog niet aan gedacht.

Galan zei – en ik merkte dat hij de vraag niet beantwoordde: ‘Ik zal je zeggen welke genoegdoening me tevreden stelt. Geef me toestemming om met hem te vechten en ik zal het geschil graag beëindigen door een einde aan zijn leven te maken.’

De Crux zei: ‘Ik geef je geen toestemming. Ben je zo’n dwaas dat je denkt dat een geschil met de dood beëindigd wordt? Je bent al een vete begonnen, en nu zou je een twist binnen de clan veroorzaken.’

Galan zei: ‘Ik ben niet de oorzaak van de twist. *Hij* is hem begonnen. Ik verdien dit niet aan hem. Ik heb hem een plaats als schildknaap gegeven, een gunst aan een neef omdat we dezelfde grootvader hebben – en omdat je het mij vroeg. Er waren anderen die ik liever aan mijn schildzijde had gehad, en toch heb ik hem altijd hoffelijk behandeld.’

'Was het zo hoffelijk om zijn haar af te branden?' vroeg de Crux.
Galan zweeg.
'Ging dat wellicht ook over de vrouw?'
Hij zweeg weer en gaf het daarmee toe. Ik durfde niet op te kijken. Mijn gezicht brandde.
Schoorvoetend gaf Galan toe: 'Hij heeft altijd benijd wat ik had, maar ik had nooit gedacht dat hij meinedig was. Ik had hem hoger ingeschat.'
Heer Rodela zei: 'Ik ben niet meinedig, *neef*. De eed van de schildknaap zegt dat ik jou moet dienen en verdedigen; het zegt niets over jouw schede. Hoewel ik haar heb gediend, en met plezier. Ik heb haar gediend zoals ze verdiende.' Hij zat met zijn rug naar me toe, maar ik kon aan zijn stem horen dat hij grijnsde.
Een van de geharnasten – ik denk dat het heer Pregon was – riep uit: 'Ik heb gehoord dat ze *jou* heeft gegeven wat je verdiende. Ze heeft je vol gaten geprikt!'
'Niet meer dan doornsteken. Eerwaarde Xyster trekt meer bloed met zijn kleine veer. Het was als een tonicum voor mij.'
Iemand knorde van het lachen en de Crux fronste. 'Begrijp ik dit goed?' vroeg hij heer Rodela. 'Schep je erover op dat je een gevecht hebt gewonnen van een *vrouw*?'
'Nee, heer,' zei de schildknaap op een terechtgewezen toon. 'Het was geen gevecht. Het was een... ongeluk. Ik wilde alleen een aandenken, een lok haar, en kan ik het helpen dat zij buiten zinnen raakte en er per ongeluk een stukje huid mee loskwam? Ik wilde haar geen pijn doen.'
Mijn hoofd schoot omhoog en ik keek naar Galan. Iedereen weet wat het betekent als een man een lok vrouwenhaar als aandenken heeft. Haar van haar hoofd is een teken van haar gunst. Haar van de vrouwenbaard die haar vulva verbergt betekent dat hij haar geprikt heeft. Heer Rodela joeg op mij; hij was nog niet met mij klaar. Elk deel van mij trilde nu, niet alleen mijn benen. Ik kruiste mijn armen en begroef mijn vingers in het vlees boven mijn ellebogen totdat het pijn deed.
Als Galan hem geloofde...
Maar Galan schoot half uit zijn stoel en schreeuwde: 'Oom, hij liegt! Verwacht je dat ik dit verdraag?'
De Crux antwoordde: 'Ga zitten! Je zult verdragen wat ik je zeg te verdragen. En noem me vandaag geen oom meer, want vandaag dien ik alle huizen, Falco, Musca, alle, en Crux zelf ook. We moeten allen dienen om dit kibbelpartijtje – om een schede, let wel – niet te laten uitgroeien tot een kloof die de clan verdeelt.' Hij wendde zich tot heer Rodela. 'Wat betekent dat zogenaamde aandenken? Heb je de schede gedwongen om met je te slapen?'
'Ik heb haar nooit gedwongen,' zei heer Rodela. 'Maar ik heb wel af en toe met haar geslapen. Ze wilde graag genoeg voordat ze kieskeurig werd. Het enige wat ik haar vandaag vroeg was een teken van de genegenheid die ze me ooit heeft betoond.'

Goden, verdedig mij! Hij had zoiets al eerder geïnsinueerd. Maar de brutaliteit van de leugen benam me de adem alsof ik in mijn buik werd geslagen. Ze zouden het woord van een schede nooit geloven boven dat van een man van Bloed.

Ik spuugde op het mooie tapijt van de Crux. Heer Rassis gaf me een harde duw en ik zakte door mijn benen en viel op handen en knieën. Ik zette mijn handpalmen op de grond en vocht om adem. Mijn keel brandde. Boven het gebonk van het bloed in mijn oren uit hoorde ik de Crux zeggen: 'Wat zegt de schede? Is dat waar?'

Ik keek naar hem op, maar om zijn ogen te vermijden waagde ik me niet hoger dan zijn grijze baard en de barse lijn van zijn mond. Mijn darmen lagen in de knoop. Zo'n harde knoop in mijn buik, zo'n wirwar van woorden, en ik kon er geen vinden om uit te spreken. 'Nee, heer.'

Heer Rodela haalde zijn schouders op. 'Natuurlijk geeft ze het niet toe. Maar ik weet net zo goed als Galan hoe zij zich onder een man kan wentelen.'

De Crux keek naar me. 'Ik heb het verkeerd beoordeeld,' zei hij. 'Ik had nooit toe moeten staan dat Galan zijn schede meebracht. Ik wist zeker dat ze binnen een tiennachtse verdwenen zou zijn – want Galan is een man wiens grillen sneller afnemen dan de maan. Maar hier is ze en er zijn problemen.'

O, wat was de schildknaap slim geweest. Niemand nam het een man ooit kwalijk dat hij graag wilde als een vrouw wilde – zelfs, misschien, het meisje van zijn meester. Hij had zijn wandaad omgezet in een ruzie tussen minnaars; hij had zijn meester de horens opgezet (en veel geharnasten waren blij dat te zien, uit jaloezie) en zichzelf op de borst geslagen. En dat was nog niet het ergste. Het ergste was dat Galan er zo stijfjes bij zat, zo ver bij mij weg aan de andere kant van de tent. Hij wist toch zeker dat heer Rodela loog; hij had de leugen teruggesmeten tegen zijn tanden. Maar toch vreesde ik dat heer Rodela de made van de twijfel in hem had gelegd.

Ik ging weer staan, hoewel ik mijn benen niet vertrouwde. Ik was moe van het kruipen als een geslagen hond en weigerde mijn hoofd lager te laten hangen dan dat van heer Rodela. Ik keek op en mijn blik bleef hangen aan een lamp die aan een tentstok hing, zachtjes zwaaiend; de tuit was een vrouwenhoofd en er flakkerden vlammen uit haar open mond. Ik dacht aan de Vrouwe en ik smeekte haar me te helpen als ze me kon horen. En ik voelde haar dichterbij komen met Wendes schaar, zo'n kleintje, net als vroeger aan haar gordel hing. Ze knipte de knoop door waarmee mijn woorden vast zaten.

Ik sprak in het Hoog en hoorde haar stembuigingen. 'Daar ligt uw probleem, heer,' zei ik tegen de Crux en wees naar heer Rodela. 'Hij liegt, hij liegt dat hij barst, ziet u dat niet? Want als u zijn gezicht naast dat van heer Galan zet, is er dan een vrouw blind genoeg om hem te kiezen? *Ik* ben niet zo blind.' Een paar geharnasten lachten, en ik kreeg het gevoel dat ik ze op mijn hand kon krijgen. 'Maar zelfs als hij half zo lelijk of tweemaal zo knap was, zou ik mijn plaats niet riskeren voor hem, of voor welke man dan ook, want ik ben tevreden.'

Nu keek ik naar Galan en zag zijn nood in de manier waarop hij terugkeek. 'Ik ben tevreden met mijn plaats,' zei ik opnieuw, tegen hem. 'En bovendien, wanneer beweert heer Rodela dat ik met hem heb geslapen? Heer Galan weet dat ik bijna elke nacht aan zijn zijde ben geweest sinds hij me in zijn huishouden opnam, en die anderen paar nachten was heer Rodela bij hem, zoals hij heel goed weet. En overdag was er een andere sloof van mijn meester bij en was heer Rodela altijd onder heer Galans ogen. Hij moet jullie voor dwazen aanzien als hij verwacht dat jullie hem geloven!'

Ik wist meteen dat ik te ver was gegaan – ik had ze nooit dwazen moeten noemen. Nu lachten ze niet. Hun stilte verhardde zich.

Heer Rodela antwoordde snel. Zijn toon was spottend, zelfs voor het sombere aangezicht van de Crux. 'U herinnert zich misschien, heer, dat er vier nachten waren waarin Galan anderszins bezig was, in verband met een zekere weddenschap. Ik veronderstel dat de schede ontstemd was omdat hij zich elders had uitgeput. In elk geval liet ze me weten dat er ruimte was tussen de lakens, en het interesseerde mij geen zier of ze haar benen wijd deed om haar jaloezie te bevredigen of haar lust. Ik had geen zin om het te vragen, als ik haar maar kreeg.'

'Die nachten was je bij hem, om de wacht over hem te houden,' zei ik met krakende stem. Hij liet het zo waarschijnlijk klinken. Het was de achteloze manier waarop hij sprak, alsof hij de moeite niet wilde nemen erover te liegen. Hij waagde een gokje met de Crux, om de geharnasten gunstig te stemmen, en het leek mij dat hij ze had gewonnen.

Heer Rodela haalde zijn schouders op en draaide zich naar mij toe. 'Maar je weet wel beter, nietwaar? Ik heb de bediende de wacht laten houden en ben terug naar de tent geslopen.'

'Ik zou eerder een adder in mijn bed nemen.'

Heer Rodela glimlachte. 'Dat zeg je nu. Hiervóór zong je een zoeter lied.'

Galan greep zich vast aan de armleuningen van zijn stoel alsof hij zich met kracht dwong te blijven zitten. Hij wendde zich tot zijn oom en zei: 'Hij liegt en liegt en u laat hem maar begaan. Wat voor man is dit, dat hij zoveel kwaadaardigheid in zich heeft? Hij houdt van villen. Hij heeft die schildknaap gescalpeerd – herinner je hem? – die met een ontbrekend stuk hoofdhuid in zee is gevonden; hij vilde mijn schede omdat ze niet wilde doen wat hij zei, omdat ze dat stuk hoofdhuid verbrand heeft om de dode tot rust te brengen; en nu gebruikt hij zijn scherpe tong om haar van mij te scheiden. Ziet u niet dat hij mij ook wil villen?'

Maar de geharnasten zagen het niet. De leugen was eenvoudiger dan de waarheid en gemakkelijker te geloven. En Galan had te veel gezegd; hoewel zijn woorden voor mij als balsem waren, ergerden ze zijn makkers. Ik zag het op hun gezichten toen ze elkaar aankeken.

Galan ging desondanks verder. 'Elk woord dat hij zegt draagt bij tot zijn vergrijp, en het enige dat u tegen mij kunt zeggen is "ga zitten" – alsof ik een kind ben. Gunt u me geen vergelding, heer? Moet ik deze beledigingen verdragen? Al uw mannen zouden hem antwoorden zoals hij verdient, met het zwaard – maar ik moet het verdragen, alleen maar omdat hij tot mijn huishouden behoort?' Nu ging hij staan en zijn woorden tuimelden hals over kop naar buiten. 'Het maakt zijn vergrijp toch zeker ernstiger dat hij mijn neef is en dat hij aan mij gezworen is, hoewel hij zijn eed zo dun opvat als het vellum waarop die geschreven stond? Gunt u me geen andere vergelding dan moord? Liever zou ik hem eerlijk verslaan, maar doden zal ik hem in elk geval.'

Galan zette een stap in de richting van heer Rodela alsof hij het ter plekke wilde doen, maar hoe snel hij ook was, de Crux was sneller en versperde Galan met getrokken zwaard de weg. Hij gaf Galan een harde duw met de vuist waarin hij het heft hield, zo hard dat hij achterover struikelde en weer in zijn stoel terechtkwam. De Crux legde zijn zwaard plat op de vloer tussen Galan en heer Rodela in. Met de stem waarmee hij zijn mannen leidde op het veld, de stem die door de herrie op een slagveld sneed, brulde hij: 'De eerste die over dit zwaard stapt zal het in zijn nek voelen bijten. Ga zitten en wees stil!'

Hij wendde zich tot Galan. 'Ik zal je een babykleedje aantrekken en een slab om je nek binden als je jezelf niet de baas wordt. Ben je nog niet gespeend? Speel je met spinrokken op de knie van je kindermeisje? Je hebt de staat van een man maar de buien van een kind, en net zulke driftaanvallen. Je zou denken dat hij aan je vrouw had gezeten, niet je schede! Jij hebt twee vrouwen in je bed en Rodela niet een, en jij dacht dat je rust in je huishouden kon hebben?'

De woorden hagelden op Galan neer, maar hij zocht geen dekking. Hij beantwoordde de kwade blik van de Crux met een van hemzelf. Dit was niet eerlijk. Ze wisten beiden dat Galan gemalin Vulpeja had laten halen om de vete te beëindigen, niet om haar in bed te nemen.

De Crux kwam naar voren tot zijn laarzen langs het zwaard op de grond streken. Hij torende boven heer Rodela uit en spuugde hem zijn woorden in het gezicht. 'Ik heb mijn vader nooit eerder verweten dat hij zo veel bastaarden verwekt heeft bij zijn concubine, maar vandaag schaam ik me dat hij me tot familie van jou heeft gemaakt. Dacht je dat ik het licht op zou vatten dat jij je kleine dolkje in de schede van je meester steekt? Als je verhaal waar is heb je je meester niet eens maar vele keren bedrogen – en je hebt hem alleen gelaten met een nutteloze bediende om hem te bewaken. Nu heb je de slechte smaak om erover op te scheppen. Misschien denk je dat de vergelding milder uitvalt als de schede trouweloos en dus waardeloos blijkt. Maar je vergeet dat het hier gaat over *jouw* trouweloosheid. Die van haar doet er niet toe. En als het niet waar is wat je beweert, als je liegt om herrie te schoppen, zal ik je een bijzondere reden voor spijt geven.'

Heer Rodela had zijn schouders opgetrokken tot aan zijn oren en zijn blik kwam niet boven de rand van de Crux' laarzen uit – en nog steeds hield hij zijn hoofd te stijf overeind; er zat uitdaging in.

De Crux keerde heer Rodela de rug toe en ging weer zitten. Hij trok de plooien van zijn wapenrok strak over zijn dijen. Hij wachtte tot de stilte beladen begon te worden en zei toen: 'Aangezien heer Rodela het een beweert en de schede iets anders, is er maar een manier om erachter te komen, en dat is door een beproeving.' Nu keek hij mij aan en voor de eerste keer keek ik hem recht in de ogen. 'Als we hier vanavond klaar zijn, zullen we haar aan de honden geven. Als ze liegt, zullen ze dat ruiken. Als ze de waarheid vertelt – en moed in haar hart houdt – zullen ze haar ongedeerd laten.'

Ik had een dikke kop en begreep het eerst niet. Toch was een ander deel van mij sneller. Diep in mijn buik ontstond een kreet die omhoog kroop. Ik klemde mijn tanden op elkaar om hem binnen te houden.

De Crux keek me koud aan en verwaardigde zich om tegen me te spreken. 'Ik heb je vanavond verlof gegeven om vrij te spreken en je had het lef om een man van Bloed een leugenaar te noemen. Als je je woorden wilt intrekken kun je dat nu doen en hier zelf als leugenaar staan – en aan de honden ontkomen.'

Galan begon overeind te komen en de Crux zei tegen hem: 'Wees stil!' Hij zei tegen mij: 'En? Wat is je antwoord?'

Ik boog mijn hoofd. Mijn keel was droog. Ik slikte en slikte en elke keer sloeg er een stekende pijn door me heen.

Een oordeel door beproeving. Het Bloed behoudt zichzelf het oordeel door de strijd voor. Voor ons is er de beproeving. Toen ik onder het bewind van de Vrouwe leefde waren dergelijke zaken slechts geruchten, maar onder heer Pava had ik het een keer gezien. Een dorpsvrouw had Harien, zijn paardenmeester, ervan beschuldigd haar tegen haar zin genomen te hebben. De rentmeester gaf haar het zwarte drankje dat giftig was voor leugenaars maar zou sparen wie de waarheid vertelde. Ze overleefde het niet, maar ik geloof nog steeds niet dat ze loog, want ook andere vrouwen fluisterden over Harien; na afloop durfden ze dat niet meer.

Ik had nog nooit gehoord van een beproeving met honden. Voor mij was dat veel beangstigender dan vergif. Ooit was ik gevlucht voor de windhonden in het Koningswoud en had ik gezien hoe ze de hertenbok verscheurden. Deze strijdhonden waren nog feller, gefokt en geoefend om op voetsoldaten te jagen, en om galopperende paarden neer te halen zodat ze de ruiters beter naar de keel konden springen. Spoedvoet en Ev sliepen nog steeds bij de meute, want zij maakten zich nuttig voor Hondenmeester en hadden een plaats tussen de hondenjongens verdiend; maar de honden kenden mij niet, ik meed hun kennel. Was het waar dat ze leugens konden ruiken? Angst roken ze zeker. Zelfs ik rook die nu, in de stank van mijn eigen zweet. Ze zouden wild van me worden. Ik had er geen vertrouwen in dat de waarheid me zou beschermen.

De Crux zei: 'Geef je toe dat je gelogen hebt?'

Nu was het mijn beurt om zijn minachting te voelen. Een bonk klei die je zo van je laars afschraapt, had hij me ooit genoemd. En hij had gezegd: 'Zorg dat ze me niet voor de voeten loopt of ik voer haar aan de honden.' Hij zou zorgen dat Galan me hoe dan ook kwijtraakte.

Ik keek op. Ook Galan wachtte op mijn antwoord. Zijn wenkbrauwen waren samengetrokken in een frons en zijn ogen lagen in de schaduw. Hij was een jaloers man en heer Rodela wist dat; hij rekende erop. Ik sprak tot Galan en Galan alleen in de hele kamer: 'Of de honden nu wijze rechters blijken te zijn of even dwaas als mensen, ik heb de waarheid verteld. Dat zweer ik.' Ik sprak in woede omdat hij dat nodig had, maar toen de woorden eruit waren zag ik dat ik zijn blik verkeerd had begrepen. Hij tilde zijn hand op alsof hij dwars door de ruimte wilde reiken en mijn mond bedekken.

'Nee,' zei hij en zijn woorden haalden de mijne in. 'Heer, ik smeek u, laat haar deze beproeving niet ondergaan. Dit is een zaak van binnen mijn huishouden, en het gaat niemand anders iets aan. En ik geloof haar.'

'Je mag geloven wat je wilt. Zeker, het gaat mij niets aan als jij dol bent op dwaasheid. Maar wat er tussen jou en Rodela gebeurt is *wel* mijn zaak,' zei de Crux. 'Dat is waarom we hier vanavond samen zijn. Ik wil weten of hij liegt.'

Galan zei: 'Geef Rodela dan in haar plaats aan de honden. Dat bespaart u werk, want ze zullen hem aan stukken scheuren.' Nu maakte hij heer Rodela uit voor niets beter dan een kleiman; de belediging bleef niet onopgemerkt, te oordelen naar het gemurmel van de geharnasten.

De Crux zei koud: 'Als jij zo zeker bent van je schede, waarom verzet je je dan tegen de beproeving? De manhonden zullen haar ongedeerd laten als ze trouw is. En zo niet, opgeruimd staat netjes.'

'Heer, ik ken mijn schildknaap en mijn meisje. Ik ken hun hart en heb geen honden nodig om te vertellen wie van beiden trouweloos is. Maar als u bewijs wilt hebben, geef me dan verlof om met Rodela te vechten en ik zal over zijn lijk bewijzen dat hij niet te vertrouwen is.'

'Dit is de derde keer, als ik goed tel, dat je me dat vanavond vraagt,' zei de Crux, 'en ik ben het moe. Het antwoord is nee, het antwoord zal altijd nee zijn. Je bent een vete begonnen met Ardor om een vrouw en hebt het hele Marsveld in rep en roer gebracht, en nu zou je hetzelfde doen binnen onze clan. Ik heb geduld met je gehad, want ik weet dat je geprobeerd hebt om de vete die je begonnen bent te beëindigen. Toen je Vulpeja opnam in je huishouden deed je wat een man moest doen en probeerde je eenstemmigheid te zaaien waar je eerder tweedracht had gezaaid. Maar tweedracht is een onkruid dat de oogst vaak overwoekert. De goden zijn wraaklustiger dan wij en onverzoenlijk. Wanneer zul je dus leren om helemaal geen vetes meer te veroorzaken? Zul je dat leren als je de Maan tegen de Zon hebt opgezet, het huis van Musca tegen Falco, totdat we overal in onze burchten bloed op de vloer hebben? Of zul je het nu leren, voor het verkeerd gaat, en je inhouden en laten leiden door wat goed is voor de clan?'

Galan antwoordde niet. Wat de Crux zei was zonder twijfel wijs. Ik had gehoopt dat Galan een ander moment uit zou kiezen om wijs te worden.

'Nou, Galan,' ging de Crux verder, 'beheers je je of moet ik met je heen en weer lopen zoals met een oververhit paard?'

De geharnasten waren stil geweest; ik was bijna vergeten dat ze er waren. Nu glimlachte de een, en de ander strekte zijn benen en weer een andere fluisterde tegen zijn buurman. De Crux had wat lichtzinnigheid toegestaan om het ongemak van zijn mannen te verlichten, als een slok bier tegen de dorst. Een klein slokje slechts.

Galan keek weg van de Crux en ik zag dat de pezen in zijn nek gespannen waren en zijn kaak strak stond. Hij keek naar zijn handen die nutteloos in zijn schoot lagen. Zijn oom had hem zo gemakkelijk te kijk gezet als dwaas, als heethoofd; wat had hij zijn woede goed ingehouden. Galan zei niets meer over de honden.

'Nu, goed dan,' zei de Crux. Hij keek de tent rond, verzamelde alle mannen in het zicht, maar zijn blik gleed door mij heen alsof hij me niet zag. Hij zei: 'Dit is uiteindelijk niet zo'n ernstige zaak. We hoeven niet de Raad der Doden te consulteren of omens te bestuderen om de wil van Crux te achterhalen. Maar het was een ernstige zaak geworden als we vandaag niet overeen waren gekomen om er een eind aan te maken. Anders hadden we geruchten en gefluister en ruzie gekregen, mannen die een kant moeten kiezen, en dat wil ik niet hebben.'

Hij pauzeerde en boog voorover in zijn stoel. 'Betwijfelt iemand hier of heer Galan onrecht is aangedaan? Een schildknaap moet zijn als een schildarm voor de geharnaste, zijn meester. Zijn *meester*. Moet een man op zijn hoede zijn dat zijn eigen arm hem niet slaat? Een geharnaste verwacht terecht dat zijn schildknaap niet alleen zijn lichaam beschermt, maar ook wat binnen de grenzen van zijn bescherming ligt: zijn land, zijn vee, zijn vrouwen. Rodela viel daarentegen aan wat het dichtst bij Galan ligt, hij viel hem aan in zijn eigen bed. Wat Rodela ook met de schede gedaan heeft, of hij liegt of niet – en daar zal ik later op terugkomen – hij heeft zijn eed gebroken.'

De Crux verhief zijn stem en verkondigde: 'Voor dit vergrijp ken ik heer Galan het dorp van Musca toe dat aan het oostelijke eind ligt van de Kromnekpas, op de Bochelbergen, met alle weiden, velden, bosjes, kuddes en mensen en de tol, belastingen en rechten die erbij horen.'

Er viel een stilte. Galan draaide in zijn stoel zonder naar zijn oom te kijken. Ik vroeg me af of de Crux klaar was, of dat alles was. Het was minder dan het leek, en meer. Een dorp van Musca kon niet meer zijn dan een groepje bouwvallige pachterijen op een rotsachtige berghelling. Maar dan nog kon het huis Musca zich niet veroorloven er een te verliezen. Het was bekend hoe arm ze waren, en hoe trots. Ze hadden alle munt die ze konden vinden gebruikt om heer Rodela uit te rusten als schildknaap, in de hoop dat hij genoeg buit zou meebrengen om in de volgende veldtocht zelf geharnaste te zijn. Het was het beste dat ze konden doen, hoewel elk ander huis ten minste een geharnaste in zijn groep had. Nu zou hij niets dan verdriet mee naar huis brengen. Als hij het overleefde.

Heer Alcoba's stem kroop in de stilte, licht van toon. 'Een dorp is een hoge prijs om te betalen voor zoiets onbenulligs als de kuisheid van een schede – zelfs een dorp van Musca. Zelfs voor een kuise schede, als zoiets wonderlijks zou bestaan.'

Daar kwam een lach op. Maar de Crux fronste en heer Rodela stoof op en zei: 'Nu bespot je mijn huis. Ik wil niet dat mijn huis hierin wordt meegesleept.'

De Crux antwoordde de schildknaap scherp: 'Dan zou je niet voor me moeten staan, want geen man staat hier los van zijn huis.' Daarna richtte hij zijn aandacht op heer Alcoba en zei, net zo scherp: 'Vergis je niet, ik ben veel toegeeflijker dan Rodela verdient. Weegt een eed zo licht voor je? Ik weet dat je een grief koestert tegen Galan omdat hij je een schildknaap en een paard heeft gekost. Misschien doet het je plezier hem zo te zien. Maar je kunt maar beter niet vergeten dat er twee nodig waren voor die weddenschap.'

Beide mannen waren zo wijs om hun mond te houden.

Toen keek hij naar Galan en wachtte tot zijn neef zijn hoofd ophief en hem in de ogen keek. Het leek lang te duren. 'Je bent trots, en dat moet ook,' zei de Crux. Nu klonk er geen minachting in zijn stem. 'Maar soms moet trots samengaan met beleid. Onmin tussen de huizen is een veel groter kwaad dan jou vandaag is overkomen; het zou een wond zijn in het lichaam van de clan. Ik vraag je deze genoegdoening te accepteren en verder geen wraak te zoeken. Ik weet dat dit je bloed niet koelt, maar als dit je redelijkheid wel bevredigt vraag ik je om je daardoor te laten beheersen.' Hij wachtte opnieuw, totdat Galan kort knikte en naar beneden keek. Galan keek niet naar mij.

Toen zei de Crux: 'Er is nog iets. Nu Rodela zijn eed aan heer Galan heeft verkwanseld kan hij hem niet langer dienen. Als heer Alcoba het ermee eens is wordt Rodela zijn schildknaap, in plaats van de veel betere man die Alcoba verloren heeft in heer Galans dwaze vete. Dat bevrijdt Galan van iedere schuld die heer Alcoba zou kunnen opeisen.' Hij keek naar de knielende heer Rodela voor hem en er lag genoeg minachting in zijn stem om het haar van de schildknaap weer helemaal af te schroeien. 'Ik weet zeker dat jullie het hier allemaal mee eens zullen zijn, want anders gaan jullie terug naar huis met de kar van de vrouwes. En als heer Alcoba ontevreden over je is of je betrapt bij kwade zaken, geef ik hem verlof om met je te doen wat hij wil. Zweer je hem trouw?'

Rodela mompelde iets zo zacht dat ik het niet kon horen.

'Wat was dat?' zei de Crux.

'Dat zweer ik,' zei Rodela.

'En nu mag je me bedanken. Omwille van je huis en je vader heb ik je de mogelijkheid gegeven om je naam te zuiveren.'

Onder het gewicht van de blik van de Crux boog heer Rodela verder en verder totdat zijn voorhoofd de grond raakte. Hij strekte zijn handen voor zich uit, met de palmen naar boven, en de helft van wat hij zei ging verloren tussen zijn lippen en de grond, maar hij vernederde zich in elk geval wel en zwoer dat hij dankbaar was voor de genade van de Crux; hij verdiende die niet, was hem niet waard. De Crux keek toe met grimmige tevredenheid terwijl heer Rodela elk nederig woord dat hij bezat aanbood, zijn mond zo vol dat hij zich erin verslikte. En het deed er niet toe dat er meer rancune dan dankbaarheid in zijn toon doorklonk.

Nog was de Crux niet klaar. Hij keek naar zijn geharnasten en zei: 'Misschien is het jullie niet opgevallen dat heer Galan heer Rodela er vanavond van beschuldigd heeft een schildknaap van Ardor gedood en een deel van zijn hoofdhuid gestolen te hebben. Mij is het niet ontgaan. Ik zal deze zaak hier niet wegen. Als het waar is – en ik zou zeggen dat het zo is, ik merk op dat Rodela het niet ontkent – kunnen de goden, de voorouders en een bepaalde kwade schim hem beter straffen voor het ontheiligen van het lichaam van een vijand. Ik denk dat de schim al begonnen is.' Hier werd ongemakkelijk om gelachen. 'Maar luister goed: in elke oorlog zijn er trofeeverzamelaars, mannen die thuiskomen met een zak vol oren zodat ze kunnen zeggen: "Die heb ik allemaal afgeslacht." Zulke mannen brengen ongeluk over hun families, en ik wil het in mijn compagnie niet hebben.

Nu zullen we de schede de beproeving afnemen en zullen we weten of zij of Rodela liegt. Ik zal het aan jullie overlaten, als Rodela onbetrouwbaar en een godslasteraar blijkt, of jullie nog gezelschap wensen van zo'n man.'

Hij zou buitengesloten worden. De Crux liet het aan zijn mannen zelf over of ze definitief kozen voor de allerwreedste straf. Heer Rodela verstijfde. Zijn open handen balden zich tot vuisten. Hij deed nu niet net alsof hij dankbaar was.

Het gaf me nog een reden om de honden tegemoet te treden: te weten dat hij buitengesloten zou worden. Haast voldoende reden.

De Crux stond op en pakte zijn zwaard van de grond. Voordat hij het in zijn schede stak, porde hij heer Rodela ermee in zijn ribben. 'Opstaan,' zei hij en wachtte tot de schildknaap overeind kwam. Met een blik door de tent riep hij zijn eigen man, heer Rassis, die Rodela bij de elleboog nam en hem naar de deuropening marcheerde. De hele tijd zorgde de Crux ervoor tussen heer Galan en zijn voormalige schildknaap in te blijven.

Ik stapte opzij. De kassen van heer Rodela's ogen waren zo donker als blauwe plekken en zijn wangen waren deegachtig bleek boven zijn baard. De Crux had hem vele slagen toegebracht. Hij was vernederd voor zijn makkers en hij riskeerde door iedereen buitengesloten te worden. Maar toen hij langs mij liep, glimlachte hij.

Moord de enige vergelding. Galan had het gezegd, maar nu was zijn bloed afgekoeld en zou hij de genoegdoening accepteren die de Crux toestond en niets méér nemen. Heer Rodela was diep gezakt, maar niet zo diep als ik zou willen. Het was niet veilig om hem te laten leven. Als ik de beproeving overleefde, zou ik er zelf voor zorgen. En ik zou zijn as de modder in stampen.

Heer Rassis trok aan zijn arm en ze waren buiten. De Crux liep vlak achter hen, met Galan en de priesters op zijn hielen. De andere geharnasten stonden op en het gekabbel van hun stemmen werd luider. De Crux sprak tegen mij en zijn stem sneed door het lawaai: 'Ben je klaar?'

Galan kwam naar me toe en zei: 'Doe het niet.'

Toen waren we de deur uit en de geharnasten stroomden achter ons de tent uit, om ons heen. De dunste nieuwe Maan hing in de hemel. Thuis in de bergen zou die het begin van de Stalmaand aangeven. De herders zouden de schapen en geiten uit de hoge weiden halen voordat het begon te sneeuwen, en ze zouden de varkens het Koningswoud in leiden om de afgevallen eikels op te slobberen die de koning hun jaarlijks toestond. Hadden de maanden hier bij zee andere namen?

Er waren geen wolken. De wind had ze weggeveegd.

Galans hand greep mijn pols zo stevig beet alsof hij het gevest van zijn zwaard vasthield, en hij trok me tegen de stroom van de menigte in totdat ik stilstond. 'Waarom doe je dit?' vroeg hij. 'Zeg tegen de Crux dat je gelogen hebt.'

'Ik heb niet gelogen.'

'Dat weet ik. Ik heb geen bewijs nodig.'

'Dat zeg je nu. Maar later krijg je twijfels.'

De Crux was op weg terug naar ons, de geharnasten maakten ruimte voor hem.

Galan keek alsof ik hem had geslagen. 'Waaraan heb ik zoveel wantrouwen verdiend? Alsjeblieft... ik smeek je. Zeg dat je hebt gelogen.'

Hij kon zich niet wapenen tegen mij. En hij had gelijk, ik vertrouwde hem niet. O, natuurlijk geloofde hij me. Maar zou hij met me kunnen leven als ik zei dat ik gepaard had met heer Rodela toen hij de andere kant uit keek? Hij vergat de andere geharnasten, hoe die hem zouden verachten.

Ik was ook gekwetst. Hij had me gevraagd iets te doen wat ik nooit zou doen: beweren dat een smerige leugen waar was en de schande op mij nemen die erbij hoorde. Hij vroeg het omdat een sloof geen eer te verliezen had, noch een woord kon breken – vertel nooit de waarheid als een leugen veiliger is. Ik had eerder gelogen, vele keren, tegen mijn meerderen. En toch kon ik het nu niet. Ik was dit zelf nog maar net aan het ontdekken. En toch was ik boos dat Galan het niet wist.

De Crux was bij ons. 'Is ze toch van gedachten veranderd?'

Ik legde mijn vrije hand over die van Galan en boog me naar hem toe. 'Ik vertrouw jou – zoals ik mijn eigen hart vertrouw.' Ik kon hem niet achterlaten met bittere woorden als dat de laatste waren die hij van mij zou horen.

Er was geen tijd. Ik trok zijn vingers los van mijn pols en liep naar de hondenkennel terwijl de nieuwe Maan op me neerkeek; Crux, die zijn dunste sikkellach toonde.

De kennel van de manhonden was tegen de paardenkraal aangebouwd. De meeste honden sliepen, maar ze waakten om beurten. Toen wij dichtbij kwamen, begon er een te blaffen en een tweede viel in en al gauw gingen er vier of vijf tegen ons tekeer. Ze maakten Hondenmeester wakker. Hij kwam naar de hoge houten poort, liep tussen zijn dieren door die om zijn benen krulden. Ik zag Spoedvoet en Ev en twee andere hondenjongens overeind komen, wakker gemaakt uit hun slaap tussen ongeveer twaalf honden die van kop tot flank tegen elkaar aan lagen en hun warmte deelden.

Hondenmeester suste de honden, maar hun stilte was niet beter. Eentje gromde met een diep geluid, zijn tanden glansden wit in zijn zwarte snuit.

Toen de Crux sprak was zijn stem even diep. 'Zij gaat naar binnen voor een oordeel door beproeving. Open de poort.' Hij wees met zijn duim naar me, me geen vinger waard achtend.

Hondenmeester keek ontsteld maar zei niets. Hij tastte in het donker naar de grendel en zwaaide de poort halfopen. Achter me drong de lawaaierige menigte op: geharnasten en schildknapen en sloven die aan kwamen rennen op het nieuws dat van tent naar tent vloog. Ze hadden toortsen meegenomen. Ergens stond Rodela ook te kijken.

Ik wist precies waar Galan was. Ik kon hem voelen, als een stilte vlak achter mijn rechterschouder. Ik had hem het zwijgen opgelegd. Hoe dicht hij ook bij me stond, hier was ik alleen.

Niet helemaal alleen. Er kwam een ongewenste god. Kloof weer, in de avatar van Vrees.

Ik aarzelde, ik verzette me. Ik had gedacht dat ik eerder deze avond bang was geweest en had mezelf dapper gevonden toen ik mijn benen dwong naar de hondenkennel te lopen terwijl ze zo onvast waren. Dat was niets vergeleken met dit. Vrees greep me, van binnen en buiten, en ik hield me aan de poort vast zodat ik niet zou omvallen. Mijn handpalmen waren nat. Vrees liet mijn hart te snel gaan, mijn gedachten te traag. Ik wist niet dat angst zo'n pijn kon doen, dat het zoveel verschillende soorten pijn deed, zowel stekende als doffe.

Ik begreep niets van moed. Ik vond het niet in mijzelf. Hoe gaat een man de strijd in? Niet de geharnaste in al zijn wapenrusting, maar de sloof, de voetsoldaat? Hoe ondergaat hij het, zonder een persoonlijke eer om voor te vechten, in de wetenschap dat hij, of hij het nu overleeft of sneuvelt, niet meer lof zal oogsten dan het paard van zijn meester? Kloof moet net zo goed roekeloosheid schenken als vrees, anders zou de god van de oorlog geen soldaten hebben. Ze zouden allemaal wegrennen.

Ik zou wegrennen als ik me kon bewegen.

Terwijl ik me aan de poort vasthield werd de menigte stil.

Ik proefde zout en wist niet of het zweet of tranen waren. Ik bad tot Kloof om Vrees bij me weg te halen en Krijger in zijn plaats te sturen om me dapper te maken. Maar het was gevaarlijk om tot Kloof te bidden. Ik had nooit Kloofs hulp moeten vragen om de wolfskers te vinden; Vrees was de prijs die de God me ervoor in rekening bracht. Kloof liet zich niet vermurwen.

Een veel nederiger god schoot me te hulp: Hondenmeester, die voor zijn honden niet minder dan een goddelijk wezen was. Ik zag een belofte van genade in zijn ogen, van medelijden. Ik geloofde dat hij de honden me niet zou laten doden. Hij stond met zijn hand op de poort en hield die vast terwijl ik ertegenaan leunde. Een hond huilde, poten gespannen, nekharen overeind. De man gromde en de hond werd stil.

Spoedvoet en Ev stonden achter hem. Ze waren van halverwege de kennel gekomen om te zien wat er gebeurde en de rest van de honden was met ze meegekomen. Ze leken zo klein. De ruggen van de grote manhonden kwamen tot boven het middel van de jongens. De honden hadden hun wintervacht van kort, dik bont; de meeste waren geelbruin, maar er waren er ook een paar grijsbruin met zwarte strepen. Ze hadden allemaal zwarte maskers en oren. De jongens droegen hun beenkappen en verder niets, en hun huid glansde bleek in het donker. Ze zagen er slaperig, verward en koud uit. Spoedvoet vouwde zijn armen over zijn naakte borst en rilde. Ev verwarmde zich aan de vacht van een hond.

Waarom was ik zo bang? De jongens waren niet bang.

Ik herinnerde me hoe de strijdhonden op de Dag van de Oproep losgelaten waren ter vermaak van de massa, hoe ze de damherten op het toernooiveld aan stukken hadden gereten.

Ik trok aan de poort en Hondenmeester liet hem openzwaaien. Ik zette een stap en nog een, hield nog steeds de poort vast voor steun, en hij ging opzij. De wind droogde het zweet op mijn voorhoofd en verkilde me. Ik hoorde Galan bewegen, het geluid van metaal tegen metaal.

Ik was binnen, maar Galan ook, een stap achter mij, en Hondenmeester sloot het hek achter ons. Er klonk een zucht en gemompel op uit de menigte. Galan ging rechts naast mij staan. Hij had zijn zwaard buiten gelaten, buiten de poort. Hij stak zijn schildarm uit en ik klemde me eraan vast om niet om te vallen. Ik voelde het stijve, gevoerde linnen onder mijn hand. Hij hield zijn zwaardarm voor zijn lichaam naar beneden. De manhonden konden beter op de leren mouw met metalen schubben kauwen dan op ons vlees. Hij wierp me één blik toe – en, ik zweer het, een vluchtige glimlach – voordat hij de honden zijn gezicht toekeerde.

Roekeloos hart. Geen wonder dat Kans dol op hem was. Hij trok zich er nooit iets van aan welke uitkomst het waarschijnlijkst was. Toen dacht ik: misschien heeft hij dit niet gekozen. Misschien had ik door hem te binden hem eraan verbonden dat hij naast mij moest sterven. Maar ik zou hem toch niet losgemaakt hebben op dat moment als ik had gekund, om de hele wereld niet.

'Rustig maar, kalm,' zei hij. Hij had het tegen de honden, denk ik.

De leider van de honden, een grote taankleurige massa met rijp op zijn schouders en snuit, beproefde ons als eerste. Hij stormde tot op een paar passen op ons af en blafte en grauwde en blafte weer, terwijl wij stil stonden. Een paar andere manhonden kwamen ook naar ons toe, en toen een hele meute, met hun poten, staart en oren stijf van woede, met spuug dat rondvloog alsof ze hun meester wilden overtreffen of minstens indruk op hem maken. Het geblaf schrikte de paarden naast de hondenkennel op; er sprongen er een paar heen en weer en andere hinnikten, klaar voor de strijd.

Wat een lef. Het zou lachwekkend zijn als ik niet had gezien waartoe de honden in staat waren. Ze gingen niet voor- of achteruit. Ze werden niet moe van het huilen. De herrie viel als slagen op me. Mijn gewrichten begaven het en Galan hield me overeind, zijn arm zo vast als steen. Hij draaide zijn rechterschouder naar de leider toe en liet zijn hand los hangen. De hele tijd praatte hij. Hij noemde de honden kerels en vroeg ze met strenge stem stil te zijn, als een leraar die een meute wilde jongens vermaant.

De ruige leider hield op met blaffen en begon te grommen. Het gerommel zond trillingen door me heen. De manhond huiverde ook, maar niet van angst. Hij deed een stapje dichterbij.

Galan zei: 'Kijk naar hem. Kijk. Hij weet niet precies wat hij moet doen.' Ik realiseerde me eerst niet dat hij het tegen mij had, omdat zijn toon niet veranderde.

Er stond schuim op de botte snuit van de hond, op zijn kaken. Hij had een enorme kop, een brede en grote borstkas. Door de plooien bont in zijn nek en zijn nekharen die overeind stonden leek hij nog groter. Hij woog zeker zoveel als Galan. Ik had gehoord dat de strijdhonden net zo goed te eten kregen als een willekeurige man van Bloed. Ze waren duur in onderhoud, en daarom telde de meute er niet meer dan vier. Wat meer dan genoeg was.

De manhond keek me in de ogen en mijn eigen haar ging recht overeind staan. Ik keek snel weg. Zijn ogen vingen het fakkellicht en blonken bleek en goud op; een hond zou niet zulke bleke ogen moeten hebben.

Galan zei: 'Ik heb deze beproeving ooit gezien, bij mijn vader. De man verloor zijn zelfbeheersing en rende weg. Je moet niet rennen. Als je wegrent, weet hij wat je bent. Dan weet hij dat je een prooi bent.'

Dat vond ik beschamend. Ik was laffer dan die man, want ik had niet eens de kracht om weg te rennen. Mijn benen wilden me niet gehoorzamen. Zelfs een beest zou meer moed hebben. Ze zeggen dat een hertenbok een speciaal botje naast zijn hart heeft dat voorkomt dat hij van angst sterft als hij opgejaagd wordt. Mijn eigen hart had niet zo'n versterking.

En er waren nu ook honden achter ons, tussen ons en de poort.

'Manhonden zijn net soldaten,' zei Galan. 'Ze zullen een vluchtende vijand sneller doden dan eentje die blijft staan om te vechten. Begrijp me niet verkeerd – ze zijn dapper genoeg om een beer te grazen te nemen – maar het is de achtervolging die hun bloed verhit. Ze zijn niet zo nuttig in een gevecht, want ze kunnen vriend niet van vijand onderscheiden, maar ze hebben hun nut in een achtervolging. En onze eigen voetsoldaten weten dat de honden op ze losgelaten worden als ze hun beheersing verliezen tegenover de vijand.'

Ging Galan me nu onderwijzen? Ik was geen hond of paard of kind die je met een rustige stem kon kalmeren, ongeacht wat je zei. En toch was ik desondanks gekalmeerd, alsof zijn stem me een beetje toevlucht bood. Alsof hij het over dingen had die ons niet aangingen, niet nu, niet urgent.

De leider begon weer te blaffen, een diep bronzen geluid, golf na golf. Nu dacht ik dat ik verwarring hoorde onder zijn dreiging. Hondenmeester had ons binnen gelaten, Hondenmeester stond er stil bij. De manhond wist niet wat zijn god van hem verwachtte.

De andere honden klonken schel. Met elke blaf rookte hun warme adem in de kou. Ze verdrongen zich, flank tegen flank. Ik keek langs ze en zag Spoedvoet en Ev alleen staan, tegen elkaar aangekropen om een beetje warmte; de honden hadden ze verlaten, allemaal tegen ons opgezet. Spoedvoets mond hing open, een donkere cirkel.

Galan zei: 'We moeten zijn geduld niet op de proef stellen. Kun je alleen staan?'

Ik begreep niet precies wat hij bedoelde, maar ik schudde mijn hoofd: nee tegen wat hij ook bedoelde.

'Je moet,' zei hij. 'Je moet nu staan, anders verzaak je waarvoor je gekomen bent, of je hier nu heelhuids uitkomt of niet.'

Ik schudde mijn hoofd. Nee.

'Als hij besluit aan te vallen kniel je neer en bedek je je keel en de achterkant van je nek. Houd je hoofd laag. Ik zal je schild zijn. Ik betwijfel zeer of mijn oom mij door de honden laat doden.'

Ik keek hem van opzij aan. Zijn stem was kalm, maar ik zag het zweet glinsteren op zijn voorhoofd en wangen. Hij glimlachte naar me.

'Ik zal nu een stap terug doen,' zei hij. En toen ik zijn arm niet losliet, zei hij: 'Kom op. Des te eerder heb je het achter de rug. Je bent dapper, mijn schoonheid. Ik weet dat je het lef hebt.' Hij zei dat soort dingen vroeger tegen Semental, ik had hem gehoord.

Mijn ogen prikten. 'Ga dan maar,' zei ik, maar ik kon mijn greep niet loslaten. Hij knikte en trok zijn arm terug.

Toen Galan naar achteren stapte, deed de grote manhond nog een pas naar voren. Nu sprak hij tegen mij alleen en zijn geblaf klonk hees, vol gerommel en gejank, en ik wist dat hij het beu raakte. Nog een stap en hij zou bij me zijn. De andere honden sprongen om hem heen, jankend, maar geen van hen durfde als eerste. Het was meer dan ik kon verdragen dat Galan me alleen tegenover ze had laten staan, en ik dacht – wetend dat het niet terecht was – dat ik het beter had kunnen verdragen als hij de poort nooit binnen was gegaan.

De dood was maar een stap van me verwijderd, maar de doden waren ver weg; ik putte geen troost uit de vingerkootjes in mijn zakje. Als ik de Vrouwe of Na had geroepen, hoe hadden die dan kunnen helpen? Als mijn eigen reis eenmaal begon, was ik alleen. Je kunt iemand die eerder vertrokken is niet inhalen.

Ik had geen gebeden meer over. Ik voelde hoe klein ik was, en hoe immens groot de goden. Immens en onverschillig. Zelfs Vrees had me in de steek gelaten. Hij had me gevuld als de brullende wind en als wind was hij verder gegaan, en ik was uitgehold.

Ik had mijn armen gekruist over mijn borst. Ik liet ze langzaam zakken. Ik zorgde ervoor dat ik de manhond niet in de ogen keek, omdat ik wist dat hij, net als de Crux, beledigd zou zijn door zo'n vrijpostigheid.

Een genade als sterven van angst zou ik niet krijgen. Ik trilde niet meer. Een windvlaag blies mijn rokken tegen mijn benen en bracht me, over de dierlijke geur van de honden en mijn eigen lichaam heen, de wintergeur van het noorden: stenen, varens, mos. Ik proefde stof.

Laat het snel gaan.

De manhond zette de laatste stap, ongehaast maar behoedzaam, en hij duwde zijn neus tegen mijn hand. Zijn staart kwam omhoog en kwispelde eenmaal. Hij stapte weer naar achteren en waarschuwde me met een korte blaf om niet te familiair te worden. En daarmee, op die manier, gaf hij zijn oordeel: hij oordeelde dat ik prooi noch vijand noch meester was, wat ik verder ook mocht zijn. Dat waren zijn zaken niet. De andere honden kwamen dichtbij om mijn geur op te pikken, en aan de volgorde waarin ze kwamen zag ik welke plaats ze in de meute hadden. Ook zij oordeelden, want ze kwamen elk op hun hoede en vertrokken gesust. Als allerlaatsten kwamen Spoedvoet en Ev naar me toe, en de een raakte mijn arm aan en de ander greep mijn schouder. Spoedvoets adem kwam in korte stoten, alsof hij net een lange wedren had gelopen. Evs ogen en neus hadden gelekt. Zijn hand was koud.

Ik hoorde Galan achter me. 'Ik denk dat we nu wel kunnen gaan,' zei hij en zijn stem was dik. 'Langzaam. Draai je niet om.' Ik voelde zijn hand op mijn rug en leunde tegen hem aan. Ik trilde weer.

We deden twee, drie, vier stappen achteruit en de leider van de manhonden ging zitten en gaapte, waarbij hij al zijn tanden liet zijn. Maar zijn ogen stonden waakzaam.

Hondenmeester floot, de poort achter ons ging open en we waren buiten.

* * *

De Crux stond vlak buiten de kennel met een fakkeldrager naast hem. Het rossige licht pikte het bleke litteken eruit dat over zijn voorhoofd en vlak langs zijn linkeroog liep, zo dichtbij dat het ooglid gerimpeld was. De lijnen naast zijn mond waren diepe groeven. Hij gunde me een korte blik, alsof hij me woog en nog eens woog, en het speet me dat hij ooit reden had gehad om mij op te merken.

Hij hechtte zijn ogen vervolgens aan Galan en liet hem niet los. 'Wel, Galan,' zei hij.

'Wel, heer Adhara dam Pictor van Falco van Crux,' zei Galan. 'Of mag ik u weer oom noemen?'

'Dat zal van je vader afhangen, als ik hem vertel wat hij heeft verwekt. Een kleiliefhebber.'

Galans glimlach veranderde niet. 'U heeft mijn vaders toestemming niet nodig om me te onterven, Eerste van Crux.'

'Denk je dat je me nog niet voldoende in verleiding hebt gebracht in één avond? Je bent altijd al eigenzinnig en verwend geweest, zij het niet door gebrek aan terechtwijzing. Maar van al je dwaasheden was dit wel de meest roekeloze – om dit tot je eigen beproeving te maken, en daardoor ongeldig.'

'Hoezo, oom? Ik ging juist de kennel in om te zorgen dat het geldig bleef – of is er u dan zo veel aan gelegen om een bepaalde storende doorn weg te halen? En kunt u betwisten dat zij de honden alleen onder ogen is gekomen en dat ze haar hebben laten leven?'

'Ik wou dat je dat niet had gezegd, jongen,' zei de Crux kwaadaardig. 'Omwille van de genegenheid die ik ooit voor je had zal ik je die belediging laten overleven. Maar je kunt maar beter uit mijn ogen blijven totdat je weer weet dat een groene grasspriet mij niet hoeft te vertellen dat ik niet vals moet spelen. Dat heb ik *jou* geleerd. De volgende keer dat je me voor de voeten loopt, zou je wel eens gemaaid kunnen worden.'

Galan knielde en legde zijn voorhoofd op de grond, maar het was te laat. De Crux keerde hem de rug toe en beende weg. Ik knielde naast Galan neer en legde mijn hand op zijn rug, op het stijve pantserhemd, en voelde hem trillen. Hij bleef lang liggen met zijn gezicht tegen de grond. Er bleven een paar mensen staan staren, maar toen liepen ze weg naar hun roddels of hun strozakken.

Toen Galan overeind kwam, waren zijn wangen nat. 'Mijn tong is vervloekt,' zei hij.

Hoofdstuk 13

Waarzeggers

Die nacht lag ik te trillen en Galan troostte mij, en als ik me rusteloos in het ledikant omdraaide, draaide hij mee en liet me niet los. De hitte van zijn huid verdreef iets van de kilte in me. Ik stond bij hem in het krijt; hij had me iets gegeven dat nooit terugbetaald of voldoende erkend kon worden. Ik had niets om terug te geven, zelfs mijn zuiverste dankbaarheid niet. Want heer Rodela had zelfs die besmet toen hij me met zijn mes en leugens sneed en me zo verwondde dat ik mezelf nauwelijks herkende.

Ik wilde hebben wat me afgenomen was. Terwijl Galan sliep kon ik aan niets anders denken. Ik werd wakker gehouden door de pijn, het brandde in de gleuf waar ik gevild was en elke ademhaling raspte. Ik weet niet waarom ik aan vergif begon te denken. Alsof het steeds in mijn gedachten geweest was, viel me in dat ik de rest van de wolfskers had bewaard; dat de Vrouwe had gezegd dat de zwarte bessen zoet en gezond smaakten.

Tegen de ochtend had ik geen stem. Mijn keel werd door een donkere kneuzing dichtgesnoerd.

* * *

De Crux stuurde drie Auspexen bij het eerste licht. Ze droegen hun regalia van groene gewaden en punthoeden, en daardoor konden we raden waarvoor ze kwamen. Er waren te veel gewonden in onze tent geweest, te veel ziekte; er was haat losgebarsten en bloed vergoten – erger nog, vrouwenbloed, en nog erger: kleivrouwenbloed. De priesters kwamen ons reinigen en voorkomen dat kwade wil en ongeluk niet aan onze tent zouden ontsnappen om anderen in gevaar te brengen.

We waren allemaal wakker, als altijd opgestaan voor zonsopgang. Galan zat in zijn onderharnas te ontbijten met droog brood en gemalen vlees terwijl zijn bedienden zijn veters dichtregen. Hij was niet gewaarschuwd voor de komst van de Auspexen en was beledigd, of dat dacht ik toen ik zag hoe de lijnen zich op zijn voorhoofd verzamelden. Hij vatte het op als een terechtwijzing van de Crux, en dat was niet vreemd na de manier waarop ze uit elkaar waren gegaan. Toch viel niet te ontkennen dat de Crux binnen de grenzen van zijn macht deed wat hij kon om de clan – en zijn ongezeglijke neef – te beschermen tegen nog meer kwaad.

Dus verwelkomde Galan de priesters hoffelijk, elk aansprekend bij hun volledige naam, en liet ons allemaal voor hen rennen. Zij op hun beurt konden weinig hoffelijkheid voor hem opbrengen. Eerwaarde Hamus liet ons rondvliegen totdat de tent was ingericht zoals hij wilde, en zei tegen ons dat er geen tijd was om te lummelen. Leegemmer rende weg om Vliegenbeul en Uli, de paardenjongen, te halen, want ze zeiden dat al Galans mannen behalve zijn voetsoldaten aanwezig moesten zijn; ook zijn vrouwen. De gordijnen rond gemalin Vulpeja's kamer werden opgebonden. Ze lag met de deken tot haar kin opgetrokken, haar hoofd draaide op haar kussen en haar ogen volgden de priesters.

Eerst zochten ze naar de oorzaak van de problemen in Galans tent, naar welke schimmen of goden beledigd waren. Ze hadden vier vogels in kooitjes bij zich; twee witte duiven en twee zwarte kraaien. Binnen in de tent, op de plaats die we voor hem leeg hadden gemaakt, rolde Eerwaarde Hamus een witte doek uit. Hij was de kleinste priester, de rondste, degene die het mildst leek, maar hij was de Auspex van de Zon en leidde alle offers. Hij nam een duif en een kraai uit de kooien en draaide ze de nek om zonder bloed te vergieten, en de priesters keken ernstig toe terwijl de vogels wankelden, schokten en flapperden totdat de dood ze te pakken kreeg.

Hij vilde de vogels en legde de lege gevederde hulzen terzijde, met de vleugels, koppen en poten er nog aan. De rest werd in stukken verdeeld, zelfs de botten. Elk deel hoorde bij een god en telde drie tekens die gelezen konden worden, een voor elke avatar. Deze kleine brokjes vlees werden op de witte doek neergelegd en de priesters bogen zich eroverheen en prikten en porden erin, en tijdens het consult knikten hun hoge hoeden en botsten ze tegen elkaar aan.

Stilte viel over ons allemaal. Galan zat op een krukje en keek met geknepen gezicht toe; Morsers kaak hing slap, Leegemmer snufte en Ruys hurkte in een hoek, zo ver mogelijk bij de priesters vandaan; Vliegenbeul zat bewegingloos, maar als hij een paard was geweest weet ik zeker dat we zijn staart hadden zien slaan en zijn huid trillen, want het ongemak straalde uit zijn starende ogen.

Ik voelde die prikkeling in mijn nek die komt wanneer de goden opgeroepen worden. Op dat moment vreesde ik de Auspexen meer dan de goden, want ik dacht dat ze waren gekomen om een schuldige aan te wijzen en dat ik meer dan mijn deel zou krijgen.

Tot gisteren was ik Galans schede en niets bijzonders. Vandaag was ik Galans dwaasheid. Anders dan aan zijn andere dwaasheid, de weddenschap, zou hij aan mij geen eer kunnen ontlenen. De Crux had zijn neef vanwege mij een kleiliefhebber genoemd. Hij had het gezegd, en anderen zouden het herhalen, en de volgende keer dat het woord in Galans gezicht geworpen werd zou hij het niet kunnen laten passeren, en er zou meer bloed worden vergoten.

Als de priesters mij aanwezen, als hun tekenen mij aanwezen, zou ik niet in staat zijn om antwoord te geven, want de zwelling in mijn keel had mijn stem verstikt. Ik kon niet eens fluisteren.

Toen de priesters klaar waren met hun overleg wenkte Eerwaarde Hamus Galan en liet hem een dunne grijze worm zien die hij in de ingewanden van de kraai gevonden had. Het kostte de Auspexen weinig moeite om dit teken te interpreteren. De kraai was het mannelijke lichaam van het huishouden, de darmen behoorden toe aan Kloof en wormen aan het domein van de Koningin van de Dood. Het kon alleen betekenen dat het kwaad van een mannelijke schim hier aan het werk was, en wie kon dat anders zijn dan heer Bizco? Na gisteravond wist het hele leger hoe heer Rodela het noodlot had uitgedaagd door een lijk te onteren, een stuk van zijn hoofdhuid te stelen en de rest te laten wegrotten in plaats van te verbranden; hij was niet tevreden met het nemen van een leven, hij gunde de man zelfs zijn rust niet. Het was niet het minste van zijn vergrijpen, maar de vergelding ervoor was aan de goden en de doden overgelaten en niet door de Crux op zich genomen.

Het was gemakkelijk te zien – zei Eerwaarde Hamus – dat de schim niet alleen heer Rodela's wond had laten etteren maar ook zijn gedachten. De schim had hem er duidelijk toe bewogen om mij te villen en mij valselijk te beschuldigen; als hij goed na had kunnen denken zou hij zoiets nooit hebben gedaan. Nu werd heer Rodela buitengesloten. Heer Alcoba, zijn nieuwe meester, had hem afgelopen nacht onderdak geweigerd. Hij vroeg hem voor de drempel te slapen, buiten de tent, zodat heer Alcoba gemakkelijker op hem kon stappen als hij naar binnen en buiten ging. Heer Bizco was gewroken; de val van de schildknaap was keurig uitgevoerd.

Er zou geen spoor van de dode man overgebleven moeten zijn om bij ons te spoken. Zijn hoofdhuid was dagen geleden al verbrand en heer Rodela's bezittingen waren gisteravond in een modderpoel buiten gegooid, en daarmee alle eventueel overgebleven haren; de levende boosaardigheid zou normaal gesproken heer Rodela, zijn kwelgeest, moeten volgen en niet bij ons blijven hangen.

Maar de worm zei iets anders.

Om heer Bizco's schim uit de tent te verdrijven en ons te reinigen van het bloed en de tweedracht waarmee hij ons had bezoedeld, namen Eerwaarde Hamus en Eerwaarde Tambac allebei een vleugel van de kraai en veegden alles schoon, van vloer tot dak, over kisten en strozakken en balen, over gemalin Vulpeja's ledikant en deken, en ook over de rest van ons, van top tot teen. Ik huiverde toen de veer over mijn gezicht streek. Ze zongen de hele tijd, een griezelig lied met woorden in een geheime taal. Eerwaarde Xyster dreunde laag terwijl Eerwaarde Hamus piepte, en Eerwaarde Tambacs stem, een trillende dunne draad, reeg ze samen.

Toen ze klaar waren met vegen lag er een hoop stof en restjes en kruimels en muizenkeutels en een paar botjes – want Leegemmer veegde niet zo vaak als zou moeten – op de aarden vloer. Ze verbrandden die in het komfoor, samen met de vleugels van de kraai, wat mirtebast en bittere kruiden die een zoete en doordringende rook afgaven, en toen alles tot as verbrand was beëindigden de priesters hun lied en keken tevreden.

Nu gingen ze naar de duif en de omens in haar lijk, voor het vrouwelijke lichaam van het huishouden. Haar hart was vergroot en te lichtrood, wat duidelijk te zien was als het naast dat van de kraai werd gelegd. Toen ze het opensneden, bleek dat de kamers misvormd waren. Problemen met Ardor in al zijn avatars, Smid en Haardhoedster en Wildvuur, zeiden ze en ze zochten niet lang naar de oorzaak, want daar lag gemalin Vulpeja, een kind van Ardor, toe te kijken vanuit haar ziekbed.

Ik voelde me alsof er een grote zwarte vleugel over me heen streek en weer verdween, zo blij was ik dat ze mij niet aankeken. Ik had de Auspexen onrecht gedaan toen ik dacht dat ze de goden zouden durven beledigen door te doen alsof ze lazen wat niet geschreven was. Maar hun interpretatie was gebrekkig, want ze zagen niet dat ik ook getekend was door Ardor. Sinds de Smid mij in het Koningswoud had gered waren er veel dagen geweest – zoals gisteren, in de hondenkennel – waarop ik me in de steek gelaten voelde door de goden, door alle goden, en op andere dagen had ik mijn eigen grillen aangezien voor Ardors wensen; nu zou ik niet kunnen zeggen of ik de God goed diende of niet. Maar ik voelde dat ik nog steeds onbekende doelen diende. Hier was nog een teken, in dat bleke opgezette hart, van Ardors gezwollen wil.

Hoe meer ik over het teken nadacht, hoe meer ik vreesde dat het op kwade wil wees. Mijn opluchting maakte plaats voor angstige voorgevoelens.

De priesters gingen rond gemalin Vulpeja's bed staan. In stilte wenkte ze Zonop, en het meisje hielp haar overeind en nam achter haar plaats op het bed zodat ze tegen haar kon leunen, rug tegen rug. Haar haar hing nog los van het slapen, dus bedekte gemalin Vulpeja het met de deken en wikkelde zichzelf met dat gebaar in zedigheid en waardigheid. Ze hield haar ogen neergeslagen.

Eerwaarde Xyster zei: 'Gemalin Vulpeja, het is een wonder om u zo veel beter te zien.' De laatste keer dat de carnifex haar gezien had was op de ochtend na de wolfskers, nog geen tiennachtse geleden, voordat ze zichzelf gedwongen had te eten, haar ingevallen wangen glad werden en de bleekheid van haar huid veranderd was van wei naar room.

Galan stond achter de priesters met zijn armen over elkaar. Hij mompelde: 'Inderdaad, zij wordt beter, maar haar humeur verslechtert.'

'Slecht humeur?' vroeg Eerwaarde Hamus.

Galan haalde zijn schouders op. 'Ze vloekt tegen mijn schede als een voetsoldaat.'

Toen gemalin Vulpeja uiteindelijk sprak, klonk haar stem kleintjes en verbijsterd. 'Uw excuus, heer, maar wat moet ik doen als de sloof correctie behoeft? Ze is ongehoorzaam en onhandig bovendien.' Ze deed een beroep op de priesters. 'Zulke fouten moeten toch bij de wortel worden aangepakt, anders breiden ze zich uit.'

'Je maakt misbruik van haar,' zei Galan.

'Ik vrees dat u te gemakkelijk voor haar bent, heer. Het heeft haar onbeschoft gemaakt. "Een sloof die je slaat zal je dienen, maar een verwende sloof zal je beschamen." Zoals u ziet kan ik haar niet slaan, want ik ben te zwak. Als ik onomwonden tegen haar spreek is dat minder dan ze verdient.' Haar woorden waren hard, maar haar gezicht was zacht.

Galan deed een stap dichterbij. 'Ze heeft je genezen. Je bent haar je leven verschuldigd, niet je gevloek.'

Ik wilde dat hij dat niet gezegd had, want Eerwaarde Xyster keek naar me, naar waar ik achter Morser stond. Ik wilde niet dat hij nieuwsgierig werd.

Haar wangen kleurden rood. Ze vergat lief te zijn; ze sloeg haar ogen op en verhief haar stem en riep: 'Is dat zo, heer? Ik wil haar niets schuldig zijn. Ik heb net zo lief dat zij mijn leven weer terugneemt – ik wil het niet meer.'

Ik dacht dat ze vroeger listiger was, toen ze nog maagd was en de hele dag en nacht bedeesd deed. Nu was ze zo overspannen dat ze een noot niet lang kon aanhouden zonder dat die vals werd. Ze verweet me mijn fouten en liet de hare luid klinken: drift en koppigheid.

Of misschien was haar karakter inderdaad lief, bedeesd en ongekunsteld geweest voor Galan zijn weddenschap won. Niet dat haar zelfs dan geen blaam trof. Zelfs de meest bedeesde maagd weet welke schat ze moet bewaken. Ze had oneer gebracht over haarzelf, haar huis en clan, oneer en alles wat eruit voorkwam – gif, haar vaders smadelijke dood en de vete. Zo veel slagen. Het teken van haar huis was het aambeeld, en de Smid werkte zeker nog aan haar; ze veranderde dagelijks onder zijn hamer. Sommige metalen worden sterker van smeden, andere blijken bros en worden weggegooid. Ik vreesde dat zij op het punt stond te breken.

Galan wist niet dat ze meende wat ze zei, dat ze haar zinnen op sterven had gezet. Sinds de avond voor gisteren had ze geen voedsel aangenomen uit mijn hand of die van Zonop.

Eerwaarde Xyster wreef over de brug van zijn lange neus. Eerwaarde Hamus zei tegen haar: 'Wil je niet leven?'

'Maar ze wordt beter,' zei Galan. 'Ze heeft meer vlees en kracht gekregen sinds ze bij me is. Het is alleen haar humeur dat me zorgen baart, hoe ze huilt en lacht en tekeer gaat zonder zich in te houden.'

Eerwaarde Hamus schudde zijn hoofd en zei tegen Galan dat het omen van het duivenhart duidelijk was geweest en gemalin Vulpeja's wanhoop nog duidelijker. 'Het zou het beste zijn als jijzelf haar enige hoop kon bieden, maar aangezien je dat weigert moeten we haar melancholie op een andere manier proberen te genezen. Als je het je kunt veroorloven zal ik de Ingewijden van Carnal laten halen. Ik heb gehoord dat er een paar op het Marsveld zijn. Zij weten wat te doen.'

Hij had zacht gesproken, maar we hoorden hem desondanks, Morser, Leegemmer en ik. We zaten gehurkt in de hoek van de tent, in de warmte van de Zon die op het doek scheen.

Galan vroeg wat dat zou kosten, en toen hij het antwoord hoorde riep hij uit dat tegen de tijd dat gemalin Vulpeja veilig thuis zat, hij tot op zijn ondergoed uitgekleed zou zijn en halfnaakt rond moest lopen.

Eerwaarde Hamus zei: 'Zorg voor dat geld, anders is alles wat je al aan haar hebt uitgegeven as in de wind – ze komt op haar brandstapel voordat ze je burcht bereikt. Als ik vandaag naar de Ingewijden ga met de betaling kunnen ze waarschijnlijk morgen aan de rites beginnen.'

Galan keek de priester somber aan en even dacht ik dat hij zou weigeren, maar hij ging de tent in en haalde zijn sieraden: de grote jaden hanger van de giervalk die een prooi verschalkt, een kap geborduurd met parels, zijn armbanden, de kleine gouden messen die hij aan zijn mouwen droeg als hij uit dineren ging – hij gaf alles aan de Auspexen. Ze zeiden dat het waarschijnlijk wel genoeg was.

Morser stond met open mond toe te kijken, en toen de priesters weg waren en Galan in de deuropening naar hun ruggen stond te fronsen, porde hij met zijn elleboog in mijn ribben en siste in mijn oor: 'De Ingewijden van Carnal! Ze zullen haar trucjes leren die zijn pik in een tuig rijgen waarvan zij de teugels en zweep in handen houdt. Kijk maar uit!'

Leegemmer hinnikte zo luid dat Galan onze kant op keek.

Ik had veel over de Ingewijden gehoord van Mai en de hoeren. Genoeg om me ongerust te maken. Ze schertsten grof over de cultus, met een randje van afgunst dat dicht bij ontzag lag. De hoeren vereerden Carnal tenslotte, in de avatar Begeerte; ze betaalden belasting aan haar tempel en hadden een altaar voor haar in hun tent voor hun bescherming; ze deden haar werk. Zelfs het goedkoopste tweekoperhoertje had een idool van de dikke, naakte Begeerte, al was het maar een amulet van ongebakken klei om haar nek. En Mai vereerde Carnal ook, op haar manier; ze vertelde me ooit dat ze zich had gewijd aan het bevorderen van de doelen van Begeerte sinds de god haar heer Torosus had gegeven.

De Ingewijden stonden nog dichter bij de god dan de hoeren. Het gerucht ging dat Begeerte hen tijdens hun rites in bezit nam en hun bepaalde gaven schonk. Ze werden opgeroepen om de verschillende kwalen te genezen waaraan vrouwes en maagden ten prooi konden vallen, zoals onvruchtbaarheid, vitten, verdriet, mokken, ongehoorzaamheid, jaloezie, smachten naar liefde, overspel of hun echtgenoot weigeren – verder gaan hoeft niet, de lijst is eindeloos. Elke vrouw die zij genazen werd op haar beurt een Ingewijde.

Mai beweerde dat de Ingewijden hun werk waarschijnlijk vooral deden voor de ontevreden mannen die hun concubines en echtgenotes naar ze toe zonden. De mannen kwamen daar nooit achter en waren heel tevreden met hun vrouwen die lief en volgzaam terugkwamen; al gauw waren ze zelf ook volgzaam, geleid door hun piemel. Zo wilde de scherts in elk geval.

In werkelijkheid waren de mysteries van de cultus een goedbewaard geheim, alleen bekend aan een paar vrouwen van Bloed. Mai en de hoeren wisten er niet meer van dan andere buitenstaanders. Maar zoals het vaak gaat: hoe minder ze wisten, hoe meer ze praatten.

Dus vroeg ik me af: zouden de Ingewijden proberen om gemalin Vulpeja te genezen – of Galan?

* * *

Hoewel de ochtend half verstreken was toen de priesters vertrokken, bleef er een ongewone drukte heersen rond ons kamp. De Crux was met zijn mannen op het toernooiveld, maar hij had orders gegeven dat heer Alcoba zijn tent moest verplaatsen naar het gebied van heer Fanfarron en Fanfarron die van hem naar het gebied van Alcoba, dat aan het onze grensde, in tegenstelling tot Fanfarrons gebied. Het leek de Crux niet verstandig om heer Alcoba in de buurt van Galan te houden.

Heer Fanfarrons sloven zetten zijn paviljoen op naast het onze. Het was van voren beschilderd met dansende kraanvogels, het embleem van zijn huis, maar de zij- en achterkanten waren viesgroen. De man was zelf ook zo, had ik gehoord: een en al vertoon en opschepperij, maar er stak niets achter.

Galan keek in stilte toe, draaide zich toen om en ging de tent weer binnen. Toen hij klaar was met zijn wapenrusting nam hij zijn helm onder de arm en ging naar gemalin Vulpeja. Ze lag nog steeds achter het gordijn te huilen. Je moest het wel horen.

Hij mompelde iets en ze werd stil, maar toen hij uit haar kamer kwam, begon ze weer te snikken. Hij keek naar mij en trok een grimas. 'Ben ik zo wreed tegen haar geweest, denk je?'

Ik opende mijn mond en er sprong gekwaak uit.

Hij omhelsde me en knelde me hard tussen zijn klinknagels en schubben en een arm als ijzer. 'Geeft niet, geeft niet.' Hij tilde mijn kin op. 'De zwelling zal morgen minder zijn en ongetwijfeld zul je dan zoals gewoonlijk mijn oren vol kletsen. Maar blijf vandaag maar eens in bed en laat Zonop je verzorgen.' Hij glimlachte en gaf me een kus. De glimlach was zorgelijk en de kus zo hard als de omhelzing.

Een moment was ik niet meer bang voor de Ingewijden van Carnal of de Crux. Ik was er trots op Galans dwaasheid te zijn. Hij had de honden voor mij getrotseerd, en niemand, zelfs zijn oom niet, had verbaasder kunnen zijn dan ik.

Als ik zijn dwaasheid was, was hij de mijne. *Hij was de mijne.* Ik nam zijn onderlip tussen mijn tanden en toen hij zich terugtrok was zijn glimlach anders. Begeerte kwam zodra ik haar riep, gretig en vurig, en ze greep ons beiden.

Maar Galan lachte alleen maar. Hij riep zijn mannen en vertrok naar de oefenvelden, Begeerte achterlatend om zich te voeden met verwachting.

Toen was het kamp rustig, afgezien van de sloven die hun werk deden. Leegemmer zat in kleermakerszit op zijn strozak en verstelde heer Galans tweede set onderharnas. Hij ademde luid door zijn mond; zelfs als hij wakker was snurkte hij. Ik ging op bed liggen, maar stond al gauw weer op. Ik was rusteloos en kon het niet verdragen om gemalin Vulpeja te horen huilen. Ik maakte wat bouillon met troostmij erin om haar in slaap te brengen, maar ze sloeg de kom uit mijn handen en krijste tegen me. Ik dronk de rest van de troostmij zelf op, want ik had het nodig. En tijdens de landerige middag viel ik tenslotte in slaap.

Hoofdstuk 14

Wildvuur

Nieuwsventers betalen verklikkers voor stukjes roddel. De meeste verklikkers zijn sloven – en waarom zouden die niet een paar munten pakken als ze voor het grijpen liggen terwijl hun meesters zulke vrekken zijn? – en sloven zijn overal en worden vaak niet opgemerkt. Dus heeft waarschijnlijk iemand uit ons kamp een paar koperkoppen verdiend door aan een nieuwsventer te vertellen dat het heer Galans schildknaap was, heer Rodela, die heer Bizco gedood had en zijn lichaam ontheiligd. Waarom de klikspaan de rest er niet bij vertelde – dat heer Rodela Galans schildknaap niet meer was en bij heer Alcoba verbleef – weet niemand.

De mannen van Ardor kwamen en gingen recht naar Galans tent. Die was gemakkelijk te vinden, want zijn banieren wapperden ernaast. Ze hadden olie, lonten en toortsen bij zich en kwamen openlijk, want de vechtende mannen waren naar de toernooi- en oefenvelden vertrokken. Een bagagejongen die bij de clan van Growan hoorde gaf toe dat hij ze had zien komen. Ze kwamen te paard, ongehaast en openlijk, en ze stapten niet eens af.

Tegen de tijd dat de bagagejongen van de schok hersteld was en begon te schreeuwen, hadden anderen ze al gezien. Te laat, want het werk was al gedaan, was snel gedaan, en de mannen reden weg met meer haast dan ze gekomen waren. Ze lieten gemalin Vulpeja, hun eigen familie, achter in de brandende tent.

* * *

Ik werd wakker van Zonops schreeuw. Duf van de slaap en de troostmij ging ik rechtop zitten op mijn strozak. Dat was een vergissing. De tent stond vol stinkende zwarte rook, wervelend, heet, vol roet, een substantie die meer op water leek dan op lucht. Ik was bang dat ik zou verdrinken. Het kwam mijn neus en mond binnen en ik hoestte en kokhalsde. Mijn ogen brandden en de tranen liepen eruit. Ik kon niet verder zien dan mijn eigen hand, afgezien van de heldere poelen van vuur boven me en de stroompjes vlammen overal om me heen. Dit was geen natuurlijk vuur. Het ontsprong aan alle kanten tegelijk.

Mijn gedachten waren zo dik als de rook, zwaar van doodsangst. Ik kon oost niet van west onderscheiden, noord niet van zuid, niet of de deuropening achter of voor me was. Maar Zonop schreeuwde – ik had nog niet eerder zo'n schreeuw gehoord, van mens of beest, maar ik wist dat het Zonop was – en het geluid wees me de weg. Het was het enige dat ik begreep. Ik rolde op mijn buik, trok mijn mantel van schapenvacht over mijn hoofd en begon naar haar toe te kruipen met mijn neus op de grond, waar de lucht minder smerig was. Het duurde niet lang voor haar geschreeuw stopte, want hoe meer ze gilde, hoe meer ze binnen kreeg. Ze hoestte en piepte, en toen was ze stil. Tegen die tijd wist ik waar ik was. Zonop had gemalin Vulpeja's zijde niet verlaten. Ik kroop weg van de deur.

Geen adem over voor gebeden of vloeken, hoewel ik vol zat met beide, dwars door elkaar heen. Alleen genoeg adem om me op ellebogen en knieën voort te slepen, buik over de grond. Ik was bang om mijn hoofd bloot te stellen. Ik verstopte me voor het vuur in de verstikkende hitte onder mijn mantel. Alsof de vlammen mij niet konden vinden als ik ze niet zag.

Het leek heel lang te duren voordat mijn uitgestoken hand een enkel tegenkwam en toen een omhoogstekende hiel. De botten van de enkel waren dun als vogelbotjes, wat me niets zei, maar de hiel was ruw en hard, en daaraan herkende ik Zonop. Door me naar boven te werken kwam ik bij haar hoofd en trof haar slap en bewusteloos aan. Ik legde mijn hand over haar mond en voelde een zwakke adem.

Ik haalde de mantel van mijn hoofd en zag dat het vuur me had ingehaald terwijl ik kroop. Nu was de tent verlicht door een gloeiend licht dat een landschap van vuur en rook onthulde: stromen vuur bloeiden boven mijn hoofd en gleden langs de muren, wolkende rook zakte naar beneden in plaats van op te stijgen. Alles was omgekeerd. Een regen van vonken die omhoog spoot. Vodden die langs ons heen vlogen. Een vurige, hete wind haalde de adem uit mijn mond. De lucht was zwaar van de as.

Ik was bang om te verbranden. De honden zouden meer genade hebben gehad.

Ik bewoog me zo snel ik kon, maar werd gehinderd door het hoesten en verblind door de rook en de tranen. Ik had Zonop in handen. Ze was op het voeteneind van gemalin Vulpeja's ledikant gevallen. De concubine lag in het bed, maar ik kon haar niet zien. Niets dan een veeg schaduw.

Ik zou voor haar terug moeten komen.

Ik trok mijn mantel uit. Die was bespikkeld met kleine vuurtjes die ik door de dikke schapenvacht heen niet had gevoeld, en ik doofde ze. Ik knielde en wikkelde de mantel om Zonop heen. Vuur schreef zijn weg over het dunne witte linnen van het gordijn rond gemalin Vulpeja's kamer en liet zwarte krabbels achter. Ik sleepte Zonop onder de brandende rafels door, diep bukkend. Ik hield mijn adem zo lang in als ik kon, en toen ik weer naar lucht hapte schroeide het in mijn keel.

We waren nu in de muil van Wildvuur zelf, die met vlammende tongen brulde. Tot nu toe had ik niet echt gehoord dat hij tegen mij brulde. Ik voelde zijn hebzucht. Ik had ooit gedacht dat ik nut had voor Ardor – dit was het dan: door hem opgevreten worden. Maar eerst moeten we gekookt worden.

Dit was geen moment om te kruipen. Ik tilde Zonop in mijn armen. Ze was een lichte maar onhandige last, haar armen, benen en hoofd bungelden slap naar beneden. Toen ik overeind kwam, voelde ik voldoende hitte om het vlees van mijn botten te branden. Zelfs de grond stond in lichterlaaie, want de droge varens van de strozakken hadden vlam gevat.

De tent was tien stappen in het vierkant, niet meer dan tien stappen. Zo ver kon ik wel lopen. Ik struikelde naar de deur, door de helderheid heen, door de duisternis. Ik vond mijn weg door wat mijn voeten tegenkwamen, het komfoor, Galans geldkist, meelzakken, vaten. Het vuur bleef in mijn rokken hangen.

Ik had kunnen zweren dat ik de deurflap opgebonden had gelaten. Nu versperde die ons in lichterlaaie de weg.

Ik ging er desondanks doorheen, Zonop half dragend, half slepend. Het zware doek harkte over me heen en zette mijn hoofddoek, mijn haar en de achterkant van mijn jurk in brand. Iemand nam Zonop over, greep me toen vast en rolde me over de grond om het vuur te doven.

De man knielde naast me. Hij droeg de rode veer van Riskeer op zijn muts. Ik ging overeind zitten, hoestte en kon niet meer stoppen met hoesten. Ik kon er niets aan doen; ik dacht dat de blaasbalgen van mijn longen binnenstebuiten zouden keren. De sloof keek bezorgd, maar toen hij zag dat ik nog leefde, sloeg hij me op mijn rug en rende weg, en ik zag hem nooit terug om hem te bedanken.

Ik hield op met hoesten en haalde gierend adem. Boven het brullen van het vuur uit hoorde ik geschreeuw en het paniekerige blaten van onze melkgeit, vastgebonden aan een van de tentpalen. Mijn ogen deden nog pijn en traanden onophoudelijk. Sloven, een menigte mannen en jongens, renden rond om water te halen, maar ik kon niet goed genoeg zien om de bekenden van de vreemden te onderscheiden. Ik kon de tent zien, of wat ervan over was, en de vieze rook die er hoog bovenuit rees. Het doek was met was ingesmeerd om de regen buiten te houden; als de mannen er water opgooiden, liep het er weer af en danste het vuur terug. Er waren gaten uit het dak en de wanden gevreten en binnen was niets anders zichtbaar dan vlammen.

Ik had niet voldoende stem meer om hulp in te roepen voor gemalin Vulpeja. Ik wist dat ik overeind moest komen, maar ik was zo wankel als een zuigeling die haar eigen voeten niet kan vinden en alleen kruipend vooruit komt. Zonop lag waar ze neergelegd was, nog steeds buiten bewustzijn. Op handen en knieën ging ik naar haar toe. Ze had brandwonden op haar voeten en wangen. Ondanks de hitte van het vuur, ondanks mijn mantel, huiverde ze. Maar toch had ik de mantel nodig. Ik nam hem van haar af en sleepte haar verder weg van het vuur.

Ik vond een ondiepe, modderige plas water en weekte de schapenvacht erin, denkend dat hij me nat beter tegen de vlammen zou beschermen. Zelfs de kleine inspanning deed me naar adem snakken, en elke ademhaling brandde diep. Ik kon weer helder denken en mijn gedachten gingen snel. Ik begon te bedenken wat ik had moeten doen toen ik in de tent was – wat ik nog steeds moest doen. Maar hoe mijn gedachten zich ook haastten, mijn ledematen bleven traag.

Ik trok de natte mantel om me heen en het gewicht woog zwaar op me. Ik kreeg een voet onder me en toen nog een, maar ik kon niet in balans komen zonder met een hand op de vloer te steunen. Ik wreef over mijn knieën om ze los te maken, en wat ik toen zag ontnam me mijn krachten en ik viel weer op mijn knieën.

Het vuur was snel en ik was langzaam geweest, te langzaam. Onze scheerlijnen waren ingesmeerd met pek. Ze hadden gebrand als fakkels en nu vielen de lijnen uit elkaar.

De tent wankelde als een dronkaard. Hij zakte schuin, verder en verder, en viel toen om met een zware bons en een zucht hete lucht en vonken en roet. Een schreeuw klonk op en de mannen stopten met rennen en bleven staan om te kijken. Aan een van hen ontsnapte een verraste lach, aan anderen een juichkreet: het vuur was verslagen, verstikt toen de tent viel.

Toen verschenen er weer kleine vlammetjes, dansend over de heuvels en dalen die het doek vormde over wat eronder lag.

Ik hoorde Zonop snikken en om gemalin Vulpeja roepen.

Een stem die ik herkende schreeuwde vlakbij en berispte de toeschouwers. Het was de kok van de Crux. Hij brulde dat geen van de mannen ook maar een vedergewicht verstand in zijn kop had, en droeg ze op naar het kliffenpad te gaan en een keten te vormen om emmers boven te halen.

Ik zwaaide naar hem, omdat ik geen stem had om te roepen. Zijn gezicht en tuniek waren bespat met bloed en ik dacht dat hij gewond was. Hij kwam naar me toe en hielp me overeind. Toen ik met klem aan zijn mouw trok, schudde hij zijn hoofd. Hij wist het al: hij was gemalin Vulpeja niet vergeten.

Kok volgde me om de tent heen. Ik wees naar de grote heuvel boven het ledikant van de concubine en hij trok zijn lange mes te voorschijn en begon te snijden. Hij riep om water en nog meer water, hij vervloekte de mannen die het kwamen brengen omdat ze te traag waren. Ze gooiden hun emmers leeg op het vuur en met de rook rees stoom op. Kok was goed bestand tegen hitte na al zijn jaren bij het kookvuur. Hij sneed snel door het brandende zeil en haalde het met blote handen weg.

Ze lag niet in het ledikant. Ze moest eronder gekropen zijn om te schuilen voor het vuur Ze lag op haar rug op de grond met haar handen gevouwen, zoals haar geleerd was dat het hoorde, en ik dacht eerst dat ze nog leefde omdat ze niet verbrand was, zelfs haar hemd niet. Afgezien van het roet rond haar neusgaten en op haar oogleden en wangen was ze onbevlekt. Maar ze was dood.

In plaats van haar leven had ik dat van Zonop gered. Zonop, kleigeborene.

* * *

Mannen en jongens verdrongen zich dicht achter ons. De meesten waren koks en keuken- en bagagejongens; alle sloven of voetsoldaten die tijd over hadden waren op het Toernooiveld om te kijken hoe het Bloed vocht. Ze waren uit het hele Marsveld aan komen rennen toen ze de rook zagen, want Wildvuur ging iedereen aan. Wildvuur wordt hongeriger naarmate hij meer eet; hij zou van tent tot tent gesprongen zijn met de wind en het paviljoen van de koning hebben verslonden als ze hem niet tot Galans tent hadden weten te beperken. Ik neem aan dat ze dat goed hadden gedaan. Maar voor ons was het niet goed genoeg.

Toen ze gemalin Vulpeja zagen vielen ze stil. Al snel begonnen ze te praten, en het verhaal zou zich over het hele Marsveld verspreiden. Het zou ook zijn weg vinden naar het hof van de koning, naar Galans burcht, naar zijn vrouw.

Ik legde mijn doorweekte mantel over de concubine, maar liet haar gezicht onbedekt. Het was niet passend dat ze haar in haar hemd zagen. Toen ik dat had gedaan, wist ik niet wat ik verder moest doen. De grond waarop ik knielde was heet, dus kroop ik weg. Ik ging bij heer Fanfarrons tent zitten, die bespikkeld was met kleine gaten van de brandende vonken.

Ik was van plan geweest om voor haar terug te gaan. Het was Riskeer die voor mij gekozen had, Riskeer in elk aspect, de blinde Kans, de meedogenloze Gevaar en de onverbiddelijke Fatum. Als ik gemalin Vulpeja's voet het eerst had gevoeld, had ik zeker haar gered. Maar dan zou Zonop gestorven zijn, en ik kon niet betreuren dat zij het overleefd had.

Al het andere betreurde ik. Ik had ze beiden moeten redden. Ik had niet nagedacht, dat was het probleem. Ik had niet aan de opening in het tentzeil naast gemalin Vulpeja's ledikant gedacht. Ik had de opening groter kunnen maken en ons allemaal naar buiten kunnen krijgen. Maar de wand was een muur van vuur – en ik had geen mes, want ik had mijn gordel met de schede afgedaan toen ik me te ruste had gelegd. Waarom had ik hem dan niet opgeraapt? Want nu was de gordel verloren en het mes en mijn kruiden erbij. En gemalin Vulpeja.

Als ik eerst naar buiten was gegaan, had ik misschien op tijd hulp voor beiden kunnen vinden. Als ik niet gekropen had... Ik had nooit gedacht dat het vuur zich zo snel zou verplaatsen. Ik had me een weg naar buiten moeten snijden toen ik de kans had – maar de wand stond al in brand. Ik kon er niet bij komen. En ik was mijn mes vergeten.

En zo verder, rond en rond.

De priesters zeggen dat de doden steeds helderder gaan zien als ze verder bij ons vandaan reizen in het leven na de dood, tot ze op het laatst eerder als goden zien dan als mensen. De last die de doden op hun reis dragen is berouw. Plichten die niet nagekomen zijn, die zelfs bij leven onopgemerkt zijn gebleven, blijken vaak de zwaarste last te zijn, en sommige daden, goede of slechte, die groot schijnen voor de levenden zijn uiteindelijk maar klein.

Gevoelens overleven het lichaam niet lang. Behalve spijt. Machteloze spijt, omdat schimmen de balans niet kunnen herstellen of iets rechtzetten dat hun vroegere daden nog over de levenden zullen brengen. Voor de eerste keer begreep ik wat een kwelling dat moest zijn: hoe zwaarder het berouw, hoe langer de reis.

Crux Zon glimlachte op ons neer. Ik zag niets welwillends meer in haar lach. Regen, regen en nog eens regen, een maand van regen, en vandaag, nu water uit de hemel een zegen zou zijn, liet ze ons haar gezicht zien.

Ardor had mij gespaard en gemalin Vulpeja genomen en dat verbijsterde me. Alles wat ik gedaan had om haar leven te redden, alles wat Galan gedaan had: zinloos. Ik was er een tijdlang zo zeker van geweest dat ik Ardors doelen vervulde. Nu vroeg ik me af of ik tegen zijn wil had gehandeld door haar te genezen, of ze altijd al moest sterven. Maar als ik Ardor geërgerd had, zou Wildvuur me toch zeker opgegeten hebben?

Of was het steeds Riskeer geweest? Gemalin Vulpeja en Galan volgden slechts het pad dat Fatum had bevolen, en ik kon niet anders dan ze volgen.

En zo verder, rond en rond.

Zonop vond me en we kropen dicht tegen elkaar aan. Ze droeg de pijn van haar brandwonden zonder klagen, maar toen ze gemalin Vulpeja zag huilde ze en riep om haar moeder, en ik herinnerde me dat ze nog maar een kind was. Ik troostte haar en werd getroost omdat ze leefde. Maar mijn gedachten sjokten rond in kringen, als muilezels in een tredmolen die fijn maalde.

* * *

De Crux kwam in galop over de noordoostweg aanrijden met zijn mannen achter zich aan. Anderen volgden, onder wie de koning zelf, om te zien waar de rook vandaan kwam. Ze dromden zo dicht om ons kamp heen dat de paarden over de scheerlijnen struikelden en de tenten schudden. Zonop en ik drukten ons dicht tegen heer Fanfarrons paviljoen aan zodat we niet onder de voet gelopen werden, en we merkten dat we tegen het achterste van een paard aankeken dat schuilging onder een mooie deken met rode ruiten. Verder zagen we niet veel.

Koning Thyrse had een stem als een koperen hoorn als dat nodig was, en als hij brulde werd hij gehoord. Hij stuurde de toeschouwers die niets te doen hadden weg, zowel sloven als Bloed, en we konden weer iets zien. De andere clanhoofden waren aanwezig. De koning gebood ze die avond naar zijn paviljoen te komen en stuurde ze toen ook weg. En ze gingen, hoewel het duidelijk was dat de Eerste van Kloof op zijn minst geërgerd was dat hij weggezonden werd. Drie of vier geharnasten van Prooi bleven met hun mannen achter, want een koning heeft altijd een gevolg. Maar ze bleven niet zo dicht bij de koning dat het leek of ze de clan van Crux wantrouwden.

Want het Bloed van Crux was er, gewapend, zoals ze van het toernooiveld gekomen waren. Allemaal op één na: Galan. De Crux stond naast de koning.

Hoewel onze tenten vlak bij zijn paviljoen stonden, had ik koning Thyrse maar een keer eerder van zo dichtbij gezien, toen we aankwamen op het Marsveld, en toen waren zijn kleren gewoontjes en versleten geweest. Vandaag was hij meer als koning uitgedost. Zijn bovenkleed bestond uit maliën die zo fijn waren dat het bijna stof leek, met patronen van godentekens erin gewerkt in talloze gouden en zilveren schakels. Een wapensmid kon blind worden bij het maken van zo'n kolder. Het was voor de sier: goud en zilver kunnen geen slagen doorstaan. Hij droeg een kap van zeldzaam wit vossenbont en zijn mouwen waren aan de onderkant opgespeld om een voering van rode vos te tonen. Zijn gezicht was in deze pracht gewoon het gezicht van een man – een boos gezicht – en niets erin sprak: *hier is de koning*.

De koning sprak niet en niemand sprak voor hem. Hij staarde naar de verwoeste tent. De vlammen waren weg, maar rook en stank stegen nog op. Galans banieren waren omgehakt en gestolen.

Kok kwam aanlopen met een lijk dat hij aan de hielen met zich meesleepte. Hij liet het aan de voeten van zijn meester vallen en knielde ernaast. Nu begreep ik waarom Kok bloedvlekken op zijn tuniek had. De keel van de man was doorgesneden. De wond gaapte breder dan zijn open mond. Aan de schouders van zijn groezelige leren wambuis waren blauwe en rode linten genaaid: de linten, het wambuis, zijn gezicht en handen zaten onder de bloedspatten.

Koning Thyrse zei zonder de minste verbazing: 'Ardor.'

De Crux spuugde op het karkas en veegde zijn mond af. Zijn gezicht stond strak van walging. 'Goed werk,' zei hij tegen Kok.

Kok boog diep, zijn gezicht raakte bijna zijn knieën. Toen kroop hij achterwaarts weg uit het blikveld van de koning en zijn meester. Er lag geen trots in de kromming van zijn brede rug; in plaats daarvan zag ik schaamte en misschien verwijt. Ik neem aan dat het goed werk was om een man te vangen en als een varken te slachten – maar hij had beter bij het vuur kunnen blijven, waar we hem nodig hadden. Maar het had nooit aan Kok en de keukenjongens overgelaten mogen worden om ons kamp te bewaken.

Niemand, zelfs de priesters niet – wier omens zonneklaar waren nu het te laat was – had verwacht dat Ardor overdag zou komen, als de strijders weg waren. Het was even slim als laf. Maar waarom zou dat de Crux, of wie ook van ons, verbazen, na heer Voltizo en zijn vervalste wapen? De eer van Ardor was namaak.

Toch was de vete voorbij geweest totdat ze heer Bizco's verminkte lichaam vonden. Dat had heer Rodela gedaan. Er waren in vetes, net zo goed als in toernooien, bepaalde goede manieren. Als iemand deze grenzen eenmaal overschreed, werd de ene smerige daad beantwoord met een volgende, en waar zou het eindigen?

Zo veel gezamenlijke schuld, en toch werd mijn last geen ziertje lichter.

'Ze hebben hun bedienden gestuurd,' zei de koning.

‘Hun handen zijn nog vuil, heer,’ zei de Crux.
‘Inderdaad,’ zei de koning met droge stem.
Maar heer Rassis, de schildknaap van de Crux, zei: ‘Hij is geen bediende, koning Thyrse. Hij is de broer van de echtgenoot van de nicht van mijn vrouw – schildknaap van heer Pisar.’ Hij vermeed zorgvuldig de naam uit te spreken.
Kok veegde het gezicht van de dode man schoon met zijn mouw en hij had inderdaad het godenteken van Ardor op zijn wang.
‘En wie is zij?’ vroeg de koning, met zijn hoofd naar gemalin Vulpeja gebarend, wier gezicht heel wit afstak tegen de hoop zwartgeblakerd tentzeil.
‘Zij was eertijds van Ardor zelf,’ zei de Crux.
‘Is zij het?’
‘Inderdaad,’ zei de Crux met net zo’n droge stem als de koning.
De koning stapte over de dode man heen en ging naar gemalin Vulpeja toe. Hij was nog geen drie passen bij ons vandaan; Zonop en ik hadden ons niet verroerd, uit angst dat we opgemerkt en weggestuurd zouden worden. Hij tilde de mantel van de concubine op en bedekte haar toen weer, en ik hoorde hem zuchten. Toen hij zich oprichtte zei hij met opzettelijk ver dragende stem: ‘Heb je ooit zo’n wonder gezien? Wildvuur heeft haar voorzichtig genomen – ze is niet ontsierd. Dat is zeker een teken dat de god Ardor haar terug heeft genomen en haar vergrijp als vergolden beschouwt en haar eer als hersteld. Maar de eer van de clan van Ardor, die haar gedood heeft? Moge de god hun haarden vervloeken voor het vrijlaten van vuur op het Marsveld.’
Je kon net zo goed zeggen dat de god Ardor haar niet gewild had, omdat ze onaangeraakt was gebleven. Maar als de koning zei dat haar dood de munt was om de reputatie die ze verpand had terug te kopen, dan was dat wat de nieuwsventers zouden zingen. Ze zouden ook zingen over de vloek. Zelfs de goden moeten de vloek van een koning respecteren.
De koning keek van de concubine naar de menigte om zich heen. ‘En welk van jouw mannen hier is de heethoofd die de weddenschap afsloot? Het is natuurlijk zijn tent.’
De Crux antwoordde: ‘Hij is niet hier, heer. Hij gaat dezer dagen te voet, en hij gaat alleen. Maar ik heb hem laten halen.’
‘Ik wil de man achter zoveel kwaad wel eens zien.’
‘Hij zal zich voor een groot deel hiervan moeten verantwoorden,’ zei de Crux. ‘Maar niet voor alles.’
‘O, Ardor zal ook verantwoording dragen, dat zullen jullie beiden moeten,’ zei de koning. ‘Deze vete zal ons niet de oorlog in volgen. Ik zal er een einde aan maken.’
Een minder groot man zou geknield zijn voor de blik van de koning, maar de Crux boog alleen zijn hoofd.
Koning Thyrse zei: ‘Stuur je man naar me toe zodra hij er is. En wees

vanavond aanwezig in mijn raad, als je wilt, dan zullen we deze zaak in orde brengen.'

Toen de koning weg was zei de Crux: 'Niet met lege handen. Het zal nooit in orde gebracht worden zonder staal.'

* * *

Niet lang daarna kwam Galan aan rennen. Hij had het hele stuk gerend vanaf de heuvels waar de bediende van de Crux, Tel, hem had gevonden. Hij rende terwijl zijn mannen reden, en toen hij aankwam was hij aan zijn allerlaatste restje adem toe. Hij boog dubbel, handen op zijn knieën, en vocht om lucht met grote scheurende halen. Toen hij zichzelf meester was stond hij op. Hij droeg geen helm. Zijn wangen waren rood maar zijn voorhoofd was bleek. Hij veegde het zweet van zijn gezicht met zijn gevoerde mouw en keek om zich heen.

Tegen die tijd westerde de Zon boven de zee met een kudde kleine wolkjes om haar heen. Haar gouden licht sprankelde en spaarde niets. Alle verwoestingen waren duidelijk. Toen de schaduw van een wolk over ons gleed, was het gedimde licht een verademing.

Galans ogen zochten mij bij heer Fanfarrons tent, en toen hij me vond wist ik dat hij enige opluchting voelde, hoewel zijn gezicht nog steeds somber stond. Toen keek hij neer op gemalin Vulpeja en zijn mond vertrok.

Ik ging niet naar hem toe. Zijn makkers kwamen, geharnasten zowel als schildknapen; ze boden hem hun woordenrijke woede aan, wat beter op zijn plaats was dan medelijden. Ardor had hen allemaal woest gemaakt. Iemand bracht Galan een hoornen beker en hij dronk snel, en toen hij de beker omlaag bracht gleed er een stroompje rode wijn over zijn kin. Hij gaf de beker terug en knikte, hoffelijk tot op het bot. De wolk dreef voorbij, de Zon kwam weer te voorschijn, en zijn ogen waren donker onder de schaduw van zijn voorhoofd, starend naar het werk van Ardor. Hoewel de menigte dicht om hem heen dromde, leek het of hij alleen stond.

Eén man hield afstand en dat was heer Rodela. Hij kon een grijns niet onderdrukken. Af en toe keek hij naar mij en ik zorgde dat ik niet terugkeek, maar ik zag het toch.

De Crux nam Galan bij de arm en sprak in zijn oor. Galan boog zijn hoofd, want hij was een handbreedte langer. Ze draaiden zich om en gingen samen naar de tent van de Crux, en de hele tijd zat Galans tong achter zijn tanden opgesloten en ontsnapte er geen woord, geen klank.

Morser was luidruchtig waar Galan stil was: hij vloekte voor drie, alsof het de clan van Ardor iets kon schelen wat hij van ze dacht. Het was Ruys die ons allemaal aan het werk zette – Galans mannen, zelfs zijn voetsoldaten en mij – om het verbrande zeil op te pakken en te kijken wat er eventueel nog onder vandaan te redden viel. Al gauw zaten we allemaal van top tot teen onder het roet en de as.

Morser zei: 'Geen wonder dat Leegemmer er niet is, want hij is altijd zoek als er werk gedaan moet worden.' En Ruys stuurde een jongen weg om hem te gaan halen. Tegen de tijd dat de jongen terugkwam, was Leegemmer gevonden.

Hij zag eruit als een verkoolde tak. De wand van de tent was in rafelige vouwen op hem gevallen, en hij lag eronder met zijn knieën opgetrokken tot zijn kin. Zijn huid was zwart en het meeste van zijn haar was afgebrand. Zijn lippen waren weggetrokken en toonden een mondvol tanden die onaangetast waren door het vuur. In de ruïne van zijn gezicht leken ze zo groot en geel als paardentanden. Het moest Leegemmer zijn, het kon niemand anders zijn.

Ik hoopte dat hij slapend was gestorven, dat de rook hem had verdronken voordat het vuur hem te pakken kreeg. Ik had in elk geval geen kik van hem gehoord, wist niet eens dat hij daar was. Maar waar zou hij anders zijn dan op zijn strozak vol vlooien achter de meelzakken? En wat zou hij anders doen dan slapen?

Morser zei dat hij te lui was om te leven. Zonop begon te snikken. Het waren de enige tranen die voor Leegemmer vergoten werden, tenzij zijn moeder huilde toen ze het nieuws hoorde. Maffe Leegemmer, mijn schaduw. Er stak weinig kwaad in hem. Hij lachte graag als anderen lachten, zelfs als de humor hem ver boven de pet ging, zelfs als die tegen hem gericht was.

Ruys en ik wikkelden hem in een stuk doek en legden hem naast gemalin Vulpeja. Er was weinig brandstof, dus ze zouden hun brandstapel delen. Het zou zo heet branden dat alles verteerde, op een paar handenvol bot, gruis en as na, en de priesters zouden die in een vijzel fijnstampen totdat de schim niets van het achtergelaten lichaam kon herkennen.

Gemalin Vulpeja zou Leegemmer nooit als escorte gekozen hebben, maar dat deed er niet toe. Ze zou niet lang last van hem hebben. Er zijn geen sloven om de doden te dienen, geen gezellen op die reis.

* * *

Mai kwam Zonop naar huis halen, bijna zo snel als het gerucht door het Marsveld ging. Ze sloot haar dochter in haar brede armen en Zonop huilde weer, deze keer om haar eigen pijn, alsof alleen haar moeder haar kon troosten.

We hadden Zonop geleend en ik kon geen aanspraak op haar maken nu gemalin Vulpeja er niet meer was. Het was beter dat ze naar huis ging, dat wist ik, maar ik was erg op haar en haar manier van doen gesteld geraakt. Het was haar aard om te kijken en veel te denken en weinig te vragen, om te zien waar ze nodig was en te dienen zonder morren. Maar ze kon ook zo onbezonnen zijn als ieder ander kind, als ze zich op haar gemak voelde. Ze was nooit zo vrolijk geweest bij ons, in Galans ongemakkelijke huishouden.

Mai maakte troostende geluidjes, maar haar ogen die de mijne ontmoetten boven Zonops hoofd waren klein en keihard in de vouwen van haar dikke oogleden. Ik wees op de blauwe plekken op mijn keel, om haar te laten weten dat ik stom was. Maar ze had mij niet nodig om haar over het vuur te vertellen en wie het gesticht had: het gerucht was er al eerder.

'Ze hebben haar uiteindelijk toch vermoord,' zei ze. 'Moge de kanker ze zweren geven en hun zak uitdrogen, en mogen hun vrouwen onvruchtbaar worden.' Ze maakte een gebaar alsof ze zaad of as in het rond strooide.

Een vloek van Mai kon best eens net zo sterk zijn als die van de koning. Ik maakte een afwerend teken, uit vrees dat de vloek ons net zo goed zou treffen als de clan van Ardor.

Zonop hing om haar moeders nek totdat Mai haar neerzette, zeggend dat het meisje te zwaar was geworden en dat we haar te goed te eten hadden gegeven. Maar toen Zonops voeten de grond raakten, begon ze weer te huilen. Ze ging zitten en zei dat staan pijn deed.

Ik wist hoe ze leed. Ik had mijn brandwonden eerst ook niet zo gevoeld. Toen kwamen hitte en pijn, en nu een koud vuur dat warmte onttrok uit elk deel van me en me deed huiveren.

Ik knielde naast haar. De zolen van haar voeten waren zwart met een korst van verkoolde huid en as. Onder het zwart was het felrood. Haar voeten moesten door de vuren op de grond gesleept hebben toen ik haar de tent uitdroeg. Ze had ook nog kleinere brandwonden op haar wangen, rug en ledematen. Ik wist beter dan verzachtende zalf of dikke verbanden aan te brengen – niet dat ik die had, alles was verbrand – of zelfs haar wonden te wassen met warm of koud water. Zulke behandelingen houden het vuur alleen in het lichaam opgesloten. Het Wildvuur brandde nog in haar, in ons beiden, en het moest gedoofd worden.

In ons dorp was een vrouw die vuur uit brandwonden kon trekken. Als zij klaar was heelden kleine wondjes zonder littekens en zelfs de grote genazen glad, bijna als nieuwe huid, maar glanzend. De mensen zeiden dat ze helemaal geen drukte maakte als ze heelde; het ging haar gemakkelijk af, zeiden ze, omdat haar vader voor haar geboorte gestorven was. Mensen zonder vader hebben die gave, of ze nu wel of niet leren hoe ze die moeten gebruiken.

Ik had een ander soort vuur leren doven, aangezien ik vuurpis had genezen bij Kattekruid. Ik was naar het bed geroepen van veel vrouwen met koorts. Als de koorts mild was, liet ik hem met rust zodat hij als een zuiverend vuur de verontreinigingen of andere kwalen schoon kon branden. Maar als de huid van zo'n vrouw heet was als gloeiende kooltjes, als ze zo uitgedroogd was dat haar bloed dik en donker vloeide en ze in koortsdromen ronddwaalde, zong ik een gebed en warmde ik mijn handen aan haar en liet de hitte wegvloeien. Het was een eenvoudige zaak als de goden het toestonden. Zo niet, dan kon ik niets doen.

Ik hurkte neer en keek naar Mai. Ze knikte en met een kreun installeerde ze zich op de grond naast Zonop en nam haar hand. Ik raakte Zonops hielen lichtjes aan met mijn vingers. Ze kromp ineen, maar schreeuwde niet. Ik hield mijn handen bij haar zolen zonder haar aan te raken, alsof ze een komfoor was. Ik voelde geen warmte, maar ik wist dat het vuur daar was, naar binnen brandend in de richting van de dunne botjes van haar voeten.

Het was vreemd om Ardor om hulp te vragen, terwijl Ardor Wildvuur zo kortgeleden nog leek te hongeren naar mijn dood. Er had iets gulzigs in de vlammen gezeten die naar mij graaiden, iets genadeloos.

Maar als Wildvuur me had willen doden, zou ik gestorven zijn.

Ik had geen stem om te zingen dus floot ik tegen de eigenzinnige vlam die in Zonop brandde, zoals je naar een hond fluit: een flard van een wijsje, een paar noten van het lied van de vuurdoorn dat mij goede diensten had bewezen als genezend gebed. Maar het Wildvuur hier was eerder wolf dan hond en zou geen ontzag voor me hebben.

Ik boog me dichterbij en blies op Zonops voetzolen om het vuur te doven, maar mijn adem liet het alleen hoger opvlammen. Zonop jammerde van de pijn. Ik kon het vuur nu voelen, hoewel het hitte noch licht gaf. Toen ik van opzij keek was het er bijna, een donkere flikkering in mijn ooghoek. Het was helemaal door Zonop heengegaan: het was in haar longen gekomen toen ze de rook had ingeademd en had zich onder haar huid genesteld en nu likte het aan haar botten. Terwijl ik inademde voelde ik het vuur langzaam naar me toe komen, alsof het nieuwsgierig was. Elke keer dat ik inademde kwam het dichterbij, dus lokte ik het ademhaling na ademhaling totdat ik diep inademde en het die lucht regelrecht bij mij naar binnen volgde. Het vuur flakkerde op terwijl het Zonop verliet en ze gilde. En plotseling was ik weer in de brandende tent en ademde ik vonken uit.

Ik moest te veel hitte uit Zonop getrokken hebben. Ik verkoolde van binnen. Ik wist niet wat ik moest doen met het vuur, hoe ik het naar buiten moest krijgen. Ik lag op mijn zij, happend naar lucht, en Zonop huiverde en huilde zo hard dat ze buiten adem raakte. Haar gezicht was wit weggetrokken waar het niet bevlekt was met roet en tranen.

Maar de zolen van haar voeten waren niet meer zo felrood onder de zwartgeblakerde huid. Ik wist dat ze zou genezen en er zelfs geen litteken aan over zou houden.

Na een tijdje werd ik mezelf meester. Mai hees zich op de been en hielp me overeind. Ze nam mijn gezicht tussen haar handen en gaf me een hartelijke kus op mijn lippen. 'Voor Zonop,' zei ze, 'geef ik je wat je maar wilt.'

Ik schudde mijn hoofd, nog steeds niet in staat om te spreken.

'Laat me je mijn sjaal geven. Dat kun je me niet weigeren – zelfs een hoer verbergt haar waren beter.' En het was waar: mijn jurk was zo verbrand op de rug en schouders dat slechts wat vodden en draad de mouwen aan het lijfje vasthielden.

De kleinste druk op mijn wonden was al pijnlijk, maar ik verdroeg het om haar mijn dankbaarheid te tonen. Kniep nam Zonop op zijn rug en ze hief haar gezicht op de tengere stengel van haar nek om me te kussen toen we afscheid namen.

Ik wist niet hoe ik mezelf moest genezen. Tot op de dag van vandaag draag ik het teken van Ardor Wildvuur, een stelsel van glimmende littekens op mijn rug waar de brandwonden langzaam heelden, en bij elke omslag in het weer voel ik het vuur in mijn gewrichten. Ik weet zeker dat als ze me op mijn brandstapel leggen, mijn botten al verkoold zullen blijken.

* * *

Toen Mai vertrokken was vouwde ik de sjaal op, legde hem weg om hem uit de viezigheid te houden, en voegde me weer bij Galans mannen, die in de ruïne van de tent naar dingen zochten die Wildvuur misschien versmaad had. Het was beter om te bukken en te zwoegen dan aan mijn pijn te denken.

Morser was gierig op deze taak en wilde hem niet graag delen. Hij had Galans voetsoldaten weggestuurd met de bewering dat ze het kleine beetje dat overgebleven was zouden stelen en dat hij maar twee ogen had om ze in de gaten te houden en dat geen daarvan in de achterkant van zijn hoofd zat. Hij was ongebruikelijk nauwkeurig, groef in de hoek waar Leegemmer vroeger sliep totdat de grond daar vol gaten zat (want zelfs de armste sloof heeft iets waardevols en een plaats om dat te verbergen). Ruys berispte hem voor de tijdverspilling en Morser keerde hem de rug toe en ging verder met graven. Ik hoop dat hij teleurgesteld werd; Leegemmers schat zou eerder uit schelpen en glanzende kiezels bestaan dan uit munten.

Ruys, Vliegenbeul, Uli en ik redden komforen en gespen, pannen en lampen, lepels en messen, en een paar parels en kralen van granaat, git en jade van Galans kleren uit de as. Er was weinig over van stof en leer en hout, hoewel het vuur grillig was geweest en dingen gespaard had die redelijkerwijs hadden moeten verbranden: een eiken vat vol wijn, zakken meel, Sementals harnas en deken verpakt in doek en stro. Gemalin Vulpeja's linnenkist was slechts geschroeid, de kledingstukken erin gerookt en gevlekt. Ze zouden desondanks verbrand worden, met haar. Ik hield één stuk stof achter van de brandstapel omdat ze dat haast niet aangeraakt had: de geborduurde witte doek die vrouwe Hartura haar slechts twee dagen eerder had gegeven. Die moest Zonop krijgen. Ik dacht niet dat de concubine Zonop dit zou misgunnen, zoals ze het mij wel misgund zou hebben.

Het vuur had Galans schitterende plaatstalen harnas misvormd, dat ongebruikt in de tent had gelegen sinds het hem verboden was te rijden. Het zilveren inlegsel was gesmolten, het blauwige ijzer was zwart en de fluwelen voering was weggebrand, samen met de leren veters en bandjes. Het zou gerepareerd kunnen worden, maar waarmee moest de wapensmid betaald worden?

We vonden de metalen scharnieren van Galans geldkist en het geld dat hij erin had weggesloten, nog steeds in de lederen beurs; van de kist zelf was niets over dan houtskool. De beurs was al licht geweest. De meeste munten waren aan Ardor betaald voor gemalin Vulpeja. We telden wat er over was, Morser en Ruys en ik, elkaar in het oog houdend. We hadden redenen om te willen weten of onze meester platzak was. Dat was hij, zo goed als – zeven gouden munten en een paar mindere kunnen misschien een dorp door een slechte oogst heen helpen, maar hij was begonnen met honderd keer zoveel (beweerde Morser).

Het vuur had mij minder ontnomen, want ik bezat minder. Ik knielde en harkte door een hoop verbrande twijgen en stukjes linnen, het enige dat over was van Galans strozak, en vond een paar waardevolle dingen: mijn mes, de koperen vuurkruik, mijn els, een naald, en de vingerkootjes van de Vrouwe en Na. Er was net genoeg kleur over om het ene botje van het andere te onderscheiden.

Ik had mijn waardevolle spullen elders begraven, in de grond onder gemalin Vulpeja's kamer waar de andere sloven, behalve Zonop, zelden kwamen. Ik groef de beurs met munten op die ik verdiend had met mijn handel onder de vrouwen van het Marsveld. Daaronder had ik de planten begraven die te gevaarlijk waren om rond te laten slingeren waar iedereen ze kon vinden: het restant van de wolfskers, de bessen in een kalebas die aangevreten was door het vocht, de wortels in een zak. En daaronder, in een pakje van geolied vellum en omwikkeld met rood koord, de bessen van de vuurdoorn die ik helemaal uit het Koningswoud had meegebracht. Eens hadden ze me bijna gedood – of mijn leven gered, dat was moeilijk te zeggen. Ik opende het pakje en zag dat de bessen verschrompeld en donker onder een bloesem van schimmel lagen. Ik vroeg me af of ze nog kracht hadden. Het deed er niet toe, ik zou ze niet weggooien. Tussen de zwarte as en de stank moest ik plotseling aan het Koningswoud denken, aan de oranje bessen tussen de gladde grijze dorens en blauwe bloempjes van de loop-over-mij die zich door de afgevallen bladeren omhoog duwden; de geur van de dooi in de lente.

Ik hield de bessen, zowel de wolfskers als de vuurdoorn, wikkelde ze in mijn hoofddoek en stopte die goed in. De beurs was zwaar – hij woog meer dan die van Galan – maar ik was gelukkiger bij het zien van de wolfskers dan van mijn geld; het geld zou me niet ver brengen op het Marsveld, maar ik had voldoende gif. Ik had niet veel nodig.

Ik rolde mijn bezittingen in een flard tentdoek dat niet verbrand was en bond de bundel aan een gordel van touw die ik onder mijn rok hing, buiten bereik van zakkenrollers. Nu droeg ik alles wat ik nog bezat – afgezien van mijn mantel, die ik gemalin Vulpeja geleend had tot zij hem niet meer nodig had. Ik was rijker dan ik was geweest in het Koningswoud, ik had een mes en een beursvol munten, de wolfskers en twee vingerkootjes. Maar ik voelde me armer, beroofd; zelfs de muiltjes die Galan me had gegeven, die aan mijn voeten gekneld hadden, waren me lief nu ze verdwenen waren. Het verlies dat me het diepst raakte was de gordel met mijn kruiden. Wildvuur had die opgekauwd en de gesp en een restje verdraaid leer uitgespuugd. Als ik mijn stem weer terughad, zou ik Mai om wat kinderban vragen. Ik bad dat ze iets achtergehouden had vanwege de hoge prijs die ze er later voor kon vragen; ik bad dat ik het nodig zou hebben, dat mijn vloed spoedig zou komen. Als er geen kinderban was, kon ik andere planten gebruiken waarvan ik had gehoord dat ze een eind maakten aan een ongeborene, als je ze innam voordat je leven voelde.

* * *

Galan ging naar koning Thyrse in zijn paviljoen, zoals hem gezegd was. Hij bleef zo lang weg dat de andere geharnasten genoeg tijd hadden om hun wapenrusting uit en hun kleren aan te trekken en ook nog hun avondmaal te eten. Tegen de tijd dat hij terugkwam hing de Zon laag boven de zee, verscholen achter de kliffen. Het licht was van goud naar rossig veranderd en werd nu blauw; de wind die tussen de tenten gierde, net als het opkomende duister afkomstig uit het oosten, voerde kilte aan.

Hij trof mij zittend aan op de plek waar zijn tent had gestaan, met zijn bereden soldaten. We zaten tussen twee hopen, de een veel hoger dan de andere. De kleine bestond uit wat we hadden gered van zijn spullen; de grote was viezigheid en as en roet en houtskool, slakken, verkoold leer, restjes stof, potscherven – het nutteloze. Er kwam nog steeds een beetje warmte vanaf. Dit was Galans plaats geweest en we hadden geen andere, dus bleven we hier, ondanks de stank van de rook. We aten het eten dat Kok ons had gebracht nadat het Bloed had gegeten: brood en olie, boerenkool met een beetje ham. Toen ik het voedsel zag kwam er zo'n honger over me dat ik niet snel genoeg kon eten om die te stelpen. Elke hap kraste zich een weg door mijn rauwe keel; de pijn vroeg na elke hap om een slok bier. Het had water kunnen zijn: hoe meer ik dronk, hoe nuchterder ik werd.

Ik stond op toen hij kwam aangelopen, en Galan omhelsde me stevig. Ruys trok zijn schouders op en ging helemaal op in het soppen van zijn brood in het groentenat. Morser opende zijn mond en sloot hem na even nadenken weer.

Galan was stil, zijn wang tegen mijn slaap, zijn armen stevig rond mijn ribben. Ik hield hem net zo stevig vast en voelde zo goed als ik hoorde hoe gesmoord en oppervlakkig zijn adem ging, en hoe die na een tijdje gemakkelijker werd. Hij rook naar zweet, zonder een smetje rook. We hadden nu geen beschutting tegen de ogen van anderen, niets dan de zonsondergang die volgde op de Zon. Maar zijn makkers gunden hem wat tijd bij zijn huishouden – wat ervan over was. Ze keken de andere kant uit. Ik betwijfel of het uit hoffelijkheid was. Het was waarschijnlijker dat ze vreesden besmet te raken; koning Thyrse had Galan ongedeerd naar ons teruggestuurd, maar hij ging gehuld in het ongenoegen van de koning.

Ik bedekte mezelf weer met Mai's sjaal. Die gleed van de ene schouder af en Galan zei: 'Je bent verbrand, je rug is rauw! Waarom heb je dat niet verzorgd?'

Ik haalde mijn schouders op. De brandwonden, van binnen en van buiten, zouden genezen als Ardor dat wilde, en anders niet. Ik had ook andere pijnen, die heer Rodela me had bezorgd, en ze waren allemaal aanhoudend.

Galan zuchtte. 'Jij hebt in mijn dienst meer wonden opgelopen dan wie van mijn mannen ook.'

Ik vond mijn stem voor de eerste keer die dag, maar het was niet meer dan zacht geritsel. Ik zei: 'Nee. Heb je het niet gehoord? Je bagagejongen is dood, verbrand in het vuur.'

'Dat had ik niet gehoord,' zei hij.

Ik moest hoesten van het praten en Galan liet zijn greep verslappen tot het over was. Hoewel hij voorzichtig met me was, voelde ik hem verstijven van woede. Leegemmer was nog een verlies waarvoor hij Ardor verantwoordelijk zou houden.

Ik verborg mijn gezicht tegen Galans pantserhemd. Daar was weinig troost te vinden, want het groene canvas was overal bedekt met klinknagels waarmee de metalen schubben aan het vest vast zaten. Het was een goed moment om te huilen, maar mijn ogen waren droog. Ik fluisterde: 'Ooit zei je dat ik geluk bracht, maar volgens mij is het eerder ongeluk. Je bent alles kwijt.'

'Nee,' zei hij met zoveel zekerheid dat ik opkeek naar zijn gezicht en een glimlach weggestopt zag in zijn mondhoeken. 'Niet alles.' Hij kuste mijn wenkbrauwen en de brug van mijn neus, maar het was de glimlach waarover ik me verheugde en die precies zo zoet smaakte als ik had verwacht. Ik streelde zijn wang en keel en nek, want ik wilde troost putten uit zijn vlees en alleen daar zat geen pantser.

Toen hief Galan zijn hoofd op en begon te lachen. Deze lach ergerde me. Hij kwam te plotseling en was te spottend. Hij zei: 'Hoe kun je nu denken dat ik ongeluk heb? Riskeer heeft mij vandaag een gunst betoond, zeker, want ik heb voor de brand al mijn juwelen aan de priesters gegeven om de concubine te genezen, en nu is dat niet meer nodig. Ik ben rijker dan toen ik jou vanochtend verliet.'

Ik zei dat hij daar geen grappen over moest maken, maar hij zei dat dit het soort scherts is dat de goden met stervelingen uithalen – en moeten we niet om hen leren lachen? Anders zouden we al onze dagen huilend doorbrengen.

Die rare bui van hem, die bittere vrolijkheid – het zat me dwars. Na zei altijd: 'Hoe meer je lacht, hoe meer je later zult huilen.' Ze had altijd een toepasselijk gezegde bij de hand. Maar had ik ooit naar haar geluisterd? Ze had me ook verteld: 'Als je een bed van braamstruiken maakt, zul je geprikt worden.'

Ik haalde mijn armen om zijn hals vandaan en deed een stap naar achteren, maar hij hield een hand op mijn rug en ik kwam niet ver.

Galan zei: 'Waarom ben je zo stil? Je blik wijst me terecht, maar je zegt niets.'

'De koning zal je vandaag wel genoeg terechtgewezen hebben.'

'O, je bent een wijze feeks,' zei hij. 'Je weet wanneer je op je tong moet bijten.'

'Niet zo wijs,' zei ik, heel zachtjes zodat de anderen het niet konden horen. 'Heb ik je niet aangeraden om die concubine in je tent te nemen, en ging ze desondanks niet dood? Al je munten verspild.'

'Ben je in de rouw om mijn geld?' Hij glimlachte nog steeds, maar liet zijn arm zakken. We stonden oog in oog, maar raakten elkaar niet aan. 'Misschien beviel ik je beter... toen ik rijker was.'

'Het is niet je geld waarom ik rouw, maar haar lijden. Ik wou dat ik mijn mond had gehouden, dat ze in de tent van haar clan overleden was zonder wakker te zijn geworden.'

'Eerloos,' zei Galan.

'Dan wens ik dat ik haar nooit gewekt had toen ze naar jouw tent kwam, want het leven was er ellendig voor haar. Onnodig ellendig.' Ik had haar dag na dag gezien, terwijl ze vocht om te leven maar wenste te sterven, alles voor een lach of een woord van hem, en haar kracht en lijden telden niet mee voor haar eer. En wat was haar eer waard als die gekocht kon worden?

Zei ik dat gemalin Vulpeja's lijden onnodig was? Het was haar dood die onnodig was. Ik had vaak genoeg tegen Galan over zijn fouten gepreekt, maar nu zei ik niets – niets over mijn eigen schuld, hoe ik zowel in verstand als moed tekortgeschoten was. Hoe ik dichtbij genoeg was geweest om gemalin Vulpeja's leven te redden, en haar in plaats daarvan had laten sterven.

'Kom,' zei Galan. 'Kom hier.' Hij nam mijn arm en trok me weg bij de anderen. Een paar passen verder, aan de andere kant van de puinhoop die zijn tent was geweest, stopte hij. Over zijn schouder zag ik dat Morser naar ons keek. Hij boog zich naar Ruys toe om iets te zeggen en lachte; Morser was altijd veel te dol op zijn eigen humor.

Galan legde zijn hand achter in mijn nek en trok me naar zich toe. Zijn duim lag tegen de hartenklop onder mijn kaak. 'Al die dwaze wensen,' zei hij. 'Ben jij een Auspex, dat je haar dood kon voorspellen en ons alle moeite besparen?'

Ik keek van opzij naar zijn gezicht, bang voor wat ik zou zien. Zijn ogen vingen me. De pupillen waren wijd en zwart in het donker, op mij gericht.

'Kans heeft me je laten vinden, en ik dacht dat je een snuisterijtje was dat me geluk zou brengen. Maar ik heb ontdekt dat Riskeers gift groter is dan ik dacht. Niemand kan weten wat voor hem ligt, we kunnen slechts de ene voet voor de andere zetten. Maar Riskeer heeft mij een ster gegeven om te volgen, want jij hebt een wijs hart, en toen ik jouw hart volgde, bracht je me op de goede weg. Maar toch,' zei hij, en daar was die glimlach weer, 'moest je me als een muilezel bij elke stap leiden.'

Ik schudde mijn hoofd, denkend aan de glimp die ik had opgevangen van Fatums koninkrijk in de handpalm van de Vrouwe, hoe ik eindelijk geweten had wat Ardor van me vroeg. Wat had ik me vergist. 'Toen je me volgde werd je misleid.'

'Je hebt geprobeerd me tegen verdriet te beschermen, en Vulpeja ook, en nu dat verdriet toch gekomen is zeg jij dat alles voor niets is geweest. Maar het enige waartoe jij me gebracht hebt was het enige goede dat ik heb gedaan. Het geeft niet dat ik nu bij mijn oom om onderdak moet bedelen, ik heb geen spijt.'

Ik draaide mijn hoofd weg van de aanraking van zijn hand, zijn ogen. Een ruw woordeloos geluid kwam uit mijn keel. Hij trok me weer in zijn armen.

'Wil je zoveel op je nemen?' vroeg hij. 'Dit is niet jouw schuld. De maagd had haar overwegingen, net als ik. Ik zal geen ruzie met Riskeer maken en klagen dat Fatums weg te zwaar is terwijl we die, uiteindelijk, zelf gekozen hebben, de maagd en ik, met onze eerste misstap. Ik heb schuld, want ik heb haar overgehaald – maar ik neem geen schuld op me die me niet toekomt. Het was Rodela die de vrede verbrak, het was de clan van Ardor die de tent in brand stak. Hun misselijke daden zijn de mijne niet, en ze moeten hun eigen overwegingen maken. De goden zullen ze niet onbestraft laten; en ik evenmin.'

Ik zag de woede op zijn gezicht voordat hij die weer wegborg, zo netjes alsof hij het vizier van een helm neersloeg. Maar zijn armen knelden te strak om mij heen. 'Je denkt zeker dat je haar had kunnen redden, of niet? Zie je niet dat de goden een spelletje met ons spelen? Ze hebben ons het leven van de concubine alleen gegeven om het ons later weer af te nemen. Het heeft altijd in hun handen gelegen, niet in de onze. Laat hen die last dragen.'

Ik zag de waarheid in van wat hij zei en liet de last over aan de goden. Ik liet hem los. De goden zenden ons beproevingen, maar geven ook deze troost: hoewel we hun redenen misschien nooit zullen kennen, ligt er een doel achter wat ons overkomt, en we moeten ons voor hun wil buigen, steunen op hun kracht. Zelfs een koning kan zijn eigen bestemming niet gebieden, maar moet het doen met wat hij krijgt. Waarom zou ik me dan beschaamd voelen dat de goden me de baas waren?

Ik voelde dat ik onder een grote last gebukt was gegaan, en toen die van me werd afgenomen kon ik eindelijk huilen. Ik gaf gemalin Vulpeja de tranen die haar toekwamen. Ze was me nooit dierbaar geweest, maar zoveel was ik haar wel schuldig voor haar dapperheid. Het was vrouwenmoed, van het soort dat mannen niet erkennen. Het had in haar geschitterd ondanks haar zwakte; het wierp een licht dat de dood niet kon doven, want moed is nooit verspild.

Ik huilde omdat ik leefde en zij niet, omdat ik had wat zij nooit zou hebben, en medelijden en dankbaarheid werden samengesmeed tot een scherpe kling.

* * *

De Crux maakte ruimte voor Galan en zijn huishouden in een hoek van zijn ruime tent, bij de deuropening. Voordat we een voet binnen zetten, werden wij sloven door zijn lijfsknecht Laars gecontroleerd om te zien of we alle roet van onze huid geschrobd en alle as uit onze kleren geslagen hadden.

Niemand kreeg die avond veel rust. De koning had de hoofden van de clans na het avondeten bijeengeroepen in zijn paviljoen, en stuurde ze na een oogwenk weer weg, want wat hij wilde zeggen was snel gedaan. De vete zou de volgende dag op het middaguur tot een einde komen. Het Bloed van Ardor en Crux zouden het dan uitvechten in een toernooi op leven en dood.

'Ik zal mannen verliezen die ik goed kan gebruiken,' had de koning gezegd, 'maar dat doet er niet toe als ik van deze woekerende vete af kan komen.'

De Crux kwam terug met een glimlach op zijn gezicht. Hij riep zijn Auspexen en gebood ze omens te nemen. Ze raadpleegden de sterrenkoepel van de Hemelen, de vorm van de wolken die langsdreven voor de zojuist opgekomen Maan, de vlucht van de nachthaviken, en ze verkondigden dat de tekenen – over het geheel genomen, op een paar duisterheden na – zeiden dat de dag gunstig was voor Crux.

Hij riep zijn mannen bijeen en zei: 'Sommigen van jullie hebben geleerd hoe je een man met een lans in zijn vizier stoot en van zijn paard werpt. Dat is een prima wapenfeit en jullie mogen daar trots op zijn. Maar jullie hebben te lang gespeeld in toernooien en nu moeten jullie dit soort aardigheidjes vergeten. De koning heeft onze liefste wens ingewilligd en morgen zullen we onze kansen beproeven tegen Ardor. Er zal geen kwartier zijn. Begrijpen jullie? Ik zweer dit ten overstaan van jullie allemaal: ik zal niet door de knieën gaan en het toernooi én onze eer verliezen. Als iemand van jullie het veld verlaat terwijl hij nog kan vechten, of om genade roept, zal ik hem zelf doden. Denk niet dat de koning tussenbeide zal komen, want hij heeft me verteld dat hij heel tevreden zal zijn als de herrieschoppers in zijn leger elkaar afmaken. Als het middaguur komt, zullen we tellen wie nog overeind kan staan – houd je benen dus onder je als je kunt, goed?'

Toen klonken de stemmen van zijn mannen op en hun gelach was luid en hard. Ik luisterde, verstopt achter de rokken van de tent van de Crux, en zag hoe ze Galan op de rug sloegen terwijl ze hem een uur daarvoor nog uit de weg waren gegaan. Als de Crux er niet was geweest had ik durven beweren dat ze hem gefeliciteerd zouden hebben met de vete en de plezierige gelegenheid.

Maar op het zeeklif ten noorden van het Marsveld stond op de knekelgrond nog een brandstapel te wachten, en gemalin Vulpeja moest uitgeleide gedaan worden op haar reis met alle ceremonie die haar toekwam. We liepen erheen bij het licht van fakkels en lampen, het pad een kalkachtige veeg onder onze voeten. Er was nog een pad dat zich naar ons uitstrekte over zee, een zilverige schittering die door de Maan geworpen werd en ons volgde onder het lopen, als een uitnodiging aan de roekelozen om zich om te draaien en erop te stappen – een van de vele valse beloftes van de bedrieger.

Gemalin Vulpeja lag op de brandstapel op een bed van varens, met haar schamele bezittingen om haar heen. Leegemmer, in canvas gewikkeld, lag dwars aan haar voeten. De priesters en schildknapen leegden hun olielampen op de brandstapel zodat die heet en snel zou branden. Galan stak er een fakkel in.

Dus Wildvuur nam zijn concubine uiteindelijk toch. Toen de lijkwade opgebrand en zij in vlammen gekleed was, zag men haar bewegen. Haar armen en benen schokten, ze boog vanuit haar middel en draaide met haar hoofd. Dat gebeurt soms; ze zeggen dat het betekent dat de schim rusteloos zal zijn. Maar zij draaide haar hoofd van ons weg, naar zee, alsof ze graag weg wilde. Het joeg me angst aan, zo levensecht was het. Mijn ogen traanden vrijelijk, van spijt om dit alles. En van de rook.

De Auspexen riepen Crux aan om de strijders sterk te maken voor het slagveld morgen. Nu ze dood was werd de concubine heel belangrijk gemaakt. De geharnasten warmden hun woede bij haar brandstapel. Maar weinigen onder hen, zou ik denken, hadden geen brandstof nodig om de strijdkoorts op te stoken, want koude twijfel dooft het vuur in een lange nacht. Na de verbranding streek Galan een veeg roet op zijn voorhoofd. Hij zou dit teken dragen tot zij gewroken was of hij dood.

Het was laat toen we terugkeerden in het kamp. Nu sloot het Bloed de nacht en de wind buiten en dromde samen in de tent van de Crux, met zovelen dat ze elkaar aanraakten en knie tegen knie moesten zitten. Nog maar de vorige avond waren de geharnasten samengekomen om een andere reden en hadden ze mij uiteindelijk tot de beproeving veroordeeld. Nu waren er tweemaal zoveel mannen, want de schildknapen waren er ook; en allemaal gingen ze morgen hun eigen beproeving tegemoet. Niemand merkte mij op. Ik bleef zitten op Galans strozak in de hoek, uit het zicht achter een stapel wijnvaten, en keek toe.

De sloven van de Crux staken vijf of zes komforen aan en een aanzienlijke hoeveelheid lampen en kaarsen, en het licht vloeide zwaar en goud tussen de mannen door, als honing. De lucht was dik en bedompt van de rook, het bier, gemorste wijn, en die walgelijke reukmiddelen die het Bloed gebruikt om hun eerlijke zweet te verbergen, en ik was blij dat onze strozakken vlak bij de deur lagen, waar de tocht naar binnen kroop en kou en de geur van turf en zoutwater meebracht, en de wanden van de tent deed zwellen.

Ze zoemden in het rond en riepen uit wat ze allemaal zouden doen, de volgende ochtend. Ik hoorde heer Pava wedden dat hij drie zwaarden zou winnen, en heer Fanfarron antwoordde dat hij het nog beter ging doen; hij zou heer Rodela's voorbeeld volgen en huiden nemen voor aan de zadelknop van zijn paard. En ik zag heer Rodela zich van achter heer Alcoba's schouder in de lichtkring buigen en zeggen dat hij maar één trofee wilde morgen, en dat was een mooi harnas; hij zou niet vergeten om de geharnaste eerst op te meten voordat hij de moeite nam om hem te doden – en toen hij glimlachte, zag ik de tanden glinsteren onder de ruige franje van zijn snor en zijn onderlip uitsteken boven zijn baard. Heer Alcoba boog met een zure blik bij hem vandaan, maar heer Fanfarron schaterlachte. Anderen lachten ook.

Ik dacht: *dus zo sluiten ze hem buiten.* Men was al vergeten dat hij gelogen had; of wat deed het ertoe, aangezien ik maar een schede was en er geen blijvend kwaad was gedaan? En ik kneep in mijn handen onder mijn rokken en slikte gal.

Op de avond voor een gevecht laten mannen iets van hun aard zien. De luidruchtigen dronken te veel en spraken te vrij. Anderen zaten stil boven hun bekers, bang misschien, of te gereserveerd voor zulke dwaasheden. Sommigen glipten weg om hun gebeden voor het altaar in de tent van de priesters te zeggen, en kwamen in gedachten verzonken terug. De Crux bewoog zich tussen hen door en waar hij ook ging klonk zijn lach op, rommelend als rotsblokken die van een berghelling afrollen. Hij spotte met het snoeven van zijn mannen of haalde ze uit hun stilte, en zelfs degenen die hij berispte laafden zich aan zijn aandacht.

Galan snoefde niet. Hij zat op een laag krukje tegen een tentpaal geleund, en anderen kwamen naar hem toe. In het warme licht kon ik de vermoeidheid en inspanning die zijn gezicht de laatste tijd getekend hadden niet onderscheiden. In plaats daarvan brak nu en dan een lach door als hij sprak, en zelfs als hij alleen zat, was er een glimlach in de hoeken van zijn ogen en mond, in het minieme knijpen van zijn ooglid, het optrekken van een wenkbrauw.

O, hij was blij dat de koning hem staal in handen had gegeven en verlof om het te gebruiken. Hij was tot in het merg van zijn beenderen blij. Al zijn vreugde was gesmeed uit woede; gemalin Vulpeja zien branden had hem alleen maar gretiger gemaakt. Het leek alsof hij de kansen niet woog die een man te voet in een cavalerieaanval had.

Ik woog ze wel. Vanaf het moment dat ik hoorde dat de koning tot een toernooi op leven en dood had opgeroepen, beschouwde ik hem als een dode man.

* * *

Ergens midden in de nacht stuurde de Crux zijn mannen weg met de opdracht te bidden en hun legaten vast te leggen bij de priesters, want sommigen hadden zichzelf aan de bedelstaf gebracht en anderen waren rijk geworden op het Marsveld, en elke man moest nadenken over wat hij na zou laten. Hij zei tegen ze dat ze moesten rusten als ze konden, maar hoe kon iemand slapen in zo'n nacht? Al gauw zouden ze beginnen aan de trage en uiterst nauwkeurige taak van het aantrekken van het harnas, elke geharnaste in zijn eigen tent met zijn schildknaap om hem te helpen. De koning liet geen tijd verloren gaan; ze moesten beginnen bij zonsopgang en klaar zijn bij noen.

De bliksem van hun machtsvertoon was feller geweest in de tent van de Crux dan in een zomerse onweersbui, en nu viel er een stilte zoals die na regen komt. De Crux riep een van zijn pages om hem te masseren, en hij kleedde zich uit en zat op een kruk terwijl Laars de knopen uit zijn zenuwen kneedde. De Crux had een brede borstkas en lange kabels van spieren in zijn ledematen; een been had een dik wit litteken dat van zijn kruis naar zijn knieschijf liep.

Hij had de hele avond niets tegen Galan gezegd, en nu ze alleen waren – afgezien van hun mannen en mij – viel zijn zwijgzaamheid nog meer op.

Galan zat met zijn hoofd afgewend en het lamplicht flakkerde op zijn gezicht. Hij hoefde zich niet voor te bereiden op de ochtend, want hij droeg zijn harnas nog steeds. Het was de enige kleding die hij nog bezat na de brand. Zijn bedienden hadden de modder al van de metalen onderdelen geveegd en zijn schild en helm gepoetst. Hij had zijn wapens zelf geslepen om zeker te zijn van hun scherpte. Alles was gedaan, behalve het wachten. Achter zijn hoofd scheen het kwart van de Maan, in zilverdraad geweven op het tapijt in de tent. Er stond brood en wijn op een klein tafeltje voor hem, want hij had geen avondmaal gehad. Hij reikte naar het brood, een van de beste wittebroden van Kok, en scheurde er met vlugge vingers een stuk af. Maar in plaats van het brood op te eten legde hij het weer neer en stond abrupt op.

Hij knielde voor de Crux neer zoals Rodela de vorige avond had geknield, maar uit zijn rug sprak onderwerping, uit zijn nek nederigheid. Zijn oom staarde naar hem zonder enige warmte, niet eens de hitte van woede. En hij wachtte, omdat Galan pas na lange tijd sprak.

Uiteindelijk zei hij: 'Heer, mijn vergrijpen zijn talrijk, maar er is er één waarvan ik met name wens dat die niet tussen ons in staat – dat ik mijn mond niet hield toen ik uw recht in twijfel trok, gisteravond.'

'Een wens kan je woorden niet terugnemen,' zei de Crux.

'Ik sprak in drift.'

'Een man zegt wat hij meent als hij vergeet zijn tong te bewaken.'

'Misschien. Maar worden we soms niet wijzer als we nadenken? Ik weet dat u een rechtvaardig mens bent. Ik geef toe dat ik niet aan u had moeten twijfelen. Staat u mij toe dat ik u om vergiffenis vraag?'

'Je dacht dat ik niet eerlijk was, maar jij bent degene die de beproeving oneerlijk maakte. Er zullen nu altijd vragen blijven over wat waar is.'

Galan zei niets. Hij hield zijn hoofd diep gebogen en ik kon zijn gezicht niet zien.

Zijn oom lachte zuur. 'Heb je dan op zijn minst geleerd om geen ruzie met mij te maken?'

Galan keek op naar hem. 'Heer, ik ben uw boeteling. Vergeef me, ik smeek u, zodat ik morgen het gevecht niet in hoef te gaan onder het gewicht van dit berouw.'

De Crux wenkte zijn bediende, Tel, om hem zijn onderharnas te brengen. Tel knielde om de rode beenkappen aan te trekken, dik van de vele lagen linnen en stiksel, en dicht te rijgen. De Crux keek over zijn hoofd naar Galan. Hij zei: 'Ik was van plan je te verbieden aan het toernooi deel te nemen.'

Een geniepige hoop fluisterde me in dat Galan de volgende dag misschien zou overleven. Het hart is dwaas en luistert naar alles wat zoet klinkt.

De Crux tilde zijn armen op zodat het hemd van zijn onderharnas over zijn hoofd getrokken kon worden. Laars en Tel trokken er aan beide kanten aan. Toen het hoofd van de Crux weer verscheen, zei hij: 'Is je tong weggezwommen, neef? Heb je niets te zeggen?'

'Ik ben in uw handen, heer. Ik doe wat u beveelt.'

'O ja? Ik ben niet gewend om jou zo volgzaam te zien.' De stem van de Crux was snijdend en zijn blik net zo scherp.

Galan keek weg van de blik van zijn oom en naar beneden en hij wachtte stil. Ik dacht dat hij zich misschien net zozeer aan Fatum onderworpen had als aan de Crux.

En toch, hoe kon ik zoveel gedweeheid bij hem vertrouwen? Ik zag hetzelfde wantrouwen in de ogen van de Crux.

Hij fronste naar Galan. 'Je mist je eigen schildknaap.'

Galans hoofd kwam omhoog. 'Dat is maar beter ook, is het niet, heer? Aangezien mijn schildknaap me niet trouw was.'

'Ik kan je niet laten rijden. Tot zover kan ik mijn woord niet oprekken.'

'Dat zou ik nooit vragen.'

'Een man te voet zal het niet lang uithouden.'

Galan haalde zijn schouders op. Zijn ogen bleven op zijn oom rusten.

Nu werden de maliënbeenkappen van de Crux omgegord. Ze pasten precies en werden op vele plaatsen vastgemaakt aan het onderharnas. Toen de Crux weer sprak, was zijn stem ruw. 'Ik vrees het moment dat ik mijn broer moet vertellen dat zijn zoon stierf voordat we zelfs maar in oorlog waren. Maar dit is jouw gevecht, ik kan je er niet weghouden.' Hij legde zijn hand op Galans schouder.

Galan stond op en glimlachte, zijn gezicht zo stralend dat ik weg moest kijken. 'Rouw niet om me, oom. Ik ben nog niet dood.'

* * *

Ik keerde hem mijn rug toe en draaide mijn gezicht naar de muur. Ik lag op mijn zij; alle andere houdingen waren niet te verdragen. Ik had de pijn op afstand gehouden en nu heette ik hem welkom. Hij had zijn eigen hartenklop en alles gaf zich aan hem over. Galan en de Crux praatten verder, maar ik luisterde niet meer.

Hoop was een adder.

De Zon was al bijna op toen Galan in volledige wapenrusting naast me kwam liggen. Ik bleef met mijn rug naar hem toe liggen en keek over mijn schouder en daar was hij, met zijn hoofd op een hand steunend.

Ruys en Morser hadden het dichtst bij de deur gelegen op hun strozakken, fluisterend. Toen Galan kwam vielen ze stil. Toernooien waren alleen voor het Bloed, hoewel bedienden konden sneuvelen als ze hun gewonde meesters van het veld af probeerden te halen. Misschien maakten ze zich zorgen over de gevaren van morgen, waarschijnlijker was dat ze wedden op de uitslag.

'Je bent in je kleren gaan slapen,' zei Galan achter me. Hij begon mijn hoofddoek los te maken. Hij wond de doek twee, drie slagen los, en ik tilde mijn hoofd op zodat hij erbij kon. Hij liet mijn haar los en ik siste toen het op mijn brandwonden viel.

'Vergeef me,' zei hij en kamde het met zijn vingers opzij. Toen legde hij zijn hoofd op het kussen van mijn haar. Hij zorgde dat hij mijn schouders niet aanraakte. 'Heb je veel pijn?' vroeg hij.

'Genoeg,' zei ik.

'Waar Rodela je heeft gesneden?'

'Niet zo erg. De brandwonden hebben het haast uit mijn gedachten verdreven.'

Een lachje, een wolkje lucht tegen mijn nek. 'Dat is een zegen.'

Galans hand lag op mijn scheenbeen, onder mijn rokken. Hij droeg een metalen pikbeschermer, die zelfs door de wol van mijn jurk heen koud aanvoelde. 'Morgen,' zei hij met een stem die zo zacht was dat ik mijn hoofd moest draaien om hem te verstaan, 'nee, vandaag, vermoord ik mijn bastaardneef.'

Ik rolde naar hem toe en kreunde, maar hij zei dat ik stil moest zijn.

Ik zei: 'Dat kun je niet doen.'

Hij zei: 'Er zullen vandaag veel mannen sterven. Waarom zou hij er niet een van zijn?'

'Je hebt gezworen, je hebt je woord gegeven dat je je aan het oordeel van de Crux zou houden.'

'Ssst,' murmelde hij. 'Ik heb dat nooit gezworen. Hij zei "als het mijn verstand tevreden stelde", weet je nog? En mijn verstand vertelt me dat het niet veilig is als Rodela mij overleeft. Durf jij te beweren dat je hem niet dood wenst?' En hij duwde mijn rokken omhoog en ontblootte mijn benen. Ik voelde de kniebeschermer en de schubben aan zijn leren wapenrok tegen mijn huid.

'Nee.'

'Nou dan,' zei hij, en zijn hand was bezig met het losmaken van de veters van zijn pikbeschermer.

'Dat moet je niet doen,' zei ik. Maar ik draaide niet weg.

'Waarom niet?'

'Ik kan niet op mijn buik of rug liggen, dat doet allebei pijn.'

'Daar heb ik over nagedacht,' zei Galan. 'Ga op handen en knieën zitten.'

Ik dacht dat als hij me bereed als een hond hij ook zo snel zou zijn als een hond, en dat was maar goed ook. Ik was bang voor de pijn en ook bang dat de Crux ons zou zien in ons donkere hoekje. Maar toch zou ik Galan niet afwijzen. Ik wilde hem. Het was geen lust wat ik voelde, maar verlangen. Ik verlangde naar hem alsof ik hem al verloren had.

Galan was niet snel, hij bleef treuzelen zolang het hem zinde. Ik zette me schrap tegen zijn gewicht, maar hij zonk meer in me weg dan hij zich in me duwde, en de pijn werd eerst langzaam ingehaald en toen sneller. En Begeerte bracht me toch haar geschenken: de hunkering van elke loopse teef, vergetelheid. We waren de tederheid allang voorbij en hij was niet te stoppen en ik wilde niet dat hij stopte, ik wilde de glibberigheid en zijn handen op mijn heupen en zijn snakken naar adem en de kreunen die hij aan me ontlokte. Ik wilde dat ik zijn gezicht kon zien, maar dit zou ik in ieder geval hebben. Dit kon ik hebben. Ik hief mijn hoofd op en mijn haar plakte aan mijn gezicht, en hoewel mijn ogen open waren, was ik blind. Het metaal van zijn wapenrusting deed pijn terwijl hij zich in mij begroef, en toen hij zo diep ging dat het pijn deed als hij bewoog, schokte hij en viel over me heen, zijn handen op de grond naast de mijne, en hij boog zijn hoofd, luid ademend.

Ik zei *nee* toen hij zich terugtrok. Ik was er nog niet klaar voor dat het afgelopen was en dat deze dag zou beginnen, nooit zou ik klaar zijn. Ik liet me op mijn zij zakken en deze keer lag hij voor me, gezicht aan gezicht, knie aan knie.

Een tijdje waren we stil.

'Heb ik je pijn gedaan?' vroeg hij. 'Je huilt.'

Ik schudde mijn hoofd.

Hij legde zijn arm om mijn middel en zijn voorhoofd tegen het mijne. 'Lief hart,' zei hij, 'als ik vandaag sterf... ik heb erover nagedacht... er zijn er hier een paar die je goed zouden behandelen. Pava, dat weet je – maar je zou ook naar heer Lebrel kunnen gaan; die heeft je vaak bewonderd.'

Hij had me net zo goed kunnen slaan. Ik vouwde dubbel, legde mijn armen om mijn hoofd en brulde, maar het geluid was gesmoord, ik kon het er niet uit krijgen. Ik kreeg geen lucht. Ik dacht alleen aan zijn dood, niet aan wat er daarna zou gebeuren. En hij zou me aan een andere man doorgeven zoals hij zijn beste paard aan zijn beste vriend zou nalaten. Nee, niet eens een vriend, hij had nu geen vrienden.

'Luister, luister!' Hij trok mijn armen weg van mijn gezicht. 'Denk je dat ik niet jaloers ben? Zelfs als schim zal ik het weten als een andere man jou aanraakt. Maar als Rodela mij overleeft – al ben ik van plan dat niet te laten gebeuren – kun jij het beste een nieuwe geharnaste vinden. Rodela zal je doden als hij de kans krijgt. Je hebt een beschermer nodig.'

Een dun gepiep ontsnapte me uiteindelijk en ik begon te wenen. Galan zei *ssst, ssst,* en troostte me als een kind. Maar zelfs terwijl ik de snikken probeerde in te houden zodat ze niet gehoord werden, zelfs terwijl ik door ze werd overmand en verscheurd, gingen mijn gedachten met afschuwelijke helderheid verder.

Toen ik niet meer huilde, kuste Galan me en rolde op zijn rug om zijn pikbeschermer vast te maken. Op dat moment was zijn gezicht puur, zijn diepste zelf, vrij van de lachjes die om zijn mond speelden en de fronsen op zijn voorhoofd. Alleen de as op zijn voorhoofd markeerde hem.

Als hij nu niet naar me luisterde, zou hij het nooit doen. Ik zei: 'Galan, er zullen offers gebracht worden voor het toernooi, neem ik aan.'

Hij draaide zijn hoofd naar me toe en knikte.

'Dan moet je mijn merrie aan Riskeer geven. De merrie waarop je mij hebt laten rijden.'

'Moet dat?' Zijn ogen werden groot en donker.

'En je moet bidden aan Riskeer – aan Fatum – dat ze jou van heer Rodela bevrijd. Je moet niet zelf met hem knoeien.'

'Moet dat niet?'

'Je hebt genoeg vijanden op het veld, je hebt er niet nog een nodig. Laat Rodela over aan de goden – zelfs als hij het toernooi overleeft, denk ik dat hij niet lang zal leven. Beloof me dat je hem met rust laat.'

'Ik zal doen wat nodig is. Iets anders beloof ik niet.' Zijn ogen waren kleiner geworden.

Ik zag dat hij misnoegd was, toch ging ik door. 'Heb je me niet deze avond nog verteld dat ik een wijs hart had, dat ik je leidde op de juiste weg? Waarom luister je nu dan niet naar me?'

'Omdat mijn hoofd in dit geval wijzer is dan jouw hart. Ik ken Rodela te goed. Als je een valse hond laat leven, bijt hij je vroeg of laat.'

'Het is jouw verhitte bloed dat spreekt, niet je wijze hoofd.'

'Is jouw bloed zo koud dan?' Nu keek hij kwaad.

Een tijdlang was ik stil en draaide woorden om en om in mijn hoofd die hem misschien konden overhalen en milder stemmen, want hoe meer ik voet bij stuk hield, hoe kwader hij werd. Maar er kwamen geen andere woorden tot me dan de waarheid, en die kon ik niet zeggen. Het besluit dat ik in woede genomen had om heer Rodela te vermoorden was inderdaad verkild, koud geworden als de winter. En hoewel ik hem niet in hete woede kon vermoorden, zou ik hem evengoed doden.

Het was nog maar gisteren dat heer Rodela een stuk van mij gestolen had. Een lange, lege nacht en een lange, veelbewogen dag daarna. 's Nachts had ik gedacht aan staal; ik stelde me wellustig voor hoe ik een kling in hem dreef. Maar ik kwam steeds weer terug bij vergif. Ik had de wolfskers bij de hand, maar hoe kon ik hem die geven? Hij was niet zo dwaas om voedsel van mij aan te nemen. Overdag bleef ik maar piekeren over het vraagstuk – ik vroeg me nooit af of ik hem moest doden, alleen maar hoe ik dat kon doen. Zelfs het vuur had zulke gedachten niet lang verjaagd, want hij had de vete opgerakeld die gemalin Vulpeja gedood had – hij had net zo goed zelf de fakkel kunnen vasthouden. Als ik Rodela had willen vergeten, liet de pijn die hij me had gedaan dat niet toe; die hield me trouw gezelschap.

Het onvervulde verlangen om iemand te doden is in één opzicht net onbevredigde lust: het zal je nooit verlaten. Ik had er eerder onder geleden, toen ik heer Pava haatte, maar hij was niet binnen mijn bereik geweest.

Rodela's dood was aan mij. Ik merkte dat ik die met niemand wilde delen. En verder zag ik zo duidelijk als maar kon dat Galan zijn kans om hem te doden had gemist, en als hij het nu zou doen, begon alles weer opnieuw. Zelfs als hij – zoals hij beweerde – daarmee geen meineed zou plegen, rekenden de goden een man niet af op zijn woord, maar op wat hij daarmee bedoelde. Van alle gevechten van de dag kon hij dit vermijden. Hij zou dat niet met zich mee moeten nemen naar de strijd en de goden opnieuw verzoeken.

Ik was boos dat Galan zo koppig was, maar waarom zou hij dat niet zijn? Hij wist niet dat ik heer Rodela's dood voor mijzelf opeiste, en ik kon hem dat niet vertellen. Ik zag gevaar in spreken; maar stilte was ook gevaarlijk.

'Nee – ik zie dat je niet koud van hart bent, maar eerder te warm,' sprak hij na een lange stilte. De manier waarop hij dat zei beviel me niet, en de rechtopstaande lijnen tussen zijn wenkbrauwen evenmin, en het samenknijpen van zijn lippen zodat aan beide zijden een vouw verscheen. 'Want je beweert dat je hart je ingeeft dat ik heer Rodela moet sparen.'

Ik knikte.

'Dan vraag ik me af,' zei Galan, 'waarom jouw hart zo bezorgd over hem is? Misschien heeft hij toch niet gelogen. Misschien zou het jou niet spijten als hij mij overleeft. Misschien heb je je volgende man al.'

In mijn woede sloeg ik hem met mijn vuist, een schampende slag onder zijn oog. Hij knipperde maar verroerde verder geen vin. Nu was de leegte in zijn gezicht angstaanjagend, kaal in plaats van puur, braakland.

Wat een fout. Nooit ging het goed – ik sprak te voorbarig en hij was te snel beledigd. Altijd als ik dacht dat ik de weg helder voor me zag, werd ik gestrikt door het onvoorziene.

'Ik kan je dit beloven,' zei hij terwijl hij op zijn knieën ging zitten en zijn geschubde wapenrok rechttrok. 'Als hij binnen het bereik van mijn zwaard komt, sla ik hem neer – want als Kans hem op mijn weg brengt, hoe kan ik haar geschenk dan weigeren?'

Ik vervloekte zijn jaloezie die tussen ons kwam. Zijn twijfels lagen vlak onder zijn huid. Ik hoefde maar te krabben en hij bloedde wantrouwen. Hij stond op en ik greep zijn enkel. Mijn stem was weinig gebruikt en ik kon mezelf nauwelijks verstaanbaar maken. 'Heer, hoe kun je me nu wantrouwen? Je weet dat hij gelogen heeft. Alsjeblieft... ik kan het niet verdragen.'

Hij liep bij mij vandaan en porde Morser met zijn voet. 'Eruit, jongens. We mogen niet te laat komen.'

Niet lang daarna hoorde ik de Crux tegen Galan zeggen: 'Daarom kan ik vrouwen op veldtocht niet uitstaan. Ze zijn altijd aan het janken.'

Hoofdstuk 15

Dodelijk toernooi

Het gezegde luidt dat harten breken, maar bij mij gebeurde dat niet. In plaats daarvan werd mijn hart steeds verder samengeknepen, mijn lichaam sloot er als een vuist omheen. Na een tijdje was er alleen nog een harde kern over, als de pit van een vrucht, klein en zwaar. En mijn adem wolkte in de koude lucht en ik merkte dat ik toch niet dood was.

Ik stond op een heuvel boven het toernooiveld, en alle andere bewoners van het Marsveld waren er ook, uitgespreid langs de horizon, en ze verdrongen zich allemaal voor een beter uitzicht – en de Zon stond een handbreedte boven de grond, goud over het land uitstortend, en de lucht was puur, diep kobaltblauw van kleur boven de zee – en ik zag wat een dwaas ik was; ik zag het duidelijker omdat mijn hart een steen was. Ik zag hoe een man die op een strijdpaard zit een met hem wordt, ze smelten samen tot één groot beest, veel angstaanjagender dan een man op eigen benen. Zet tien, twintig, dertig van zulke beesten bij elkaar, zet er een man tussen en je ziet hoe klein hij is. Zo klein als Galan die onder mij op het toernooiveld stond.

En ik wist dat mijn zorgen om heer Rodela, of Galan hem wel of niet moest doden, maar onbenullig waren. Galan moet geweten hebben, zoals ik nu wist, dat hij die dag als eerste zou sterven, omvergereden in de aanval. Ik had me daarvoor afgesloten; en hij misschien ook, met zijn jaloezie, zijn dreigementen en beloften. Hij was tenslotte een man, hij hield zich groot.

Ik zag Galan omhoog kijken naar de lucht en volgde zijn blik naar de witte meeuwen en zwarte raven en, hoog erboven, twee valken die schuin hingen en cirkels beschreven.

* * *

De menigte was rusteloos. Er stond een groot altaar tussen de linies en het offeren duurde lang. Terwijl de clans van Crux en Ardor die dag op het veld vochten, zouden ook hun goden het tegen elkaar opnemen, en beide clans probeerden de meest verkwistende offers te doen. En elke strijder bad tot zijn voorouders of Kloof of Riskeer of welke god wiens gunst hij maar wilde, en stuurde zijn gebeden omhoog op vleugels van bloed: *maak mijn harnas sterk en mijn arm nog sterker.* Ik zag mijn merrie Thole tussen de paarden die bestemd waren voor Riskeer, en ik vroeg me af of Galan haar offerde vanwege mijn raad of om me het te laten voelen. Ze stierf en ik voelde niets.

Zo veel dieren geslacht, een voor een: ossen en paarden, geiten en schapen, reeën en vechthanen. Zo veel gebeden die elkaar tegenspraken konden niet allemaal verhoord worden. Als er een god naar mij zou luisteren was het Ardor – maar vandaag was Ardor Galans vijand, en daarom de mijne. Vandaag waren mijn gebeden van lood en stegen ze niet op.

Het was vier tiennachtsen en een handvol dagen geleden dat we aangekomen waren op het Marsveld, en ik had nog nooit zoveel mensen bij elkaar gezien, zelfs niet op de Dag van de Oproep. Toen bekend werd dat de koning een toernooi op leven en dood had uitgeroepen, kwam het hele leger kijken, samen met de Wolven van de koningin-moeder. De venters lieten hun kramen achter onder de hoede van jongens, die ze achterna kwamen zodra hun meester ze de rug had toegekeerd – en de wapensmeden kwamen, en de huisvrouwen, slagers, herders, wasvrouwen, scheepstimmerlui en kinderen met blote benen die schelpdieren uit de getijdepoelen groeven. Toen kwamen ook zij die van ons leefden, de zakkenrollers en de vechtjassen, de oplichters met hun pispotbier, de tweekoperhoertjes. En elke man had een twijgje of een lint, groen voor Crux of rose voor Ardor, en een humeur dat zo ontvlambaar was als droog aanmaakhout. Iedereen was in beweging, de heuvel af om beter zicht op het toernooiveld te krijgen, teruggeduwd door het Bloed van Prooi en Kloof dat de buitenlijn bewaakte. Ze werden hierheen of daarheen gestuurd door de pages die ruimte maakten zodat hun meester het toernooi kon bekijken vanuit zijn stoel onder een felgekleurde luifel. Iedereen roddelde, kibbelde, ruziede omdat ze op elkaars tenen trapten. Iedereen wedde. De gokmannen gaven de twee clans gelijke kansen, hoewel Ardor vier geharnasten meer had dan Crux. Galan had een kans van één tegen elf.

Wij sloven van Crux keken toe vanaf een heuvel ten zuiden van het toernooiveld, vlak bij de linie van onze clan. Vliegenbeul had een paar keukenjongens van een rotsblok verjaagd en nu stonden wij daarop, ver boven het publiek uit, met Spoedvoet en Uli, Galans paardenjongen. Vliegenbeuls lange armen en zijn woede hielden anderen van ons voetstuk af.

De Zon kwam op en de schaduwen trokken zich over het veld terug. Het was een heldere, koude dag: geen mist of wolken behalve die uit de rookpotten en komforen, en de mist uit onze mond. Ik had Mai's sjaal over mijn hoofddoek gedrapeerd om mijn schouders te bedekken, maar de Zon vond mijn brandwonden en zette ze weer in vlam. Verder was ik verkleumd.

De priesters onderzochten de ingewanden op omens en de karkassen werden weggesleept. Er zou zo'n groot feestmaal na dit toernooi komen dat zelfs de laagste bedelaar te eten kreeg.

Een nieuwsventer vlakbij vermaakte de onrustige menigte in de pauzes tussen de offers. Hij zat op de schouders van een enorme makker die hem ronddroeg met het knorrige geduld van een os. Zijn lange magere benen bungelden rond de nek van de man. Zijn standaard, een holle tong van doek, wapperde aan de paal als de wind er vat op kreeg. Voor een koperkop maakte hij een raadselrijm over een van de strijders op het veld, en veel sloven vroegen er een over hun meester. Ze bestonden niet alleen uit lof. Ik had een paar munten in mijn sjaal gebonden en gaf twee koperkoppen aan Spoedvoet om de man te vragen dichterbij te komen.

De nieuwsventer keek op me neer en ik naar hem op. Ik had hem niet eerder gezien. Ik zei: 'Die man daar beneden te voet, wie is dat?'

Hij zei:

'Wie begon de problemen die de koning zo plagen?
Hij kraait als een haan, maar is slechts een kuiken
De Crux wil hem veilig onder zijn vleugels dragen
Maar sterven zal hij; hij kan 't niet meer ontduiken.'

'Ik wil geen raadsel van je. Ik wil zijn naam.'

'Heer Galan dam Capella van Falco van Crux. En jij bent zijn schede, dus waarom vraag je het?'

Het verbaasde me niet dat hij Galan kende. Een nieuwsventer moet elke man van Bloed op het toernooiveld kunnen herkennen aan zijn insignes, zijn wapenrusting en zijn paard, zijn manier van vechten. Maar als hij van mij afwist was hij goed in zijn vak. Ik zei: 'Wil je bij me blijven om hem in het oog te houden en me te vertellen hoe het hem vergaat?' Ik liet hem twee zilverkoppen in mijn handpalm zien. Zijn rijdier gaf me een knipoog en ik schrok; de man leek zo op een beest dat ik hem er bijna voor had aangezien.

De nieuwsventer keek naar de munten en zei: 'Hou je zilver maar. Ik sta hier prima.'

* * *

Ook op het veld waren ze onrustig. Alles bij elkaar waren er meer dan zeventig ruiters, en elke man hield zijn hengst kort aan de teugel om hem te laten steigeren, stampen en zijn hoofd omhoog te gooien zodat de fraaie kromming van zijn nek te bewonderen was.

Ik zag Galan tussen hen in, leunend op de steel van zijn schorpioen en erop vertrouwend dat zijn makkers zorgden dat hun rijdieren hem niet vertrapten. Aan zijn wapengordel droeg hij twee zwaarden, het grote en het kleinere, en zijn genadedolk. Zijn schild hing aan een haak achter zijn heup; het deed beter dienst als wapen dan als bescherming, met de scherpgeslepen rand, de punt in het midden, en het paar zwaardvangende hoorns dat uitstak uit de rand. Er viel niet achter te schuilen, want het bedekte nauwelijks zijn onderarm.

Zijn schorpioen leek haast een twijgje naast de oorlogslansen die de andere geharnasten klaarhielden om in de aanval te gebruiken. De lansen hadden schachten van ijzerhout, waren tweemaal zo lang als een man en waren onderaan zo dik als een mannenarm. De punten waren bladvormig en gesmeed van het beste staal, zodat ze door schild, pantser, maliën en onderharnas konden steken om bloed en bot te vinden. Geen ander wapen kon zoveel schade toebrengen aan een man in een metalen omhulsel.

En Galan was niet goed bewapend. Van waar ik stond leek het groene canvas van zijn pantserhemd dof, afgezien van de rijen klinknagels die glansden in de Zon. De brand had hem zijn glanzende kuras ontnomen en hij moest gokken op zijn snelheid. Spoedig zouden we zien of die hem diende. Hij stond met zijn rug naar mij toe. Toen hij zijn hoofd omdraaide, zag ik dat zijn vizier neergeslagen was, het zilveren gezicht in de snavel van de ijzeren giervalk.

* * *

Ze droegen het altaar weg en twee jongens met beschilderde vliegers renden langs de linies van mannen te paard. De wind kwam onder de vliegers en tilde ze zo hoog als de vogels: het teken van Crux in het zuiden, dat van Ardor in het noorden.

Het Bloed begon te brullen en met hun wapens tegen de schilden te slaan. De toeschouwers hieven hun eigen lawaai aan: fluiten, juichen, gillen, joelen, brullen, lof en spot. Ik bedekte mijn oren tegen de herrie en voor ik het wist – voor ik er klaar voor was, hoe kon ik er klaar voor zijn? – gaven de strijders hun paarden de sporen en spoten de paarden vooruit. Ik voelde het gerommel van de hoeven door de grond, alsof de heuvels zo hol als een trom waren.

Galan kwam op hetzelfde moment in beweging als de paarden, maar al gauw was hij helemaal alleen. Een paar toeschouwers jouwden hem uit, noemden hem een lafaard, maar wie dichterbij stond kon duidelijk zien dat hij zich niet inhield, al overhaastte hij zich evenmin. Hij liep. De linten aan de schacht van zijn lans wapperden en de banier van zijn huis klapperde in de wind, en hij zag er met zijn arrogante blik uit alsof hij het paviljoen van de koning overstak in plaats van een slagveld.

Hij had misschien een kwart van de afstand afgelegd toen de twee linies ruiters elkaar in het midden troffen, en ik ontdekte wat een toernooi op leven en dood betekende.

Deze keer mikten de geharnasten niet voor de punten – zoveel voor een getroffen helm, zoveel als je een lans breekt, zoveel extra voor het uit het zadel werpen van een man. Deze keer weerklonken de heuvels van het geluid van metaal op metaal in plaats van splinterend hout. Veel mannen werden uit hun zadel geworpen. Paarden gleden uit, vielen, stortten tegen de grond. De gelukkigen – man en paard – worstelden zich weer overeind. De doden bleven op de grond liggen, samen met hen die te ernstig gewond waren om zichzelf te helpen, en van die afstand kon niemand zien wat wat was, zelfs de verziende nieuwsventer niet. Maar we konden allemaal zien dat heer Choteo van Crux dood was, gespietst op een lans door de borstkas heen. Het handgemeen kookte om hem heen. Paardenmeesters reden het veld op om hun meesters verse rijdieren te brengen. Ze droegen genadedolken om de paarden af te maken die te zwaar gewond waren om te genezen. Ik zag een bediende neergestoken worden toen hij zijn meester in veiligheid probeerde te slepen.

De nieuwsventer zong de namen van de gevallenen en riep de victorie van de aanval uit voor Crux. We hadden vijf mannen verloren tegen zeven van Ardor, en velen in de menigte om me heen riepen *Hoezza!* en zwaaiden hun groenversierde kappen in de lucht. Maar hoe kon geteld worden hoeveel er gevallen waren terwijl de mannen nog stierven? Want het gevecht ging verder zonder acht te slaan op zulke overwinningen, veel sneller dan een toernooi om de eer.

En de hele tijd was Galan het veld aan het oversteken.

Vier geharnasten van Ardor waren zonder een schrammetje door de aanval gekomen en zagen nu Galan op hen af lopen. Waarschijnlijk waren ze naar hem op zoek. Ik stelde me voor dat ze vreugde voelden toen ze zagen hoe onschadelijk hij eruitzag, de man die zoveel herrie had geschopt.

Ze reden naar hem toe, drie van de linkerflank en een van de rechter, en elke man gaf zijn strijdpaard de sporen in een wedren om Galan omver te rijden. De drie van links galoppeerden naast elkaar, haast nek aan nek, met twee schildknapen op enkele lengten achter ze. De rechter geharnaste lag ver op de anderen voor en zou Galan het eerst bereiken.

Galan ging naar rechts. Alsof hij popelde om zijn eigen dood tegemoet te treden rende hij naar de geharnaste toe die op hem afkwam. De ruiter ('heer Tropel, huis van Lamna,' riep de nieuwsventer) liet zijn lans zakken om Galan in de borst te raken. Op het laatste moment schoot Galan weg van het paard en langs de lanspunt, en met de steel van zijn schorpioen dreef hij de lans naar beneden. De lans ploegde in de grond, deed het paard schokken en schudde heer Tropel half uit het zadel. Galan haakte de klauw van zijn schorpioen onder heer Tropels arm en trok hem helemaal uit het zadel. De lans viel naar de ene kant en heer Tropel naar de andere, en op dat punt in de val raakte hij uit zijn element en werd hulpeloos en onhandig. Zijn voet bleef in de stijgbeugel hangen en hij werd over de grond gesleept, schreeuwend en tierend. Zijn paard draaide zijn hoofd om om te zien wat er achter hem hing en bokte.

Toen gluurde Kans onder haar blinddoek vandaan en gaf Galan een knipoog, we zagen het allemaal. Terwijl de hengst wild opzij sprong in een poging zijn eigen ruiter kwijt te raken, kruiste hij het pad van de drie geharnasten die nog steeds in volle vaart op Galan afkwamen. Degene met het snelste paard lag twee stappen voor en had zijn lans al laten zakken, en hij kon hem niet op tijd optrekken. Hij raakte heer Tropels rijdier onder de flanken met zoveel kracht dat de lans door het stijve leer van de deken boorde en zichzelf begroef in vlees en bot, en de twee paarden botsten, en toen knalden de andere twee tegen ze op. Er klonk zo'n luide donderslag toen ze elkaar raakten dat ik de tanden in mijn hoofd voelde rammelen.

Een paard hees zich overeind en stond daar met losse teugels. Drie paarden bleven achter op een hoop op de grond. Heer Tropels paard was dood en de andere twee waren gewond. De ruiters waren afgeworpen, buiten adem, misschien gewond, en zaten gevangen in het tuig van hun paarden, die rolden en draaiden. Galan rende naar ze toe. De weddenschappen vlogen door de lucht, de kansen verschoven: het leek een eerlijker gevecht te worden.

Heer Tropel lag onder zijn dode paard. Ik kon alleen zijn helm en schouders zien, en een arm in zo'n vreemde hoek dat hij wel uit de kom moest zijn gewrongen. We konden zien dat hij nog leefde, want hij rolde zijn hoofd heen en weer. Toen Galan hem bereikte hield hij heer Tropels hoofd stil onder een voet en knielde neer. Misschien spraken ze met elkaar.

Het publiek brulde, eiste zijn dood, en ik wist dat het moest, want dood kon de man hem geen kwaad meer berokkenen. Maar hij spaarde heer Tropel en op dat moment riep de nieuwsventer: 'Heer Virotes schildknaap, heer Nidal, Huis van Accendo!' en Galan draaide weg bij heer Tropel en zag een man die hem aanviel op een broodmager kastanjebruin paard.

De schildknaap hakte met zijn zwaard naar beneden en Galan veegde de houw weg en mepte het paard met de schorpioen op de romp zodat het weg rende. Toen sprong Galan op de flank van heer Tropels dode paard, en iedereen lachte omdat hij heel geduldig stond te wachten totdat de schildknaap zijn paard weer omgedraaid had en opnieuw op hem afkwam.

De nieuwsventer zei: 'Wees niet bang, die man is een dwaas. Hij heeft heer Galan nu links van hem en de schorpioen heeft een groter bereik.'

'Klopt,' zei Vliegenbeul, 'en zijn paard heeft een ijzeren mond en gehoorzaamt het bit niet. Maar heer Galan moet voorzichtig zijn.'

Voordat de schildknaap dichtbij genoeg was om met zijn zwaard te zwaaien, haalde Galan uit naar zijn rijdier. Hij harkte over de ogen van het paard met de klauw van de schorpioen. En daar lag heer Nidal hulpeloos in de weg van zijn paard, en het kastanjebruine beest struikelde over hem en plantte een hoef boven op zijn helm en vluchtte, blind, over het veld. Hij nam heer Nidal, die geen slag had uitgedeeld, met zich mee en werd achtervolgd door honende kreten. Galan sprong op vastere grond en er kwam een geluid uit me dat bijna een lach was, maar evenveel pijn deed als huilen. Ik haalde adem.

De nieuwsventer riep naar het publiek: 'Heer Tropel is een dood man en heer Nidal een deserteur! Zes mannen reden tegen heer Galan, en twee heeft hij er weggewerkt. Hoed u voor de rest!'

De Crux had zijn mannen ooit berispt omdat ze niet verder keken dan de punt van hun zwaard, en had ik niet hetzelfde gedaan? Want terwijl ik toekeek hoe Galan met heer Nidal speelde had ik niet gezien dat twee van zijn aanvallers zich van hun gevallen rijdieren bevrijd hadden met de hulp van een derde, een schildknaap. En nu schoot de schildknaap op Galans rug af met een zeugspies, de twee geharnasten in zijn kielzog.

De nieuwsventer brulde de namen van de twee mannen en hun huizen.

Hij wilde misschien net aan hun afkomst beginnen, maar een van de heethoofden was er zo op gebrand om Galan als eerste te bereiken dat hij de enkel van de schildknaap greep en hem omver trok. Zo gunde Kans Galan opnieuw een mazzeltje, en hij was er klaar voor. Toen de schildknaap voorover viel, draaide Galan zich om en viel op een knie – en boog opzij om de zeugspies te ontwijken. Hij ving de schildknaap op met de angel van de schorpioen zoals een jager een aanvallend everzwijn zou opvangen. De nieuwsventer zei: 'Dat is drie!' Galan draaide de man op zijn rug en daar lag hij met de trillende schorpioen in zijn lijf. Galan trok aan het handvat, maar hij kwam niet los.

Toeschouwers op de heuvels schreeuwden waarschuwingen en ik kon niet voldoende lucht krijgen om geluid te maken. Er waren mannen uit het handgemeen midden op het veld gebroken om naar Galan toe te rijden. De Crux zelf kwam aangalopperen met een paar van zijn mannen achter zich aan, achtervolgers afwerend. En toch waren de mannen van Ardor in deze wedren sneller dan die van Crux. Ik merkte dat ik in Spoedvoets schouder kneep en liet hem los, en mijn rechterhand vond de linker en klemde die stevig vast. Ik begroef mijn nagels in mijn vel, had een sensatie nodig, want ik voelde niets. Mijn hart was verschrompeld en hard, een ding dat te armzalig was om deze dag te kunnen bevatten. Maar hoe had ik dit ooit kunnen verdragen als mijn hart niet levenloos was geweest?

Ik vroeg me af of Galan ze zag aankomen. Het deed er niet toe. Hij kon alleen vechten tegen wie binnen bereik was.

De twee geharnasten te voet haalden Galan in, maar hij was ze lang genoeg voorgebleven om zijn zwaard te trekken en zijn schild van de haak te halen. Een van de mannen hakte met machtige slagen op Galan in, terwijl de andere naar hem uithaalde vanachter een groot, vliegervormig ruiterschild. Galan stapte opzij, wervelde rond, nu eens onzichtbaar voor mij, dan weer in het zicht. Ik dacht dat ik een paar klappen voorbij zijn verdediging zag komen.

Ik was te ver weg. Straks zou een slag hem van me afnemen en ik zou het niet eens weten, alsof er niets tussen ons was. Maar waarom zou ik willen weten hoe en wanneer hij stierf? Als het nu niet was, dan toch zeker rond de noen. Als het niet in dit gevecht was, dan in het volgende.

Een geharnaste viel op zijn gezicht met Galans zwaard tussen de borstplaat en rugplaat van zijn kuras. 'Goed gedaan, goed gedaan!' brulde de nieuwsventer. 'Heer Lenador is gevallen – het lijkt fataal – en hij is nummer vier!' en er klonken juichkreten op uit de menigte op onze heuvel. Maar de andere geharnaste gaf Galan een duw met zijn houten schild en stak naar hem over de bovenkant. Galan schopte tegen het schild, draaide het weg en haalde uit naar de opening. De man wankelde, herstelde zich en gaf Galan een dreun met de zijkant van zijn schild. Nu was het Galans beurt om te wankelen. Hij deinsde terug en de man kwam achter hem aan, en tegen die tijd had de voorste van de ruiters Galan bereikt.

Hij kwam in galop en raakte Galan met de schouder van zijn paard en wierp hem zijdelings door de lucht, over de ruggen van de drie neergehaalde hengsten heen. Galans zwaard tolde in de lucht en ving het licht. Hij raakte een paard en de hoge boog van het zadel van een tweede en gleed over de zijkant van een romp. Hij kwam languit neer en bewoog niet. De twee gewonde paarden hinnikten en worstelden om overeind te komen, weg te komen. Hun benen klapten dubbel onder hun gewicht. De ene rolde en slaakte een hoge kreet en onttrok Galan aan het zicht.

Toen stonden er te veel paarden in de weg, met ruiters.

Hij was met zoveel kracht weggeslingerd – hij was zo hard geland. Ik zei tegen mezelf dat hij dood kon zijn, maar ik kon het niet geloven.

Ik vroeg de nieuwsventer: 'Zie je hem?'

Hij keek op me neer en schudde zijn hoofd.

* * *

Ik stond op een rotsblok op een heuvel. Mijn blote voeten grepen zich vast aan de steen, mijn hand beschermde mijn ogen tegen het verschroeiende licht, en van deze afstand leek het toernooi een ruwe zee van ijzer en zilver. Paarden rezen en daalden en de Zon sloeg neer op elke golf. Ik zocht Galan. Ik zocht zo intens dat ik vergat adem te halen, en de hele wereld werd een moment lang gevangen in mijn opgesloten adem.

Ik keek weg en mijn ogen werden troebel. Ik zag het groene nabeeld van de Zon midden in mijn blikveld branden. Zelfs nu, terwijl de Zon rees en de schaduwen korter werden, werden ze steeds zwarter en omvangrijker. Ze bespotten de strijders, aapten hun houding na, imiteerden de doden; ze sprongen als vuur en stroomden als water.

Ik trok het uiteinde van mijn hoofddoek los. Er zaten twee knopen in de doek: hier had ik de wolfskers verstopt, daar de vuurdoorn. Ik wikkelde de vuurdoornbessen los. Ze waren hard en verschrompeld. Ik propte ze in mijn mond.

Ik kauwde en slikte en proefde een zure smaak besmet met schimmel. Ik dacht aan Ardors vrijgevigheid, dat die me deze keer misschien zou doden. Misschien maakte ik misbruik van zijn gift. Het kon me niet schelen, want ik kreeg hoop en dat maakte me onbezonnen.

In het Koningswoud was ik ooit mijn eigen schaduw geworden. Ik had mijn houten lichaam verlaten en was weggevlogen. Als het een droom was geweest, vertrouwde ik erop dat het een ware droom was.

Mijn mond stroomde over van het speeksel en ik slikte en slikte nog eens. Ik had het de hele dag koud gehad en nu voelde ik koorts opkomen. Ik riep hem naar me toe en hij kwam snel en liet me branden, zweten en zwaaien. Mijn benen trilden. Vliegenbeul keek me vreemd aan en greep mijn arm. Hij zag er ook vreemd uit, met al die duisternis verward in het haar van zijn baard, zijn gezicht een lappendeken van schaduwen onder zijn voorhoofd, zijn neus, zijn lippen, in de groeven langs zijn mond. Rondom zijn hoofd hing een waas van een kleur die ik niet kon benoemen, een van de eindeloze tinten zwart.

Ik herinnerde me dat mijn schaduw in het Koningswoud gezekerd was geweest. Ik was niet ver weggedwaald of lang weggebleven. Hoe ver kon de lijn rekken voordat hij brak? Als dat gebeurde zou ik van schaduw overgaan naar schim.

Als er verschil was tussen die twee.

In een ander woud, bij donkere-Maan, had ik Galan aan me gebonden. Ik had de rites niet begrepen en achteraf betwijfeld of ze wel iets hadden uitgehaald. Toch waren er tijden dat ik zeker was van de band tussen ons, en als die strak trok wist ik dat ik vastzat met een lijn die rond mijn hart gewikkeld zat.

Vandaag was mijn hart nutteloos. Ik voelde het trekken in mijn buik, een haak in mijn baarmoeder, zo scherp als angst.

In mijn droom had ik mijn schaduw verzameld totdat die dicht en zwaar was, en had er een vorm van gemaakt waarin ik kon wonen. Maar dromen brengen ons onverdiende kennis. Nu merkte ik, te laat, dat ik niet meer wist hoe ik het moest doen.

Ik ging al naar de plaats waar ik heengetrokken werd. Een klein deel van me bleef achter, een soort huisbewaarder die het lichaam overeind hield, de kreten van het publiek hoorde en de sprankeling van het licht zag. De rest van mij gleed de schaduw in. Als water stroomt kan een druppel niet apart blijven van de rest, alles is een. Zo is het ook met schaduwen. Ik had geen andere vorm dan die ik geleend had, en die was veranderlijk. En plotseling waren mijn zintuigen grenzeloos, overweldigend. Waar kwam die oranje flits vandaan, dat geluid van die kreunende man, de smaak van bier, de aanraking van zijde, het gewicht van maliën en pantser, de stank van bloed? Van overal en nergens.

Ik verspreidde me. Ik weet niet wat er van me geworden zou zijn zonder het koord dat mij verbond met mijn lichaam en met Galan. Het koord neuriede een toon die zo laag was dat die alleen gevoeld kon worden, niet gehoord, en er weerklonk iets in een hogere toon, en dat geluid was ik. Ik was dus toch geen schaduw, maar ik kon me in de schaduwen bewegen.

Ik vloeide samen in de gaten onder het rotsblok en rende naar beneden, en het was gemakkelijk om door de menigte heen te gaan, van schaduw naar schaduw stromend. Toen ik de rand van het toernooiveld bereikte, werd ik ontmoedigd door het licht. Alleen de schaduwen leken diepte, vorm en kleur te hebben, en alles in het licht was plat en kleurloos, te fel. Maar ik zag duisternis tussen de rotsen en de turf op de kapotgestampte grond, ik verschool me voor de Zon in de schaduw van een sprietje gras en ik maakte mezelf zo klein dat ik niet meer was dan verlangen.

Ik vond mijn weg naar het tumult van de mannen, en er lag duisternis onder hun voeten en de buiken van hun paarden.

* * *

Ik vond Galan onder een paard, of liever onder een gekreukt lederen paardendek. Hij haalde moeizaam adem en hoestte die weer uit. Er was zweet in zijn ogen, zweet in zijn oksels. Hij lag op zijn schild en een van de zwaardvangende hoorns was in zijn dij begraven. De ijzeren schubben van zijn pantserhemd staken door de doorweekte voering van zijn onderharnas. Er prikte iets in zijn schouder – de scherpe teen van een in maliën gehulde voet. De voet schudde toen Galan wegschoof. Een gewond paard piepte, zijn flanken schokten. De geur van paard, de geur van pis. Het geluid van vechten buiten, het gezoem van een vlieg binnen. Vlakbij een gedachteloze jammerende kreun. Ondraaglijke hitte. Gedempt licht dat door de oogspleten van zijn helm drong.

Ik wist dit omdat ik mij in Galans schaduw had gehuld.

Het was een vreemd soort intimiteit. Als hij zich bewoog moest ik wel onder hem bewegen, zoals elke schaduw. Maar waar het donker was onder zijn helm, zijn harnas, was ik vrij om hem te omhelzen als een tweede huid. Ik nestelde me in het randje van zijn oor en hoorde wat hij hoorde. Ik voelde hoe zijn zenuwen werkten, hoe zijn botten scharnierden. Ik gleed tussen zijn vingers en wat hij vasthield.

Ik wist wat hij voelde; het lichaam kan niet liegen. Ik voelde aan zijn droge keel en geknepen adem, aan de smaak van zijn zweet, aan de verknoopte spieren van zijn schouders en het trillen van zijn lippen dat hij bang was.

Toen hij naar zijn korte zwaard greep, wist ik hoe welkom het in zijn handen voelde. Hij kroop uit zijn kleine schuilplaats onder het stijve lederen paardendek en het licht sloeg hem. Hij kroop over de twee hulpeloze paarden, vond de kwetsbare plek aan de hals die het paardendek vrijlaat en sneed hun kelen door. Het bloed spatte rond en de paarden probeerden onder hem op te staan terwijl ze stierven.

Hij rolde weg voor een geluid dat hij kende en ik niet, en er kwam een zwaard neer op de plek waar hij net nog was, door het dek heen in de flank van het dode paard. Galan krabbelde overeind en zag dat zijn aanvaller om hem heen draaide om het nog eens te proberen, maar nu met lege handen. Het was een schildknaap op een ruin die probeerde Galan omver te rijden.

Galan hief zijn schild en kleine zwaard op. Zijn armen waren te stijf, zijn greep te strak. Hij maakte zijn zenuwen los en daardoor voelde ik zijn wil, die wedijverde met zijn angst, spier voor spier. Hij kon niet slikken. Zijn tong plakte tegen het dak van zijn mond.

De schildknaap was te helder voor mij. Ik zag alleen zijn schaduw, waarin hij en zijn rijdier één wezen waren dat naar ons toe danste over de ruwe grond, zwellend en slinkend. Toen knipperde Galan en ik zag de man weer. Hij droeg een maliënkap onder een komvormige helm. De schakels rinkelden terwijl hij dichterbij kwam.

Ik voelde Galans lichaam spannen en wist dat hij ging bewegen, maar toch verraste het me toen hij het deed. Hij sprong boven op de dode paarden, vloog van daaraf recht op de ruin af en sleurde de ruiter met zich mee. Ik hield me vast in de holtes achter Galans knieën en enkels toen hij sprong, en ik voelde het spel van zijn beenspieren en het zwellen van de pezen in zijn kuiten en dijen. Ik zat ook in de schaduw die achterbleef toen zijn voeten de grond verlieten, en ik vluchtte de schaduw van de ruiter in en er aan de andere kant weer uit.

Hij draaide zich om in de lucht en raakte de schildknaap onder zijn kin met de ronde rand van zijn schild, zodat hij de ijzeren schakels van de kap in zijn keel dreef en zijn luchtpijp vermorzelde.

Ze raakten de grond en de schildknaap brak Galans val, schokkend onder hem. Het paard sprong schichtig opzij voor de mannen onder zijn benen. Galan stond op, greep de teugels van het paard en sneed zijn keel door. Het paard wankelde en stortte neer en al gauw bewoog het niet meer, maar de schildknaap bleef woelen en wringen en stikte in een afschuwelijke stilte.

Galan draaide zich om en we haastten ons weg, het aan de genade van de goden overlatend of de man zou sterven of blijven leven.

Boven op de heuvel riep de nieuwsventer dat Galan een fort van dode paarden aan het bouwen was, en één moment stond ik op de heuvel naar beneden te kijken. Toen hoorde ik Galan weer naar adem snakken in zijn helm terwijl hij van de romp van het ene paard naar de flanken van het andere sprong, over onbetrouwbare grond. Het harde leer van de zadels en de dekens, met knobbels en richels, draaide weg onder zijn voeten. Tuig en teugels en gespen grepen naar zijn voeten. Niets ving mij op. Ik zweefde over dit alles heen, onder zijn hielen en tenen. De paarden waren onhandig opzij gezakt, met verdraaide hoofden. Een oog keek door een ijzeren masker omhoog. Hun benen waren net gebroken takken. De naakte flank van de ruin was glibberig van een schuimende laag zweet en bloed.

Galan stak zijn kleine zwaard in de schede, want hij had zijn schorpioen weer terug. De man die hij ermee gespiest had leefde nog. De schorpioen was zijn buik in gedreven door zijn maliënkolder heen en blijven steken op zijn heupbot. De man lag tussen twee paarden in, opgekruld rond het wapen, zijn handen aan de steel. Ik gleed over zijn lichaam heen toen Galan tussen hem en de Zon stond. De schildknaap had veel tijd nodig om te sterven. Hij jammerde bij elke uitademing. Zijn helm had een eenvoudig vizier met een lange gleuf voor de ogen en er waren een heleboel gaten in geboord om de lucht binnen te laten. Ik glipte in de schaduw onder de helm. Zijn gelaatstrekken waren verwrongen van de pijn.

En ik was in de schaduw op Galans gezicht, onder het zilveren masker van zijn vizier, en ik voelde zijn grimas en proefde de zure smaak in zijn mond. Hij ging op de borst van de man staan en trok hard, totdat hij de schorpioen samen met een lading bloed lostrok. Het maakte een eind aan dat afschuwelijke gejammer.

Galan stond niet langer dan tien of twintig hartslagen stil, buiten bereik van zijn vijanden. Hij duwde zijn vizier omhoog, keek om zich heen en kwam op adem. Ik vluchtte in de holtes onder zijn jukbeenderen en voorhoofd, tussen zijn lippen.

En ik keek ook, vanuit de schaduw van zijn ooglid. Hij was niet alleen. Zijn oom was er. En de heren Guasca, Meollo, Erial, Lebrel, Pava en Alcoba, met de meeste van hun schildknapen. Ze waren overal om hem heen: zijn verwanten, zijn vrienden. Ze hadden een kring om hem heen gevormd.

In een oogwenk zag ik nog meer mannen van beide clans zijn kant uit rijden, of misschien zag ik het vanaf de heuvel. Maar bijna alles van mij was nu in de schaduw. Ik hoorde de nieuwsventer niet meer, alleen het gebrul van het publiek en de herrie van het gevecht; het bonzen van metaal op metaal, klappen, kreunen, uitroepen, kreten, hinniken, hoefslagen, het kraken van leer.

Het gevecht was naar Galan toegekomen; Crux streed met Ardor alsof hij de prijs was. De gedachte deed me deugd dat zijn clangenoten zijn leven kwamen redden. Dus toen de Crux schreeuwde: 'Let op, Galan!' en zijn zwaard optilde om een geharnaste van Ardor door te laten, begreep ik niet waarom hij dat deed.

Galans polsslag versnelde niet en zijn adem bleef regelmatig. Hij was dus niet verrast.

De geharnaste zat op een heel grote hengst. Ik zag wat Galan zag: dat het beschilderde lederen dek tegen vuil grijsbruine benen met witte plukken flapte. Het paard rende op ons af als een trekpaard. Maar ik zag de schaduw om de man heen, de duisternis die de kleur had van angst.

Galan sloeg zijn vizier neer en glimlachte. 'Bedankt, oom,' zei hij zachtjes.

Toen wist ik het. Ze lieten hem de eer om de man te doden.

Terwijl de vijand op hem afreed, voelde ik het haar in Galans nek en op zijn hoofd te berge rijzen voordat hij bewoog. De huid van zijn voorhoofd werd strak. Hij trilde. Er was gezoem in zijn oren. Ik kende dit gevoel: het was de aanwezigheid van een god. Hij zei één woord: '*Riskeer*.' Niet Kans, Gevaar of Fatum, niet één aspect, maar het geheel. Nu kon ik de angst niet meer proeven. Iets anders. Opwinding.

Hij begon over de ruggen van de gevallen paarden te rennen. Hoewel zijn stappen zeker waren, wankelde hij als een paardendeken weggleed onder zijn gewicht, gleed hij uit als een zadel aan een riem draaide. Hij aarzelde echter niet. Elk wegglijden werd een sprong, elke gemiste kans een volgende kans. Dit is Riskeers geschenk aan hen die alles wagen: het vermogen om op de scherpe rand te dansen van de kling die leven en dood scheidt.

Riskeer had hem in bezit, hij was bezeten. Maar nog nooit had hij zichzelf zo in zijn greep, was hij meer meester over alles wat hij wist en wat hij was. Alsof de god hem niet bereed – maar bij hem hoorde.

Er zat een grijns op zijn gezicht geplakt. Wat voelde de schorpioen goed in zijn hand. Wat maakte die zijn bereik groot, ons bereik. Ik was de schaduw van het wapen en de arm die het vasthield. De linten dansten terwijl hij zwaaide en ik stroomde over de grond. Ik voelde de steel in Galans hand schokken toen de sikkelvormige klauw in bot beet. Het paard gleed opzij en viel, geraakt in het been. De man was niets zonder zijn paard.

Er was roekeloosheid in hem, hij zou enige schade voor lief nemen als dat hem bracht wat hij wilde. Of misschien dacht hij, met het meedogenloze oordeel van een man die vrees en hoop terzijde heeft geschoven, dat als hij wachtte tot hij een slag moest afweren hij zijn kans zou missen om sneller toe te slaan, om als eerste toe te slaan. Ik kon het niet zeker weten, zijn gedachten bleven voor mij verborgen, maar toch kende ik elke slag die hij ontving, want ik zat tussen hun wapens en zijn vlees: ik wist dat de huid van zijn rug spleet en er kneuzingen zich verspreidden op zijn rug, zijn dijen, de binnenkant van zijn armen, zijn scheenbenen. Ik voelde geen pijn, want hij voelde die niet. Hij sloeg geen acht op zijn verwondingen.

Galan riep: 'Stuur er nog maar een!' en heer Alcoba stuurde hem er twee, een geharnaste en zijn schildknaap. De schildknaap stuurde zijn paard recht op de hoop dode paarden en mannen af, alsof hij eroverheen wilde springen, maar zijn paard bokte en de man viel half over de zadelknop en zijn nek kwam bloot, want hij droeg geen nekbeschermer. Toen Galan sloeg trokken de spieren in zijn buik samen en zijn adem stootte in een hese blaf naar buiten: *Ha!*

De geharnaste raakte Galan in de rug en wierp hem voorover op een gevallen paard. Er was bloed in zijn mond en hij slikte het door. Hij zag plukken paardenmanen met felgekleurde linten erin gevlochten. Ik lag onder Galan en wikkelde me om hem heen terwijl hij wegrolde en naar de onderbuik van het rijdier van zijn aanvaller stak. De hengst wierp zijn achterbenen in de lucht, zijn hoeven boven ons hoofd. De geharnaste boog zich met zijn knuppel voorover, naar Galan zoekend in het duister onder zijn paard, en Galan haalde hem neer.

Hij bewoog sneller dan ik kon denken en toch bewoog ik met hem mee, want een schaduw moet het tempo bijhouden. En ik smulde van zijn snelheid en kracht. Ik proefde zijn verlangen en het was het mijne: om zijn vijanden omver te werpen, ze te vermorzelen. We hunkerden er niet zozeer naar om ze te doden, maar om ze te verslinden.

De tijd ging in sprongen, haastte zich nu eens en treuzelde dan weer. Ik begon momenten kwijt te raken.

Galan brak het been van een ruiter met de steel van zijn schorpioen, trok hem van zijn paard, ging op zijn arm staan en boorde gaten in de helm met zijn venijn, de punt van de schorpioen. En we schreeuwden.

Ik kroop in de open mond van de dode, op een glazig en nietsziend oog en voelde me tevreden. En nog waren we niet verzadigd.

De buik van een paard werd opengesneden en het beest rende struikelend over zijn eigen darmen weg. Dat moest Galan gedaan hebben. Ik kon het me niet herinneren. Hij had zijn fort van dode paarden. Ze moesten naar ons toe klauteren. Te paard konden ze ons niet meer bereiken.

Twee tanden zaten los en wiebelden in zijn kaak. Zijn wangen waren stijf. Zijn grijns was kwaadaardig geworden. Er lag een lang zwaard dat aan iemand anders had toebehoord in zijn hand. De schorpioen en het schild waren verdwenen. We sloegen en het metaal zong; sloegen nog eens en vonden de juiste plek aan het lemmet waar het zwaard sneed zonder te blijven haken. Eén of andere dwaas stelde zich bloot aan een steek en we staken hard toe, door al die lagen heen tot op het vlees, grommend terwijl de kling doel trof, en we trokken hem zijdelings los om hem snel af te maken. Elke man was dezelfde, gezichtloos onder zijn helm of met een masker van angst, pijn of woede. Steeds dezelfde vijand, en het maakte ons moe. Een been schokte. Opwinding verzuurde tot ongeduld, tot de smaak van gramschap.

Het bloed dat uit de vijanden lekte was warm geweest, maar voelde koel aan tegen Galans huid. Hij brandde zo fel dat hij zelfs mij verschroeide, zijn schaduw, en toen ik dat voelde wist ik weer dat ik iemand anders was dan hij, heel even. Lang genoeg om angst te voelen.

Als een god hem nu bereed was het Kloof, die vrees zaait en verwoesting oogst, die de doden als schoven verzameld. Het was een gedachte die te groot voor me was, want ik was gekrompen tot een flard van mijzelf.

Er gleed een verrukkelijke schaduw om Galan heen, alsof zijn schim te groot was voor zijn lichaam. Zijn hitte verteerde mij, ik was de rook van zijn vlam en onze schimmen vermengden zich.

* * *

Er klom een geharnaste op de berg van gevallen mannen en paarden. Hij droeg de tekenen van Ardors eigen huis op zijn banier, de smidse van de Smid zelf met vuur in het hart. Het was dus passend dat hij het mooiste harnas droeg dat ik ooit had gezien, met overlappende banden aan elk gewricht zodat hij zich gemakkelijk kon bewegen. Zijn vizier was glad en ingelegd met een patroon van vlammen in goud en koper.

Het harnas was nutteloos als trofee; de man was te lang en zo dun als een zaailing en het zou nooit op maat vermaakt kunnen worden. Dat dachten Galan en ik beiden. Tegen die tijd was er geen verschil meer.

Van mij was niets meer over dan een leemte in zijn ogen, een klop in zijn bloedstroom.

Ik zag alles dubbel, met een schaduw. Er hing een zwarte wolk rond de vijand en aan de kleur zag ik dat hij te kalm was. Ik hoopte dat het zware pantser hem onhandig zou maken, maar zijn aanval was gedurfd en snel. Een flits duisternis waarschuwde mij dat hij eraan kwam. Ik werd nijdig en krabbelde aan de kant.

Een of twee ademtochten keek ik hem aan. Waar had hij zich schuilgehouden dat zijn wapenrusting zo schoon was, nog niet besmeurd met modder en bloed? Zijn frisheid was een grap. Hij bespotte mij ermee. Ik zou die perfecte wapenrusting besmeuren en hem als de anderen vertrappen.

Hij sloeg hoog toe en ik veegde zijn klap opzij met een geharnaste hand terwijl ik laag toestak. Toen mijn zwaard zijn dijbeschermer raakte, bleef mijn arm steken. Hij trok zijn zwaard terug en sneed door de voering van mijn linkermouw in het vlees boven de elleboog. Dat stak me; het was de eerste pijn die ik gevoeld had sinds het begin van de strijd.

Toen begon de angst tegen me te kwetteren, angst zwaaide op de punt en het scherp van zijn kling. Ik knipperde het zweet uit mijn ogen en trok mijn genadedolk. Mijn linkerarm was verzwakt door de snee, maar ik kon er nog steeds iets mee vasthouden. Nog een keer knipperen en ik schoot naar voren.

We hadden alleen op het veld kunnen staan, want ik hoorde geen ander geluid dan ons gehijg en gegrom, onze slagen. Hij was goed opgeleid, zijn elegantie werd nauwelijks gehinderd door de ongelijke ondergrond van dode mannen en paarden. Hij doorboorde mijn dij; hij probeerde me dood te laten bloeden met kleine prikjes, mikkend op de plaatsen waar ik de minste bescherming had. Er liep bloed over mijn been en arm, mijn linnen onderharnas kleefde aan me en bemoeilijkte mijn bewegingen. Ik waadde door lucht zo dik als water.

Maar ik kende zijn bewegingen, stuk voor stuk. Aan de manier waarop hij de ene vorm met de andere combineerde, aan zijn precisie, zag ik wie zijn zwaardmeester was, ik kende zijn naam. De zoon van de Ardor. Ze hadden hem in veiligheid gehouden zodat hij mij kon vinden als ik moe was. Een felle vrolijkheid overviel me. Hij had vandaag nog niemand gedood en dat zou zijn ondergang worden, want ik was gebrand op zijn dood en hij – hoewel hij dat niet wist – aarzelde over de mijne.

En zijn schaduw reikte als eerste naar me en ik wist waar hij heen wilde. Ik wist dat ik hem kon doden. Hij begon het te begrijpen. Zijn schaduw flakkerde en veranderde van kleur.

Nu vergat hij de helft van wat hij had geleerd, en hoefde ik alleen maar op de leiding van mijn zwaard te vertrouwen en van afweer naar tegenaanval te glijden langs de lengte van mijn zwaard. En ik haalde uit en haalde weer uit, maar mijn zwaard bonkte tegen zijn harnas. Ze hadden het allerbeste staal gebruikt en ik kon er nauwelijks een deuk in slaan. Er waren zo weinig zwakke plekken. Ik had ze allemaal bestudeerd. Mijn razernij brandde nu koud en berekenend.

Een klap tegen zijn schenen verzwakte zijn been. Ik probeerde onder zijn nekbeschermer te komen en mijn zwaard kerfde in zijn kuras. Nog twee slagen en het zwaard schokte. Ik liet het vallen en hij viel uit en ik ving het blad van zijn zwaard op in mijn gehandschoende hand en trok hem naar me toe en stak mijn dolk in de kleine opening waar zijn stalen pikbeschermer aan zijn maliebeenkappen vast zat, en liet hem daar zitten. Ik wrong het zwaard uit zijn hand en sloeg hem zo hard met de knop dat ik zijn helm indeukte en hem deed zwaaien op zijn hielen. Hij hief zijn armen op om de slagen af te weren en ik draaide het zwaard om en stak het omhoog in zijn oksel. Hij viel op zijn knieën en ik hamerde op zijn vizier, vloekend bij iedere slag. Het vizier viel af, ik ramde het gevest in zijn neus en hij viel om.

En dat zou zijn einde moeten zijn, maar hij ving mijn benen tussen de zijne en gooide me om. Ik viel bovenop hem en we worstelden in een innige omhelzing om het zwaard. Zijn neus was gebroken, zijn adem borrelde en er stroomde bloed over zijn wangen. We rolden om en om en ik kwam tussen twee paarden klem te zitten. Hij torende boven me uit. Maar ik vond mijn genadedolk die uit zijn lendenen stak en trok hem los met mijn linkerhand. Ik zag dat angst zijn pupillen verwijdden voordat ik het blad onder zijn kin naar binnen liet glijden, tot het gevest. Een mist van bloed spoot door de oogspleten van mijn vizier.

Ik duwde hem van mij af en zag zijn schaduw zieden en wegkronkelen als rook, en zo vertrok zijn schim.

Wat overbleef was eerder een jongen dan een man, met een donsachtige baard.

Ik kwam overeind en zocht de volgende vijand. De palmen van mijn handschoenen waren plakkerig van het geronnen bloed. Ik raapte het zwaard van de man op. Er was pijn van de oude buikwond; misschien had ik die weer opengereten. Ik hapte naar adem, was zo heet als een haardsteen en had dorst. Ik likte mijn lippen af en proefde bloed en zout.

Stilstaan was deze dingen weten. Mezelf op de been brengen, weer in de schaduwen glippen, me verstoppen op de grond. De Zon stond hoog boven ons hoofd. Ze gaf te veel licht en we krompen ervoor weg.

En we zochten naar de volgende man die we moesten doden, en de volgende, maar er was niemand beschikbaar. De plaats van het gevecht was verschoven en wij waren achtergebleven in ons fort van lijken. We begonnen tussen ze te zoeken, tussen de doden.

* * *

En ik, op de heuvel, viel om. Ik heb weleens gedroomd van vallen, alleen om met kloppend hart wakker te schrikken. Dit was erger: ik schoot van grote hoogte of afstand naar beneden en ontwaakte om te ontdekken dat ik nog steeds viel. Eén gevaarlijk moment lang wist ik niet wie ik was, waar ik was. De ogen waren vol met zonnevlekken en schaduw. En al die pijn – in het kruis, op de rug, rond de nek en in de keel, in de longen – en het prikken in de armen en benen, de brandende huid – die pijn en die ledematen waren toch zeker niet van mij. De kracht was verdwenen en er was slechts een zwakke, broze energie die me niet overeind kon houden. De benen zakten door.

Ik viel echt. Het was geen droom. Ik was van mijn hoge plaats op het rotsblok geduwd. Een sterke hand greep mijn arm terwijl ik neerging. Vliegenbeul trok me omhoog en redde mijn leven.

De toeschouwers liepen naar het toernooiveld toe en we zaten er middenin. Degenen die vlakbij waren duwden tegen ons aan, zoals zijzelf geduwd werden. Je kon je niet verzetten tegen die kracht. Een zandkorrel zou het net zo goed kunnen opnemen tegen het tij. Later kwam ik erachter dat er ruzie was uitgebroken op onze heuvel. Wie weet hoe het begonnen is, en wat doet het er ook toe? Toen er messen en knuppels getrokken werden, kwamen er veel sloven aanrennen naar het gevecht om te kijken of mee te doen, maar er waren er meer die probeerden te vluchten, anderen wegduwend. Aan de kolkende rand van de menigte ging de ruzie over in een rel. We zaten opgesloten. Ik hoorde gegrom en geschreeuw, kreten en vloeken. Iemand schoof tegen de brandwonden op mijn rug aan. Vliegenbeul duwde de man weg en ging achter me staan om mijn rug te beschermen, maar ook hij duwde. Hij had geen keus. Zijn dikke arm zat tussen ons klem, onder mijn schouderbladen. Ik verloor Mai's sjaal. Er zaten handen aan mij maar ik kon ze niet wegslaan. Spoedvoet was voor ons en er waren mensen tussen ons in. Ik riep zijn naam, maar hij hoorde me niet.

Ik gleed bijna weer de schaduw in, gleed bijna weg. Ik hoefde me maar over te geven aan de hoogtevrees, want ik was nooit gestopt met vallen; ik was nog steeds hier noch daar, niet helemaal, alsof ik overal over het veld splinters van mezelf had verspreid in de schaduwen onder stenen en grassprietjes. Ik werd geteisterd door onbetrouwbare waarnemingen. Koorts brandde. Mijn voeten struikelden voortdurend, alsof ze hun weg zochten zonder mij. Het ene moment zag ik de menigte en het volgende een gedrang van schaduwen. Ik knipperde met mijn ogen om de zwermende duisternis uit te bannen en zag de nieuwsventer. Hij was zijn rijdier kwijt, maar had zijn banier nog; die bewoog zich boven ons weg, met zwaaiende paal, terwijl hij weggevoerd werd in een stroomversnelling. Uli was aan mijn zijde. Hij had het wilde, verwarde uiterlijk van een doorgedraaid paard. Hij stootte zijn elleboog in mijn ribben om zichzelf nog een handbreedte meer ruimte te geven. Zijn huid spande strak over zijn grimas en ik wist dat ik er net zo uitzag.

Kloof Vrees had ons allemaal in zijn greep, we waren de manifestatie van de god in een menigte, we waren een meute.

We gingen als een lawine de heuvel af, naar het veld. De omhelzing van de menigte was zo stevig dat ik bang was dat mijn ribben zouden knappen; als ik mijn adem liet ontsnappen was ik bang dat ik niet voldoende ruimte had voor de volgende. Terwijl we bewogen werden sommigen voortgedragen en gingen anderen kopje onder, zich aan hun buren vastklampend voor hulp die ze niet kregen, totdat ze onder onze voeten verdwenen. En ik vertrapte ze ook.

Het Bloed van Kloof en Prooi, dat het veld bewaakte, hield de menigte tegen en probeerde ons te laten keren. Hun paarden stonden zijdelings opgesteld en toonden hun goedbeschermde flanken, en de ruiters sloegen met de houten achterkant van hun schorpioen of gebruikten hun zwaarden als knuppels, ons het scherp besparend. Een paar sloven vooraan in de menigte raakten bekneld tussen de muur van paarden en de stroom van mensen die de heuvel afkwam en stierven rechtop, vermorzeld. Ik kon niet zien wat er daar gebeurde, omgeven als ik was door langere mannen, maar de kreten waren afschuwelijk om te horen. En toen de ruiters ons tot staan brachten, voelden we hun kracht als een golf de heuvel opkomen. De man voor me slingerde naar achteren en Vliegenbeul hield me overeind.

Er was nu geen ruimte om te vallen. Een jongen viel flauw, zijn ogen rolden en zijn hoofd hing slap, en de menigte droeg hem weg.

Ik vroeg me af of Galan nog leefde, en toen was die gedachte weer verdwenen.

In de voorhoede van de massa waren een paar sloven zo wanhopig dat ze onder de buiken van de paarden door of achter hun achterwerk langs doken, de wapens van het Bloed ontweken en het toernooiveld op renden, op zoek naar veiligheid. Mannen van Prooi en Kloof keerden om om ze omver te rijden, op jacht naar wie de geheiligde grond bezoedelde, en nu toonden ze geen terughoudendheid, ze gebruikten het scherp van hun zwaard. Maar er was minder Bloed over om de menigte tegen te houden.

Wij gingen sneller, struikelend over de rotsachtige bodem. Ik kon weer adem krijgen. Vliegenbeul greep mijn mouw, die niet meer was dan een vod dat aan mijn lijfje hing; een ruk, een scheur en een paar gebroken draden en hij was weg, met mouw en al. Ik rende mee met de rest, een op hol geslagen kudde.

Terwijl ik rende merkte ik dat ik bad – niet aan de goden, zelfs niet aan Ardor – maar aan de Vrouwe en Na, wier botten ik nog steeds droeg. Alsof zij nu voor mij konden ingrijpen.

Ik bereikte een omvergelopen rookpot met rokende kooltjes eromheen, en daarna het puin dat de zuidelijke grens van het veld markeerde, de doden en gewonden onder onze voeten.

Nu liepen we tussen de ruiters en de ruiters liepen tussen ons. De meesten droegen banieren van Kloof en Prooi, maar ik zag er ook een paar van het bloed van Ardor, en zelfs van Crux, die zich afwendden van het doden van elkaar om ons neer te slaan, woedend dat er ongedierte om de benen van hun paarden rondkroop. Kloof Strijder moet een gevechtsrazernij op de mannen van Crux gelegd hebben, en blindheid, want de meesten in de meute droegen een twijg van hun eigen groen. De metalen huiden van de strijdpaarden glansden tegen onze haveloze kleding, ons doffe vlees. Ze reden het gewoel in met hun griezelige maskers op en ze maaiden ons neer en vertrapten ons onder hun hoeven, en we renden heen en weer, botsend, struikelend over de gevallenen, de rotsblokken ontwijkend die over het veld verspreid lagen, glijdend en plakkend in de bloederige modder.

Ik rende met de andere sloven mee, alsof ik me kon verbergen in de zwerm, alsof iemand van ons zich kon verbergen. En misschien baden de anderen om hetzelfde als ik: laat ze degene naast mij nemen, en die daarnaast, als ik maar gespaard word. Vrees leert ons egoïstisch te zijn, om onze eigen dood veel waarde toe te kennen en die van een ander weinig.

We maakten het geluid van varkens in de slachttijd, krijsend en gillend. Er was ook die stank van opengereten lijken. Ik kon niet geloven dat wij zo stinken. Het Bloed was achteloos en liet velen een langzame dood sterven. Geen slager zou dat doen.

Ik voelde een regendruppel uit de wolkenloze hemel, veegde mijn gezicht af en mijn hand werd rood. Ik draaide me om, en er stond een hoer achter me in een gestreepte rok. Ze deed twee stappen voordat ze viel. Misschien kende ik haar wel, maar haar hoofd was weg. Goden, het bloed wordt vanbinnen zo ingeperkt dat het eruit spuit als een fontein.

Ik keek, maar ik kon geen wereld herkennen in wat ik zag; fonkelend licht, vlekken duisternis, alles in de schemer. Ik zwaaide heen en weer, verblind. Alsof kijken een truc was en ik vergeten had hoe die werkte.

Er rende iemand tegen me aan en wierp me omver. Ik krabbelde overeind en kon weer zien en er kwam een ruiter op me af en de mensen schoten voor hem weg. Ik zag aan zijn lichte wapenrusting dat hij een priester van Kloof was. Hij was blootshoofd en had een kaalgeschoren kruin. Op de bovenkant van zijn schedel was een grotesk gezicht geschilderd. Hij boog zijn hoofd om me dat te laten zien en ik zag het aan voor het zijne. Ik dacht dat hij mijn dood zou worden. Ik stond stil, gevangen in de verlamming van Vrees, en hij kwam zo dichtbij dat zijn stijgbeugel langs mijn arm streek. De luchtstroom van zijn verplaatsing bracht een geur van paardenvlees en zweet en leer; ik hoorde de adem van zijn rijdier puffen.

De priester haalde in het voorbijgaan uit. Zijn zwaard gaf een lik en sneed mijn hoofddoek met een zuivere aanraking door. De doek viel en mijn haar kwam los; het was donker van het zweet en plakte in pieken aan mijn gezicht en nek, mijn verbrande rug. Ik zag aan zijn gezicht, zijn echte gezicht, niet dat op zijn kruin geschilderde, dat dit voor hem een sport was. Hij klakte tegen zijn paard en ze bogen als een, man en dier, en reden om me heen in de kleinst mogelijke cirkel. Hij sneed me netjes van de kudde af. Ik bukte om mijn hoofddoek op te rapen – mijn gedachten zo leeg als de beurs van een bedelaar – en zijn zwaard siste boven mijn hoofd en hakte een hap haar af. Hij probeerde zijn paard achteruit boven op me te laten stappen, en eindelijk begon ik te rennen, laag wegduikend, de flarden die hij van mijn hoofddoek had gemaakt stevig vasthoudend.

Hij liet me leven. Misschien keek hij neer op het doden van wie ook van ons. Er zat niet veel bloed aan zijn zwaard.

Ik vluchtte naar de rand van het toernooiveld en bereikte de meute die nog steeds van de heuvel afrende. Ik hoorde er niet langer bij, eindelijk had ik mijn verstand weer een beetje bij elkaar. Ik trok mijn rokken op terwijl ik rende en zocht mijn weg tegen de stroom in, renners en ruiters ontwijkend en over de neergeslagenen springend. Ik ging westwaarts langs de grens van het veld, richting veiliger grond, waar de menigte dunner werd en de lijken minder dik lagen rondgestrooid.

Het was haast noen. De Hemelen waren wolkenloos maar vol vogels: meeuwen en raven, wouwen en vishaviken en valken, spreeuwen en zwaluwen. Waar de Zon omhoog klom was de lucht felwit; elders was die helderblauw. Ik leefde dit moment nog, en misschien het volgende ook, en ik rende alsof de Koningin van de Doden me rechts en Vrees me links achtervolgde. Ik was van plan ze allebei af te schudden, en dan te vallen als de prooi die ik was. Ik wilde niets meer met een massa te maken hebben.

Ik rende naar een ravijn in de heuvels, naar een bosje kromme eikenstruiken die een moerasachtig plekje verborgen waar het water uit de grond omhoog kwam en zich verzamelde na de regens. Ik had er mos en kroos verzameld. Ik kende de plek en wist wat er te vinden was, door de vele dagen die ik dwalend had doorgebracht met Leegemmer op mijn hielen, toen ik eigenlijk naar toernooien moest kijken.

Een bonk en een klap en ik lag voorover op de grond; ik hoorde een paard weggalopperen dat ik nooit aan had horen komen. Ik was op mijn rug geslagen, vlak bij een nier, en de pijn was zo scherp dat ik dacht dat ik gestoken was. Ik probeerde te ademen, maar het lukte niet. Lukte niet. Lukte niet. Totdat de pijn openscheurde en een beetje lucht binnenliet. En toen ademde ik totdat ik kon kruipen. Ik kroop onder een uitstekende rots die een klein beetje schaduw wierp, een zegen van koelte en duister, en voelde me veiliger nu ik onder het oog van de Zon uit was. Ik rilde van de koorts. De pijn sloeg in golven op me neer.

Eindelijk trok het getij van de pijn zich terug. Ik voelde aan mijn rug en ik bloedde niet, ik wist dat ik zou blijven leven. En ik voelde, voor de eerste keer sinds ik van zo ver en zo plotseling teruggevallen was in mijn lichaam, dat ik helemaal in één plaats was, dat elk stukje en beetje van mij was thuisgekomen. Want het lichaam wist wat de schim vergeten was: ik was sterfelijk en nog niet klaar om te sterven.

Toch was ik nog niet helemaal in orde. Ooit had ik uit één stuk bestaan, nu was ik een vuist om een handvol scherven. Of minder dan dat. Als ik mijn vuist opende, vond ik misschien alleen maar een melodie, een liedje.

* * *

Het leek alsof ik daar heel lang zat. Ik tilde mijn hoofd op. Het toernooi ging verder en de jacht ook. Ik hoorde ze allebei; ze maakten verschillende geluiden.

En daar was heer Rodela's bruine paard, met een groen-en-ivoor geschilderd masker en dek, die rondneusde tussen de stenen naar verwelkte plukjes gras. Het paard trok aan het gras en kauwde, zijn bit bungelde erbij. Ik zag het paard duidelijk, zonder een krans van schaduw. Het deed pijn om naar te kijken omdat de Zon zo fel was.

Achter het paard reden twee geharnasten van Prooi langs de grens van het veld met hun schildknapen achter hen. Ze lieten de stelen van hun schorpioenen op hun dij rusten. De klingen knipoogden in het zonlicht. De ruiters hielden de menigte op de heuvels in de gaten om te voorkomen dat er iemand afdwaalde – en de toeschouwers op de westelijke heuvel waren verstandig genoeg om op hun plaats te blijven, hoewel er beweging onder hen was, draaikolken die het water vertroebelden. Ze maakten veel herrie met juichkreten en gefluit. Iemand wierp een steen en het rijdier van een schildknaap stapte zenuwachtig weg. De vlaggen en banieren en vaantjes van het Bloed bespikkelden de heuvel, helder als de eerste lentebloemen in een winterse weide.

Niet meer dan vijftig passen naar die veilige haven in het ravijn. Achter me was chaos, voor me leek vrede te liggen. Maar mijn weg was versperd. Ik vond het eng om langs die mannen die het veld bewaakten te moeten; misschien deden ze graag mee aan de sport van hun makkers.

Ik sloop bij ze vandaan, om de uitstekende rotspunt heen. En aan de andere kant trof ik heer Rodela aan. Hij zat tegen de steen geleund en zijn handen lagen slap op zijn knieën. Zijn hoofd was gebogen en hij leek bijna dood. De man die naast hem lag was zonder twijfel dood. Zijn helm was weg en hij had wonden in zijn nek die diep genoeg waren om zijn ruggengraat bloot te leggen. Een geharnaste, te oordelen aan zijn mooie wapenrusting; een van Ardor, te zien aan zijn banier. Dus Rodela had de wapenrusting gewonnen waarover hij de vorige avond had gesnoefd.

Ik stond stil voor heer Rodela en hij keek naar me. Hij droeg een leren helm met ijzeren neusbeschermer en ribben. Een van zijn wangbeschermers ontbrak en de andere hing nog maar aan één riempje. Het wit van zijn ogen stak fel af tegen het bloed op zijn gezicht. Hij knipperde met zijn ogen en hief een hand op, een vaag gebaar. Ik stond met mijn rug naar de Zon en hij zat in mijn schaduw.

'Water,' zei hij.

Hij herkende me niet.

Ik dacht aan Galan die heer Rodela zocht, en toen aan wat Galan had gezegd: *Als Kans hem op mijn weg brengt, hoe kan ik haar geschenk dan weigeren?* Zonder twijfel had ik geluk, maar of dit Kans was – dat wist ik niet zeker.

Ik herinnerde me de smaak van Galans woede, hoe ik ervan gesmuld had toen ik een schaduw was. Hoe het voelde om zo eenduidig te zijn als een zwaard, slechts voor één doel gesmeed. Hard, scherp, snel, klaar. Ik was gesmolten uit onzuiverder metalen. Ik kon Galans woede niet oproepen. Evenmin kon ik mijn eigen woede oproepen, want ik was nog steeds van mezelf vervreemd.

Ik zou het zonder moeten doen.

Al die gedachten tussen twee hartslagen in. Ik zei: 'Geef me je helm, dan haal ik water.'

Toen hij aan het riempje van zijn helm prutste, ging ik naar hem toe en maakte de gesp los. Ik trok zijn helm af en de gevoerde kap kwam mee. Die was doordrenkt met bloed. Zijn schedel was gebarsten door een klap boven zijn rechterslaap – misschien een slag van een knuppel – iets dat eerder zwaar was dan scherp. Ik kon de wond duidelijk zien vanwege zijn kale kruin. Het haar eronder lag plat op zijn hoofd geplakt. Het bloed was donkerder dan ik verwachtte, zwartig, en het welde op uit de wond en liep ook uit zijn neus, plakte in zijn snor en baard. Ik duwde op de plek met mijn vingers en onder de huid voelde het aan als pulp. Misschien zou mijn vrouwenaanraking hem ziek maken, zijn bloed besmetten, en dan zou ik hem niet hoeven vergiftigen. Misschien zou hij zonder mijn hulp sterven aan die wond.

Heer Rodela tilde zijn arm op en duwde me weg. 'Blijf af,' zei hij. Hij zwaaide heen en weer en zette een hand op de grond om te voorkomen dat hij omviel. Een knie viel opzij. Hij hijgde.

Ik gooide de doorweekte kap op de grond en keek naar de helm. Twee van de ijzeren ribben waren naar binnen gedreven. Hij was meer dan eens geslagen.

Ik keek op en zag dat de twee geharnasten en de schildknapen die de grens bewaakten wegdraafden, hun ogen nog steeds op het publiek. Ik was bang om te rennen, maar hier blijven was niet beter. Ik sprintte naar het ravijn tussen de heuvels met heer Rodela's helm in mijn hand, en toen ik het bosje eikenstruiken had bereikt, dook ik en wrong me naar binnen. De eiken kwamen niet veel hoger dan mijn hoofd. Roestige bladeren hingen aan de zwarte twijgjes, ratelend toen ik langskwam. Eikels rolden onder mijn voeten en struikjes grepen mijn rokken.

Toen ik achterom keek zag ik dat ze nog niet klaar waren met de slachtpartij. Ruiters op de helling leidden de menigte de heuvel op. Op het toernooiveld jaagden ze de sloven een voor een op. Ik zou in het bosje moeten blijven, verstopt. Hier was ik veilig.

Het ene moment besloot ik hem te doden, het volgende aarzelde ik. Een strohalm was nog steviger dan mijn besluit. Waarom zou het moeilijk zijn om een man te vermoorden? Ik wist hoe het voelde. Ik had mezelf aan Galan gegeven, en Galan had gedood. Had ik de verrukking niet gevoeld, het uithalen, de steek? Nu kwam de gruwel ongevraagd en was ik zwak.

Ik had gezien hoe het Bloed gehakt van ons maakte, gehakt en vleesafval. Ze zaten er absoluut niet mee.

Als hij toch al stervende was, was het niet nodig.

Stel dat hij bleef leven. Zo'n kans kreeg ik nooit meer.

Ik duwde me tussen de hoge moerasplanten door. De grond was zacht. Ik stapte van graspol naar graspol en de modder kroop tussen mijn tenen omhoog. Er was geen open water, geen poel, maar overal sijpelde water omhoog. Ik knielde op een open plek waar mos, eendekroos en waterkool groeiden, en mijn rokken waren doorweekt tot op mijn knieën.

Ik zette de helm naast me neer en schepte modderwater in mijn handen om te drinken. Toen ik genoeg gedronken had, duwde ik zijn helm in de modder om het water over de rand te laten lopen.

Toen zag ik welk teken heer Rodela in zijn helm mee naar het toernooi had gebracht: kort touwachtig koperen haar op een flardje huid – mijn eigen huid – met wasdraad aan het leer genaaid. Hij had het niet op zijn pluim durven dragen, zoals de trofee die hij van heer Bizco had gewonnen. Maar hij had het wel gedragen, en het maakte het voor mij alleen maar erger dat hij het aan de binnenkant had, vlak op zijn eigen huid.

Woede kwam toen ongevraagd, ik trilde ervan.

Ik scheurde het lapje vlees uit de helm en verwijderde de stukjes haar en huid die achter de draden achtergebleven waren. Ik vond het moeilijk om aan te raken wat hij van me had gestolen, maar ik stopte het restje onder mijn lijfje. Ik zou het verbranden wanneer ik tijd had.

Het water was bruin, bezaaid met stukjes kaf, en het werd roodachtig toen het zich met heer Rodela's bloed vermengde. Er gleed een watervlo in de helm en ik knipte hem weg.

Ik zette de helm neer op een plukje zegge. Er lagen overal stenen en ik vond gemakkelijk wat ik zocht: een gladde steen, bijna plat op een holte na in het midden, bijna als de holte van een handpalm, en een ruwe ronde steen die in mijn hand paste. Vijzel en stamper. Ik had de flarden van mijn hoofddoek meegenomen. Nu legde ik ze op de grond. De priester van Kloof had de doek met één slag in drieën gesneden. In een van de flarden lag nog een knoop, en door het linnen heen voelde ik de verschrompelde bessen van de wolfskers. Ik leegde de wolfskers in de holte van de steen: acht bessen. Ik wist niet zeker of het genoeg zou zijn.

Ik spuugde op de bessen en stampte ze fijn, spuugde opnieuw en stampte hard, en heer Rodela's gezicht lag onder de stamper. Het zwarte vlees van de bessen werd uitgesmeerd over de stenen. En ik bad, want ik wist zeker dat Ardor me nu zou horen. Deelden we deze vijand niet? Heer Rodela had Ardors nakomelingen net zo onteerd als mij. *Ardor Smid, maak me een wapen in uw hand.*

En welke god zou ik met deze daad beledigingen? Vele goden en ook mannen, zonder twijfel. *Ardor Wildvuur, verberg me voor hen.* Ik wilde dat ik een giftige kus kon geven, dan zou hij sterven en nooit beter weten. Ik haalde de zaadjes eruit en schraapte de pasta met een twijgje in de helm en spoelde de stamper en vijzel schoon met water, zorgvuldig om geen druppel te verliezen.

Ik kroop terug naar de rand van het bosje. Ik zag mannen in de verte, rijdend, rennend, vechtend, maar er was zo'n stilte aan onze kant van het veld dat de wouwen en raven al neerdaalden op de doden. Een van de patrouillerende schildknapen reed naar de vogels en ze klapwiekten weg. Ik wachtte tot de strijders voorbij waren en toen ik vond dat ze ver genoeg weg waren, haastte ik me terug naar heer Rodela, mijn natte rok optrekkend zodat die niet aan mijn benen bleef plakken.

Heer Rodela hoorde me komen en draaide zijn hoofd om. Hij kromp ineen en kreunde bij de beweging. Ik legde de helm in zijn handen, maar hij kon hem niet pakken, dus hield ik hem voor hem vast. Mijn handen waren zeker. In vier slokken had hij hem leeg, en er liep water over zijn kin dat een geul trok door het bloed. Er hingen stukjes zwarte bes in zijn baard. Ik veegde ze weg met mijn hand en maakte mijn hand schoon met een plukje gras. Ik dacht dat hij zou klagen dat het water smerig was, maar hij keek alleen maar naar me terwijl ik voor hem zat. Zijn gezicht was vol in de zon en hij kneep zijn ogen dicht, verblind. Zijn ene pupil was zo klein als een speldenprik, de ander enorm groot. Zijn huid was wit-met-paars gevlekt waar die niet schuilging onder het bloed. Zijn kaak hing slap en hij ademde snel en oppervlakkig. Ik pakte de bloederige gevoerde kap op, zette hem op heer Rodela's hoofd en strikte de veters onder zijn kin dicht. Ik zette de helm over de kap heen, wat nog moeite kostte want hij paste precies. Hij hief zijn handen niet op om me tegen te houden, hoewel hij opzij zakte en ik hem moest ondersteunen.

Dus verbaasde het me dat hij zijn hand optilde om een lok van mijn haar tussen zijn vingers te nemen. 'Zo rood,' zei hij. 'Roder dan ik had van jou.'

Ik trok me met een ruk weg en stond op. Hij wist dus toch wie ik was.

Hij keek naar me op; hij kon zijn hoofd niet omhoog houden en het viel in zijn nek. 'Ik wist wel dat je om me gaf,' zei hij, en de ene helft van zijn mond glimlachte.

Ik deed een stap naar achteren en struikelde over de dode geharnaste, kwam met een bons op de grond terecht. Rodela's hoofd klapte voorover en hij kreunde.

Hoewel het dwaas van me was, boog ik mijn hoofd en bleef daar zitten op de grond. Het was merkwaardig stil, afgezien van het gebulder in mijn oren. *Sterf nu!* dacht ik. Maar ik wist dat hij niet snel zou sterven; de wond noch de wolfskers zou snel doden.

Er lag een knuppel bij mijn hand, de knuppel van de dode geharnaste, en ik bedacht dat ik die kon pakken en Rodela afmaken. Ik had de weg van de lafaard gekozen, de weg van de vrouw.

Maar ik kon het wapen niet pakken. Ik rilde als ik eraan dacht dat ik die op zijn hoofd moest laten neerkomen. Ik wist welk geluid de klap zou maken.

Ik had *hem* een adder genoemd. Wiens gif was sterker?

Ik had hem gedood en ik was blij toe. Ik zou blij moeten zijn.

Als hij maar snel doodging.

Ik hoorde voetstappen, maar ik hield mijn hoofd gebogen, mijn ogen dicht. Het was op dat moment gewoon te veel moeite om mezelf te redden. Ik voelde de koelte van een schaduw tussen de Zon en mij. Ik wist wie het was voordat ik opkeek, voordat hij sprak.

'Dat komt goed uit. Ik heb overal naar jullie beiden gezocht en hier zijn jullie dan alle twee.'

Galan had zijn helm afgedaan en aan een haak van zijn wapengordel gehangen. Zijn kruin was verlicht door de zon, maar zijn gezicht was donker. Ik dacht aan hoe hij die ochtend was weggegaan, hoe zijn jaloezie ons afscheid had verpest. Nu trof hij me aan bij zijn voormalige schildknaap, en ik vreesde dat hij me van alles zou verdenken – behalve van wat ik gedaan had.

'Puur toeval,' zei ik. 'Ik rende weg en struikelde bijna over hem. En ik kon niet verder...'

Hij boog zich naar me toe. 'Het grieft me om te zien dat je bang voor me bent, al weet ik dat ik het verdiend heb.'

'Ik heb nooit...'

'Dat weet ik.' Hij raakte mijn wang aan. 'Ben je gewond? Waar komt dat bloed vandaan?'

Ik hoorde vermoeidheid in zijn stem, geen achterdocht. Het was als koorts, die jaloezie van hem. Hij liep hoog op en brak dan. Maar hij zou terugkomen.

'Niet van mij,' zei ik. Ik worstelde me overeind, gehinderd door mijn natte rokken, en hij strekte een hand naar me uit en liet niet los.

Ik had eraan getwijfeld of ik welkom was, getwijfeld of hij zou blijven leven, nadat ik zo plotseling van hem was weggerukt. Nu had ik zekerheid over beide en ik kon niets anders doen dan huilen. Mijn verschrompelde hart bevatte toch een zaadje, en de vreugde bracht een slanke wortel en een groene scheut voort die de harde korst deden barsten. Ik verborg mijn gezicht tegen zijn schouder en duwde me in mijn volle lengte tegen hem aan, in al die stof en leer en metaal, en ik wenste dat ik als zijn schaduw tegen zijn huid aan kon liggen.

O, maar het was beter dat ik mijn eigen lichaam zat en leefde, dat we allebei leefden. Ik zei zijn naam. Het was het enige woord dat tot me kwam.

Hij dwong me hem aan te kijken. Opgedroogd zweet en bloed plakten op zijn gezicht en hij had de veeg van gemalin Vulpeja's as nog op zijn voorhoofd. Hij zag er geel en wasachtig uit, en toen we elkaar kusten, voelde ik de botten van zijn schedel, zijn tanden, en bedacht dat het maar een dunne sluier van vlees is die ons bedekt.

Hij zei: 'De manier waarop je daar zat... zo stil... ik was bang...'

'Ik ben ongedeerd en jij leeft nog, dankzij de goden – ik kan niet bedenken hoe we deze ochtend anders doorgekomen zijn!' Ik kuste hem nog eens, lachend en huilend tegelijk. 'Maar we zijn nog niet veilig. We moeten ons in veiligheid brengen.'

Galan zei: 'Heb je de hoorn van de koning niet gehoord? Het toernooi is voorbij. De koning heeft er een eind aan gemaakt toen het kleivolk het veld op rende. En het was trouwens toch noen, zo goed als; niemand kan zeggen dat hij ons bevoordeeld heeft. Goden, toen ik het groen in de kappen zag en wist dat het ook onze mensen waren die daar renden... en dat jij erbij was... maar nu is het voorbij, het doden is voorbij. Ze zijn allemaal dood of weggejaagd. Allemaal dood.'

Galan liet me los en viel op zijn knieën. Hij trilde heftig.

Ik knielde naast hem neer en gaf geen krimp toen hij zijn hand op mijn schouder legde en met zijn vingers in mijn brandwonden groef. Hij staarde naar Rodela, die op zijn zij was gezakt. Zijn ratelende, gierende adem maakte duidelijk dat hij nog leefde. 'En hij?' vroeg hij.

'Sterft,' zei ik. 'Zijn schedel is gebarsten.'

'De carnifex kan hem misschien genezen.'

'Nee, het is dodelijk, dat weet ik zeker.'

Zijn greep om mijn schouder verslapte en hij keek me aan. Zijn wenkbrauwen zaten in een knoop; zijn ogen konden niet helemaal recht in de mijne kijken. 'Ik was van plan hem te doden.'

'Niet nodig. Beter van niet.' Ik keek naar beneden. Ik wenste dat hij het had gedaan, dan had ik het niet gehoeven.

'Ik was het van plan.' Hij legde zijn handen op zijn dijen, leunde naar voren en maakte een geluid alsof hij pijn had, en ik dacht dat hij eindelijk zijn wonden moest voelen. Maar hij zei: 'Wat maakt eentje meer uit bij zo velen?' en hij vouwde zijn armen over zijn buik en boog voorover tot zijn voorhoofd haast zijn kniestukken aanraakte.

Dat is precies wat ik tegen mezelf had gezegd.

Ik hoorde hem naar adem snakken alsof hij probeerde niet te snikken, maar toen hij rechtop ging zitten waren zijn ogen droog. 'Werkelijk, ik weet niet hoeveel,' zei hij. 'Zou ik het niet moeten weten? Ik kan ze me niet allemaal herinneren. Ik moet wachten op de stand.' Hij begon van voor naar achter te wiegen, nog steeds trillend. 'Ze denken dat dit er een einde aan maakt, maar er komt nooit een einde aan. Ik heb de zoon van de Ardor gedood. Dat is er een van wie ik zeker ben. Hij was goed, maar ik heb hem overtroffen.' Hij lachte. 'Ook iets om over op te scheppen – een baardeloze knaap doden.'

Ik legde mijn hand op zijn arm om het wiegen te stoppen. 'Wie heeft er gewonnen, Galan? Heeft er iemand gewonnen?'

Hij keek me ongelovig aan. 'Hoezo, kun je dat niet zien?' vroeg hij. 'De eer is aan ons.'

Hoofdstuk 16

Stand

Er was niet veel hout meer in het bos, maar het beetje dat nog over was ging voor de bijl: de eikenstruiken in de kloof die te mager waren voor de scheepsbouwers, de oude doornhagen tussen de weiden, de kromme bomen die hier en daar aan de kliffen hingen. Alles – zelfs hout van hoog uit de bergen dat voor zilver op de markt gekocht was – brandde die nacht om de brandstapels van het Bloed te voeden.

Het feestmaal was voorbij; de levenden hadden uit elke beker wat wijn gegoten voor de gesneuvelden, vriend zowel als vijand, onder het prijzen van hun moed. Wie geen lof verdiend had kreeg die toch, want de doden moeten omkranst met mooie woorden op hun reis gezonden worden. Ze zouden niet meer bij naam genoemd worden, een heel jaar lang niet.

De kliffen waren stampvol mensen die de doden kwamen eren en het schouwspel bekijken. Afgelopen nacht waren we hier geweest om gemalin Vulpeja te verbranden. Galan had haar gewroken; hij had het teken van haar as van zijn gezicht gewassen. Ik vroeg me af of haar schim tevreden zou zijn met zo veel doden voor de hare, alsof dat alles goedmaakte wat hij haar ontzegd had toen ze nog leefde.

Galan stond voor de brandstapels, gehuld in een geleend bovenkleed en het licht van het vuur, en de vonken sprongen rond zijn hoofd. Kortgeleden hielden zijn makkers nog een bepaalde afstand tot hem, om niet door zijn ongeluk besmet te worden. Maar nu verdrongen ze zich om hem heen, ze raakten hem aan alsof hij een talisman was.

Ik was zo dicht bij hem geweest als zijn eigen schaduw, misschien nog dichter. Of niet? Ik vertrouwde mijn herinneringen nu al niet meer. Het was alsof ik ontwaakt was uit een droom, zwetend en gillend toen ik in de greep ervan was, en de droom was vervaagd in het licht van de dag. Hij was gemaakt van breekbaar materiaal dat niet bestand was tegen herinneren en werd in stukken gescheurd toen ik probeerde hem op te pakken.

Eén ding was zeker: ik was mezelf bijna kwijtgeraakt in de schaduw, had mezelf bijna aan Galan opgegeven. Dat was net zo'n dodelijk gevaar geweest als de stampende meute en de ruiters die ons neersloegen. Ik betaalde er nog steeds voor, want ik was kleiner in mezelf teruggekomen dan daarvoor; ik paste slecht. Ik rammelde in mijn huid als een droge boon in een peul. En er lag verdriet in de afstand tussen ons, de gewone afstand die nu zo groot leek, elk van ons alleen in zijn eigen lichaam. De binding die ik tussen ons geknoopt had was een armzalige draad, slecht gesponnen.

De smaak van de vuurdoornbessen lag nog steeds zuur op mijn tong, maar het had iemand anders kunnen zijn die op die heuvel stond en ze doorslikte. Ik kon me niet langer herinneren wat ik gedacht had, waarom ik zo veel had gewaagd.

Ik had het niet moeten doen.

Ik keerde de menigte en de vuren de rug toe en ging op een rots zitten met mijn benen over de rand van het klif. De wind kwam van land en duwde als een handpalm tegen mijn rug. Ik greep het steen vast om niet in de onmetelijkheid van lucht en water te vallen; ik was dun en de wind had meer gewicht dan ik. Of ik mijn ogen nu sloot of open hield, ik bleef dezelfde beelden zien.

* * *

Die middag na het toernooi had de Zon boos gekeken toen ze naar de zee afdaalde, en onder haar blik zagen de lijken op het veld eruit als stukken zeewier, als kleurloze, lege kledingstukken verstrooid door de wind. Ik hoorde het dissonante gekreun en de kreten van de gewonden die om hun moeder riepen, de goden vervloekten of baden, en onder die geluiden de verstikkende stilte van de doden. Ik was teruggegaan om Spoedvoet te zoeken op de plaats waar de meute op de ruiters was gestuit, waar de doden hoog opgestapeld lagen. Ik hoopte dat ik hem daar niet zou vinden. Ik was een van de vele zoekenden: sommigen zochten naar verwanten of vrienden, anderen aasden op de munten die de doden in hun beurzen verborgen, in hun kleren, in hun mond.

Hoe had ik Spoedvoet kunnen beschermen? Onmogelijk – en toch had ik niet eens bedacht dat ik het moest proberen, en de belofte die ik Az had gedaan woog des te zwaarder omdat ik hem te licht opvatte. Dus rende ik gehaast rond en riep zijn naam. Bij elke spichtige jongen die ik zag dacht ik dat hij het was – en er waren veel jongens. Ik draaide ze om, veegde het bloed van hun gezicht. Ze staarden allemaal blind voor zich uit, de levenden en de doden.

En ik was ook blind, blind en doof voor andere behoeften; ik hield me aan mijn kleine doel, alsof dat de onmetelijkheid van de verwoesting op afstand hield. Maar toen vond ik de schede Suripanta, wier ingewanden uit haar buik hingen, en ik bleef bij haar tot ze stierf. Ik hield haar hand vast terwijl ze langzaam naar binnen reisde om haar dood te ontmoeten, en ik huilde, niet van verdriet maar van vermoeidheid en wanhoop. Ze heeft nooit geweten dat ik er was.

Ik kon niet de hele dag blijven huilen. Na een tijdje stond ik weer op en zwierf over het veld, en het was toen, op het moment dat ik niet meer zocht, dat ik begon te vinden. Ik vond Uli, Galans paardenjongen, dood; ik vond anderen die ik kende, voetsoldaten en hoeren en venters van de markt, en toch was het moeilijk om zeker te weten of ik ze kende, want de dood steelt gelijkenis.

Ik vond een vrouw – een wasvrouw, te zien aan haar gekloofde handen – met haar rokken opgetrokken tot haar heupen en een been gebroken onder de knie, verdraaid en kapot. Haar gezicht was klam en de ruwe, zonverbrande huid was grijs. Ze gilde het uit toen ik haar aanraakte en schreeuwde dat ik op moest houden. Desondanks zette ik haar gebroken been en verbond het, bond het vast aan haar goede been omdat ik geen betere spalk had, en haar gillen ging over in vloeken en snikken. Ik bond haar rok om haar enkels vast zodat ze niet aangerand zou worden en gaf haar water uit de fles van een dode man. Ze was haar zoontje kwijt die de leeftijd had om te kruipen, en ik vond hem vlakbij, huilend, en bond hem aan haar pols. Ze vroeg me haar echtgenoot te zoeken en ik zei dat ik dat zou doen. Maar hoe kon ik dat?

Ik liet haar daar liggen en ging op zoek naar mos, en onderweg vond ik een man die om water riep, en een vrouw die bloedde; en zo ging het verder. Ik begon aan een taak, alleen maar om iets later te merken dat ik vergeten was waarvoor ik kwam of zelfs wat ik deed. Nooit had ik zoveel gezien van ons binnenste; de gapende wonden in het vlees verhulden wat verborgen had moeten blijven. En ik had nooit geweten hoeveel een mens kon verdragen en overleven.

Er waren andere genezers op het veld. Ik zag de bloedstelper, de bottenzetter en zelfs de vroedvrouw voor de vrouwen zorgen. Twee vrouwen die ik hielp putten daar moed uit en hielpen mij weer. De mannen hadden hun carnifexen, een paar paardencastreerders, enzovoort. Een van hen had een laaiend komfoor op een handkar en een handvol ijzers die hij tegen de stompjes zette van mannen van wie een lichaamsdeel was afgehakt. Aan het gillen wist ik waar hij was.

De gewonde vrouwen hadden het koud en ik was koortsig. Ik verbond hun wonden met lappen die ik van de doden stal, ik gaf ze water, legde ze mijn handen op en probeerde ze warmte te geven zodat ze ophielden met bibberen. Ik wachtte niet langer tot de doden op weg waren, niet nu er zovelen waren die misschien in leven bleven.

Hoeveel warmte ik ook gaf, ik brandde, het vuur gestookt met woede. Er ligt gebed in genezen, dus ik neem aan dat ik bad, op een bepaalde manier. Maar ik smeekte niet om de gunst van een god.

Welke god mij en Galan ook gespaard heeft die dag, ik wist nu wat ze in werkelijkheid waren: aaseters. Ik zag Kloof Vrees neerdalen op het dode kleivolk, in de zwermen van meeuwen, raven en wouwen, honden en dieven. En ook andere goden kwamen vreten en bogen zich over de stervenden heen om hun laatste adem in te ademen. Zelfs onder de heldere blik van de Zon leken hun grote vleugels het slagveld te overschaduwen.

Ze deden hun feestmaal met wat er over was van de meute, terwijl hun nakomelingen, de verslagen geharnasten en schildknapen van het Bloed, verzameld werden en voor de koning neergelegd in waardige rijen, en zelfs hun kleinste bezittingen werden verzameld.

* * *

Het Bloed daalde van hoog uit de heuvels af om te komen kijken wie er gestorven was in het toernooi en om na te gaan, met enig ontzag, hoe ver het dodental van Ardor dat van Crux overtrof. Ik hoorde de dodentallen niet opgelezen worden, want tegen die tijd – hoewel de Zon nog hoog stond – zwoegde ik in een duisternis die maar door één gezicht tegelijk verlicht werd; het hele toernooiveld was ingekrompen tot een gewonde en de volgende. Maar ik hoorde er later over: hoe een priesteres van Kloof een lange lijst namen oplas van de doden en van degenen die ze gedood hadden, zoals bevestigd door getuigen; hoe ze even stil was om iedereen de gelegenheid te geven de verdeling van de trofeeën te betwisten; hoe heer Galans naam acht keer afgeroepen werd en er maar één keer bezwaar werd gemaakt, en wel door Galan zelf, die weigerde die dood op te eisen en zei dat Riskeer het had gedaan en dat de trofee daarom Riskeer toekwam; hoe koning Thyrse sprak en zei dat de vete eervol beëindigd was en dat zij die vielen als mannen waren gestorven en dat hun schimmen tevreden konden zijn. Verder zei hij dat we over een handvol dagen scheep zouden gaan, want de wind en het getij en de omens waren gunstig. Hij beval ons aan bij de goden, die diep van ons plengoffer gedronken hadden.

Zo werd het dodental van het Bloed vastgesteld met riten en toespraken. Niemand telde de doden onder het kleivolk. Zij werden op karren gehesen en naar de knekelgrond op de kliffen gebracht, waar ze werden opgestapeld om verbrand te worden.

Pas toen de Zon achter de zee was gezakt en ik terugliep naar het kamp achter een kar vol dode mannen vond ik Spoedvoet. Hij was in de hondenkennel. Hoewel hij goed kon rennen, was hij het gevaar niet voor gebleven. Hij was de helft van zijn linkerhand kwijt, dwars door de palm afgesneden, en rechts een deel van twee vingers. Het was duidelijk dat hij beide handen op had gehouden om een zwaard af te weren. Ik had die dag veel van zulke wonden gezien. Alsof vlees een schild kon zijn. De manhonden hadden zijn wonden gelikt en Ev had hem verbonden.

Ik was blij hem levend aan te treffen; ik durfde hopen dat het kleine aardewerken mannetje met het eikelhart dat Az hem had gegeven hem veilig naar huis zou brengen, dat hij lang genoeg zou leven om kinderen te krijgen en ze het verhaal van zijn verminking te vertellen. Maar hij zei dat hij niet terug zou gaan naar het dorp, naar Az, zelfs als heer Pava hem liet gaan. Hij wilde niet armer terugkeren dan hij vertrokken was en nutteloos bovendien. Hij leunde met zijn arm op een hond terwijl we over de doornen muur van de kennel heen spraken, en al gauw liet hij zijn hoofd hangen en sprak niet meer.

* * *

Ik draaide me om naar de brandstapels, en het flikkerende licht gleed over mijn ogen. Ik kon niet uitbannen wat ik zag, maar evenmin kon het me vullen, want ik was een loze huls, leeg van de lange dag; over de rand gelopen, leeggevloeid.

Hoofdstuk 17

Afscheid

Die nacht lag ik lang wakker en wachtte op de strozak in de hoek van de Crux' tent op Galan. Hij zat op een krukje tegen de stoel van zijn oom geleund, en de onderarm van zijn oom rustte op de armleuning vlak bij Galans hoofd. Hoewel ze elkaar niet aanraakten was hun nabijheid zo vanzelfsprekend, sprak er zoveel genegenheid uit, als ik niet meer gezien had sinds de Crux van Galans weddenschap had gehoord. Galan was vergeven en alles was goed, hij hoefde zich nergens zorgen over te maken. Het deed er niet toe dat zijn oom hem nog steeds verbood te rijden: de Crux was een man van zijn woord, en niemand, Galan nog het minst, verwachtte dat hij het zou buigen of breken.

Galan draaide zijn hoofd om en glimlachte om iets dat heer Alcoba zei, en de Crux sprak tegen hen beiden en Galan lachte. Toen stond hij op, dronk zijn wijnglas leeg en ging weg uit de drukte van zijn verwanten, zijn metgezellen. Hij pakte onderweg een aardewerken lamp mee en bracht het beetje gloed naar mij.

Hij knielde en zette de lamp op de grond. Het lamplicht kietelde Galans kin, stuurde schaduwen omhoog over de holtes in zijn gezicht. Een paar van die schaduwen waren kneuzingen die hij in het toernooi had opgelopen. Hij had een snee van een klinknagel in zijn wang en zijn onderlip was gezwollen en kapot. Hij glimlachte.

Ik had het mis wat betreft de band tussen ons. Die was dun noch zwak als een draad. Het was een lont. Hij brandde, maar verteerde niet.

* * *

Diep in de nacht beroofde heer Rodela me van mijn zuurverdiende slaap. Hij maakte ons allemaal wakker met een harde brul, gevolgd door voortdurend geschreeuw. Hij wilde niet kalmeren. Ik kon hem maar al te goed verstaan, want hij was onder de hoede van de carnifex in de tent van de priesters en er bevonden zich slechts twee canvas wanden tussen ons in. Ik wilde mijn oren dichtstoppen of wegrennen, maar ik was bang voor wat hij zou kunnen zeggen en moest wel luisteren.

Hij brulde 'stinkende kattenkop' en 'arrogante onbeschaamde honingpot' en 'glad stinkend kleigat'. Hij vloekte dat ik een slangenoog had en hem en Galan het boze oog had gegeven om hun rust te verwoesten. Hij raasde dat hij me zou ontzenuwen en villen en een pikbeschermer maken van mijn huid, een schede voor zijn zwaard. Maar nooit zei hij mijn naam, nooit zei hij dat ik hem iets te drinken had gegeven.

Ik lag naast Galan met mijn hoofd op zijn arm en voelde zijn ledematen verstrakken en zijn hartslag versnellen. Ik lag tussen zijn stilte en Rodela's herrie in als tussen hamer en aambeeld.

Heer Rodela krijste dat de priesters hem probeerden te vergiftigen en dat hij ze hun eigen tongen zou voeren als ze hem niet met rust lieten; met zijn volgende ademtocht droeg hij ze op zijn enkels los te maken en hem te laten gaan. Hij vervloekte heer Galan en de Crux, smeekte de goden ze mee te slepen naar de zeebodem en ze in de klei te laten stikken voor het onrecht dat ze hem hadden aangedaan. Maar het duurde niet lang voor hij jammerde dat de goden hem verachtten, en zijn geklaag sloeg om in woede en hij zwoer dat het de goden zou berouwen dat ze hem in de steek hadden gelaten. Met de namen van zo veel anderen op zijn tong hoopte ik dat het niemand opviel wat hij zei over mij.

De kreten joegen Galan uit bed. Vóór het eerste licht maakte hij Morser en Ruys wakker, want er was veel te doen. Ik kroop in elkaar onder de deken terwijl zijn warmte weglekte.

* * *

Tegen zonsopgang dreef mijn eigen stank me het bed uit. De rook en de as van het vuur hingen nog in mijn jurk, en de geur van mijn eigen angstzweet en de smerige etter van de gewonden die ik had verzorgd. Ik had de vorige avond het ergste afgeboend en de jurk opgehangen zodat hij kon drogen terwijl ik sliep, maar de stank bleef hangen en nu waren mijn rokken vochtig en koud.

Ik ging bij de wand van de tent van de Crux in de Zon zitten, om de warmte die ze gaf, en beschermde mijn ogen tegen haar. De pijnen die ik de vorige dag vergeten was onder druk van grotere ellende, kwamen opdringerig terug en waren niet te negeren.

Ik had mijn naald en een eindje draad dat Laars me had gegeven en ik naaide de afgescheurde mouw weer aan het lijfje. De mouw was losgetrokken in Vliegenbeuls hand toen we de heuvel afrenden en hij had hem voor mij bewaard. Het brengt ongeluk om een kledingstuk te repareren terwijl je het draagt, maar ik had geen andere kleren. Ik stikte ook de delen van mijn hoofddoek weer aan elkaar, met kromme steken waarvoor ik me schaamde. Zo'n eenvoudige taak, en het was me bijna te veel.

Al gauw kwam Morser langs, liet Galans rode linnen onderharnas in mijn schoot vallen en zei dat ik die moest verstellen. Dat was de taak van een bediende, maar ik weigerde niet. Hij en Ruys moesten veel aan Galans harnas en wapens herstellen, riempjes en veters en gespen en klinknagels vervangen en metalen schubben stevig opnaaien, en daarnaast nog schoonmaken.

Het gevoerde hemd en de beenkappen waren stijf en bruin van het geronnen bloed, en zaten vol gaten die gedicht moesten worden voor het wassen zodat het vulsel er niet uit zou lopen. Elk gat kwam overeen met een gat in Galans huid. Ik nam zijn hemd op en boog mijn hoofd over het werk, blij dat niemand zag hoe mijn vingers trilden, zonder kracht of zekerheid – tot heer Rodela gilde.

Over een handvol dagen, min of meer, zouden we ons inschepen naar de oorlog, en doordat zijn tent was afgebrand was heer Galan slecht voorbereid. Voor het toernooi hadden de Crux en zijn makkers hem gul kleding en voorraden gegeven ter vervanging van wat hij kwijt was, maar toch liet hij kleermaker en tentmaker, juwelier en wapensmid komen en bestelde wat hij te kort kwam.

Toen de kleermaker kwam riep Galan me erbij om hem te helpen het beste uit kiezen, want ik kon goed weefsel en duurzame kleuring herkennen. Heer Rodela brulde en Galan wilde niet laten merken dat hij hem gehoord had, zijn stem niet verheffen, en de kleermaker boog dichterbij, kromp ineen en knikte. Galan bestelde een aantal kledingstukken voor zichzelf, tunieken en beenkappen voor zijn pages, en drie overjurken en vier onderjurken voor mij.

Ik vroeg: 'Waarom zo veel jurken? Waarom zulke heldere kleuren?' want hij weigerde de donkere wollen stof te kopen die ik hem aanraadde, een groen zo donker dat het haast bruin was, als turf in de winter. Hij zei dat ik, als het aan mij lag, in lompen rond zou lopen en hij wilde niet dat de mensen zeiden dat hij een vrek was.

Galan gaf de man tweemaal zoveel als de kleding waard was en het kon hem niet schelen dat hij opgelicht werd; de extra munten zouden lampolie kopen om de hele nacht door te naaien, want hij wilde alles binnen twee dagen hebben.

Hij was weer een rijk man, met genoeg goud om te verkwisten, beurzen en beurzen vol goud: losgeld voor de wapens en harnassen van de zeven man die hij gedood had.

De Auspexen van Ardor en Crux hadden een hele ochtend in de burcht van de koning over deze losgelden onderhandeld. Het was een ernstige en nauwluisterende zaak, want de doden moesten tevreden gesteld worden en de levenden en hun verwanten ook. Langzaam kwamen ze een prijs overeen, waarbij ze elk uitrustingsstuk ongeveer de helft waard achtten van wat het nieuw had gekost – de prijs waarop beide partijen van te voren gemikt hadden. Het deed de trots en de beurs van de levenden zwellen; wat de doden betreft, een schim geeft niets om geld, maar zal blijven hangen om problemen te maken als de wapenrusting waarin hij heeft geleefd, gezweet, gebloed, en waarin hij is gestorven, in de zaal van de vijand te kijk hangt, of erger, gedragen wordt door degene die hem heeft gedood.

De wapens en harnassen werden verzameld door norse sloven, onder toezicht van de Auspexen, zodat er geen gesp zou verdwijnen. Er was een kar voor nodig om alles wat Galan gewonnen had weg te rijden. Maar er was één man die geen losprijs wilde accepteren, en dat was heer Rodela. De Auspexen boden hem goud en hij brulde dat de wapenrusting van hem was en dat hij de helm wilde gebruiken als pispot en dat niemand daar iets tegen kon doen – en hij lachte en tartte de man die hij gedood had door zijn naam te noemen, alsof de schim vóór hem stond.

Eerwaarde Xyster bood zijn verontschuldigingen aan de priesters van Ardor aan en zei dat zijn gebarsten schedel hem onredelijk maakte. Ik wist wel beter. De manier waarop hij heen en weer geslingerd werd tussen razernij en doodsangst, hoe hij lachte en klaagde, deed me denken aan gemalin Vulpeja nadat ze de rook had ingeademd. Hij brulde over dezelfde kwellingen als zij destijds, waarvan ik had gedacht dat het maar dromen waren: schimmen en zwarte honden en wriemelende insecten. Waarom zouden ze beiden over zulk bezoek spreken als de wolfskers ze niet zond?

De bedienden hadden weddenschappen afgesloten over of en wanneer heer Rodela zou sterven en of heer Mordaz, schildknaap van heer Lebrel, eerder zou gaan (hij was in de longen gestoken); Morser zei dat Rodela snel zou gaan, hij had gehoord dat hij zwart bloed overgaf, maar Ruys zette vijf koperkoppen tegen hem in en zei dat de carnifex gunstige tekens moest hebben gekregen, en daarbij was de zeugneuker te gemeen om te sterven. Galan had zijn bedienden zware beurzen gegeven en ze hadden haast om die te legen.

Rodela's kracht leek niet af te nemen, hoewel hij die vrijelijk gebruikte. Ik zag een voddige, door de goden belaste waarzegger achter de tent van de priesters kruipen om naar hem te luisteren. Heer Rodela's woorden vielen in een kluwen naar buiten, honderd woorden onzin op elk verstandig woord, maar ze zeggen dat de woorden van een stervende kracht hebben; hoe duisterder ze zijn, hoe meer voordeel ermee te behalen valt. Ik was bang voor wat de waarzegger zou kunnen raden en joeg hem weg.

Af en toe was Rodela een gezegend moment lang stil. Maar nooit lang.

Heer Galan ging kijken hoe Vliegenbeul de nieuwe strijdpaarden de heuvels buiten het Marsveld op en af liet lopen (met de helft van de mannen in ons kamp als toeschouwer), om te beoordelen welke hij zou houden en welke verkopen. Hij had negen paarden gewonnen. Er zouden er meer zijn geweest als hij er niet zoveel gedood had met hun meesters er nog op; de meeste rijdieren waren in reserve gehouden en nooit de strijd ingegaan. Er werd geschertst onder zijn makkers, deels goedaardig en deels uit jaloezie, over hoe een man die niet mocht rijden een stal vol hengsten kon winnen.

Dus was Galan er niet bij toen Eerwaarde Xyster de andere priesters de tent binnen riep met al hun bedienden en de pages van de Crux, en heer Rodela erger begon te krijsen dan ooit. Hij gilde en gilde en snikte, en Eerwaarde Xyster riep: 'Houd hem stil!' en ik kon niet raden wat ze daar deden behalve dat ze heer Rodela lieten lijden. Ik dacht aan het kijkgaatje dat ik in hun tentwand gemaakt had om Galan te bespioneren en vroeg me af of ze dat al hadden ontdekt. Maar ik kon me er niet toe zetten om te kijken.

Later vertelde Laars aan Morser en Morser weer aan mij dat de carnifex twee gaten in heer Rodela's schedel had geboord en dat er een waterige massa met maar een klein beetje roze uitgevloeid was, en daarna had Eerwaarde Xyster de gaten gedicht met kostbare amberhars. Ik vroeg Morser waarom ze dat deden, en hij zei dat het was om heer Rodela's kwelgeesten uit te drijven. Want het was zeker (zei Morser) dat hij bezeten was door de schim van heer Bizco, die teruggekomen was om zich te wreken, en dat er in zijn kielzog een heleboel wezens door de barst Rodela's hoofd binnen waren gekropen – en daarom had de schildknaap zoveel stemmen. Maar ik betwijfelde of een geest die leeft in de wind zijn frisse paleis zou opgeven om in de stinkende engte van Rodela's schedel opgesloten te worden. Het was de wolfskers in hem die sprak: Kloofs geneesmiddel, Kloofs vergif. Eerwaarde Xyster met al zijn omens had niet gezien dat de kwellingen door iets anders dan de wond veroorzaakt werden.

Tegen de tijd dat de priesters met hem klaar waren, was heer Rodela schor en zijn kreten scheurden de lucht kapot. Toen Galan terugkwam trof hij me aan op de grond in de deuropening met mijn handen op mijn oren. Boven in de blauwe koepel was de dag helder, maar beneden hing er een glanzend waas in de lucht, dat goud kleurde terwijl de middag verstreek.

Galan hurkte naast me neer, keek in mijn ogen. 'Ik dacht dat je zei dat hij zou sterven.'

Ik keek hem aan en gaf geen antwoord.

'Huil je om hem? Hoe kun je huilen?'

'Als hij een paard was hadden ze hem al uit zijn lijden verlost.'

'Ik ben blij dat hij lijdt,' zei Galan. Maar ik zag hoe strak zijn gezicht stond, hoe de spieren verschoven in zijn kaak.

Ik bedekte mijn gezicht met mijn armen. 'Ik wil gewoon dat het voorbij is, ik wil dat hij stil is. Is er dan niemand die een eind aan zijn lijden kan maken? Geef me je genadedolk en ik zweer dat ik het zelf doe.'

Galan trok zijn dolk en bood hem mij aan. Mijn vingers jeukten om het gevest te pakken, maar ik duwde het weg. Zelfs als de Auspexen en de Crux in eigen persoon me toestemming hadden gegeven, had ik de kracht niet kunnen vinden om hem te gebruiken. Zo snel pleegde ik meineed.

'Dat dacht ik al,' zei Galan. 'Jij bent niet hard genoeg voor oorlog. Je kunt het lijden van je vijand niet verdragen, maar er ook geen einde aan maken.'

Ik wilde hem vertellen dat ik niet slap was. Ik wilde hem vertellen dat ik Rodela vergif had gegeven, hem had laten drinken en zijn kin had afgeveegd, maar ik boog mijn hoofd en huilde.

* * *

De Zon daalde en trok een mantel van schemer achter zich aan. Koning Thyrse nodigde de clan van Crux uit voor een overwinningsmaal en nog steeds lag heer Rodela te schreeuwen.

De vorige avond had het koksleger van de koning het offervlees geroosterd en het hele Marsveld te eten gegeven, maar deze avond was al hun werk en vaardigheid voor Crux. Zelfs onze bedienden en paardenmeesters werden uitgenodigd, want zij hadden ook een kleine rol in het toernooi gespeeld; ze aten aan schragentafels buiten het ronde paviljoen op de kale, modderige grond waar alle wegen van het Marsveld samenkwamen.

De wind was gaan liggen. Ik kon het voedsel ruiken en ook de brandstapels van de doden die op de kliffen brandden. Kok gaf me wat gerstebrood en een stoofpot van paardenvlees met erwtenmoes en uien; het brood was zwart en zwaar en grof, maar als je het doorgeslikt had wist je tenminste lange tijd dat je iets gegeten had, anders dan met het bleke brood van onze meerderen.

Het weer was een paar nachten geleden omgeslagen. De noordenwind had de wolken en zeenevels weggeblazen, en toen was de oostenwind gekomen met de geur van de bergen en een fellere kou dan de vochtige kilte van de herfst. Er was een tijd geweest in het Koningswoud waarin ik geleerd had om het bijten van de winter te verdragen, blootsvoets in de sneeuw, zonder vuur, zonder troost, zoals alle dieren. Ik was vergeten hoe dat moest.

Nu joeg de wind me terug naar de tent van de Crux. Mijn koorts was eindelijk gebroken en ik kon niet ophouden met trillen. Ik ontstak een mager vuurtje in het komfoor bij onze strozakken en kroop ernaast in elkaar. De bedienden van de Crux waren bezig aan hun vele taken.

Rodela schreeuwde dat de maden hem opvraten. Hij begon te huilen en boven zijn snikken uit hoorde ik muziek uit het paviljoen van de koning komen, maar ik kon de woorden niet verstaan. Zonder twijfel waren het liederen over het toernooi; de koning reisde nooit zonder minstreels, want hoe moesten zijn grote daden anders onthouden worden?

De mannen kwamen laat terug, blozend van te veel drank en eigendunk, en ze verdrongen zich in de tent van de Crux. Zelfs boven hun rumoer uit was heer Rodela te horen.

* * *

Na de overwinning hadden de hoeren en de roddels onze tenten overstroomd, massaler dan ratten. Ik kon nergens lopen zonder over de hoeren te struikelen, en wat de roddels betreft, de waarheid kon ze niet verjagen. Integendeel, slechts een likje waarheid kon leugens verwekken en tot bloei brengen.

Dus toen ik na het feestmaal van Morser hoorde dat er een geheim plan was (maar overal zijn sloven en niets is geheim) om de oorlog onverwacht in te zetten – de dag na morgen – geloofde ik hem niet. Ruys zei dat het waar was en nog twijfelde ik.

We zaten rond het komfoor in onze schemerige hoek van de Crux' tent en deden zo zuinig mogelijk met de brandstof door de leerachtige stengels van het zeehooi een voor een aan het vuur te voeren. De luchtblazen knapten en spetterden en het zout kleurde de vlammen blauw. Morser zei dat koning Thyrse de gelegenheid van het feestmaal te baat had genomen om de clan van Crux een laatste prijs aan te bieden voor het winnen van het toernooi: een eer, een gevaarlijke eer. Hij had ze gevraagd de stad Lanx te veroveren, die zuidwest aan de overkant van de Inwaartse Zee lag en een goede haven had. Het was de sleutel tot het koninkrijk. Als ze de haven konden innemen en bezet houden, zou het leger goed voorzien blijven tijdens de lange mars landinwaarts naar de hoofdstad van Incus.

De koning zei dat ze zich konden verstoppen in de buik van vissersboten en zo voorbij de muren en waterpoorten van Lanx glippen om met een list te veroveren wat hem anders een lang, koud beleg zou kosten. De haven werd overal goed verdedigd behalve van binnen, waar twee clans door een oude vete allebei de helft ervan beheerden. Hun krachten waren zo gelijk verdeeld dat geen van beide kon winnen. Er was maar heel weinig gewicht voor nodig om de balans te doen doorslaan.

Na een paar dagen, zei de koning, zou hij met de rest van het leger volgen, maar een leger is log en traag, en voor dit doel had hij eerder een dolk dan een knuppel nodig. Wilden zij die dolk zijn? En allen hadden gejuicht.

'Ik geloof je niet,' zei ik. 'Er zijn nog maar dertien geharnasten, en heer Rodela en heer Mordaz zullen waarschijnlijk aan hun verwondingen sterven en dan zijn er nog maar tien schildknapen. Wat kun je met zo weinig uitrichten?'

'Vraag dat maar aan de clan van Ardor!' zei Morser. 'Die kunnen het je wel vertellen. Ze hebben de helft van hun kracht tegen ons verloren. De koning heeft mannen nodig die zowel te voet als te paard kunnen vechten – en een van jullie, zei hij, beheerst dat, en als de rest het half zo goed doet als heer Galan zijn jullie drie keer je aantal waard.' Morser was zo ingenomen met deze uitspraak dat het leek of hij het zelf had bedacht.

Heer Rodela blafte, loeide – een soort lachen, dacht ik, want het klonk niet als huilen. Hij werd nu net zo gekweld door vrolijkheid als een paar momenten eerder door angst. De mannen negeerden hem zo grondig dat ik me afvroeg of ik de enige was die luisterde, de enige die het hoorde. Ik was blij dat zijn lachen woordeloos was.

Ik keek naar Ruys en hij haalde zijn schouders op en zei: 'Wees niet bang, we gaan met een goede compagnie mannen van de koning en de beste Wolven van de koningin-moeder – en een aantal priesters van Kloof, hoorde ik. En bovendien heeft de koningin-moeder volgelingen in de stad, clans die loyaal zijn aan haar en niet aan prins Corvus.'

Prins Corvus, de zoon van de koningin-moeder. Nieuwsventers kleineerden hem in liedjes, noemden hem prins Koekoek, en de grap ging het Marsveld rond dat hij niet half de man was die zijn moeder was (wat waarschijnlijk ook niet bedoeld was om haar te vleien). Er werd vooral op een snelle overwinning gewed, met de kans dat we vóór de Langste Nacht thuis waren. Maar liedjes kunnen op bestelling gemaakt worden en geruchten gezaaid, en misschien kwam het de koningin goed uit dat we dachten dat haar zoon een zwakke baardeloze knaap was, die snel zou buigen voor haar terechtwijzing. En nu vroeg ik mij af: noemden ze Corvus in zijn eigen land koning?

Ik zei: 'Ik zie nog steeds niet in –'

'We glippen 's nachts binnen en verrassen ze in bed,' zei Morser, en hij schraapte met zijn duim over zijn keel.

'Het lijkt me sterk dat ze allemaal slapen,' merkte Ruys op. Hij ging achterover op zijn strozak liggen en staarde naar het plafond.

'Dan pakken we ze terwijl ze paren en rijgen we er twee tegelijk aan het spit, hè?' zei Morser. 'In elk geval, meer hulp hoef ik niet. Met hoe minder we zijn, hoe beter de buit. Heb je de koning niet horen zeggen dat ze daar rijk zijn?'

'Pff,' zei Ruys.

Morser kon niet stil blijven zitten. Een van zijn benen sprong op en neer en hij rommelde met het vuur op het komfoor, pokend en prikkend tot het stierf. Een en al stoerdoenerij maar geen lef, dat was Morser; ik wist dat hij tijdens het toernooi verstopt had gezeten in de omheining van de bedienden en er niet een keer uitgekomen was.

Maar als hij nu bang was, verborg hij dat achter een grijns. 'Harien zegt dat de vrouwen er in jurken rondlopen die zo dun zijn dat je erdoorheen kunt kijken. Alles is gewoon te zien en je hoeft niet onder de rokken te gluren om te zien wie mollig of mager is. En je hoeft ze ook niet te delen. Er zullen er twee of drie per persoon zijn, zegt hij.'

'Je tong zit aan twee kanten los, Morser,' zei ik. 'Pas maar op dat hij niet wegfladdert.'

Morser werd kwaad op me en wilde niets meer zeggen, zinnig of niet. Hij ging weg en kwam al snel terug met een hoer. Ik keerde ze de rug toe terwijl hij luidruchtig op haar dook en haar opdroeg zich zus of zo te draaien. Ruys ging daarna, en hij was stiller maar niet zo snel. Toen hij klaar was vertrok ze met ruisende rokken en rinkelende munt. Al snel daarna begon Morser gierend adem te halen in zijn slaap.

De dag na morgen. Na al die tiennachtsen rondlummelen op het Marsveld, genoeg tijd om problemen weer nieuwe problemen te laten verwekken, kwamen we er nu achter waar de koning op gewacht had: boodschappen die hij moest zenden en ontvangen, goede voortekenen, gunstige winden – en een vloot vissersboten. Ik had geweten dat de oorlog zou komen en toch was ik verrast toen het zover was.

Ik sloeg mijn armen om mijn knieën en wiegde heen en weer. Toen ik besloten had met Galan mee te gaan, had ik niets over oorlog geweten. Het was niet meer voor me geweest dan verhalen over de daden van de koning, liederen over gevechten van zo ver terug dat degene die het overleefd hadden allang van ouderdom gestorven waren, tapijten met geweven bloed dat uit geweven wonden spoot. Maar ik bleek zelf voor die onwetendheid gekozen te hebben, want het zat natuurlijk allemaal wel in de verhalen, liederen, tapijten, als ik het maar had willen zien: de wreedheid onder al die glans. Maar de liederen en de verhalen logen als ze de oorlog richting en doel gaven. Zou ik ooit hebben geloofd hoe lukraak de verwoestingen, de verspilling van levens en het lijden waren als ik het niet met eigen ogen had gezien? En ook de betekenis werd verwoest, want Riskeer schreed over het veld en koos de een te doden, de ander te verminken en weer een ander ongedeerd te laten, en niet vanwege iets dat een man gedaan of nagelaten had. Fatum geeft ons wat we verdienen, maar hier heerste Kans, onverschillige, blinde Kans.

Ik had het gezien en nog zag ik het niet. Als ik dacht aan de lijken die we op karren hadden gestapeld om verbrand te worden op de kliffen, voelde ik me verdoofd. Ik moest de doden een voor een bij me roepen – Uli en Suripanta, Pees de voetsoldaat en Sleutelbloem de hoer, heer Choteo en zijn schildknaap, en zo veel anderen – om het verdriet tot een lemmet te smeden dat ik kon voelen snijden.

Ik had strijd en rel gezien en dat was nog maar een schaduw van de oorlog die zou komen. We zouden de gramschap van Kloof loslaten op vreemdelingen en zij zouden op hun beurt ons bezoeken. En wat zou er van mij worden in een vreemd land tijdens de oorlog als – wanneer – Galan stierf? Hij had de Koningin der Doden gisteren veel nieuwe onderdanen gezonden en haar zijn eigen dood ontzegd. Ze zou hem nog opeisen.

Als het toernooi op leven en dood er niet geweest was, zou ik Galan niet hebben leren kennen zoals ik hem nu kende. Iedereen van Bloed was geboren en opgevoed voor de oorlog. Maar niet iedereen had die meedogenloze en roekeloze drang tot vernietiging die Galan gisteren in zichzelf ontdekt had, die ik in hem had geproefd toen ik zijn schaduw was.

Ik had hem aangezien voor een levensgenieter, ik had gedacht dat de Crux er niet ver naast zat toen hij hem een luie treuzelaar noemde; ik was met hem meegegaan voor het genot dat hij me gaf en omdat er een bepaalde behoefte in zijn ogen lag als hij naar me keek, iets dat ik aanzag voor meer dan lust. Alsof hij een gemis voelde dat alleen ik kon vullen, een hunkering naar mijn eigenschappen. En ik had me niet afgevraagd of hij verlangde naar wat ik echt was of naar wat hij graag in me wilde zien.

Toen ontdekte ik dat die blik een van zijn talenten was, en hoe hij die gebruikte. Nog steeds vleide ik mezelf met de gedachte dat het alleen voor mij was – en ergens klopte dat ook.

Nu kende ik zijn kracht en snelheid, de verwoesting onder zijn huid. Hij was een levend zwaard en hoe kon ik, zijn schede, hem omvatten? Toen ik me aan hem gebonden had, bond ik me aan alles wat hij was en zou worden. En als het toernooi op leven en dood al zo'n verandering had gebracht, wat zou de oorlog dan van hem maken?

Ik keek naar het komfoor zonder het te zien, en het vuur was bijna uit. Ik boog me naar voren en blies er zachtjes op, voerde het nog wat meer zeehooi. Vonken stoven op. *Ardor Haardhoedster, geef me uw zegen,* bad ik zoals ik altijd bid. Het is goed om te onthouden dat niet alle goden vertoornd zijn. Maar zelfs in de huiselijke vlam van Haardhoedster zag ik Wildvuur en oorlog.

En heer Rodela krijste dat heer Bizco hem kwam halen, uit zee, zijn vlees door de krabben in rafels gescheurd.

* * *

Ik hoorde de Crux zijn stem verheffen en zeggen: 'Weer een van je dwaasheden.'

Ik draaide me om en zag dat hij tegen Galan sprak. De andere geharnasten waren teruggegaan naar hun tenten terwijl ik zat te piekeren. Heer Rassis, de schildknaap van de Crux, boog weg van het lamplicht, drinkend en kijkend. Hij was altijd al nors geweest, maar sinds gisteren was hij somber; zijn jongen Ob was gestorven, vertrapt in de heuvels.

Galan zei: 'Oom, is uw oog nooit op een vrouw gevallen van wie u zei: "Dat is de mijne?"'

'Misschien. Maar ik heb gemerkt dat een nacht of twee me wel genas. Jij bent net zo; ik kan me herinneren dat je elke week wel door een andere rok bezeten was. Waarom zou je zelfs maar iets van je erfgoed verspillen aan een boerentrien van een akker in de Carnalnacht?'

'Ik sta in mijn recht,' zei Galan.

'In je recht, maar buiten je verstand. Het is een uitstekend leengoed en zou naar een uitstekende man moeten gaan. Je paardenmeester, je valkenier – een rentmeester zou zich er niet voor schamen.'

'Het is voor haar, oom,' zei Galan. 'Roep de priesters om het op te tekenen in het Landboek.'

Ik stond op en de beweging trok de blik van de Crux. Hij keek kwaad mijn kant uit en ik kroop terug achter de muur van wijnvaten, waarin het ene na het andere feest al bressen had geslagen. Galan zat in een stoel met zijn rug naar me toe, ik kon alleen een stukje van zijn wang en de koppige stand van zijn schouders zien.

Toen de Crux weer sprak was zijn stem donker. 'Net nu ik denk dat je een man bent, speel je weer het jongetje. Wat zal je vader zeggen, en je vrouw? Je eer glanst nu fel en ik wil die na de oorlog niet onder de modder terugbrengen aan je vader.' Ik hoorde zijn ergernis, zijn teleurstelling – een zware last; ik zou die niet willen dragen. Er viel een lange stilte en Galan zei niets.

De Crux zei: 'Ik wou dat ik je lopend naar huis had gestuurd. Ik heb je in plaats daarvan verdoemd. Uit liefde voor jou raad ik je aan dit niet te doen – want je zult spijt krijgen, misschien na een paar dagen, misschien na een paar tiennachtsen – als je schim tijd heeft gehad om na te denken en haar allang achter zich heeft gelaten.'

Galan draaide zijn hoofd en ik zag zijn profiel, verlicht door een veelarmige standaard waar olielampjes aan hingen. 'Hebben de Auspexen je gezegd dat ik ga sterven?'

'We zullen allemaal sterven. Maar er is geen priester voor nodig om *jouw* toekomst te voorspellen. Gezond verstand is genoeg.'

Galan wendde zich af en ik kon zijn gezicht niet meer zien. 'Nou, oom, een stervend man mag zijn wensen kenbaar maken, en dit is de mijne.'

Toen de Crux weer sprak, lag er nog maar een dun laagje geduld over zijn woede. 'Als je een voorziening voor haar wilt treffen, geef haar dan een kamer in je burcht voor zolang jij leeft, en als je niet thuiskomt zal je familie niet verplicht zijn om goed land aan haar op te offeren.'

Galan zei tegen heer Rassis: 'Als het je belieft, zou je dan Eerwaarde Hamus willen vragen met het Landboek te komen?'

Heer Rassis keek dreigend en bewoog zich niet totdat de Crux hem met een ruk van zijn hoofd toestemming gaf. De Crux boog zich naar Galan toe en liet zijn stem dalen. 'Ze heeft je beneveld, jongen. Vanaf het begin heeft ze een leiband aan je piemel gebonden en je als een hondje achter haar aan laten paraderen. Het is niet natuurlijk. Ze is een kol, en dat zou je zelf ook zien als ze geen klei in je ogen had gegooid.'

'Ongetwijfeld verdien ik de reputatie dat ik altijd achter mijn pik aan loop,' zei Galan. 'Maar zo is het niet meer. En je vergist je – ze is een groenvrouw, dat klopt, maar geen kol. Ze verlaagt zich niet tot bezweringen of vervloekingen. Ze is weekhartiger dan goed voor haar is. Vandaag nog trof ik haar huilend om heer Rodela aan, hoewel die haar niets dan kwaad heeft gedaan. En ben je vergeten hoe ze mijn concubine heeft genezen? Ze was haast een skelet, maar Vuurdoorn heeft haar weer haar vlees teruggegeven. Ze heeft me aangeraden om voor haar te offeren – zou een kol dat doen? – zodat ik een einde aan de vete zou maken. En dat zou ik ook gedaan hebben, als Rodela er niet was geweest.'

'En Rodela dan? Heb je gehoord hoe hij tekeergaat en haar beschuldigt?'

'Ik hoor hoe hij iedereen beschuldigt, heer, zelfs u.'

Er viel een stilte tussen hen, maar niet overal, want net op dat moment was heer Rodela te horen. Hij begon wellustig te kreunen en te grommen: 'Teef, teef, teef, teef,' alsof hij zich in een vrouw stootte en dat de enige lieve woordjes waren die hij kende.

'Ze heeft hem behekst. En waarschijnlijk heeft ze de maagd ook behekst, uit jaloezie, en om haar ziek te maken.'

'Waarom zou ze haar dan genezen?'

'Om jouw vertrouwen te winnen. Of om te zorgen dat ze voldoende herstelde om naar huis gestuurd te worden en daar je vrouw dwars te zitten. En waarom denk je dat zij ongedeerd opdook uit dezelfde brand die je concubine doodde? Er is geen vrouw in leven die je niet vals zal bespelen; hoe oprechter ze lijkt, hoe voorzichtiger je moet zijn, want dan verbergt ze zeker iets.'

De waarheid deed pijn, want ik verborg inderdaad iets: ik had me verlaagd tot bezweringen en erger – tot gif. Voor het binden kon ik verstoten worden, voor het gif levend verbrand of opgehangen of in een zak stenen in zee geworpen worden. En als Galan het wist, zou hij te veel van mij weten. Maar de leugens staken me nog meer, en het onweerlegbare, vindingrijke wantrouwen van de Crux. Ik wilde de leugens terugspugen in zijn gezicht, alles ontkennen, zelfs wat waar was. Maar ik hield me stil en verborgen. Als ik zo vrijpostig was dat ik mezelf ging verdedigen zou ik me nog verder verdoemen in zijn ogen.

De Crux zei: 'Ze is een kol en ze heeft je gestrikt. Ik hoef maar naar je te kijken, jongen, om het te weten. En als er bewijs nodig is, is het wel dat jij haar de hondenkennel in volgde, want dat was een roekeloze daad, zelfs voor jou. Ik dacht dat de Ingewijden je hadden genezen, maar ik zie dat zij hun werk niet gedaan hebben.'

'De Ingewijden,' zei Galan. 'Dus daarom hebben de priesters mijn valkenhanger gehouden toen ze mijn juwelen teruggaven – je hebt de Ingewijden van Carnal op ons afgestuurd. Jij bemoeizuchtige –' Hij hield zich in en bewoog zich niet, alsof hij bang was dat hij iets zou zeggen dat de Crux hem niet kon vergeven.

De Crux beantwoordde zijn blik.

Galans lippen trilden. Hij begon te lachen. 'O, oom! Die Ingewijden van Carnal, al hun geheime riten en heilige krachten, allemaal verslagen door een kleine schede! Want ik ben niet veranderd, behalve in dit opzicht: ik ben zo zelfzuchtig geweest om haar bij me te willen houden, maar nu wil ik haar veilig thuis hebben. Ze is beter toegerust voor vrede dan oorlog. Ze zal het niet lang doorstaan.'

Hun gesprek was via een omweg naar dit einde gereisd en ik was blind en struikelend gevolgd – want ik had nooit, nog geen moment, kunnen raden dat hij me weg zou willen sturen. De Ingewijden moesten hem inderdaad genezen hebben als hij de gedachte aan uit elkaar gaan kon verdragen. Dat kon ik niet.

Toen deed ik iets waarvan ik wist dat het dwaas was. Ik trotseerde de angstaanjagende blik van de Crux en stak dat brede, bewerkte tapijt over. Ik ging voor Galan staan met mijn vuisten gebald langs mijn zijden en zei: 'Ik ga niet.'

Galan stak zijn hand uit en nam mijn vuist in de zijne. 'Ik stuur Vliegenbeul terug met de paarden aangezien ik niet mag rijden, en ik heb hem opgedragen ervoor te zorgen dat jij veilig thuis komt.'

Elk bot in me werd koppig. 'Ik heb geen thuis.' *Tenzij jij mijn thuis bent.*

'Wel. In mijn huishouden, in mijn leengoed.'

'Zonder twijfel zal je vrouw met plezier voor me zorgen. Zoiets heb je ook aan je concubine beloofd toen je van haar af wou.'

De Crux zei: 'Ze is lang zo lief niet als jij beweert, nietwaar?'

Ik kromp ineen en bleef met mijn rug naar de Crux staan.

Galan keek me aan, zijn rechte wenkbrauwen samengeknepen. Hij zei: 'Oom, genoeg nu. Meer dan genoeg.'

Eerwaarde Hamus kwam binnen met heer Rassis. Het was de taak van de priester om het Landboek bij te houden waarin hij het testament van elke geharnaste en schildknaap in de troepen optekende: wat er moest gebeuren met hun land, have en goed. Zulke legaten veranderen vaak omdat het geluk wisselvallig is in oorlogstijd, want de ene dag kan een man arm zijn, de volgende rijk en de dag daarna dood. Eerwaarde Hamus ontvouwde het boek, een lang, opgevouwen linnen vel dat hij altijd bij zich droeg in een soepele leren hoes die hij als een wapensjerp om zich heen gewikkeld had.

Galan greep mijn vuist stevig vast. Hij zei: 'Wees getuige dat ik mijn schede Vuurdoorn het recht van verblijf schenk, voor haar gehele leven, van mijn leengoed op de Berg Sair dat begrenst wordt door de Naaldkliffen in het Noorden, de rivier de Wende in het oosten en zuiden, en in het westen het Atleewoud; de stenen huizen en stallen, de akkers, het recht op bosschages en weiden, de bron.' Tegen mij alleen zei hij: 'We gebruikten het als jachthuis toen ik een jongen was, om te valkenieren op de kliffen. Het is een hoog land met een ver uitzicht. Je kunt een mooie tuin op de terrassen maken. Ik denk dat je graag een tuin wilt.'

De Crux was stil, zijn gezicht strak als graniet. Eerwaarde Hamus schreef het allemaal eerlijk op in zijn boek en begon een afschrift te maken op een klein vel gelijmd linnen.

Ik keek naar Galans vuist rond de mijne. Zijn knokkels waren gezwollen en blauw. Hij liet mijn hand los; mijn huid was wit waar zijn vingers waren geweest. Hij zei: 'Ik zal aan je denken, daar. Ik wil dat je daar bent als ik thuis kom.'

'En als je niet thuiskomt?'

'Ik kom thuis.'

'Je bent altijd zo voorzichtig met je woorden – doe je nu een belofte waaraan je je niet kunt houden? En als je thuiskomt, wanneer zie ik je dan? Een keer per twaalfmaandse, zeker.'

Galan keek me woedend aan. 'Ik denk dat je me vaak genoeg voor je deur zal vinden. En als je me daar niet wilt, kun je de deur sluiten.'

'Ze is ondankbaar,' zei de Crux. 'Maar haar veronderstelling is juist. Je hebt je plichten in Ramus, in het leengoed van je vader. Ik zal je ook nodig hebben. Het is beter dat je haar een kamer boven je stallen geeft, als je haar zo nodig moet hebben. Met een grendel op de deur. Zodat je haar kunt bezoeken wanneer je maar wilt.'

Ik draaide me om en keek naar de Crux. Hij keek terug met een glinstering in zijn ogen als een vonk die uit staal geslagen wordt, en een klein lachje om zijn lippen. Hij vond het een waar genoegen om onze onenigheid te zien. Maar deze ruzie was tussen Galan en mij. Ik ging niet ook nog met hem ruzie maken. Ik zei tegen Galan: 'En je dierbare geluk dan? Zei je niet dat Riskeer me aan jou had gegeven?'

'Dat moge zo zijn,' zei hij. 'Maar je loopt te veel gevaar. Zal ik even tellen hoe vaak je de afgelopen paar dagen bijna gestorven bent?'

'Je moet me aanzien voor een lafaard. Gisteren had jij twintig keer gedood kunnen worden, maar jij gaat ook niet terug.' Ik kruiste mijn armen over mijn ribben en kneep hard om het trillen te stoppen.

'Ik weet hoe moedig je bent – ik heb er mijn leven aan toevertrouwd tijdens de beproeving en jij bleef overeind. Maar waar kom je terecht als ik in Incus sneuvel en jij alleen in een vreemd koninkrijk bent? In de handen van Pava of Lebrel. Of wie dan ook.'

'Dat was wat je gisterochtend tegen me zei,' zei ik bitter. 'Dat je me door zou geven.'

'Gisteren kon heer Rodela je nog kwaad doen en had je de bescherming van een geharnaste nodig. Vandaag kan ik de gedachte aan een ander niet verdragen. Spaar me. Ga naar huis.'

Ik vertelde hem bijna waarom ik niet kon gaan, liet bijna aan mijn tanden ontsnappen hoe ik tijdens donkere-Maan de wortel van de vrouwenwoerd had opgegraven. Ze had al twee benen gehad en met mijn mes had ik haar een gezicht gegeven, armen en een vulva. Ze was zo zwaar als een zuigeling en zo gerimpeld als een oude vrouw. Ik had het koord om haar heen gewonden, om haar hoofd, haar hart, haar kruis, en ik had haar handen en voeten gebonden en haar opnieuw begraven in de klei.

Ik voelde het koord in mijn vlees snijden, overal waar ik het rond de vrouwenwoerd had gebonden. Het verstikte me; er was duisternis in mijn ogen. Hoe kon ik nog steeds gebonden zijn als hij vrij was?

Ik spande mijn schouders. 'Ik ga niet.' Ik knipperde om mijn ogen helder te maken en de tranen liepen over.

Ik hoorde de Crux zeggen: 'Twistziek, opstandig, koppig – onbeschoft – ik zie waarom je op haar gevallen bent. Ze heeft dezelfde fouten als jij.'

Galan leunde achterover in zijn stoel. 'Ze mag zoveel ruzie maken als ze wil. Er is geen discussie mogelijk. Ze gaat naar huis.'

De Crux zei: 'Het is goed dat je van haar af raakt. Het zou beter zijn als je haar helemaal verstootte, maar nu is ze tenminste uit het zicht. Ik denk dat je al snel zult merken dat ze ook uit je gedachten verdwijnt.' Ik hoorde tevredenheid in zijn stem. Galan had hem uiteindelijk toch gegeven wat hij wilde.

De priester overhandigde Galan het opgevouwen velletje linnen waarop hij een afschrift van het legaat had gemaakt. De priester keek mij niet aan. Hij bleef zwijgen terwijl hij zijn plicht deed, maar de koude blik van minachting – nee, walging – op zijn zachte ronde gezicht sprak voor zich. Galan gaf het vel aan mij en ik vouwde het open en las; ik liet ze zien dat ik mijn godentekens kende. Het stond er allemaal, niets ingekort of weggelaten.

* * *

Heer Rodela schreeuwde, met ruwe stem die kneep en brak: 'Morser, breng me mijn zwaard! Waar is mijn zwaard? Lafaard van een hoerenjong, geef het aan me of ik stoot het door je heen!'

De Crux zei tegen Eerwaarde Hamus: 'Zorg dat Eerwaarde Xyster hem vannacht stil houdt, anders krijgt niemand van ons enige rust.'

De carnifex probeerde een slaapdrankje, maar Rodela spuugde dat uit.

Dus knevelden ze hem. Ze kluisterden hem en pinden hem aan de grond in de tent vast zodat hij niet weg kon lopen, en daar waren vijf mannen voor nodig, hoorde ik.

Toen hij eindelijk stil was, haalde ik diep adem en het was alsof ik de hele dag vergeten was te ademen. Maar de volgende ademhaling bleef in mijn keel steken.

* * *

Wanneer kwam het in me op om te doen wat Galan vroeg, naar het huis te gaan dat hij me gegeven had, te wachten en intussen een tuin te verzorgen?

Aanvankelijk niet, toen we weer achter de wijnvaten lagen, toen de Crux en zijn mannen zich teruggetrokken hadden en alles stil was op het snurken van Morser na. Galan zette zijn fluwelen muts af, gespte zijn wapengordel los en haakte de armband met zijn kleine gouden mesjes af. Hij kromp ineen toen hij zijn wapenrok uitdeed en liet hem op de grond vallen. Hij behandelde het kledingstuk achteloos, hoewel het geborduurd was met een winterjachttafereel van uilen en hazen, afgezet met kant bezaaid met grijze parels. Het was een geschenk van heer Guasca en zat te krap om zijn schouders. Zijn ogen waren schichtig. Hij schaamde zich – misschien omdat we ruzie hadden gemaakt waar de Crux bij was en ik onhandelbaar was gebleken – of omdat hij me te veel had gegeven en spijt had.

Het kon me niet schelen, want ik was zo woedend dat het de achterkant van mijn hoofd samenkneep en in mijn oren zoemde. Ik gaf hem een duw. 'Dus jij denkt dat je me nu weg kunt sturen? Misschien wil je een andere schede, eentje die je beter past – iemand die hard en leerachtig is, misschien, of anders opgedirkt met juwelen of hoerige verf.'

Galan nam mijn pols en trok me neer op zijn strozak. We zaten met onze knieën tegen elkaar en de mijne trilden. Ik had de hele avond al gebeefd en nu dacht ik dat ik uit elkaar zou kunnen rammelen. Hij ontmoette mijn ogen en wilde me niet weg laten kijken, en zijn woede beantwoordde de mijne. 'Dit is onwaardig,' zei hij. 'Ik dacht dat je verstandiger was.'

'Ik ben... ik ben je *paard* niet, om zomaar naar de stal thuis gestuurd te worden als dat jou uitkomt! Ik heb ervoor gekozen met je mee te gaan, en ik zal kiezen wanneer ik vertrek. Ik ben geen bezit van je dat je zomaar kunt wegdoen.'

'Je bent van mij.' Hij stak zijn hand uit en trok mijn hoofddoek af.

'Ik ga weg als je me niet wilt. Zweer dat je me niet wilt,' zei ik en duwde hem neer op zijn strozak.

Hij greep een handvol haar en trok me met hem mee. 'Ik pleeg geen meineed,' zei hij.

Ik dacht dat ik onze ruzie gewonnen had toen mijn handen op zijn schouders lagen en hem neerdrukten en toen ik over hem heen gleed en zijn oogleden half loken en hij zijn hoofd opzij draaide en ik over hem heen boog om kussen uit de hoek van zijn mond te halen. Maar ik was gulzig en ik nam mijn genot te snel en toen ik moe was draaide hij me onder zich. De pijnen kwamen bij me terug, het steken van de wond die Rodela me had toegebracht, de ruwgeschaafde brandwonden op mijn rug. Maar als je aan jeuk krabt tot het bloedt, voelt het nog goed en krab je door. Ik sloeg mijn benen om hem heen en hij bokte in mijn houdgreep. Hij hief zich recht op zijn armen overeind en keek naar me met die onderzoekende uitdrukking die ik al een paar keer eerder had opgemerkt, alsof hij zich afvroeg hoe hij me het beste fijn kon malen. Hij dreef de adem en alle zelfbeheersing uit me en ik liet hem doen wat hij wilde – ik zou hem alles hebben laten doen – maar zelfs toen dacht ik aan andere vrouwen, hoe hij die moest hebben bekeken en met ze gespeeld. Hij was te zelfvoldaan en ik zou hem daarvoor verslinden. Dat probeerde ik.

Ik denk dat het een gelijkspel was: op elk argument kwam er antwoord. De een kon niet van de ander winnen, niet lang.

* * *

Na afloop was zijn pik besmeurd met bloed en mijn dijen ook, alsof hij alsnog mijn maagdelijkheid had genomen. Hij was ontzet en vroeg me of ik gewond was. Ik zei: 'Het zijn mijn getijden. Het spijt me, echt. Ik wist het niet, anders zou ik je gewaarschuwd hebben. Het is vroeg en onverwacht gekomen.'

Ik wilde in Slaap wegdrijven of zinken – ik was al zwaar en half kopje onder – maar Galan had een duistere blik op zijn gezicht toen hij naast me kwam liggen. Ik zag het aan voor walging, omdat het Bloed denkt dat het getijdebloed van een vrouw hen bezoedelt en ziekte of erger veroorzaakt. Maar ik was blij dat het gekomen was.

'Ik dacht dat je nu wel bevrucht zou zijn,' zei hij. 'Ben je onvruchtbaar? Nee toch zeker.'

Je spreekt niet over kinderban met een man. Ik haalde een schouder op en zei: 'Het is beter zo, aangezien je geen bastaards wil. Zodat ze geen problemen kunnen maken in je huishouden, heb je ooit gezegd. Nou, van mij zul je ze niet krijgen.' Toen herinnerde ik me dat ik geen kinderban meer had. Het was verbrand in het vuur, en tenzij ik wat van Mai kon krijgen, tenzij het in dat andere koninkrijk overzee groeide, was dit loos gesnoef.

'Van jou wil ik ze wel,' zei hij.

Er ging een schok van hitte door me heen, en ik kon niet eens zeggen waarom: woede omdat hij me wilde laten dragen of plezier. Of zelfs dat ik zijn dode concubine zo ver had overtroffen.

* * *

Ik droomde niet dat ik naar dat hoge stenen huis ging, zijn jachthut, toen we uiteindelijk sliepen.

Ik droomde dat ik stikte. Ik was klein en ik stikte en ik had het heet onder zwaar bedlinnen. Ik lag in een doos, een kist. Ik hoorde geschreeuw dat maar niet ophield. Er werd tegen me gezegd dat ik stil moest zijn, maar ik kon niet stoppen met jammeren. De kist werd geopend en er kwam een hand naar binnen die mijn been greep. Ik werd badend in het zweet wakker en Galan zei: 'Wat is er aan de hand? Wat is er?'

'Niets. Gewoon een droom.' Ik loog, want het was niet gewoon een droom, het was een ware droom. Dat wist ik aan de geur van rook en brandend vlees.

Galan had gelijk, ik was niet geschikt voor oorlog. Dat hij dat wel was... was beangstigend.

* * *

Evenmin overwoog ik Galan te verlaten en de vrede die hij me bood aan te nemen toen een van de pages van de priesters de volgende ochtend naar de tent van de Crux kwam rennen om het nieuws te brengen: heer Rodela was die nacht gestorven, gestikt in zijn eigen braaksel.

Eerwaarde Xyster had Rodela gekneveld in opdracht van de Crux, en ze ontkenden hun schuld niet maar stonden er ook niet lang bij stil. De schuld die ik droeg hield ik voor me. Ik had verwacht blij te zijn met zijn dood, maar ik was niet blij, alleen een beetje minder bang.

Niemand verbood me mee te gaan toen ze heer Rodela naar zijn brandstapel brachten, op de knekelgronden aan de rand van de kliffen bij zee. Het hout was voor een hoge prijs gekocht en gedrenkt in olie zodat het snel zou branden, want heer Rodela had waarschijnlijk een rusteloze schim.

De Crux schonk een plengoffer voor hem uit, maar de enige lof die hij gaf was dat hij een dapper man was geweest. Galan gunde zijn schim nog geen woord en hij spuugde op de grond bij wijze van plengoffer. Hij beende weg en liet me achter bij Rodela's brandstapel.

Dichtbij brandden de dode sloven. Hun lichamen waren twee diep in een lange rij gelegd en bedekt met zeehooi, doornstruiken en distels die in de wijde omtrek verzameld waren. Er was geen hout dat verspild kon worden aan het kleivolk. Ze brandden al sinds gisteren. Met zulke slechte brandstof waren de brandstapels niet fel, dus duurde het lang voor ze verteerd waren. Toen de lijkverstijving was ingetreden, waren sommige verstard in onhandige gebaren, een arm omhoog gestrekt, de benen uiteen, een hoofd verdraaid. Nu bewogen ze onder een deken van as.

Ik hield de punt van mijn hoofddoek voor mijn neus tegen de stank. Kok, die was gebleven om voor Rodela's brandstapel te zorgen toen de anderen vertrokken waren, zei dat hij erger had gezien en geroken in de jaren dat hij naar de oorlog ging, en hij zei uit vriendelijkheid tegen me dat ik moest maken dat ik thuis kwam voordat ik ontdekte wat hij bedoelde. Ik schudde mijn hoofd.

Toen niemand keek gooide ik het flardje vlees en haar dat Rodela van me gestolen had – en ik teruggestolen had – op zijn brandstapel, zodat de rook mijn woorden naar zijn schim zou dragen: terwijl het vuur aan zijn vlees en gebarsten botten knaagde om bij het merg te komen, fluisterde ik tegen hem hoe ik hem gedood had. Ik had geen berouw van de moord. Misschien zou het berouw komen als ik stierf en mijn schim het moest dragen.

Maar ik zwoer bij mezelf dat als ik ooit opnieuw moest doden, dat niet met traag en onberekenbaar gif zou zijn.

* * *

Het besluit kwam toen ik de brandstapels en de zee de rug toekeerde en weer het rumoer en de commotie op het Marsveld binnenging, dat helemaal opgewonden was van het nieuws over de naderende oorlog. Ik liep alleen, wat ik vele tiennachtsen niet had gedaan, en elke man die het lef had om naar me te joelen of zijn hand uit te steken kreeg een blik die hem er scherp aan herinnerde zijn gemak te houden. Hoe en waar had ik die blik gevonden? Het was op dat moment dat ik besefte hoe verleidelijk het was: een eigen nest, een tuin, het Atleewoud, een naam die klonk als welkom.

Ik ging naar de tenten van de clan van Delf, op zoek naar Mai, en ik vond haar op een rotsblok met haar rug naar de Zon. De dag was koud, maar de Zon was warm. Tobie trok aan de staart van het gevlekte hondje, dat jankte en zijn tanden ontblootte, en Zonop tilde Tobie op en ging een stukje verder met hem zitten, en hij begon ook te janken.

Mai zag er niet goed uit: haar nek was te slap, alsof ze gewicht had verloren, en haar huid was een tintje te grijs. Haar voeten waren zo gezwollen dat ze geen schoenen meer kon dragen.

‘Gaat het goed met je?’ vroeg ik haar.

Ze haalde haar schouders op. ‘Ik ben gewoon moe, steeds maar moe. Te veel te doen.’

Paardendekken en –dekens, zakken en vaten en bundels lagen overal rond het erf opgestapeld en verspreid, en er kwam nog meer proviand binnen op karren en ruggen, en pages renden overal druk door elkaar. De meesten werkten langs elkaar heen en waren boos.

‘En jij?’ zei Mai.

‘O, wat moet ik toch doen? Heer Galan wil me naar huis sturen – hij heeft me een huis gegeven met wat land – en hij gaf het mij waar de Crux bij was en ze hebben het in het Landboek gezet.’

‘Wat je moet doen? Ga, zou ik zeggen.’ Ze sprak losjes, maar de blik in haar zwarte ogen was niet helemaal vriendelijk.

‘Ik kan niet gaan – je weet waarom – zelfs niet als ik zou willen.’

‘Wat bedoel je?’

‘Het binden, natuurlijk.’

‘Och kind, ga zitten, ga zitten!’ zei ze.

Ik ging naast haar zitten, onze beide ruggen naar de Zon. Haar massa wierp een grote schaduw en de mijne een kleintje, en toen ik naar haar toe boog, vloeiden onze schaduwen samen.

‘Je hebt gezegd dat het niet meer losgemaakt kon worden, Mai, en dat de een niet gebonden kon worden zonder dat de ander dat ook was, maar de Crux heeft een manier gevonden om Galan los te maken en ik ben nog steeds gebonden, en hoe moet ik dat ooit verdragen?'

'Ja, inderdaad? Hoe heeft de Crux dat gedaan?'

Ik fluisterde: 'De Ingewijden van Carnal.'

Mai lachte. 'Flauwekul!' Het was een harde, spottende lach en hij kwam hard aan.

Heer Torosus kwam zijn tent uit en kneep zijn ogen dicht tegen de Zon, en de kraaienpootjes verzamelden zich in de hoeken van zijn ogen. Hij glimlachte naar Mai en knikte mij toe, en hij beende weg, roepend naar een van zijn mannen: 'Nee, niet die! Deze moet je gebruiken!' Hij ging naar Tobie die op het erf zat en boog zich over hem heen. 'Zo, mannetje, wat is er aan de hand?' vroeg hij en Tobie gilde en kroop weg zo snel hij kon en ze speelden krijgertje. Heer Torosus greep hem met een snelle beweging en tilde hem op en zwaaide hem in het rond totdat Tobie gilde van de pret. Toen hij hem neerzette, waggelde Tobie achter hem aan. Als Tobie tot knaap uitgroeide, zou zijn vader hem dan dicht bij zich houden, hem laten bedienen aan tafel, hem op zijn schouder slaan en trots zeggen dat zijn zoon op zou groeien tot een flinke vent? Of zou heer Torosus afstandelijk worden en zijn kleizoon wegzenden om schapen te hoeden op een berg ver weg?

Tobie vertrouwde zijn vaders genegenheid – hij was te jong om beter te weten. Maar Mai vertrouwde die ook, en zij was niet onnozel. Toen ik vertrok om schede te worden dacht ik dat het allemaal draaide om een man en zijn liefje, een veldtocht of twee lang; ik had nooit verwacht een gezin te zien.

Mai lachte me uit, zo zeker van zichzelf dat ze me plaagde met mijn twijfels. Ik benijdde haar zekerheid.

Ze keerde zich naar me toe en zei: 'Luister, ik heb je die dag over het binden verteld omdat je iets voor je gemoedsrust nodig had. Ik heb je verteld dat het niet ongedaan gemaakt kon worden zodat je zou geloven hoe machtig het was, en dat geloof zou je kracht geven. Ik kende je toen nog niet. Ik wist nog niet wat je kon.'

'Dus het kan wel ongedaan gemaakt worden?'

'Als het al gedaan kan worden, kan het ook ongedaan gemaakt worden.'

'Waarom spreek je in raadselen? Geef me gewoon antwoord – hoe kan ik het losmaken?'

'Graaf haar op, snij het koord door en verbrand haar,' zei Mai. 'Misschien werkt dat.'

'Misschien?'

Ze haalde haar schouders op. 'Tja, jij bent de kol, tenslotte. Ik weet niet precies wat je gedaan hebt bij het binden. Als je het voor elkaar hebt gekregen om jullie levens in haar samen te twijnen, kunnen die twee strengen misschien niet meer uit elkaar gehaald worden zonder kracht te gebruiken. En als ze gescheiden worden kan dat jullie beiden schaden. Of je kunt ze doorsnijden en ontdekken dat iets anders jullie misschien bij elkaar houdt.'

'Misschien, misschien, misschien. Ik ben geen kol, dat weet je best.'

'Is dat zo? Wat denk je dan dat een kol is?'

'Jij bent er een, bijvoorbeeld.' Maar het was gemakkelijker te ontkennen toen de Crux het had gezegd. Een beetje anders – *dat* was ik wel. Ardor had me vreemde geschenken gegeven: ik kon in de schaduwen zien, me als schim verplaatsen, ik kon vuur wegtrekken en warmte geven. Maar een kol moet toch ook veel kennis hebben, sluw zijn? Ik struikelde maar wat rond; wat had het voor zin om in het donker te zien als ik niet wist waar ik heen moest?

Mai grijnsde alleen. Maar al snel verzuurde haar grijns. 'Dus hij wil je naar huis sturen.'

'Ja – met zijn paarden. Hij zet ons allemaal in de wei totdat hij terugkomt.'

Ze gebaarde achter zich, alsof ze het hele Marsveld wilde omvatten. 'Hoe veel van ons zullen terugkomen? Niet meer dan de helft, zou ik zeggen. Neem zijn geschenk aan en dank hem voor het redden van je leven – dat zou ik doen.'

'Zou jij heer Torosus werkelijk verlaten?'

'Ja. Deze keer zou ik dat doen.' Ze ging verzitten en zuchtte. 'Elke dag voel ik mijn bevalling dichterbij komen, en ik ben versleten van de angst. Je zou denken dat het makkelijker werd als je negen levende kinderen gebaard hebt, de goden zijn geloofd. Maar deze jongen heeft een hoop Kwaad in zich.'

Nu voelde zij afgunst en ik medelijden. Ik had al eerder angst in haar ogen gezien, maar nog nooit zo open en bloot.

Ze zei: 'Ik zal je missen als de tijd daar is.'

'Ik ga proberen heer Galan van gedachten te laten veranderen,' zei ik.

'Bij Riskeer, jij hebt het grootste geluk van de wereld! Waarom verzet je je ertegen?'

Ik schudde mijn hoofd. Ik kon niet zeggen waarom. Nu zag ik mezelf naar een plaats gaan die ik nooit eerder gezien had, maar die al klonk als thuis. Onderweg zouden we bij de rivier stoppen om ons kamp op te slaan, en ik zou het vuur verlaten om in het donker door het veen te ploeteren om die plek te vinden waar ik de wortel van de vrouwenwoerd had begraven – als die gevonden kon worden zou ik die vinden, want ik wist altijd waar ik was, zelfs als de Zon onder was. Ik zou een brandstapel voor haar bouwen en die aansteken met een kooltje uit mijn vuurkruik. Ik zou alles verbranden, die warrige, verknoopte strik die ons beiden belemmerde. En wanneer – als – heer Galan naar het huis op de berg zou komen rijden, zou hij verbaasd zijn me minder warm aan te treffen dan hij gewend was.

Ik had het gevoel dat ik in brand stond, mijn bloed in mijn aderen vlammend als olie in een lamp, gloeiend onder mijn huid. Ik greep mijn knieën vast, boog mijn hoofd en wiegde heen en weer, en toen de tranen vielen schroeiden de druppels mijn wangen en armen.

'Het is moeilijk,' zei Mai. 'Ik weet dat het moeilijk is, lieverd. Als je moet gaan, veel succes. En als je meegaat met het leger – of heer Galan je dat nu verbiedt of niet – kun je altijd bij ons blijven. Je bent hier welkom.'

Zonop, die als altijd onopvallend meegeluisterd had, kwam naar me toe en leunde tegen me aan. Ze zei: 'Ja, blijf bij ons! Alsjeblieft!'

En daarop huilde ik nog meer.

* * *

Ik liet een dag voorbij gaan, en als het de laatste dag was had ik die verspild. Er was niet zoveel drukte rond onze tenten als bij die van Delf, maar er werden enigszins heimelijke voorbereidingen getroffen. Morgen zouden ze de tenten laten staan, de bagage half gepakt, de paarden in de kraal, en met stille trom vertrekken. Ze namen alleen wapens, pantsers en een karige mondvoorraad mee. Bedienden pakten de wapenrusting goed in tegen het schuim van de zee en de zoute lucht. De oversteek zou drie of vier dagen duren als de wind aanhield. Ze zouden in de komende strijd allemaal te voet vechten, geharnasten, schildknapen en bedienden, zelfs de Crux zelf, omdat ze binnen de muren zouden vechten.

Als het de laatste dag was... Ik stond op de smalle snijrand van een mes en zag, schril als nooit tevoren, de wereld verdeeld tussen de ene en de andere kant van het lemmet. Want toen ik met Galan vertrok om zijn schede te zijn, had ik minder geweten dan ik nu wist.

Az had toen de botten voor me gelezen en de Vrouwe en Na waren raadselachtig geweest, of dat was wat ik dacht. Maar de Vrouwe had me voor doelloos ronddwalen gewaarschuwd, en dat ik weggevaagd kon worden in een vloed – wat natuurlijk de oorlog was – en toch gezegd dat ik in die vloed een bron zou kunnen vinden, als ik doorzette; en Na, had die me niet gewaarschuwd voor een gevangenis, die wel dat stenen huis op de berg kon zijn, en voor de boeien waarmee ik mezelf en Galan gebonden had? Tenzij ik van die gevangenis een schuilplaats maakte, tenzij het binden ons wortelde, de een in de ander, en ons de kracht gaf om de vloed en al het andere te doorstaan.

Het zakje dat Az me gegeven had was met de tent verbrand, maar ik had de botjes nog. Ik had ze in een zoom in mijn rok gestikt. Ik wreef erover door de stof heen. Ik kon die steken lostornen, de botjes op de grond gooien, opnieuw vragen. Maar wat zouden ze meer zeggen dan ze al hadden gedaan? Ze waren gemakkelijker met hun raad toen ze nog leefden, die twee. En een moment lang werd ik overmand door verdriet en miste ze zoals ze waren toen hun botten nog omgeven waren door vlees, miste hun lieve gezichten, hun handen die altijd aan het werk waren, en hoe ze zeiden wat ze dachten, hun hoofd vol kronkels, wendingen en verborgen plekjes, zodat ze me dagelijks allebei verrasten, al kende ik ze nog zo goed. Onze schimmen zijn maar een echo van dat alles; zelfs als ze het beste deel van ons zijn, zijn ze niet meer dan een deel, en de levenden hebben er niets aan om te weten dat zij verder leven terwijl de rest as is.

En wat had Ardor tegen me te zeggen, de god die mij had uitverkoren? Ardor was als alle goden drievoudig en sprak in tegenstellingen. Maar ik had maar twee handen en er zaten twee kanten aan het mes: aan de ene kant een stenen haard met het vuur van Haardhoedster waar ik brandend naast lag, verteerd door een niet te blussen verlangen. Aan de andere kant: oorlog. Oorlog als een oven waarin heer Galan, een leger, een koninkrijk, omgesmolten zouden worden en opnieuw gesmeed. Ik kon mee in die smeltkroes en tussen hamer en aambeeld van de Smid tot onderdeel van iets nieuws gemaakt worden. Of ik zou een onzuiverheid kunnen zijn en verbranden tot as of weggegooid worden als doffe slak op de bodem van de oven. Of oorlog van Wildvuur, geboren uit bliksem of een roekeloze vonk, buiten controle van welke mens ook, die steden en leengoederen verslond, mannen, vrouwen, kinderen, en Galan en mij, onverzadigbaar, totdat er niets dan kooltjes overbleef om op te knagen. Ardor zei al die dingen, en over wat ik moest doen zei hij niets.

De priesters zeggen ons, als we overspoeld worden door rampen, dat alles gebeurt uit wil van de goden. Ze bedoelen het als troost, maar het troostte mij niet. Waarom houden de goden ons dan onwetend van hun doel? Waarom moeten we struikelen, verdwalen, de weg kwijt raken? Dat hoort ook bij hun doel, zeggen de priesters. Maar ze zeggen niet waarom.

* * *

Ze zouden de volgende ochtend bij kerend tij gaan. Elke dag rees en daalde het getij en toch had ik verzuimd om op te merken hoe het verliep. Ik had over het land geleerd: de dunne vouwen van de heuvels, de moerassen en de heuveltjes, de afbrokkelende kliffen, de stromende en stilstaande wateren, zelfs de getijdepoelen en de kiezelstranden; ik wist waar het joffersklokje groeide en een eenzame beuk wortel had geschoten in een spleet. Maar ik kon niet zeggen wanneer het getij uitging. Ik had mijn rug naar de zee gekeerd, omdat ik niet wilde denken aan wat er aan de andere kant lag.

* * *

Eigenlijk had hij me die nacht vanwege mijn getijde moeten mijden, maar het bloed glibberde tussen ons in. Zelfs terwijl ik me tegen Galan afzette en me tegen hem aandrukte, toen ik mijn ogen sloot, zag ik de zee en een schip dat eroverheen scheerde, een vloot schepen. Ze hadden zowel roeiriemen als zeilen en hun ruimen zaten vol mannen. Zilveren pantserschubben glansden in het duister.

Ik knipperde en Galan keek naar mij en zijn gezicht glom van het zweet. Ik sloot mijn ogen weer en zag het schip, de zee, en zette me schrap om niet verder te hoeven. Ik had nog nooit een stad gezien, wist niet hoe die eruit zou zien of wat waterpoorten waren. Ik wilde Galan de stenen trappen niet op zien rennen, twee treden tegelijk met zijn korte zwaard in de ene hand en de dolk in de andere. Of wie hem van boven tegemoet trad. Toen ik mijn ogen opende, waren de zijne gesloten. Zijn hoofd lag achterover en de pezen tekenden zich af in zijn nek. Ik tilde mijn hoofd op en proefde hem.

We hadden zoveel haast dat hij snel klaar was. Hij lag op mij met zijn mond tegen mijn oor. Ik kon zijn adem tegen mijn haar voelen.

'Galan, wanneer gaat het tij uit? Wanneer vaar je uit?'

'Zonsopgang.'

Ik legde mijn hand over mijn mond, maar Galan trok hem weg. Het speet me dat hij mijn zwakheid zag, het trillen van mijn lippen. Ik greep hem stevig vast, verborg mijn gezicht tegen zijn schouder en we waren een tijdje stil. Ik dacht dat ik de goden zou danken als we zo dicht bij elkaar konden blijven, voor een keer vrede tussen ons, vrede in de hele wereld; als ons de kleine spanne vergund werd die nog restte van de nacht, als we samen in een droom mochten wegzinken. Dan zou ik niet meer klagen over hun wreedheid.

Maar Galan bewoog en ging overeind zitten met zijn hemd om zich heen gedraaid, zijn beenkappen los. Hij strikte de veters, stond op en pakte de olielamp en zijn wapengordel. Toen hij met gekruiste benen ging zitten, flakkerde de vlam uit de aardewerken tuit van de lamp en een beetje rook dreef om zijn hoofd. Hij trok zijn genadedolk uit de vergulde schede.

'Ik wil nog iets van je hebben voordat ik ga,' zei hij. 'Iets dat geluk brengt.'

'Ik heb jou nog nooit geluk gebracht. Dat moet je nu toch ook inzien.'

'Toch wil ik iets,' zei hij. Het mes lag stil in zijn schoot, de ene hand rustte op het heft, de andere op het blad. Zijn ogen stonden doelbewust.

'Wil je me villen zoals Rodela heeft gedaan?'

Hij glimlachte. 'Niets dat zo pijnlijk is. Alleen een lokje van je haar.'

'Neem maar,' zei ik. Wat hij wilde was niet gering; ik wist wat er gedaan kon worden met haar of afgeknipte vingernagels.

Hij knipte een lok uit de voorkant ter dikte van een vinger. Toen trok hij de leren wikkel los die de grip vormde rond het gevest van zijn dolk. Morser had hem die dag nog vervangen, omdat de oude met bloed was aangekoekt. Hij begon de dunne strengen uit elkaar te halen. 'Help me,' zei hij, want zijn handen waren stijf. Ik zag wat hij wilde doen. Ik draaide elk van de drie strengen rond een haarlok en vlocht ze toen weer samen, het uiteinde vasthoudend tussen mijn tanden. Het leer was sterker en minder glad dan het haar en voorkwam dat het losging. Een uiteinde van de vlecht ging door een gat in de pin die in het gevest schoof. Het koord werd weer kriskras om het gevest gewonden – dit deed hij, want hij wist hoe het moest – en het andere uiteinde werd er slim onder weggestopt. Toen hij klaar was glansde het gevest met fijn koperkleurig draad, koper dat nooit last zou krijgen van kopergroen.

Galan draaide de dolk om in zijn hand en voelde aan het uiteinde met zijn duim. Hij nam de slijpsteen die hij in een beurs aan zijn wapengordel droeg en begon de kling eroverheen te halen. Het geluid schraapte me toe.

'Wil je nu niet meer slapen? Kom slapen.'

Hij schudde zijn hoofd.

'Morser en Ruys hebben de hele dag aan je wapens en harnas gewerkt. Het is niet nodig.'

'Een man moet een paar dingen zelf doen.' Hij ging geduldig verder met zijn werk en verleidde het lemmet om de scherpst mogelijke rand te tonen. Hij spuugde op de steen en trok de dolk met soepele halen naar zich toe, steeds opnieuw, over zijn werk gebogen zodat zijn haar over zijn voorhoofd viel en zijn ogen verborg.

Ik geloof dat hij zei: 'De koning zegt dat de messen werk te doen hebben,' of misschien droomde ik dat, want de volgende keer dat ik opkeek was hij zijn tweede zwaard aan het slijpen. De rand ving het licht en knipoogde naar me. Dit zwaard was gemaakt om een harnas te doorboren, met een smalle, driehoekige kling om hem stijver te maken voor de stoot. Het liep uit in een punt die door elke malie paste. Zijn grote zwaard had een deuk. Hij had een nieuw besteld, en zijn schorpioen was bij de wapensmid om een nieuwe steel te krijgen. Zo veel voorbereidingen en nog liep hij achter. Niets zou op tijd klaar zijn.

Door het linnen hemd heen kon ik plekjes bloed op zijn arm zien die door het verband lekten. Er was geen man van de clan meer in leven die niet pijnlijk gewond was, en sommigen nog erger dan Galan, maar toch koos de koning hen om zijn gevecht te vechten. Waarschijnlijk wilde hij ze allemaal kwijt; en ze zouden hun dood tegemoet gaan en hem danken voor de eer.

En als Galan dit overleefde zou er nog een gevecht zijn, en nog een, en als hij deze oorlog overleefde nog een en nog een. Hoe kon ik een schede willen zijn en toekijken hoe hij zijn wapens sleep, zoals een man tijdens de oogst dagelijks zijn sikkel slijpt voordat hij naar het veld gaat?

Er is geen man of vrouw die niet omgeven wordt door gevaar. Een ploeger kan op een ochtend op een adder stappen, een vrouw kan sterven bij een bevalling; een kind kan in een put vallen. De Koningin van de Dood heerst vroeg of laat over ons allemaal. Maar om haar het hof te maken was iets anders: Kloof te dienen, de honger van de god te voeden.

Metaal gleed over steen. De wind was weer opgestoken, zwol in het tentzeil, trok aan de touwen, en ik had het gevoel dat we bewogen en over de heuvels zeilden. Er waren nog anderen wakker in de tent. Ik zag hun schaduwen op de wanden en het dak. Iemand gooide mirtebast op het vuur. Ik denk dat het Eerwaarde Hamus was, want niet veel later hoorde ik het lage dreunen van een bezwering. Het was het holst van de nacht, de morgenstond lag net zo ver voor ons als de avondschemering achter ons, en ik bedacht hoe vreemd het was dat ik daar was en niet op mijn strozak van zoete varens in het landgoed, dromend naast het slaapledikant van de Vrouwe.

Ik ging op mijn zij liggen met mijn hoofd op mijn gebogen arm. Ik kon niet zo liggen dat het geen pijn deed. We waren niet voorzichtig geweest, helemaal niet.

Galan haalde een vette lap over het blad van zijn zwaard. Hij trok een streng droog zeehooi uit onze kleine stookvoorraad en gooide de streng in de lucht. Zijn zwaard schoot uit en hakte hem in tweeën. De stukjes vielen op mij. Ik veegde ze weg. Hij wist dat ik toekeek.

Hij had bang moeten zijn, maar hij leek tevreden, alsof het raspen van zijn slijpsteen hem net zoveel troost gaf als het mij onrustig maakte. Hij keek naar me en legde zijn zwaard neer. Er was een glimp van een glimlach.

Ik was hem gevolgd voor die blik en die lach. En er was vast meer dan één god bij betrokken geweest om mij op Galans weg te brengen en hem op de mijne. De goden hebben een hand in alles dat ons dwaas maakt. Ze geven geschenken en grissen ze weer weg, laten ons achter terwijl we weten dat we beroofd zijn, hoewel we daarvóór van niets wisten. Nog niet, niet nu.

Galan zei vaarwel zonder woorden, in elke laatste kus, vaarwel aan oogleden, oorlellen, voorhoofd en hals, de holte in de nek, de tere huid onder de armen, de harde knokkels en ruwe handpalmen. Hij zoog aan me als een kind en riep de melk omhoog tot mijn borsten zwaar voelden en de melk vloeide tussen mijn dijen. Vaarwel aan de harde richels van de ribben, de heupen, de holtes, vaarwel aan de lange benen en hun lange pezen, vaarwel aan het dons en de weggestopte vulva, de roos van de anus, de spleet tussen de billen, de rug, de ruggengraat, zelfs het rauwe ondervlees dat bloot gelegd was door het vuur en heer Rodela's mes, vaarwel aan mijn kern. Ik voelde me alsof mijn schaduw weer aan zijn banden ontsnapt was en zich met de zijne vermengde, en ik zag mezelf door zijn ogen; dat was mijn smaak op zijn tong, en zijn verlangen was het mijne, totdat ik *niet meer* moest zeggen, en *kom hier*. Toen vaarwel in de manier waarop hij zichzelf helemaal in mijn schede drong, nogmaals vaarwel, nog eens, en pasten we bij onze geboorte al zo precies in elkaar of had ik zijn vorm aangenomen, had ik hem gladgeslepen? Hij legde beslag op al mijn laatste reserves om *vaarwel* te zeggen. En ik wilde het niet zeggen, ik weigerde.

* * *

Even, heel even maar lagen we dicht tegen elkaar aan en bewogen we niet voordat Galan opkeek en de Crux boven mijn hoofd zei: 'Tijd om te gaan,' en Galan zuchtte en weg ging.

* * *

Iedereen was nu wakker en druk aan het werk, maar het was vreemd stil. De paarden en honden waren rusteloos en maakten meer geluid dan de mannen. Galan en ik stonden buiten tussen de tenten. De zwarte lucht had een blauwe zoom en de oostenwind rook naar sneeuw. Hij nam me onder zijn mantel en zei dat ik niet moest huilen. Hij zei dat hij bij me terug zou komen. Maar dat kon hij niet weten, of hij terug zou komen. Ik had nog steeds ruzie met hem; ik hield het verborgen.

Ik maakte ook ruzie met mijzelf, want ik was in twee stukken verdeeld. De ene helft zou gaan waar hij me heenzond, maar de andere wilde hem tegen zijn zin volgen. Die helft vertrouwde erop dat ik welkom was en zou de Crux uitdagen om me tegen te houden. De twee konden niet verzoend worden.

Stilte viel tussen ons en de strakke greep van zijn armen werd losser. We konden niet meer doen dan zeggen: 'Mogen de goden je bewaren,' en loslaten. Ik stapte uit zijn mantel, de kou weer in. Nu wenste ik dat hij vertrok als hij moest gaan, zodat hij daar niet meer zo stond en mij recht aankeek. Ik was bang dat ik onder die blik zou bezwijken. Hij zei vaarwel en draaide zich om, en zodra hij dat deed had ik spijt van mijn wens. Ik verborg me tussen de tenten en vouwde me op rond de pijn in mijn buik, die aanvoelde als een ziekte.

De troepen vertrokken langs de noordelijke weg en ik spoorde mezelf aan om ze te volgen. Er waren er maar zo weinig: de geharnasten en de schildknapen, en achter hen de bedienden en ongeveer vijf handenvol voetsoldaten die de moeite van hun overtocht waard werden geacht. Minder geharnasten zelfs dan ik eerst had gedacht, want de heren Ocio en Fanfarron waren te zwaargewond om te gaan, hoewel hun wonden niet dodelijk waren. Ze werden overgelaten aan de zorg van hun mannen en aan de weinig verfijnde medicatie van de Kok, want de carnifex ging waar hij het hardst nodig was.

Het was geen luisterrijke uittocht, zoals ze wegslopen van het Marsveld. Honden begonnen te blaffen, en de sloven die al vroeg aan het werk waren staarden hen na, en dat was dan de geheimhouding. Een roedel grijze Wolven, de mannen van de koningin-moeder, voegde zich onderweg aan onze clan toe. Toen ze de open plek achter de tenten bereikten, wachtte koning Thyrse daar op zijn paard met zijn mannen om zich heen. Nu waren er meer, maar nog steeds niet veel. Zeker niet genoeg voor wat hun gevraagd was te doen.

De scherpe stenen van de weg sneden in mijn blote voeten; de mannen bewogen zich voort als de mist, schemerig in het schemerlicht, Galan een van hen. Ik kon hem niet vinden in zijn mantel en kap. Niemand draaide zich om om te zien of ik volgde. Toen het licht van de Zon een bres sloeg aan de horizon begonnen de mannen te praten, te lachen, zich te haasten.

De koning zwaaide ze uit en dat deed ik ook, staande op de kliffen boven de baai. De schepen zagen eruit zoals ik gedroomd had, met rijen riemen en vierkante zeilen, lang en vlug in het water. Hun boegsprieten waren zeeslangen. De zeilen waren grijsblauw geverfd, een kleur tussen die van de zee en de lucht in, en ze waren al weg lang voordat de donkere scheepsrompen uit het zicht verdwenen.

* * *

Binnenkort zou ook het Marsveld weg zijn, de stad zou opgevouwen en weggeborgen worden, en we zouden troosteloosheid achterlaten. Maar ze zeggen dat er na een gevecht veel bloemen bloeien. En inderdaad waren de toernooigronden, de kliffen en de heuvels eromheen omgewoeld alsof ze geploegd waren, en de zaden waren diep naar beneden gedrukt en gevoed door een rijke regen. Misschien zou het braakland de volgende lente bloeien en zouden de roze en witte rozen die over de heuvels klommen bespikkeld zijn met rood. Niemand van ons zou er zijn om het te zien.

Waarom zou ik nu eigenlijk moeten beslissen? Ik had al besloten toen ik koos om niet weg te rennen tijdens de Carnalnacht, en toen ik bij Galan gebleven was na afloop van de grillige OndersteBoven Dagen. Onderweg had ik besloten, en op het Marsveld, zelfs toen hij onverschillig was, zelfs toen hij wreed was – bij de rivier waar ik de vrouwenwoerd had begraven, naast de tent waar hij gewond lag, in zijn schaduw. Hij had mij gekozen en ik had hem gekozen, vanaf het begin. En hij was de eerste geweest om ons lot te zien, om zich ertegen aan te vleien, om het toe te laten, zoals altijd sneller en moediger. Maar deze keer vergiste hij zich.

Mai had me een streek geleverd, al had ze het goed bedoeld. Ik was bevangen geweest door twijfel en zij had me troost gegeven, een kunstmatige geruststelling van iets dat ik – de hele tijd al – zelf had kunnen weten. Vreemd dat zekerheid en twijfel naast elkaar kunnen leven, de overtuiging van het hart, het ongeloof van het denken.

Maar Mai had me meer geleerd dan ze wist toen ze me over het binden had verteld. Ik had de vrouwenwoerd gevoed met mijn geloof en zij had er een dierlijke kracht en hitte aan ontleend, passend bij haar diepgewortelde uithoudingsvermogen, haar wil om te groeien. Zij zou verder gaan, of we deze winter overleefden of stierven.

In de lente zou ze ontwaken en uitbotten. Ik had haar recht overeind geplant en ze zou kleine worteltjes uitgooien, ze zou dik worden en plooien van houterig vlees laten groeien om het koord dat haar omwond, die vlecht van haar en lamswol. En uit haar hoofd zouden de tere scheuten van de bryonia ontspruiten, met ranken van een verbijsterende groene snelheid die over kreupelhout en rijshout zouden klauteren, over wilg en es, haar lange tressen overal doorheen vlechtend. Er zouden witte bloemen bloeien in de schaduw van haar bladeren, en later bessen.

Want ik zou haar nooit opgraven. Ik wilde niet kwijt wat van mij was, tenzij de Koningin van de Dood zelf het me ontzegde. Hij was van mij, om zo dicht tegenaan te slapen dat als de een zich omdraaide de ander dat ook moest doen. Van mij, om mee wakker te worden, op te staan en onze glimmende lichamen aan te kleden en pap te eten. Van mij, om hem te horen schertsen met zijn vrienden of te vloeken als Morser zijn harnas te strak omgespt, om het licht 's avonds over zijn gezicht te zien dansen als het haardvuur wordt opgepookt – want zelfs in oorlogstijd moeten die alledaagse dingen er toch zijn, die dingen waaruit het leven bestaat, het leven samen. Van mij, om te zien wat hij ziet, een nieuw koninkrijk met bomen en planten die ik nog niet ken, steden met torens en gouden koepels, inwoners met vreemde gewoonten en een vreemde taal, allemaal nieuwe dingen. Van mij, om naast hem te lopen nu we beiden te voet moeten gaan, ook al ligt de weg vol stenen en modder en giert de winter boven ons hoofd. Van mij, om zijn kwetsuren te kennen, zijn wonden, het uur van zijn dood, als zijn dood het eerst komt – de moeilijke dingen zijn ook van mij, net als de rest.

* * *

Er dwarrelden een paar sneeuwvlokken naar beneden. Het water was grijs geworden onder de wolken die snel vanuit de oostelijke bergen naderden. Waar de Zon er doorheen scheen, cirkelden en doken de sterns in de glinstering op het water.

De Auspexen hadden de koning een gunstige wind beloofd en die wind was gekomen, koud en gestaag en beladen met sneeuw, om zijn uitverkoren mannen naar het westen te blazen. Ze waren vertrokken en de rest van het leger zou niet op hun berichten wachten voor het volgde, want als de stad niet door een list zou vallen, moest die vallen door een beleg. De koninginmoeder zou haar oorlog krijgen, een geschenk van haar broer de koning.

Maar al kunnen koningen en koninginnen de oorlogsvloed en zijn getijden gebieden, de goden doen met ons wat ze willen. Ik zou mezelf in die vloed storten en misschien ten onder gaan. Zoals zo veel dwaze stervelingen vond ik dat ik een zeil had, een roer, durfde ik genade te vragen aan de wind en dacht ik dat ik naar een bepaalde richting kon streven. Maar in werkelijkheid ging ik waar ik moest gaan, onwillekeurig meegedragen op de grote vloedgolf, en kraste ik een klein kielzog in het oppervlak dat weer snel verdween.

Over de auteur

Sarah Micklem werkte in een restaurant, een drukkerij, een uithangbordenwinkel en een bureau voor vluchtelingenwerk voordat ze grafisch ontwerp ontdekte als prettige manier om in haar levensonderhoud te voorzien. Ze schreef *Vuurdoorn* terwijl ze als art director werkte voor kindertijdschriften in New York. Ze woont met haar echtgenoot, dichter en toneelschrijver Cornelius Eady, in Washington DC, waar ze nu aan het tweede deel van de Vuurdoorn-trilogie werkt.